DYDDIADUR ANNE FRANK

DYDDIADUR ANNE FRANK

Addasiad Cymraeg gan Eigra Lewis Roberts

Gwasg Addysgol Cymru

Cyhoeddwyd gyntaf yn Gymraeg gan Wasg Addysgol Cymru 1996

Ail - Argraffiad - Ionawr 2000

Gwasg Addysgol Cymru yw enw masnachol
Ashley Drake Publishing Ltd

P.O. Box 733
Caerdydd
CF4 6WE
www.ashleydrake.com

ISBN
1 899869 026 (clawr caled)
1 899869 018 (clawr meddal)

Dymuna'r cyhoeddwr gydnabod cymorth Adrannau Golygyddol a Dylunio
Cyngor Llyfrau Cymru.

Het Achterhuis, Dagboekbrieven 14 juni 1942 – 1 augustus 1944
Samenstelling Otto H. Frank

Het Achterhuis, Dagboekbrieven 12 juni 1942 – 1 augustus 1944
Herziene en vermeerderde editie
Enige geautoriseerde en vermeerderde editie: Otto H. Frank en Mirjam Pressler

Mae cofnod catalog CIP o'r llyfr hwn ar gael o'r Llyfrgell Brydeinig.

Cysodwyd gan WestKey Ltd, Falmouth, Cernyw.
Argraffwyd a rhwymwyd yng Nghymru gan WBC Book Manufacturers,
Pen-y-bont ar Ogwr.

Ymddiriedolaeth Addysgol Anne Frank

Elusen addysgol yw Ymddiriedolaeth Addysgol Anne Frank sy'n ymroi i hybu parch a dealltwriaeth rhwng pobloedd er mwyn helpu i fagu cymdeithas deg a chyfiawn.

Am fanylion ynglŷn ag aelodaeth, a deunyddiau a phrojectau addysgol, cysylltwch ag:

P.O. Box 11880
Llundain/London
N6 4LN

'Ni ddylem fyth anghofio'r Holocost nac anwybyddu ei rybuddion.'

CYFLWYNIAD

Ar y pedwerydd o Awst, 1944, pan aed â'r wyth o breswylwyr y Rhandy Dirgel i garchar yn Amsterdam, ro'n i'n ddiogel rhwng mynyddoedd y Blaenau ac yn edrych ymlaen yn eiddgar at fy mhen blwydd yn bump oed ymhen tridiau. Wyddwn i ddim am na gwersylloedd crynhoi na siamberi nwy nac ymgyrch ddieflig y Natsïaid yn erbyn yr Iddewon.

Rydw i'n cofio darllen *Dyddiadur Anne Frank* flynyddoedd yn ddiweddarach ond heb allu amgyffred profiadau'r eneth ifanc a orfodwyd i guddio gyda'i rhieni a'i chwaer Margot yn 263 Prinsengracht am ddwy flynedd, dim ond am mai Iddewes oedd hi.

Do'n i fawr feddwl y byddwn i, yn 1995/6, yn mynd ati ar gais Cyngor Llyfrau Cymru i gyfieithu'r dyddiadur hwn, sy'n cynnwys rhannau a adawyd allan o'r dyddiadur a olygwyd gan ei thad, Otto Frank. Roedd Charles Dickens, yn ôl ei gyfaddefiad ei hun, yn chwerthin a chrio gyda'i gymeriadau. Dyna fy mhrofiad innau, er nad cymeriadau'r dychymyg mo'r rhain, ond pobl o gig a gwaed.

I Anne y mae'r diolch fy mod i wedi gallu byw yn 263 Prinsengracht, fel atodiad i'r teulu estynedig, yn ystod y misoedd diwethaf ac wedi gallu amgyffred profiadau'r eneth ifanc unigryw hon, cyn belled ag y mae hynny'n bosibl. Rydw i wedi rhyfeddu, dro ar ôl tro, at ei gallu anhygoel i ddisgrifio'r profiadau amrywiol ac i gyfleu teimladau ac emosiynau'r arddegau cynnar mor fyw a thanbaid. Roedd y ffaith fy mod i'n ymwybodol o'i thynged yn gwneud pethau'n anodd weithiau, yn arbennig wrth i mi geisio rhannu'i gobeithion.

Er bod y caethiwed a'r ofnau yn mynd yn drech na hi ar adegau, ni fu Anne erioed 'heb obaith'. Ar Ebrill 5, 1944, ysgrifennodd yn ei dyddiadur: 'Dydw i ddim eisiau byw bywyd dibwrpas fel y rhan fwyaf o bobl. Rydw i eisiau bod yn ddefnyddiol a rhoi mwynhad i bawb, hyd yn oed y rhai nad ydw i erioed wedi eu cyfarfod. Rydw i eisiau dal i fyw hyd yn oed wedi i mi farw!'

Yn ei ragair i'r dyddiadur a olygwyd gan Otto Frank, mae'r Rabi Hugo Gryn yn dyfynnu'r Rabi Nachum Yanchiker, pennaeth yr *Yeshiva*, y coleg rabinaidd yn Lithwania. Meddai wrth ei fyfyrwyr, eiliadau cyn i'r Almaenwyr oresgyn Kovno: 'Peidiwch â gadael i'r aros a'r dagrau eich chwerwi chi. Gwnewch fel y gwnaeth ein gwŷr doeth - siaradwch yn dawel a thyner a gadewch i'r geiriau lifo i lythyrau. Ni all dyn ddinistrio llythyrau, oherwydd mae gan eiriau adenydd; maen nhw'n dringo i'r uchelderau ac yn byw am byth'.

Wedi i'r wyth gael eu harestio, ysbeiliwyd y Rhandy ac aed â phopeth o werth oddi yno. Popeth, ond y peth mwyaf gwerthfawr o'r cyfan, sef dyddiadur Anne. Oherwydd trefn rhagluniaeth, neu ffawd, galwch chi o beth fynnoch chi, mae Anne Frank yn dal i fyw. Er na wyddai hi ddim am Rabi Nachum, roedd hi wedi sylweddoli gwerth a pharhad geiriau ac wedi gadael iddyn nhw lifo i'w llythyrau at Kitty.

Rydw i'n teimlo'n gyfoethocach o fod wedi cael y cyfle i drosglwyddo'r neges yr oedd Otto Frank yn awyddus i'w rhannu â phawb dros y byd i gyd, yn ein hiaith ni ein hunain. Yr un ydi'r neges ym mha iaith bynnag y cyflwynir hi, neges y dylem i gyd fod yr un mor ymwybodol ohoni heddiw.

Eigra Lewis Roberts

RHAGAIR

Bu Anne Frank yn cadw dyddiadur o Fehefin 12, 1942, hyd at Awst 1, 1944. Ei bwriad ar y dechrau oedd ei ysgrifennu'n gyfan gwbl iddi hi ei hun. Yna, un diwrnod yn 1944, cyhoeddodd Gerrit Bolkestein, aelod o lywodraeth alltud yr Iseldiroedd, mewn darllediad radio o Lundain, ei fod, wedi'r rhyfel, yn gobeithio casglu tystiolaeth gan lygad-dystion o ddioddefaint yr Iseldirwyr dan oresgyniad yr Almaenwyr, y gellid eu darparu ar gyfer y cyhoedd. Fel enghraifft, cyfeiriodd yn benodol at lythyrau a dyddiaduron.

Gwnaeth yr araith hon argraff ar Anne Frank a phenderfynodd y byddai'n cyhoeddi llyfr wedi ei sylfaenu ar ei dyddiadur ar ôl y rhyfel. Dechreuodd ailysgrifennu a golygu ei dyddiadur, gan wella ar y cynnwys, gadael allan y rhannau y tybiai na fyddent yn ddigon diddorol ac ychwanegu eraill o'i chof. Yr un pryd, daliodd ati i gadw ei dyddiadur gwreiddiol. Yn y gwaith ysgolheigaidd *Dyddiadur Anne Frank: Yr Argraffiad Beirniadol* (1989) cyfeirir at ddyddiadur cyntaf Anne, yr un na chafodd ei olygu, fel fersiwn (*a*), er mwyn gwahaniaethu rhyngddo a'i hail ddyddiadur, a olygwyd, ac sy'n cael ei adnabod fel fersiwn (*b*).

Mae'r cofnod olaf yn nyddiadur Anne wedi ei ddyddio Awst 1, 1944. Ar Awst 4, 1944, arestiwyd yr wyth oedd yn cuddio yn y Rhandy Dirgel. Daeth Miep Gies a Bep Voskuijl, y ddwy ysgrifenyddes oedd yn gweithio yn yr adeilad, o hyd i ddyddiaduron Anne wedi eu gwasgaru ar hyd y llawr. Cadwodd Miep Gies hwy'n ddiogel mewn drôr. Ar ôl y rhyfel, pan ddaeth yn amlwg fod Anne wedi marw, trosglwyddodd hi'r dyddiaduron, heb eu ddarllen, i dad Anne, Otto Frank.

Wedi ystyriaeth hir a gofalus, penderfynodd Otto Frank gyflawni dymuniad ei ferch a chyhoeddi ei dyddiadur. Gwnaeth ddetholiad o ddeunydd o fersiynau (*a*) a (*b*) a'u golygu mewn fersiwn byrrach y cyfeiriwyd ato'n ddiweddarach fel fersiwn (*c*). Mae darllenwyr ym mhedwar ban byd yn adnabod hwn fel *Dyddiadur Anne Frank*.

Bu'n rhaid i Otto Frank ystyried sawl peth wrth wneud ei ddewis. Yn gyntaf, roedd yn rhaid cwtogi'r llyfr fel ei fod yn cyfateb o ran hyd i gyfres oedd yn cael ei hargraffu gan y cyhoeddwyr Iseldiraidd. Yn ychwanegol at hynny, cafodd nifer o rannau oedd yn delio â rhywioldeb Anne eu gadael allan. Pan gyhoeddwyd y dyddiadur gyntaf, yn 1947, nid oedd ysgrifennu'n agored am ryw yn beth arferol, yn arbennig mewn llyfrau a fwriadwyd ar gyfer pobl ifainc. O barch i'r rhai a fu farw, penderfynodd Otto Frank yn ogystal adael allan nifer o rannau anffafriol yn ymwneud â'i wraig a thrigolion eraill y Rhandy Dirgel. Yn dair ar ddeg oed pan ddechreuodd ysgrifennu ei dyddiadur ac yn bymtheg oed pan orfodwyd hi i roi'r gorau iddo, ymdriniai Anne yn gwbl agored â'i hoff bethau a'i chas bethau.

Pan fu Otto Frank farw yn 1980, gadawodd lawysgrifau ei ferch yn ei ewyllys i Ganolfan Wladol Gwarchod Dogfennau Rhyfel yr Iseldiroedd yn Amsterdam. Oherwydd bod dilysrwydd y dyddiadur wedi cael ei herio byth er pan gafodd ei gyhoeddi, galwodd y Ganolfan am archwiliad trylwyr. Unwaith y profwyd, heb rithyn o amheuaeth, fod y dyddiadur yn ddilys, fe'i cyhoeddwyd yn ei gyfanrwydd, ynghyd â chanlyniadau astudiaeth drwyadl. Mae'r *Argraffiad Beirniadol* yn cynnwys nid yn unig fersiynau (*a*), (*b*) ac (*c*), ond hefyd erthyglau ar gefndir y teulu Frank, yr amgylchiadau a arweiniodd at yr arestio a'r allgludo, archwiliad i lawysgrif Anne, y ddogfen a'r defnyddiau.

Yr oedd Sefydliad Anne Frank (Anne Frank-Fonds) yn Basel (y Swistir) wedi etifeddu, drwy Otto Frank, yr hawlfreintiau ar ddyddiadur Anne ac fe benderfynon nhw gyhoeddi argraffiad newydd, estynedig o'r dyddiadur ar gyfer y darllenwyr cyffredin. Nid yw'r argraffiad newydd hwn yn effeithio mewn unrhyw fodd ar ddidwylledd yr hen un a olygwyd gan Otto Frank, a ddaeth â'r dyddiadur a'i neges i filiynau o bobl. Rhoddwyd y dasg o baratoi'r argraffiad estynedig i'r awdur a'r cyfieithydd Mirjam Pressler. Mae rhannau o fersiynau (*a*) a (*b*) bellach wedi eu hychwanegu at ddetholiad gwreiddiol Otto Frank. Mae argraffiad terfynol Mirjam Pressler, wedi ei gymeradwyo gan Sefydliad Anne Frank, yn cynnwys oddeutu 30 y cant yn rhagor o ddeunydd ac wedi ei fwriadu i roi goleuni pellach i'r darllenydd ar fyd Anne Frank.

Wrth ysgrifennu ei hail fersiwn (*b*) dyfeisiodd Anne ffugenwau ar gyfer y bobl a fyddai'n ymddangos yn ei llyfr. Ar y dechrau roedd eisiau ei galw ei hun yn Anne Aulis, ac yn ddiweddarach yn Anne Robin. Dewisodd Otto Frank alw aelodau ei deulu wrth eu henwau priodol a dilyn dymuniad Anne yn achos y lleill. Dros y blynyddoedd, mae enwau'r bobl a fu'n helpu'r teuluoedd yn y Rhandy Dirgel wedi dod yn hysbys i bawb. Yn yr argraffiad hwn, cyfeirir atynt wrth eu henwau priodol, a hynny'n gwbl haeddiannol.

Enwir pawb arall yn unol â'r ffugenwau yn *Yr Argraffiad Beirniadol*. Mae'r Ganolfan Gwarchod Dogfennau Rhyfel wedi cytuno i ddefnyddio llythrennau cyntaf y rhai sy'n dymuno aros yn ddienw.

Dyma enwau cywir y rhai fu'n cuddio yn y Rhandy Dirgel gyda'r teulu Frank:

Y teulu van Pels
(o Osnabruck, Yr Almaen)
Auguste van Pels (ganwyd Medi 9, 1890)
Hermann van Pels (ganwyd Mawrth 31, 1889)
Peter van Pels (ganwyd Tachwedd 8, 1926)

Yn llawysgrif Anne: Petronella, Hans ac Alfred van Daan; yn y llyfr: Petronella, Hermann a Peter van Daan.

Fritz Pfeiffer
(ganwyd Ebrill 30, 1889, yn Giessen, Yr Almaen)

Yn llawysgrif Anne ac yn y llyfr: Alfred Dussel

Efallai yr hoffai'r darllenydd gadw mewn cof fod cyfran helaeth o'r argraffiad hwn wedi ei sylfaenu ar fersiwn (*b*) o ddyddiadur Anne, a ysgrifennodd pan oedd oddeutu pymtheg oed. O dro i dro, byddai Anne yn dychwelyd i wneud sylw ar gofnod y bu iddi ei ysgrifennu'n gynharach. Mae'r sylwadau hyn yn cael eu nodi'n glir yn yr argraffiad hwn. Yn naturiol, cafodd sillafu a gwallau iaith Anne eu cywiro. Ar wahân i hynny, gadawyd y cynnwys fel yr oedd yn wreiddiol, gan y byddai unrhyw ymdrech i olygu ac egluro yn anaddas mewn dogfen hanesyddol.

Rydw i'n gobeithio y galla i ymddiried y cyfan i ti, gan nad ydw i erioed wedi gallu ymddiried yn neb o'r blaen, ac yn gobeithio y byddi di'n gefn ac yn gysur mawr imi.

Mehefin 12, 1942

Rydw i'n gobeithio y galla i ymddiried y cyfan i ti, gan nad ydw i erioed wedi gallu ymddiried yn neb o'r blaen, ac yn gobeithio y byddi di'n gefn ac yn gysur mawr i mi.

YCHWANEGWYD GAN ANNE AR FEDI 28, 1942:

Rwyt ti wedi bod o gysur mawr i mi cyn belled, a Kitty hefyd, gan fy mod i'n ysgrifennu'n rheolaidd ati. Mae cadw dyddiadur fel hyn yn beth mor braf a prin y galla i aros am y cyfle i lenwi dy dudalennau di.

O, rydw i mor falch i mi ddod â ti efo fi!

Dydd Sul, Mehefin 14, 1942

Rydw i am ddechrau o'r eiliad y ce's i ti, yr eiliad pan welais i ti ar y bwrdd yng nghanol yr anrhegion pen blwydd. (Ro'n i yno pan ge'st ti dy brynu, ond dydi hynny ddim yn cyfri.)

Dydd Gwener, Mehefin 12, ro'n i'n effro am chwech o'r gloch, a pha ryfedd a hithau'n ben blwydd arna i. Ond gan nad ydw i'n cael codi mor gynnar, roedd yn rhaid i mi reoli fy chwilfrydedd tan chwarter i saith. Fedrwn i ddim dioddef rhagor. I lawr â fi i'r ystafell fwyta a Moortje, y gath, yn fy nghroesawu i drwy rwbio yn erbyn fy nghoesau.

Ychydig ar ôl saith dyna fynd i alw ar Dadi a Mama ac yna i'r ystafell fyw i agor fy anrhegion. Ti, un o'r anrhegion gorau, oedd y peth cyntaf welais i, ac yna dusw o rosynnau, rhosyn y mynydd a phlanhigyn mewn pot. Gan Tada a Mama mi ge's i flows las, gêm, potel o sudd grawnwin sy'n blasu fel gwin (wedi'r cyfan, mae gwin yn cael ei wneud o rawnwin), pos lluniau, jar o hufen croen, 2.50 *guilder* a thocyn i brynu dau lyfr. Mi ge's i lyfr arall, hefyd, *Camera Obscura* (ond mae gan Margot gopi ac rydw i wedi cyfnewid f'un i am rywbeth arall), plataid o fisgedi (fi oedd wedi gwneud y rheini, wrth gwrs, gan fy mod i'n dipyn o law ar hynny erbyn hyn), llwythi o felysion a tharten fefus gan Mam. A llythyr oddi wrth Grammy, wedi digwydd cyrraedd ar yr union ddiwrnod.

Yna, fe ddaeth Hanneli i alw amdana i ac i ffwrdd â ni i'r ysgol. Yn ystod yr egwyl, mi rannais i'r bisgedi rhwng yr athrawon a phlant y dosbarth, ac yna roedd hi'n bryd mynd yn ôl i weithio. Roedd hi wedi pump arna i'n cyrraedd adref gan i mi fynd i'r gampfa efo gweddill y dosbarth (dydw i ddim yn cael cymryd rhan oherwydd y gwendid sydd yn f'ysgwyddau a 'nghluniau i). Fi oedd yn cael dewis pa gêm i'w chwarae, gan fy mod i'n cael fy mhen blwydd, ac mi ddewisais i bêl foli. Wedyn fe wnaethon nhw i gyd ddawnsio'n gylch o 'nghwmpas i a chanu 'Pen Blwydd Hapus'.

Pan gyrhaeddais i adref, roedd Sanne Ledermann yno'n barod. Fe ddaeth Isle Wagner, Hanneli Goslar a Jaqueline van Maarsen adref efo fi o'r gampfa, gan ein bod ni yn yr un dosbarth. Hanneli a Sanne oedd fy ffrindiau gorau i ar un adeg. Fe fyddai pobl yn arfer dweud wrth ein gweld ni, 'Dyna nhw Anne a Hanne a Sanne'. Wnes i ddim cyfarfod Jaqueline van Maarsen nes i mi ddechrau yn y *Lyceum* Iddewig ac erbyn hyn hi ydi fy ffrind gorau i. Ilse ydi ffrind gorau Hanneli ac mae Sanne yn mynd i ysgol arall ac wedi gwneud ffrindiau yno.

Mi ge's i lyfr hardd ganddyn nhw, *Storïau a Chwedlau'r Iseldiroedd*, ond roedden nhw wedi prynu'r ail gyfrol mewn camgymeriad ac fe fu'n rhaid i mi gyfnewid dau lyfr arall am y gyfrol gyntaf. Fe brynodd Modryb Helene bos lluniau imi, Modryb Helen froetsh hyfryd a Modryb Leny lyfr anfarwol: *Gwyliau Daisy yn y Mynyddoedd.*

Y bore 'ma ro'n i'n gorwedd yn y bàth yn meddwl peth mor wych fyddai cael ci fel Rin Tin Tin. Mi fyddwn i'n ei alw yn Rin Tin Tin hefyd ac yn mynd â fo efo fi i'r ysgol lle y câi aros yn ystafell y gofalwr neu wrth y sièd feiciau os byddai'r tywydd yn braf.

Dydd Llun, Mehefin 15, 1942

Roedd fy mharti pen blwydd i brynhawn Sul a phawb o'm ffrindiau ysgol i wrth eu boddau efo ffilm *Rin Tin Tin*. Mi ge's i ddwy froetsh, marciwr llyfrau a dau lyfr.

Rydw i am fynd ati i ddweud rhai pethau am yr ysgol a'r dosbarth, gan ddechrau efo'r genethod.

Golwg digon tlawd sydd ar Betty Bloemendaal, ac mae'n siŵr gen i ei bod hi. Mae hi'n byw ar ryw stryd ddi-nod yng Ngorllewin Amsterdam a does gan neb syniad lle mae honno. Mae hi'n gwneud yn dda yn yr ysgol a hynny am ei bod hi'n gweithio'n galed, nid am ei bod hi'n alluog. Un go ddistaw ydi hi.

Jaqueline van Maarsen ydi fy ffrind gorau i i fod, ond dydw i erioed wedi cael ffrind go iawn. Ro'n i'n meddwl ar y dechrau y byddai Jaqueline yn un, ond mi wnes i andros o gamgymeriad.

Geneth nerfus iawn ydi D.Q., bob amser yn anghofio pethau, a'r athrawon yn ei chosbi drwy ddal ati i roi rhagor o waith cartref iddi. Mae hi'n garedig iawn, yn arbennig wrth G.Z.

Mae E.S. yn siarad cymaint fel nad ydi hynny'n ddigri o gwbwl. Pan mae hi'n gofyn rhywbeth i chi, mae hi bob amser yn cyffwrdd â'ch gwallt neu'n ffidlan efo'ch botymau. All hi mo 'nioddef i, meddan nhw, ond dydi o ddim ots gen i gan nad ydw innau'n hidio fawr amdani hi.

Un glên a siriol ydi Henny Mets, ond ei bod hi'n uchel ei chloch ac yn ymddwyn yn blentynnaidd iawn pan fyddwn ni allan yn chwarae. Yn anffodus, mae ganddi ffrind o'r enw Beppy sy'n ddylanwad drwg arni gan ei bod hi'n fudr ac yn gomon.

J.R. - mi allwn i ysgrifennu llyfr cyfan amdani hi. Mae hi'n hen brep atgas, dan-din, drwyn uchel, ddauwynebog sy'n meddwl ei bod hi wedi tyfu i fyny. Mae Jacque wedi'i swyno ganddi, gwaetha'r modd. Mae J. yn hawdd ei tharfu ac yn torri i grio ar y peth lleiaf, ac yn waeth na dim yn un ofnadwy am ddangos ei hun. Rhaid i Miss J. fod yn iawn bob amser. Mae hi'n gyfoethog iawn ac mae ganddi gwpwrdd yn llawn o'r gwisgoedd hyfrytaf sy'n llawer rhy henaidd iddi. Er ei bod hi'n meddwl ei bod hi'n ysblennydd, dydi hi ddim. All J. a fi ddim diodde'n gilydd.

Fel Henny, mae Ilse Wagner yn glên a siriol ond tu hwnt o gysetlyd ac yn gallu treulio oriau yn cwyno ac yn tuchan am hyn a'r llall. Mae Ilse yn hoff iawn ohona i. Un dwt iawn ydi hi, ond diog.

Un braidd yn od ydi Hanneli Goslar, neu Lise fel mae hi'n cael ei galw'n yr ysgol. Mae hi'n swil fel arfer - digon i'w ddweud gartref ond yn dawedog efo pobl eraill ac yn prepian pob dim wrth ei mam. Ond mae hi'n dweud beth sydd ar ei meddwl hi ac rydw i wedi dod i'w gwerthfawrogi hi'n fawr yn ddiweddar.

Un fechan, ddigri a synhwyrol ydi Nannie van Praag-Sigaar. Rydw i'n meddwl ei bod hi'n glên. Mae hi'n eitha galluog. Does yna fawr ddim arall all rhywun ei ddweud am Nannie.

Mae Eefje de Jong yn arbennig iawn, yn fy marn i. Er nad ydi hi ond deuddeg oed, mae hi rêl ledi ac yn ymddwyn fel pe bawn i'n ddim ond babi. Mae hi hefyd yn barod iawn i helpu ac rydw i'n hoff ohoni.

G.Z. ydi'r eneth dlysaf yn ein dosbarth ni. Mae ganddi wyneb dymunol ond braidd yn dwp ydi hi. Rydw i'n meddwl eu bod nhw am ei chadw hi'n ôl am flwyddyn, ond dydw i ddim wedi dweud hynny wrthi hi, wrth gwrs.

YCHWANEGWYD GAN ANNE YN DDIWEDDARACH:

Er syndod mawr i mi, chafodd G.Z. mo'i dal yn ôl flwyddyn wedi'r cyfan.

Ac yn eistedd nesaf at G.Z., yr olaf o'r genethod, fi.

Mae yna lawer i'w ddweud am y bechgyn hefyd, ond ddim cymaint â hynny erbyn meddwl.

Er bod Maurice Coster yn un o fy edmygwyr i, tipyn o boendod ydi o.

Mae gan Sallie Springer feddwl mochynnaidd ac maen nhw'n dweud ei fod wedi mynd yr holl ffordd. Ond rydw i'n meddwl ei fod o'n ddigri iawn.

Edmygydd G.Z. ydi Emil Bonewit er nad ydi hi'n malio. Un go ddiflas ydi o.

Roedd Rob Cohen yn arfer bod mewn cariad efo fi hefyd, ond alla i mo'i ddioddef o rŵan. Hen ewach bach ffiaidd ydi o, dau-wynebog, celwyddog, cwynfanllyd sydd â meddwl uchel iawn ohono'i hun.

Mab ffarm o Medemblik ydi Max van de Velde, ond yn ddaliad da, fel bydd Margot yn arfer ei ddweud.

Mae gan Herman Koopman feddwl mochynnaidd hefyd, yn union fel Jopie de Beer, sy'n fflyrt dychrynllyd ac yn wirion bost am ferched.

Leo Blom ydi ffrind gorau Jopie de Beer ond mae wedi'i ddifetha gan ei hen feddwl budr.

O ysgol Montessori y daeth Albert de Mesquita, a neidio dosbarth. Mae'n alluog iawn.

O'r un ysgol y daeth Leo Slager, ond dydi o ddim mor alluog.

Un byr, gwirion, ydi Ru Stoppelmon o Almelo. Fe gafodd ei symud yma ar ganol tymor.

Mae C.N. yn gwneud pob peth na ddylai.

Jacques Kocernoot sy'n eistedd y tu ôl i ni, nesaf at C. ac rydan ni (G. a fi) yn chwerthin nes ein bod ni'n wan.

Harry Schaap ydi'r bachgen mwyaf gweddus yn y dosbarth. Mae o'n un clên.

Mae Werner Joseph yn un clên, hefyd, ond mae'r holl newidiadau diweddar wedi'i wneud braidd yn rhy dawedog, fel ei fod yn ymddangos yn ddiflas.

Un o'r bechgyn caled o'r ardal dlawd ydi Sam Salomon. Rêl poen. (Edmygydd!)

Poen ydi Appie Riem, hefyd, er ei fod yn eitha Uniongred.

Dydd Sadwrn, Mehefin 20, 1942

Mae ysgrifennu mewn dyddiadur yn brofiad rhyfedd iawn i un fel fi. Nid yn unig am nad ydw i erioed wedi ysgrifennu dim o'r blaen, ond hefyd am fy mod i'n teimlo na fydd meddyliau geneth ysgol dair ar ddeg oed o ddim diddordeb i mi na neb arall mewn amser. O, wel, beth ydi'r ots. Mae awydd ysgrifennu arna i ac mae arna i fwy fyth o angen cael gwared â phob math o bethau sy'n pwyso arna i.

'Mae gan bapur fwy o amynedd na phobl.' Ro'n i'n meddwl am y dywediad hwnnw un diwrnod pan o'n i'n teimlo braidd yn isel ac yn eistedd yn y tŷ, yn ddiflas a diynni, ac yn meddwl beth i'w wneud - mynd allan ynteu aros i mewn. Aros lle'r o'n i wnes i, yn pensynnu. Oes, mae gan bapur fwy o amynedd na phobl a gan nad ydw i'n bwriadu i neb arall ddarllen y llyfryn clawr caled yma, sy'n mynd dan yr enw crand 'dyddiadur', os na wna i daro ar ffrind go iawn, go brin y bydd hynny'n gwneud tamaid o wahaniaeth.

Rŵan rydw i'n ôl efo'r hyn barodd i mi benderfynu cadw dyddiadur yn y lle cyntaf: y ffaith nad oes gen i'r un ffrind.

Mae'n well i mi egluro hyn gan na fyddai neb yn credu fod geneth dair ar ddeg oed yn gwbl ar ei phen ei hun yn y byd. A dydw i ddim. Mae gen i rieni cariadus a chwaer un ar bymtheg oed, a thua deg ar hugain o bobl y gallwn i eu galw'n ffrindiau. Mae gen i lond gwlad o edmygwyr sy'n methu cadw'u llygaid addolgar oddi arna i ac sydd weithiau'n gorfod ymostwng i ddefnyddio darn o ddrych poced er mwyn ceisio dal cip arna i yn y dosbarth. Mae gen i deulu, perthnasau annwyl a chartref da. Na, ar yr wyneb mae'n ymddangos fel petai gen i bopeth, popeth ond un ffrind go iawn. Pan ydw i allan efo ffrindiau, y cwbl sy'n fy meddwl i ydi cael amser da. Alla i'n fy myw siarad am ddim ond pethau cyffredin, bob dydd. Rydan ni fel pe baen ni'n methu closio, a dyna'r broblem. Efallai mai fy mai i ydi o nad ydan ni'n ymddiried yn ein gilydd. P'un bynnag, felly mae pethau, ac yn anffodus dydyn nhw ddim yn debygol o newid. Dyna pam ydw i wedi dechrau cadw'r dyddiadur.

Er mwyn cael darlun cliriach o'r ffrind hir-ddisgwyliedig yn fy nychymyg, dydw i ddim am daro'r ffeithiau moelion i lawr yn hwn, fel mae'r rhan fwyaf yn ei wneud. Rydw i am i'r dyddiadur *fod* y ffrind yma ac rydw i am alw'r ffrind yn *Kitty.*

Gan na allai neb ddeall gair o'r hyn sydd gen i i'w ddweud wrth Kitty pe bawn i'n plymio yn syth iddi, mae'n well i mi roi braslun byr o 'mywyd, er mor gas gen i wneud hynny.

Roedd fy nhad, y tad gorau y gwn i amdano, yn un ar bymtheg ar hugain pan briododd o Mam, a hithau'n bump ar hugain. Cafodd Margot, fy chwaer, ei geni yn Frankfurt am Main yn yr Almaen yn 1926. Cefais i fy ngeni ar Fehefin 12, 1929, ac mi fûm i'n byw yn Frankfurt nes fy mod i'n bedair oed. Gan ein bod ni'n Iddewon, symudodd Dad i'r Iseldiroedd yn 1933 pan gafodd swydd fel Cyfarwyddwr Rheoli Opekta, cwmni sy'n cynhyrchu jam. Aeth Mam, Edith Hollander Frank, efo Dad i'r Iseldiroedd ym mis Medi ac anfonwyd Margot a minnau i Aachen i aros efo Nain. Yn Rhagfyr, aeth Margot atyn nhw ac fe ddilynais innau yn Chwefror a chael fy mhloncio i lawr ar y bwrdd fel anrheg pen blwydd i Margot.

Mi ddechreuais i'n syth bìn yn ysgol feithrin Montessori ac aros yno nes yr o'n i'n chwech oed. Mrs Kuperus, y brifathrawes, oedd fy athrawes i yn nosbarth chwech. Roedden ni'n dwy yn ein dagrau wrth i ni ffarwelio ddiwedd y flwyddyn, oherwydd fy mod i wedi cael fy nerbyn i'r *Lyceum* Iddewig, yr un ysgol â Margot.

Roedd i fywyd ei bryderon, gan fod ein perthnasau ni yn yr Almaen yn dioddef o dan gyfreithiau gwrth-Iddewig Hitler. Wedi'r terfysgoedd yn 1938 dihangodd fy nau ewythr (brodyr Mam) o'r Almaen a chael lloches ddiogel yn Ne Amerig. Fe ddaeth Nain, oedd yn 73 oed ar y pryd, yma i fyw efo ni.

Prin iawn oedd yr adegau da ar ôl Mai, 1940: y rhyfel i ddechrau, yna'r ildio, yn cael ei ddilyn gan ddyfodiad yr Almaenwyr a dechrau'r helbul i'r Iddewon. Fe gafodd ein rhyddid ni ei gyfyngu'n arw gan un ddeddf wrth-Iddewig ar ôl y llall. Roedd yn rhaid i Iddewon wisgo seren felen; roedd yn rhaid i Iddewon ildio'u beiciau; ni châi Iddewon deithio mewn ceir, hyd yn oed eu ceir eu hunain; roedd yn rhaid i Iddewon wneud eu siopa rhwng tri a phump o'r gloch; ni châi Iddewon ond mynychu siopau trin gwallt Iddewig; roedd Iddewon yn cael eu gwahardd rhag bod ar y stryd rhwng wyth y nos a chwech y bore; ni châi Iddewon fynychu theatrau, sinemâu nac unrhyw fan adloniant arall, defnyddio pyllau nofio a meysydd chwarae, na chymryd rhan mewn unrhyw chwaraeon cyhoeddus; nid oedd gan Iddewon hawl i ymweld â Christnogion yn eu cartrefi; ni châi Iddewon eistedd yn eu gerddi na gerddi ffrindiau ar ôl wyth o'r gloch y nos; roedd yn rhaid i Iddewon fynychu ysgolion Iddewig, a chant a mil o rwystrau tebyg. Ond er cymaint oedd wedi'i wahardd i ni, roedd bywyd yn mynd yn ei flaen. Wn i ddim sawl gwaith ddwedodd Jacque wrtha i, 'Mae gen i ofn gwneud dim byd bellach, rhag ofn nad oes gen i mo'r hawl'.

Bu'n rhaid i Nain gael llawdriniaeth yn haf 1941 ac aeth fy mhen blwydd i heibio heb fawr o ddathlu. Pen blwydd digon tawel ge's i yn 1940, hefyd, gan fod yr ymladd newydd orffen yn yr Iseldiroedd. Bu Nain farw yn Ionawr, 1942. Does gan neb syniad gymaint yr ydw i'n meddwl amdani ac yn dal i'w charu. Roedd y pen blwydd yma yn 1942 wedi'i fwriadu i wneud iawn am y ddau arall a chafodd cannwyll Nain ei goleuo efo'r lleill.

Rydan ni'n pedwar yn iawn cyn belled, a dyna ddod â fi yn ôl i heddiw, Mehefin 20, 1942, dyddiad ymroi o ddifrif i'm dyddiadur.

Dydd Sadwrn, Mehefin 20, 1942

Fy annwyl Kitty!

Mi ddechreua i'n syth; mae hi'n ddistaw braf yma ar hyn o bryd. Mae Dad a Mam allan a Margot wedi mynd i chwarae tennis bwrdd efo'i ffrindiau. Rydw i wedi bod yn chwarae cryn dipyn o dennis bwrdd yn ddiweddar, gymaint yn wir nes bod pump ohonon ni enethod wedi ffurfio clwb a'i alw 'Yr Arth Fach Namyn Dau'. Enw digon gwirion, ond camgymeriad oedd o. Roedd gofyn cael enw arbennig i'r clwb a dyna feddwl am Yr Arth Fach gan fod yna bump ohonom. Roedden ni'n meddwl mai dim ond pum seren oedd yna, ond mae hi'n cynnwys saith seren, fel Yr Arth Fawr, a dyna egluro'r 'namyn dau'. Mae gan Ilse Wagner set dennis bwrdd ac mae'r Wagners yn gadael i ni chwarae yn yr ystafell fwyta fawr pryd mynnwn ni. Gan ein bod ni'n pump yn hoff o hufen iâ, yn arbennig yn yr haf, a gan fod rhywun yn chwysu wrth chwarae tennis bwrdd, bydd y gêmau'n diweddu fel arfer efo ymweliad i'r siop hufen iâ agosaf sy'n caniatáu Iddewon: yr Oasis neu'r Delphi. Rydan ni wedi hen roi'r gorau i estyn am arian - mae'r Oasis mor brysur fel ein bod ni wastad yn llwyddo i gael rhai bechgyn hael yr ydan ni'n eu nabod, neu edmygydd, i gynnig prynu hufen iâ i ni, mwy nag y gallen ni ei fwyta mewn wythnos.

Mae'n siŵr dy fod ti'n synnu fy nghlywed i'n sôn am edmygwyr yn f'oed i. Yn anffodus, neu'n ffodus weithiau efallai, mae'n amhosibl osgoi hynny yn ein hysgol ni. Gynted ag y mae bachgen yn gofyn gaiff o fy nanfon i adref ar ei feic a ninnau'n dechrau sgwrsio, mi alla i fod yn siŵr, naw gwaith o bob deg, y bydd o'n syrthio mewn cariad efo fi yn y fan a'r lle ac yn gwrthod fy ngollwng i o'i olwg am eiliad. Fe fydd ei awydd yn oeri'n raddol, yn arbennig gan fy mod i'n dewis ei anwybyddu a dal i bedlo ymlaen yn ddidaro. Os bydd pethau'n mynd o ddrwg i waeth ac yntau'n mynd yn rhy bell, rydw i'n rhoi tro sydyn i'r beic, fy mag ysgol i'n syrthio, a'r dyn ifanc yn ei theimlo hi'n ddyletswydd dod oddi ar ei feic er mwyn estyn y bag imi. Yn y cyfamser, mi fydda i wedi llwyddo i droi'r stori. Y rhain ydi'r rhai mwyaf diniwed. Wrth gwrs, mae yna rai sy'n chwythu cusanau atat ti ac yn ceisio gafael yn dy fraich, ond waeth iddyn nhw heb. Mi fydda i'n disgyn oddi ar y beic ac un ai'n gwrthod eu cydnabod neu'n ymddwyn fel pe bawn i wedi cael fy sarhau, ac yn dweud wrthyn nhw, heb flewyn ar dafod, am fynd ymlaen hebdda i.

A dyna ni. Rydan ni rŵan wedi gosod sylfaen ein cyfeillgarwch. Tan fory.

Dy Anne

Dydd Sul, Mehefin 21, 1942

Fy annwyl Kitty,

Mae pawb o'n dosbarth ni yn crynu yn eu hesgidiau. Y rheswm am hynny, wrth gwrs, ydi nesâd y cyfarfod lle mae'r athrawon yn penderfynu pwy sy'n cael ei symud i ddosbarth uwch a phwy sydd i gael ei gadw'n ôl. Mae hanner y dosbarth wrthi'n betio a G.Z. a minnau'n chwerthin nes ein bod ni'n sâl am ben C.N. a Jacques Kocernoot, sydd wedi gwario'u holl gynilion gwyliau ar eu bet. Does yna ddim byd i'w glywed drwy'r dydd ond 'Mi wyt ti'n mynd i basio', 'Nag ydw ddim', 'Wyt, mi wyt ti', 'Na, dydw i ddim'. Dydi golwg, ymbilgar G. na 'nhafodi innau'n gwneud dim i'w tawelu nhw. Os wyt ti'n gofyn i mi, mae yna gymaint o benbyliaid yn y dosbarth fel y dylai eu chwarter gael eu dal yn ôl, ond athrawon ydi'r creaduriaid mwyaf mympwyol ar wyneb daear. Efallai'r tro yma y bydd eu mympwy nhw'n eu harwain i'r cyfeiriad iawn, am unwaith.

Dydw i ddim yn poeni gymaint am fy ffrindiau a fi fy hun. Fe ddown ni drwyddi. Yr unig bwnc nad ydw i'n siŵr ohono ydi mathemateg. P'un bynnag, does yna ddim allwn ni ei wneud ond aros. Yn y cyfamser, rydan ni'n ceisio cysuro'n gilydd.

Rydw i'n gallu gwneud yn eitha da efo'r athrawon i gyd. Mae yna naw ohonyn nhw, saith athro a dwy athrawes. Fe fu Mr Keesing, yr hen bererin sy'n dysgu mathemateg, yn flin efo fi am hydoedd oherwydd fy mod i'n siarad cymaint. Wedi un rhybudd ar ôl y llall, yn y diwedd rhoddodd waith cartref ychwanegol i mi, traethawd ar y testun 'Clebren'. Clebren; beth oedd 'na i'w ddweud am y fath beth? Ond roedd hi'n rhy fuan i boeni am hynny. Mi wnes i nodyn ohono yn fy llyfr, ei gadw'n fy mag, a cheisio bod yn ddistaw.

Y noson honno, wedi i mi orffen y gwaith cartref arferol, dyna'r nodyn yn dal fy llygad i. Mi ddechreuais i bendroni wrth gnoi fy ysgrifbin. Fe allai unrhyw un rygnu ymlaen a gadael gofod mawr rhwng geiriau, ond y gamp oedd dod o hyd i ddadleuon pendant er mwyn profi fod siarad yn beth angenrheidiol. Mi fûm i'n meddwl, a meddwl, ac yn sydyn mi ge's i syniad. Mi lenwais i'r tair tudalen roddodd Mr Keesing i mi a theimlo'n hollol fodlon. Dadlau wnes i fod siarad yn nodwedd fenywaidd ac y byddwn i'n gwneud fy ngorau i'w gadw dan reolaeth, ond na fedrwn i byth dorri ar yr arferiad gan fod Mam yn siarad gymaint â fi, os nad mwy, ac nad oes yna fawr all rhywun ei wneud ynglŷn â nodweddion sydd wedi'u hetifeddu.

Fe barodd fy nadleuon i i Mr Keesing chwerthin ond pan ddaliais i ati i siarad drwy'r wers ganlynol, rhoddodd draethawd arall i mi. Y tro yma ro'n i i ysgrifennu ar y testun 'Clebren nad oes modd ei diwygio'. Mi rois i'r traethawd i mewn a doedd gan Mr Keesing ddim i gwyno'n ei gylch am ddwy wers gyfan. Ond yn ystod y drydedd wers, cafodd lond bol arna i unwaith eto. 'Anne Frank, fel cosb am siarad yn y dosbarth, rydw i am i chi ysgrifennu traethawd yn dwyn y teitl "Cwac, Cwac, Cwac, meddai Meistres Tafod Llac".'

Roedd y dosbarth i gyd yn eu dyblau. Fedrwn innau ddim peidio â chwerthin er bod fy nychymyg i'n hesb ar y pwnc o siarad gormod. Roedd hi'n bryd meddwl am rywbeth arall, rhywbeth gwirioneddol wreiddiol. Cynigiodd fy ffrind Sanne, sy'n gallu barddoni'n dda, fy helpu i ysgrifennu'r traethawd o'r dechrau i'r diwedd ar ffurf penillion. Ro'n i wrth fy modd. Os oedd Keesing yn ceisio gwneud ffŵl ohona i efo'r testun gwirion yma ro'n i am wneud yn siŵr fy mod i'n cael un yn ôl.

Roedd y gerdd yn un hyfryd! Cerdd oedd hi am fam hwyaden a thad alarch a thair hwyaden fach a gafodd eu brathu i farwolaeth gan y tad am eu bod nhw'n cwacian gormod. Yn ffodus, fe gymerodd Keesing y jôc ac fe ddarllenodd y gerdd yn uchel i'r dosbarth, a dosbarthiadau eraill, gan ychwanegu ei sylwadau ei hun. Ers hynny, rydw i'n cael siarad fel y mynna i, byth yn cael gwaith cartref ychwanegol, ac mae Keesing yn dal i weld y peth yn ddigri.

Dy Anne

Dydd Mercher, Mehefin 24, 1942

F'annwyl Kitty

Mae hi'n grasboeth, pawb yn hwffian a phwffian, a minnau'n gorfod cerdded i bobman yn y gwres yma. Dim ond rŵan ydw i'n sylweddoli peth mor ddymunol ydi tram, yn arbennig un agored, ond does ganddon ni'r Iddewon ddim hawl defnyddio'r amheuthun hwnnw bellach; mae dau droed yn ddigon da i ni. Ganol dydd ddoe roedd gen i apwyntiad efo'r deintydd ar Jan Luykenstraat, sy'n bell iawn o'n hysgol ni ar Stadstimmertuinen. Fe fu ond y dim i mi â chysgu wrth fy nesg yn ystod y prynhawn. Yn ffodus, mae pobl yn siŵr o gynnig rhywbeth i chi i'w yfed ac mae cynorthwywr y deintydd yn garedig iawn.

Y fferi ydi'r unig drafnidiaeth sydd ar ôl inni. Pan ofynnon ni i'r rhwyfwr yn Josef Israelkade fe aeth â ni drosodd ar unwaith. Nid ar yr Iseldirwyr y mae'r bai ein bod ni'r Iddewon yn cael amser mor druenus.

Fe fyddai'n dda gen i gael peidio â mynd i'r ysgol. Cafodd fy meic ei ddwyn yn ystod gwyliau'r Pasg ac fe roddodd Dad feic Mam i ryw ffrindiau o Gristnogion i'w gadw'n ddiogel. Diolch byth fod y gwyliau haf ar y gorwel; un wythnos arall ac fe fydd ein penyd ni drosodd.

Fe ddigwyddodd rhywbeth dymunol iawn bore ddoe. Fel ro'n i'n mynd heibio i'r sièd feiciau, mi glywais rywun yn galw f'enw i. Pan edrychais i'n ôl, dyna lle'r oedd y bachgen golygus yr o'n i wedi'i gyfarfod y noson cynt yng nghartref fy ffrind Wilma. Mae o'n gyfyrder i Wilma. Ro'n i'n arfer meddwl fod Wilma'n un glên, ac mae hi, ond dydi hi'n gallu siarad am ddim ond bechgyn, ac mae hynny'n mynd yn fwrn. Fe ddaeth ata i, braidd yn swil, a'i gyflwyno'i hun fel Hello Silberberg. Ro'n i wedi fy synnu, a heb fod yn siŵr beth oedd o eisiau, ond mi ge's i wybod yn ddigon buan. Fe ofynnodd i mi a o'n i'n fodlon iddo gerdded am yr ysgol efo fi. 'Iawn, gan dy fod ti'n mynd y ffordd yna p'un bynnag,' meddwn innau. A dyna ni'n cerdded efo'n gilydd. Mae Hello yn un ar bymtheg oed ac yn un da am adrodd pob math o storïau.

Roedd o'n aros amdana i bore heddiw eto a dyna wnaiff o o hyn ymlaen, debyg.

Anne

Dydd Mercher, Gorffennaf 1, 1942

F'annwyl Kitty,

Heb air o gelwydd, dydw i ddim wedi cael cyfle i ysgrifennu atat ti tan heddiw. Ro'n i efo ffrindiau dydd Iau, roedd ganddon ni ymwelwyr ddydd Gwener, ac felly yr aeth pethau ymlaen tan heddiw.

Mae Hello a fi wedi dod i nabod ein gilydd yn dda iawn yn ystod yr wythnos a aeth heibio ac mae wedi bod yn dweud ei hanes wrtha i. Un o Gelsenkirchen ydi o ac mae'n byw efo'i nain a'i daid. Mae'i rieni yng Ngwlad Belg, ond does gan Hello ddim gobaith mynd yno. Roedd ganddo gariad o'r enw Ursula. Rydw i'n ei nabod hi hefyd. Mae hi'n annwyl iawn ond yn ddiflas tu hwnt. Mae Hello'n dweud ei fod yn ei chael hi'n anodd peidio syrthio i gysgu yn ei chwmni hi, ers iddo 'nghyfarfod i. Rydw i, felly, yn rhyw fath o gyffur cadw'n effro. Rydw i'n falch o wybod fy mod i'n dda i rywbeth!

Fe arhosodd Jacque yma nos Sadwrn, ond gadawodd i fynd at Hanneli ddydd Sul ac ro'n i wedi diflasu'n llwyr.

Roedd Hello wedi trefnu i ddod draw fin nos, ond mi ge's i alwad tua chwech. Pan atebais i'r ffôn, meddai llais y pen arall, 'Helmuth Silberberg sydd 'ma. Ga i siarad efo Anne, os gwelwch chi'n dda?'

'O, Hello. Anne sydd 'ma.'

'O, hai, Anne. Sut wyt ti?'

'Iawn, diolch.'

'Dim ond eisiau dweud ydw i fod yn ddrwg gen i na fedra i ddod draw heno, ond mi hoffwn i gael gair efo chdi. Ydi o'n iawn i mi alw heibio i dy nôl di mewn rhyw ddeng munud?'

'Ydi, iawn. Hwyl!'

'Reit, fydda i fawr o dro. Hwyl!'

Mi rois i'r ffôn i lawr, newid fy nillad yn frysiog a thacluso 'ngwallt. Ro'n i mor nerfus fel na fedrwn i wneud dim ond sefyll wrth y ffenestr, yn edrych allan amdano. Fe ddaeth, o'r diwedd. Drwy ryw wyrth, wnes i ddim rhuthro i lawr y grisiau, dim ond aros yn amyneddgar i Hello ganu'r gloch. I lawr â fi i agor y drws, a daeth Hello yn syth at ei neges.

'Anne, mae Nain yn meddwl dy fod ti'n rhy ifanc i fynd allan efo fi'n rheolaidd. Mae hi'n dweud y dylwn i fod yn mynd i dŷ'r Lowenbachs, ond mae'n siŵr dy fod ti'n gwybod nad ydw i'n mynd allan efo Ursul ddim mwy.'

'Na, wyddwn i ddim. Be ddigwyddodd? Ffraeo wnaethoch chi?'

'Na, dim byd felly. Fi ddwedodd wrth Ursul nad oedden ni'n siwtio'n gilydd ac y byddai'n well i ni roi'r gorau i fynd allan efo'n gilydd, ond fod croeso iddi alw acw a 'mod i'n gobeithio y byddai'r un croeso i mi yn ei chartref hi. A dweud y gwir, ro'n i'n meddwl ei bod hi'n mynd allan efo rhywun arall, ac mi wnes i ei thrin hi felly, ond doedd hynny ddim yn wir. Roedd fy ewythr i'n mynnu 'mod i'n ymddiheuro iddi hi ond do'n i ddim yn teimlo fel gwneud a dyna pam rois i'r gorau iddi. Ond doedd hynny ddim ond un rheswm.

'Mi fyddai'n well gan Nain i mi fynd allan efo Ursul na chdi, ond dydw i ddim yn cytuno, a wna i ddim chwaith. Mae gan hen bobol syniadau sobor o henffasiwn weithiau, ond dydi hynny ddim yn golygu fod yn rhaid i mi eu derbyn nhw. Mae arna i angen Nain a Taid, ond mae arnyn nhw fy angen i mewn rhyw ffordd hefyd. O hyn ymlaen mi fydda i'n rhydd bob nos Fercher. Fe wnaethon nhw i mi ymuno â dosbarth gwaith coed ond i glwb mae'r Seioniaid yn ei redeg y bydda i'n mynd a dydyn nhw ddim yn fodlon i hynny gan eu bod nhw'n gwrthwynebu Seioniaeth. Dydw innau ddim yn ffanatig, ond mae gen i ddiddordeb. P'un bynnag, mae'r cyfan wedi mynd yn gymaint o lanast yn ddiweddar fel fy mod i am roi'r gorau iddi ddydd Mercher nesaf. Mae hynny'n golygu y galla i dy weld ti nos Fercher, pnawn Sadwrn, nos Sadwrn, pnawn Sul ac efallai'n amlach na hynny.'

'Ond os ydi dy daid a nain yn erbyn, ddylat ti ddim mynd tu ôl i'w cefnau nhw.'

'Drwy gicio a brathu mae cariad yn magu.'

Roedden ni'n mynd heibio i siop lyfrau Blankevoort ar y pryd a dyna lle'r oedd Peter Schiff efo dau fachgen arall; hwnnw oedd y tro cyntaf iddo ddweud helô wrtha i ers hydoedd, ac fe wnaeth hynny i mi deimlo'n arbennig o dda.

Daeth Hello yma i gyfarfod Dad a Mam nos Lun. Ro'n i wedi prynu teisen a melysion ac fe gawsom de a bisgedi, gwledd go iawn, ond doedd ar Hello na minnau awydd eistedd yno fel dwy styllen bren. Felly fe aethon ni allan am dro, ac roedd hi'n ddeng munud wedi wyth arno'n fy nanfon i'n ôl. Roedd Tada'n gandryll. Fe ddwedodd fod bai mawr arna i am beidio â dod adref ar amser. Bu'n rhaid i mi addo bod adref erbyn deng munud i wyth o hyn ymlaen. Rydw i wedi cael gwahoddiad i gartref Hello ddydd Sadwrn.

Fe ddwedodd Wilma wrtha i iddi ofyn i Hello un noson, 'Pwy wyt ti'n ei hoffi orau, Ursul neu Anne?'

'Dydi o ddim o dy fusnes di,' oedd yr ateb.

Ond fel roedd o'n gadael (a'r ddau heb dorri gair am weddill y noson), dyna fo'n dweud, 'Wel, mae'n well gen i Anne, ond paid â sôn wrth neb. Hwyl!' Ac i ffwrdd â fo fel mellten.

Rydw i'n gallu gweld fod Hello mewn cariad efo fi, ym mhob dim mae'n ei ddweud a'i wneud, ac mae hynny'n deimlad braf am newid. Fe fyddai Margot yn dweud fod Hello yn ddaliad da. Rydw i'n cytuno, ond mae o'n fwy na hynny. Mae Mam hefyd yn llawn canmoliaeth: 'Bachgen golygus. Dymunol a chwrtais.' Rydw i'n falch ei fod mor boblogaidd efo pawb. Pawb ond y genethod yr ydw i'n ffrindiau efo nhw. Mae Hello'n meddwl eu bod nhw'n blentynnaidd iawn, ac mae o yn llygad ei le. Mae Jacque yn fy herian i yn ei gylch, ond dydw i ddim mewn cariad efo Hello. Ddim o ddifri. Mae'n iawn i mi gael bechgyn yn ffrindiau. Does 'na neb yn malio.

Mae Mam yn gofyn i mi o hyd pwy yr ydw i am ei briodi ar ôl tyfu i fyny ond dydi hi fawr feddwl mai Peter sydd gen i mewn golwg gan i mi allu roi taw arni ynglŷn â hynny, heb droi blewyn. Rydw i'n caru Peter fel nad ydw i erioed wedi caru neb, ac mi fydda i'n dweud wrtha i fy hun mai dim ond er mwyn cuddio'i deimladau tuag ata i y mae'n mynd o gwmpas efo'r holl enethod eraill. Efallai ei fod yn meddwl fod Hello a minnau mewn cariad, ond dydan ni ddim. Ffrind yn unig ydi o, neu edmygydd, fel bydd Mam yn dweud.

Dy Anne

Dydd Sul, Gorffennaf 5, 1942

Annwyl Kitty,

Cynhaliwyd y seremoni raddio yn y Theatr Iddewig ddydd Gwener ac aeth popeth yn ôl y disgwyl. Doedd fy adroddiad i ddim yn ddrwg o gwbwl. Mi ge's i un D, C- yn algebra a'r gweddill i gyd yn B, ar wahân i ddau B+ a dau B-. Mae Dad a Mam wedi'u plesio ond dydyn nhw ddim yn poeni ynglŷn â graddau ac adroddiadau, fel mae rhieni eraill. Maen nhw'n fodlon os ydw i'n iach ac yn hapus a heb fod yn rhy ddigywilydd. Cyn belled â bod hynny mewn trefn, fe all popeth arall gymryd ei gwrs.

Rydw i'n wahanol iawn. Dydw i ddim eisiau bod yn ddisgybl gwael. Ar amod y ce's i fy nerbyn i'r *Lyceum* Iddewig. Ro'n i fod i aros yn nosbarth saith yn Ysgol Montessori, ond pan fu'n rhaid i blant Iddewig fynd i ysgolion Iddewig, cytunodd Mr Elte o'r diwedd, wedi llawer iawn o berswâd, i dderbyn Lies Goslar a fi. Fe lwyddodd Lies hefyd i basio eleni, ond bydd yn rhaid iddi ailsefyll yr arholiad geometreg.

Lies druan. Dydi hi ddim yn hawdd iddi astudio gartref gan fod ei chwaer fach ddwyflwydd oed, sydd wedi ei difetha'n rhemp, yn chwarae yn ei hystafell hi drwy'r dydd. Os nad ydi Gabi'n cael ei ffordd ei hun, mae hi'n dechrau sgrechian, ac os nad ydi Lies yn edrych ar ei hôl hi mae Mrs Goslar yn dechrau sgrechian. Oherwydd hynny, mae Lies yn cael trafferth i wneud ei gwaith cartref ac os ydi hyn i bara go brin y bydd y gwersi ychwanegol fawr o help iddi. Mae aelwyd y teulu Goslar yn ddolur llygad. Mae rhieni Mrs Goslar yn byw drws nesaf ond yn bwyta efo'r teulu. Ar ben hynny, mae yna forwyn, y babi, Mr Goslar, wastad yn absennol, gorff a meddwl, a'r Mrs Goslar nerfus, bigog, sy'n disgwyl babi arall. Mae Lies, sy'n fodiau i gyd, ar goll yng nghanol yr holl dryblith.

Cafodd fy chwaer, Margot, ei hadroddiad hefyd, yr un mor odidog ag arfer. Petai ganddon ni'r fath beth â *cum laude* fe fyddai hi wedi pasio efo anrhydedd, mae hi mor alluog.

Mae Dad wedi bod gartref dipyn yn ddiweddar. Does yna ddim mwy iddo'i wneud yn y swyddfa; peth ofnadwy ydi teimlo nad oes mo dy angen di. Mae Mr Kleiman wedi cymryd Opekta drosodd a Mr Kugler wedi cymryd Gies a'i Gwmni, a sefydlwyd yn 1941 i ddelio mewn perlysiau.

Ychydig ddyddiau'n ôl, pan oedden ni'n mynd am dro o gwmpas ein sgwâr bach ni, fe ddechreuodd Dad sôn am fynd i guddio. Roedd o'n credu y byddai hi'n anodd iawn i ni ymdopi wedi'n torri i ffwrdd oddi wrth weddill y byd. Mi ofynnais i iddo pam sôn am hynny rŵan.

'Wel, Anne,' atebodd, 'fel gwyddost ti, rydan ni wedi bod yn mynd â dillad, bwyd a dodrefn at bobol eraill ers dros flwyddyn. Dydan ni ddim am i'n heiddo ni gael ei gipio gan yr Almaenwyr na syrthio i'w gafael nhw. Felly, rydan ni am adael o'n dewis ein hunain yn hytrach nag aros i gael ein llusgo i ffwrdd.'

'Ond pryd, Dad?' Roedd o'n swnio mor ddifrifol fel fy mod i wedi dychryn.

'Paid â phoeni. Fe ofalwn ni am bob dim. Gwna di'r gorau o dy fywyd dibryder tra medri di.'

A dyna'r cyfan. Dim ond gobeithio na fydd i'r geiriau digalon yna gael eu gwireddu am amser hir.

Mae cloch y drws yn canu. Hello sydd 'na ac mae'n bryd i mi roi'r gorau iddi.

Dy Anne

Dydd Mercher, Gorffennaf 8, 1942

Fy annwyl Kitty,

Mae'n ymddangos fel petai blynyddoedd wedi mynd heibio ers bore Sul. Mae cymaint wedi digwydd fel bod y byd fel pe bai wedi troi â'i ben i lawr. Ond fel y gweli di, Kitty, rydw i'n dal yn fyw, a dyna'r peth pwysicaf, yn ôl Dad. O, ydw, rydw i'n fyw, ond paid â gofyn ymhle na sut. Go brin dy fod ti'n deall gair ydw i'n ei ddweud heddiw, felly mi ddechreua i drwy adael i ti wybod beth ddigwyddodd brynhawn Sul.

Am dri o'r gloch (roedd Hello wedi gadael ond wedi addo galw'n nes ymlaen) fe ganodd cloch y drws. Chlywais i mohoni gan fy mod i allan ar y balconi, yn darllen yn ddioglyd yn yr haul. Ychydig yn ddiweddarach, ymddangosodd Margot yn nrws y gegin, a golwg gynhyrfus iawn arni. Dyna hi'n sibrwd, 'Mae Dad wedi cael ei alw i fyny gan yr SS ac mae Mam wedi mynd i weld Mr van Daan'. (Partner busnes Dad ydi Mr van Daan ac mae o'n ffrind da.)

Ro'n i'n syfrdan. Mae pawb yn gwybod beth mae 'galw i fyny' yn ei olygu. Roedd darluniau o wersylloedd crynhoi a chelloedd unig yn rasio drwy fy meddwl i. Sut y gallen ni ganiatáu i Dad wynebu'r fath dynged? 'Aiff o ddim, wrth gwrs,' haerodd Margot, wrth i ni aros am Mam yn yr ystafell fyw. 'Mae Mam wedi mynd i ofyn i Mr van Daan allwn ni symud i mewn i'n cuddfan fory. Mae'r teulu van Daan yn mynd efo ni ac fe fydd yna saith ohonon ni i gyd.' Tawelwch. Roedd meddwl am Dad, oedd wedi mynd i weld rhywun yn yr Ysbyty Iddewig ac yn gwybod dim am hyn, yr aros hir am Mam, y gwres llethol a'r ansicrwydd wedi'n taro ni'n fud.

Yn sydyn, dyna gloch y drws yn canu eto. 'Hello sydd 'na,' meddwn i.

'Paid ag agor y drws!' gwaeddodd Margot gan fy nal i'n ôl. Ond doedd dim angen hynny, gan i ni glywed Mam a Mr van Daan yn siarad efo Hello lawr grisiau. Yna daeth y ddau ohonyn nhw i mewn a chau'r drws ar eu holau. Bob tro y byddai cloch y drws yn canu roedd Margot neu fi'n gorfod cripian i lawr rhag ofn mai Dad oedd yno, a wnaethon ni ddim gadael neb arall i mewn. Cafodd Margot a minnau ein gyrru o'r ystafell gan fod Mr van Daan eisiau gair preifat efo Mam.

Pan oedden ni yn y llofft, fe ddwedodd Margot wrtha i mai hi oedd wedi cael ei galw i fyny, nid Dad. Roedd yr ail sioc yn ormod, ac mi ddechreuais i grio. Mae Margot yn un ar bymtheg - yn ôl pob golwg maen nhw'n awyddus i anfon genethod o'i hoed hi i ffwrdd ar eu pennau eu hunain. Ond fydd hi ddim yn mynd, drwy drugaredd. Roedd Mam wedi dweud hynny ac mae'n siŵr mai dyna oedd Dad yn ei olygu pan soniodd am fynd i guddio. Cuddio ... lle gallen ni guddio? Yn y ddinas? Yn y wlad? Mewn tŷ? Mewn cwt? Yn lle, pryd, sut ...? Dyna'r cwestiynau oedd yn melltennu drwy fy meddwl i, er nad oedd gen i hawl rhoi tafod iddyn nhw.

Fe ddechreuodd Margot a fi bacio'r pethau pwysicaf mewn bag ysgol. Y peth cyntaf i mi ei daro i mewn oedd y dyddiadur yma, ac yna gyrlwyr gwallt, hancesi, llyfrau ysgol, crib a hen lythyrau. Gan fod meddwl am fynd i guddio yn llenwi fy meddwl i, mi rois i'r pethau rhyfeddaf i mewn, ond dydw i ddim yn difaru. Mae atgofion yn golygu mwy i mi na dillad.

Fe ddychwelodd Dad o'r diwedd tua phump o'r gloch, ac fe alwon ni Mr Kleiman i ofyn a allai ddod heibio fin nos. Gadawodd Mr van Daan i nôl Miep. Yna cyrhaeddodd Miep ac aeth â llond bag o esgidiau, ffrogiau, siacedi, dillad isaf a sanau oddi yma efo hi, gan addo dychwelyd yn nes ymlaen. Wedi iddi hi adael, roedd y tŷ'n dawel iawn a neb ag awydd bwyta. Roedd hi'n dal yn boeth, a phopeth yn rhyfedd iawn.

Roedden ni wedi rhentu'r ystafell fawr i fyny grisiau i un o'r enw Mr Goldschmidt, dyn yn ei dri degau, wedi cael ysgariad, a heb ddim i'w wneud y noson honno yn ôl pob golwg, gan iddo fynnu tin-droi o gwmpas tan ddeg o'r gloch ar waethaf pob awgrym cwrtais.

Cyrhaeddodd Miep a Jan Giles am un ar ddeg. Mae Miep, sydd wedi bod yn gweithio i gwmni Dad ers 1933, wedi dod yn ffrind agos, a'i gŵr Jan hefyd. Unwaith eto, diflannodd esgidiau, sanau, llyfrau a dillad isaf i fag Miep a phocedi dyfnion Jan. Ac am hanner awr wedi un ar ddeg fe ddiflannodd y ddau hefyd.

Ro'n i wedi ymlâdd ac er fy mod i'n gwybod mai dyna'r noson olaf i mi yn fy ngwely fy hun, mi syrthiais i gysgu'n syth bìn a wnes i ddim deffro nes i Mam fy ngalw i am hanner awr wedi pump fore trannoeth. Yn ffodus, doedd hi ddim mor boeth, ac roedd glaw cynnes yn disgyn yn gyson drwy'r dydd. Roedd y pedwar ohonom wedi ein lapio mewn cymaint o ddillad fel ein bod ni'n ymddangos fe pe baen ni'n mynd i dreulio'r nos mewn rhewgell, a hynny'n unig er mwyn gallu mynd â mwy o ddillad efo ni. Feiddiai'r un Iddew yn ein sefyllfa ni adael y tŷ yn cario cês yn llawn dillad. Ro'n i'n gwisgo dwy fest, tri nicer a ffrog yn ogystal â sgert, siaced, côt law, dau bâr o sanau, esgidiau trymion, cap, sgarff, a mwy. Ro'n i'n mygu hyd yn oed cyn i ni adael y tŷ ond ofynnodd neb i mi sut ro'n i'n teimlo.

Llanwodd Margot ei bag ysgol â llyfrau, mynd i estyn ei beic, ac, efo Miep yn arwain y ffordd, marchogaeth i ffwrdd i'r Anwybod Mawr. Felly, o leiaf, yr o'n i'n meddwl gan na wyddwn i ddim ble'r oedd ein cuddfan ni.

Am hanner awr wedi saith, dyna ninnau'n cau'r drws ar ein holau. Moortje, fy nghath fach i, oedd yr unig greadur byw i mi orfod ffarwelio â hi. Yn ôl nodyn a adawyd i Mr Goldschmidt, roedd hi i gael ei chymryd at gymdogion oedd wedi addo rhoi cartref da iddi.

Roedd y gwlâu blêr, gweddillion brecwast ar y bwrdd a'r hanner kilo o gig i'r gath yn y gegin i gyd yn creu'r argraff ein bod ni wedi gadael ar frys. Ond doedd ganddon ni ddim diddordeb mewn creu argraff. Dianc, dyna'r unig beth oedd ar ein meddwl ni, dianc a chyrraedd pen ein taith yn ddiogel. Hynny, a dim arall.

Mwy fory.

Dy Anne

Dydd Iau, Gorffennaf 9, 1942

F'annwyl Kitty,

Dyna lle'r oedden ni, Dad, Mam a fi, yn cerdded drwy'r curlaw, bob un ohonom â bag ysgol a bag siopa yn llawn dop o bob math o bethau, a'r bobl oedd ar eu ffordd i'r gwaith ar awr mor fore yn edrych yn dosturiol arnon ni. Fe allet ti ddweud wrth eu hwynebau eu bod yn pitïo na allen nhw gynnig rhyw fath o gludiant i ni; roedd y seren felen amlwg yn siarad drosti'i hun.

Roedden ni'n cerdded i lawr y stryd cyn i Dad a Mam ddechrau datgelu, fesul tipyn, beth oedd y cynllun. Am fisoedd, roedden ni wedi bod yn symud gymaint ag oedd bosibl o'n dodrefn a'n heiddo allan o'r tŷ. Y cytundeb oedd y bydden ni'n mynd i guddio ar Orffennaf 16. Oherwydd bod Margot wedi cael ei galw i fyny bu'n rhaid gweithredu'r cynllun ddeg diwrnod ynghynt, ac roedd hynny'n golygu y byddai'n rhaid i ni geisio dygymod ag ystafelloedd llai trefnus.

Mae'r guddfan wedi'i lleoli yn yr adeilad lle mae swyddfa Dad. Efallai bod hynny braidd yn anodd i ddieithriaid ei ddeall, felly mae'n well i mi egluro. Ychydig o bobl oedd yn gweithio yn y swyddfa, dim ond Mr Kugler, Mr Kleiman, Miep a theipydd tair ar hugain oed o'r enw Bep Voskuijl, ac roedden nhw i gyd wedi eu hysbysu ein bod ni ar ein ffordd. Ni chafodd Mr Voskuijl, tad Bep, sy'n gweithio yn y warws, a'i ddau gynorthwywr, wybod dim.

Dyma i ti ddisgrifiad o'r adeilad. Mae'r warws mawr ar y llawr isaf yn cael ei ddefnyddio fel ystafell weithio a storws ac wedi'i rannu'n wahanol adrannau fel yr ystafell stoc a'r ystafell felino lle mae'r sinamon, y clof a'r pupur yn cael eu malu.

Wrth ymyl drysau'r warws mae yna ddrws arall, mynedfa ar wahân i'r swyddfa. Y tu mewn i ddrws y swyddfa mae yna ail ddrws, a grisiau y tu hwnt. Ar ben y grisiau, drws arall a gwydr pŵl ynddo gyda'r gair 'Swyddfa' wedi'i ysgrifennu arno mewn llythrennau duon. Hon ydi'r brif swyddfa - yn anferth, yn olau ac yn orlawn. Yma y mae Bep, Miep a Mr Kleiman yn gweithio yn ystod y dydd. Ar ôl mynd drwy alcof sy'n cynnwys sêff, wardrob a chwpwrdd nwyddau, fe ddoi di i ystafell fechan, dywyll, glòs. Roedd Mr Kugler a Mr van Daan yn arfer rhannu'r swyddfa hon ond Mr Kugler ei hun sydd yno bellach. Mae modd cyrraedd swyddfa Mr Kugler o'r cyntedd hefyd, ond dim ond drwy ddrws gwydr sy'n agor o'r tu mewn ond yn eithaf anodd i'w agor o'r tu allan. Os gadewi di swyddfa Mr Kugler a cherdded ymlaen ar hyd y coridor hir, cul heibio i'r storfa lo, ac i fyny bedair gris, fe ddoi di i'r swyddfa breifat, addurn pennaf yr adeilad. Dodrefn mahogani urddasol, leino ar lawr wedi'i orchuddio â rygiau, radio, lamp ffansi, pob dim o'r radd flaenaf. A'r drws nesaf mae yna gegin helaeth efo gwresogydd dŵr poeth a dau losgwr nwy, a thoiled yn ogystal. A dyna'r llawr cyntaf.

Grisiau coed sy'n arwain o'r cyntedd i'r ail lawr. Mae yna landin ar dop y grisiau a drysau o boptu. Fe aiff y drws ar y chwith â ti i'r adran storio perlysiau, yr atig a'r groglofft yn rhan flaen y tŷ. Mae rhes o risiau, sy'n serth iawn a pheryglus ac yn nodweddiadol o'r Iseldiroedd, yn arwain o ffrynt y tŷ i ddrws arall sy'n agor i'r stryd.

Mae'r drws ar y dde yn arwain i'r 'Rhandy Dirgel' yng nghefn y tŷ. Fyddai neb byth yn dyfalu fod yna gymaint o ystafelloedd y tu ôl i'r drws llwyd, plaen. Un ris fach o flaen y drws, a dyna ti i mewn. Yn union o dy flaen, rhes serth o risiau. I'r chwith, cyntedd cul yn agor i ystafell sy'n gweithredu fel ystafell fyw a llofft i'r teulu Frank. Y drws nesaf, ystafell lai, llofft a stydi dwy foneddiges ifanc y teulu. Ar y dde i'r grisiau, ystafell fechan ddi-ffenestr yn cynnwys toiled a sinc ac yna ddrws arall i ystafell Margot a fi.

Os ei di i fyny'r grisiau ac agor y drws ar y brig fe gei di syndod o weld ystafell mor fawr ac mor olau mewn hen dŷ ar fin y canal fel hwn. Mae hi'n cynnwys stof (diolch i'r ffaith iddi fod unwaith yn labordy i Mr Kugler) a sinc. Hon fydd y gegin a llofft Mr a Mrs van Daan, yn ogystal â bod yn ystafell fyw, ystafell fwyta a stydi i ni i gyd. Yr ystafell fechan fach oddi ar y coridor fydd llofft Peter van Daan. Mae yma atig a chroglofft fel yn ffrynt y tŷ. A dyna ti. Rydw i rŵan wedi dy gyflwyno di i'r cyfan o'n Rhandy hyfryd ni!

Dy Anne

Dydd Gwener, Gorffennaf 10, 1942

F'annwyl Kitty,

Mae'n debyg fy mod i wedi dy ddiflasu di efo'r disgrifiad hirwyntog o'r tŷ, ond rydw i'n credu y dylet ti gael gwybod lle'r ydw i wedi glanio. Fe gei di wybod ymhellach, drwy fy llythyrau i, sut y bu i mi gyrraedd yma.

Ond i ddechrau, mi a' i ymlaen â'r stori gan fy mod i wedi'i gadael hi ar ei hanner. Wedi i ni gyrraedd 263 Prinsengracht, arweiniodd Miep ni'n ddiymdroi ar hyd y coridor hir ac i'r Rhandy. Caeodd y drws ar ein holau, a'n gadael ni ein hunain. Roedd Margot wedi cyrraedd sbel ynghynt ar ei beic ac yn aros amdanon ni.

Does yna ddim geiriau all ddisgrifio mor llawn oedd ein hystafell fyw ni a'r holl ystafelloedd eraill. Roedd y cyfan o'r bocsys cardbord a anfonwyd i'r swyddfa yn ystod y misoedd diwethaf wedi'u pentyrru ar y lloriau a'r gwlâu a'r ystafell fach wedi'i llenwi â llieiniau, o'r llawr i'r nenfwd. Os oedden ni am gael gwlâu iawn i gysgu ynddyn nhw'r noson honno, roedd gofyn clirio'r llanastr rhag blaen. Doedd Mam a Margot ddim mewn stad i symud na llaw na throed. Aeth y ddwy i orwedd ar eu matresi noeth, yn lluddedig a thruenus, a wn i ddim beth arall. Ond fe ddechreuodd Dad a fi, dau dwtiwr y teulu, arni'n syth bìn.

Fe fuon ni wrthi drwy'r dydd yn dadbacio bocsys, yn llenwi cypyrddau, yn curo hoelion, yn clirio'r annibendod, nes syrthio i'n gwlâu glân, wedi diffygio'n llwyr. Er na chawson ni'r un pryd poeth drwy'r dydd, doedden ni'n malio dim. Roedd Mam a Margot yn rhy flinedig a chynhyrfus i fwyta a Dad a fi yn rhy brysur.

Bore dydd Mawrth, dyna ailddechrau arni. Aeth Bep a Miep i siopa am fwyd efo'n tocynnau dogni ni. Fe fuon ni'n sgrwbio llawr y gegin, a Dad yn ceisio gwella'r llenni blacowt tila, ac roedden ni ar drot unwaith eto o fore gwyn hyd nos. Che's i ddim amser i feddwl am y newid enfawr yn fy mywyd i nes ei bod hi'n ddydd Mercher. Yna am y tro cyntaf ers i ni gyrraedd y Rhandy Dirgel, mi ge's i gyfle i ddweud y cyfan wrthot ti ac i sylweddoli beth sydd wedi digwydd i mi a beth sydd i ddigwydd.

Dy Anne

Dydd Sadwrn, Gorffennaf 11, 1942

F'annwyl Kitty,

Mae Dad, Mam a Margot yn methu'n lân â dod i arfer efo'r cloc Westertoren, sy'n taro bob chwarter awr. Ond mi gymerais i ato o'r dechrau; mae'n swnio mor galonogol, yn enwedig yn y nos. Mae'n debyg dy fod ti am wybod beth ydw i'n ei feddwl o fod mewn cuddfan. Wel, y cyfan alla i ei ddweud ydi nad ydw i ddim yn rhy siŵr ar hyn o bryd. Dydw i ddim yn credu y do' i byth i deimlo'n gartrefol yn y tŷ yma ond dydi hynny ddim yn golygu fy mod i'n ei gasáu. Mae fel bod ar wyliau mewn rhyw westy digon od. Efallai fod hynny'n ffordd ryfedd o edrych ar bethau, ond felly rydw i'n teimlo. Mae'r Rhandy'n lle perffaith i guddio. Efallai ei fod yn damp ac unochrog, ond go brin fod yna guddfan fwy cyfforddus yn unman yn Amsterdam na hyd yn oed yn yr Iseldiroedd i gyd.

Hyd yn hyn roedd ein llofft ni, â'i waliau noethion, yn foel iawn. Ond diolch i Dad - oedd wedi dod â 'nghasgliad cyfan i o gardiau post a sêr y ffilmiau yma ymlaen llaw - ac i frws a photyn glud, mi fedrais i orchuddio'r waliau â lluniau. Mae'r lle'n edrych yn llawer mwy siriol. Pan ddaw'r teulu van Daan, fe allwn ni adeiladu cypyrddau a rhyw fanion eraill efo'r coed sydd wedi'u pentyrru yn yr atig.

Mae Mam a Margot beth yn well. Ddoe roedd Mam yn teimlo'n ddigon da i goginio cawl pys am y tro cyntaf, ond fe anghofiodd y cyfan amdano pan oedd hi'n sgwrsio lawr grisiau. Roedd y pys wedi llosgi'n gols a doedd dim modd eu perswadio i ollwng gafael ar y sosban.

Aeth y pedwar ohonom i lawr i'r swyddfa breifat neithiwr i wrando'r darllediad Saesneg ar y radio. Roedd gen i gymaint o ofn i rywun ei chlywed hi fel y bu i mi erfyn ar Dad fynd â fi'n ôl. Roedd Mam wedi deall fy mhryder i, ac fe aeth hi efo fi. Mae ganddon ni ofn mawr i'r cymdogion ein gweld neu'n clywed ni. Fe aethom ati'r diwrnod cyntaf i wnïo llenni. Go brin y gelli di eu galw nhw'n llenni, o ran hynny, gan nad ydyn nhw ond darnau o ddefnyddiau o wahanol siâp, ansawdd a phatrwm wedi'u pwytho'n igam-ogam gan fysedd anfedrus Dad a fi. Fe gafodd y campweithiau hyn eu pinio wrth y ffenestri ac yno y byddan nhw nes y down ni allan o'n cuddfan.

Mae'r adeilad ar y dde yn gangen o Gwmni Keg, ffyrm o Zaandam, a'r un ar y chwith yn weithdy dodrefn. Er nad oes neb yno ar ôl oriau gwaith, fe allai unrhyw sŵn yr ydan ni'n ei wneud dreiddio drwy'r waliau. Rydan ni wedi siarsio Margot i beidio pesychu yn y nos, er bod ganddi annwyd trwm, ac rydan ni wedi rhoi dos helaeth o *codeine* iddi.

Rydw i'n edrych ymlaen at ddyfodiad y teulu van Daan ddydd Mawrth. Fe fydd hynny'n llawer mwy o hwyl ac yn torri ar y tawelwch. Y distawrwydd sy'n fy ngwneud i mor nerfus ar fin nosau ac yn ystod y nos ac mi fyddai'n dda gen i pe bai un o'r rhai sy'n ein helpu ni yn gallu cysgu yma.

Dydi hi ddim mor ddrwg â hynny yma gan ein bod ni'n gallu coginio a gwrando ar y radio yn swyddfa Dad. Mae Mr Kleiman a Miep, a Bep Voskuijl hefyd, wedi helpu cymaint arnon ni. Rydan ni eisoes wedi cael riwbob, mefus a cheirios. Mae ganddon ni hefyd ddigon o ddeunydd darllen ac rydan ni'n bwriadu prynu nifer o gêmau, ac fe ddylai hynny ein cadw ni'n ddiddig dros dro. Wrth gwrs, chawn ni ddim edrych allan drwy'r ffenestri o gwbl na mynd allan. Ac rydan ni'n gorfod sibrwd a chripian o gwmpas yn ystod y dydd rhag ofn iddyn nhw ein clywed ni lawr grisiau.

Roedd ganddon ni lond ein dwylo ddoe. Bu'n rhaid i ni dynnu'r cerrig o ddau lond crât o geirios er mwyn i Mr Kugler eu potelu. Rydan ni am ddefnyddio'r cratiau gweigion i wneud silffoedd llyfrau.

Mae rhywun yn galw arna i.

Dy Anne

YCHWANEGWYD GAN ANNE AR FEDI 28, 1942:

Fedra i ddim dweud gymaint mae methu mynd allan yn fy ngofidio i, ac mae gen i ofn dychrynllyd i'n cuddfan ni gael ei darganfod ac y bydd i ni gael ein saethu. Mae hynny, wrth gwrs, yn rhagolwg eitha digalon.

Dydd Sul, Gorffennaf 12, 1942

Maen nhw i gyd wedi bod yn glên iawn efo fi ers pan ge's i fy mhen blwydd, ac eto rydw i'n teimlo fy mod i'n llithro ymhellach oddi wrth Mam a Margot bob dydd. Mi weithiais i'n galed heddiw ac er i'r ddwy fy nghanmol i roedden nhw wedi ailddechrau pigo arna i ymhen pum munud.

Mae'r gwahaniaeth rhwng eu dull nhw o drafod Margot a'u dull o fy nhrafod i yn ddigon amlwg. Er enghraifft, fe dorrodd Margot y glanhawr carpedi ddoe ac oherwydd hynny rydan ni wedi bod heb drydan am weddill y diwrnod. A dyna Mam yn dweud, 'Wel, Margot, mae'n hawdd gweld nad wyt ti'n gyfarwydd â gweithio neu fyddet ti byth wedi tynnu'r plwg allan gerfydd y fflecs.' Fe roddodd Margot ryw fath o ateb, a dyna ddiwedd y stori.

Ond pnawn heddiw, pan o'n i eisiau ailysgrifennu rhywbeth ar restr siopa Mam gan fod ei llawysgrifen hi mor anodd i'w ddeall, roedd hi'n gwrthod i mi wneud hynny. Fe ddechreuodd weiddi arna i eto, ac roedd hi wedi tynnu'r teulu i gyd i mewn i'r helynt cyn pen dim.

Rydw i wedi dod i sylweddoli yn ystod yr wythnosau diwethaf nad ydw i'n ffitio i mewn efo nhw. Mae'r tri mor ddagreuol efo'i gilydd, ond mae'n well gen i gadw fy nheimladau i mi fy hun. Maen nhw'n dweud o hyd mor braf ydi hi fod y pedwar ohonon ni'n gallu cyd-dynnu mor dda, heb feddwl am eiliad nad ydw i'n teimlo felly.

Dad ydi'r unig un sy'n fy neall i, bob hyn a hyn, er ei fod o'n dueddol o ochri efo Mam a Margot. Peth arall na alla i mo'i oddef ydi eu clywed nhw'n siarad amdana i o flaen dieithriaid, gan ddweud wrthyn nhw fel y bu i mi grio neu pa mor synhwyrol yr ydw i'n ymddwyn. Weithiau fe fyddan nhw'n sôn am Moortje, ac alla i ddim dygymod â hynny. Moortje ydi fy man gwan i. Rydw i'n gweld ei cholli hi bob munud o'r dydd a does gan neb syniad pa mor aml y bydda i'n meddwl amdani; mi fydd fy llygaid i'n llenwi â dagrau bob tro. Mae Moortje mor annwyl ac rydw i'n ei charu hi gymaint fel fy mod i'n dal i freuddwydio y daw hi'n ôl ata i.

Mae gen i ddigonedd o freuddwydion, ond y ffaith ydi y bydd yn rhaid i ni aros yma nes bo'r rhyfel drosodd. Chawn ni ddim mynd allan o gwbl a'r unig ymwelwyr allwn ni eu cael ydi Miep, ei gŵr Jan, Bep Voskuijl, Mr Kugler, Mr Kleiman a Mrs Kleiman, er nad ydi hi wedi dod yma oherwydd ei bod hi'n credu fod hynny'n rhy beryglus.

YCHWANEGWYD GAN ANNE YN YSTOD MEDI, 1942:

Mae Tada bob amser mor glên. Mae o'n fy neall i i'r dim, ac mi fyddai'n dda gen i pe gallen ni gael sgwrs galon-wrth-galon weithiau heb i mi dorri allan i grio. Fy oed i sy'n gyfrifol am hynny, yn ôl pob golwg. Mi hoffwn i dreulio'r holl amser yn ysgrifennu, ond diflasu wnawn i, debyg.

Hyd yn hyn, dydw i ond wedi ymddiried fy meddyliau i'r dyddiadur. Rydw i eto i ddechrau ysgrifennu darnau difyr y gallwn i eu darllen yn uchel rywdro yn y dyfodol. O hyn ymlaen, rydw i am roi llai o amser i deimladau a mwy o amser i sylwedd.

Dydd Gwener, Awst 14, 1942

Annwyl Kitty,

Rydw i wedi dy esgeuluso di am fis cyfan, ond mae cyn lleied wedi digwydd fel na alla i gael rhywbeth o werth i'w gofnodi bob dydd. Cyrhaeddodd y teulu van Daan ar Orffennaf 13. Roedden ni'n eu disgwyl ar y pedwerydd ar ddeg ond roedd yr Almaenwyr yn anfon galwadau allan i bob cyfeiriad gan achosi peth wmbredd o bryder ac anniddigrwydd, ac fe benderfynodd y teulu van Daan ei bod yn ddiogelach gadael ddiwrnod yn rhy gynnar na diwrnod yn rhy ddiweddar.

Roedden ni wrthi'n cael ein brecwast pan gyrhaeddodd Peter van Daan am hanner awr wedi naw. Mae Peter yn un swil, afrosgo, yn tynnu am ei un ar bymtheg oed, a go brin y bydd o fawr o gwmni. Fe ddaeth Mr a Mrs van Daan hanner awr yn ddiweddarach. Er mawr ddifyrrwch i ni, roedd Mrs van Daan yn cario bocs hetiau yn cynnwys pot pi pi mawr. 'Dydw i ddim yn teimlo'n gartrefol heb fy mhot,' meddai hi, a dyna'r peth cyntaf i gael lle parhaol o dan y gwely. Bwrdd plygu oedd gan Mr van Daan o dan ei fraich, yn hytrach na phot.

Fe fuon ni'n rhannu'r prydau bwyd o'r diwrnod cyntaf ac ar ôl tridiau roedd y saith ohonom fel un teulu mawr. Yn naturiol, roedd gan Mr a Mrs van Daan lawer i'w ddweud am yr wythnos yr oedden ni wedi'i threulio i ffwrdd o wareiddiad. Roedden ni'n dân am wybod beth oedd wedi digwydd i'n cartref ac i Mr Goldschmidt.

Fe gawsom wybod y cyfan gan Mr van Daan: 'Am naw o'r gloch fore Llun fe ffoniodd Mr Goldschmidt a gofyn allwn i fynd draw. Mi es i ar unwaith a chael Mr Goldschmidt yn ofidus iawn. Fe barodd i mi ddarllen nodyn yr oedd y teulu Frank wedi'i adael.

Roedd o'n bwriadu mynd â'r gath at y cymdogion, yn ôl y cyfarwyddiadau, ac mi gytunais innau fod hynny'n syniad da. Gan ei fod yn ofni y byddai'r tŷ yn cael ei archwilio, fe aethon ni drwy'r ystafelloedd i gyd, yn twtio yma ac acw ac yn clirio'r llestri brecwast. Yn sydyn, mi welais i lyfr nodiadau ar ddesg Mrs Frank a chyfeiriad yn Maastricht wedi'i ysgrifennu arno. Er fy mod i'n gwybod i Mrs Frank ei adael yno'n fwriadol, mi gymrais arna fy mod i wedi dychryn yn arw ac erfyn ar Mr Goldschmidt i losgi'r darn papur damniol. Mi es i ar fy llw na wyddwn i ddim am eich diflaniad chi ond fod y nodyn wedi rhoi syniad i mi, ac meddwn i wrth Mr Goldschmidt, "Rydw i'n credu 'mod i'n gwybod at beth mae hwn yn cyfeirio. Fe ddaeth swyddog uchelradd i'r swyddfa ryw chwe mis yn ôl. Mae'n ymddangos ei fod o a Mr Frank wedi tyfu i fyny efo'i gilydd ac fe addawodd helpu Mr Frank petai angen hynny rywdro. Roedd o'n gwasanaethu yn Maastricht, os ydw i'n cofio'n iawn. Credu'r ydw i fod y swyddog hwnnw wedi cadw'i air a'i fod yn cynllunio i'w helpu i groesi drosodd i Wlad Belg ac yna i'r Swistir. Does dim o'i le mewn dweud hynny wrth ffrindiau'r teulu Frank pan fyddan nhw'n holi yn eu cylch. Wrth gwrs, fydd dim angen i chi sôn gair am Maastricht." Ar hynny, mi adewais i'r tŷ. Dyna'r stori gafodd ei dweud wrth eich ffrindiau chi ac rydw i wedi clywed ei hailadrodd hi sawl tro.'

Roedden ni'n gweld hynny'n ddigri iawn ond fe gawsom fwy o sbort fyth pan ddywedodd Mr van Daan mor barod ydi rhai pobl i roi rhaff i'w dychymyg. Er enghraifft, roedd un teulu sy'n byw yn ein sgwâr ni yn haeru eu bod wedi gweld y pedwar ohonom yn marchogaeth heibio ar ein beiciau ben bore, a gwraig arall yn berffaith siŵr ein bod ni wedi cael ein llwytho i ryw fath o gerbyd milwrol ganol nos.

Dy Anne

Dydd Gwener, Awst 21, 1942

Annwyl Kitty,

Erbyn hyn mae ein Rhandy Dirgel ni yn ddirgel yng ngwir ystyr y gair. Gan fod cymaint o archwilio tai am feiciau wedi'u cuddio, roedd Mr Kugler yn credu y byddai'n well adeiladu silffoedd llyfrau o flaen y fynedfa i'n cuddfan ni. Mae'r silffoedd yn agor ar golynnau, fel drws. Mr Voskuijl wnaeth y gwaith coed. (Mae Mr Voskuijl yn rhannu'n cyfrinach ni erbyn hyn ac yn barod iawn i helpu.)

Bob tro y byddwn ni'n mynd i lawr y grisiau rŵan, rydan ni'n gorfod gwyro pen ac yna neidio. Yn ystod y tridiau cyntaf roedden ni i gyd yn cerdded o gwmpas efo lympiau fel wyau ar ein talcenni ar ôl taro'n pennau yn erbyn y drws isel ond mae Peter wedi hoelio lliain yn cynnwys naddion coed fel clustog ar y ffrâm. Fe gawn ni weld faint o help fydd hynny!

Dydw i'n gwneud fawr o waith ysgol. Rydw i wedi rhoi gwyliau i mi fy hun tan fis Medi. Mae Dad eisiau dechrau rhoi gwersi i mi bryd hynny ond fe fydd yn rhaid i ni brynu'r holl lyfrau yn gyntaf.

Rhywbeth yn debyg ydi bywyd yma. Fe olchodd Peter ei wallt heddiw, ond dydi hynny'n ddim byd arbennig. Mae Mr van Daan a fi'n benben drwy'r amser a Mam yn fy nhrin i fel babi. Alla i ddim goddef hynny. Ar y cyfan, mae pethau rywfaint yn well ond dydi Peter wedi gwella dim. Bachgen anniddorol ydi o, yn gorweddian ar ei wely drwy'r dydd, a dim ond yn codi i wneud ychydig o waith coed cyn mynd yn ôl am gyntun arall. Am dwpsyn!

Rhoddodd Mama lond pen imi eto'r bore 'ma. Rydan ni'n groes i'n gilydd ar bob dim. Mae Dadi'n gariad; er ei fod o'n gwylltio efo fi fydd hynny byth yn para mwy na phum munud.

Allan acw, mae'r diwrnod yn un bendigedig o braf a phoeth, ac ar waethaf popeth rydan ni'n gwneud yn fawr ohono drwy orwedd ar y gwely plygu yn yr atig, lle mae'r haul yn taro drwodd.

Dy Anne

YCHWANEGWYD GAN ANNE AR FEDI 21, 1942:

Mae Mr van Daan wedi bod yn glên iawn efo fi'n ddiweddar. Er nad ydw i wedi gwneud unrhyw sylw, rydw i am fwynhau hynny tra mae o'n para.

Dydd Mercher, Medi 2, 1942

F'annwyl Kitty,

Mae Mr a Mrs van Daan wedi cael andros o ffrae. Dydw i erioed wedi gweld peth tebyg. Fyddai Mam a Dad ddim yn breuddwydio gweiddi ar ei gilydd fel yna. Roedd achos y ddadl yn beth mor ddibwys fel bod y cyfan yn wastraff ar anadl. O, wel, pawb at y peth y bo.

Wrth gwrs, mae hi'n galed iawn ar Peter, wedi'i ddal yn y canol, ond does neb yn cymryd Peter o ddifri bellach gan ei fod mor groendenau a diog. Ddoe roedd o'n poeni i'r ddaear am fod ei dafod yn las yn hytrach na phinc. Fe ddiflannodd y rhyfeddod unigryw hwnnw cyn gynted ag y daeth. Heddiw mae o'n cerdded o gwmpas a sgarff drwchus am ei wddw, yn cwyno o gric yn ei war. Mae Ei Fawrhydi wedi bod yn cwyno o lymbego hefyd, yn ogystal â phoenau yn ei galon, ei arennau a'i ysgyfaint. Mae Peter yn glaf diglefyd o'r radd flaenaf! (Dyna maen nhw'n ei ddweud am bobl o'r fath, yntê?)

Dydi Mam a Mrs van Daan ddim yn cytuno'n rhy dda ac mae yna ddigonedd o resymau dros yr anghydfod. Mi ro i un enghraifft fach i ti. Roedd Mrs van Daan wedi clirio'i chynfasau hi o'r cwpwrdd-ar-y-cyd ar gyfer llieiniau gan gymryd yn ganiataol y gallwn ni i gyd ddefnyddio cynfasau Mam. Fe gaiff hi andros o sioc pan fydd yn darganfod fod Mam wedi dilyn ei hesiampl hi.

Mae Mrs van Daan wedi pwdu hefyd oherwydd ein bod ni'n defnyddio'i llestri hi yn hytrach na'n rhai ni, ac mae'n dal ati i geisio cael allan lle'r ydan ni wedi rhoi'r platiau. Maen nhw'n llawer nes nag y mae hi'n ei feddwl, wedi'u pacio mewn bocsys cardbord yn yr atig, o'r golwg y tu ôl i lwyth o ddeunydd hysbysebu Opekta. Ac yno maen nhw i aros, allan o'i chyrraedd hi, gyhyd ag y byddwn ni yma. Mae hynny am y gorau gan fy mod i'n cael damweiniau'n aml! Ddoe, mi dorrais i un o fowlenni cawl Mrs van Daan a dyna hi'n gweiddi'n gas, 'O! Pam na allwch chi fod yn fwy gofalus? Dyna'r un olaf oedd gen i.'

Rydw i am i ti gadw mewn cof, Kitty, fod Iseldireg y ddwy foneddiges yn warthus (fiw imi dynnu sylw at y ddau fonheddwr: byddai hynny'n eu sarhau'n arw). Fe fyddet ti'n cael modd i fyw pe bait ti'n eu clywed nhw wrthi. Rydan ni wedi rhoi'r gorau i geisio'u cywiro nhw gan nad ydi hynny o unrhyw fudd. Bob tro y bydda i'n dyfynnu Mam neu Mrs van Daan rydw i am ddefnyddio iaith gywir yn hytrach nag efelychu'r sgwrsio carbwl.

Yr wythnos ddiwethaf torrwyd ar draws y drefn undonog arferol a hynny oherwydd Peter - a llyfr am ferched. Mi ddylwn i egluro fod Margot a Peter yn cael darllen y rhan fwyaf o'r llyfrau mae Mr Kleiman yn eu rhoi ar fenthyg inni. Ond roedd y rhai mewn oed wedi dewis cadw'r llyfr hwn iddyn nhw'u hunain. Roedd hynny'n ddigon i ddeffro chwilfrydedd Peter. Pa ffrwythau gwaharddedig oedd ynghudd ynddo, tybed? Cafodd afael ar y llyfr pan oedd ei fam i lawr grisiau a sleifiodd i ffwrdd i'r atig efo'i drysor. Fu dim sôn am y peth am ddeuddydd. Er bod Mrs van Daan yn gwybod yn iawn beth oedd o'n ei wneud, ddwedodd hi'r un gair. Ond pan gafodd Mr van Daan wybod collodd arno'i hun yn lân a chipio'r llyfr oddi ar Peter. Roedd o'n cymryd yn ganiataol mai dyna ddiwedd y mater, heb ystyried fod y weithred wedi ennyn mwy o chwilfrydedd yn ei fab a'i fod eisoes â'i fryd ar ddarllen gweddill y llyfr hynod ddiddorol hwnnw.

Yn ystod hyn, gofynnodd Mrs van Daan i Mam beth oedd ei barn hi. Dywedodd hithau nad oedd hi'n credu fod y llyfr dan sylw yn addas i Margot ond nad oedd hi'n gweld dim o'i le mewn gadael iddi ddarllen y rhan fwyaf o'r llyfrau.

'Fel hyn mae hi, Mrs van Daan,' meddai Mam. 'Mae yna wahaniaeth mawr rhwng Margot a Peter. I ddechrau, geneth ydi Margot ac mae genethod bob amser yn fwy aeddfed na bechgyn. Yn ail, mae hi eisoes wedi darllen nifer o lyfrau sylweddol a fydd hi byth yn mynd ar ôl y rhai sydd wedi'u gwahardd iddi. Yn drydydd, mae Margot yn llawer mwy synhwyrol a deallus gan iddi gael pedair blynedd mewn ysgol ragorol.'

Roedd Mrs van Daan yn cytuno ond yn ei theimlo'n fater o egwyddor na ddylid gadael i bobl ifanc ddarllen llyfrau a fwriadwyd ar gyfer rhai mewn oed.

Yn y cyfamser, roedd Peter wedi meddwl am amser addas pan na fyddai gan neb ddiddordeb yn y llyfr nac ynddo yntau. Am hanner awr wedi saith fin nos, pan oedd y teulu i gyd yn gwrando ar y radio yn y swyddfa breifat, aeth â'i drysor i'w ganlyn i'r atig unwaith eto. Roedd gofyn iddo fod yn ôl erbyn hanner awr wedi wyth ond anghofiodd bopeth am yr amser gan ei fod wedi ymgolli gymaint yn y llyfr. Ar ei ffordd i lawr y grisiau yr oedd o pan ddaeth ei dad i'r ystafell. Fe elli di ddychmygu beth ddigwyddodd wedyn: clec! clatsh!, y llyfr ar y bwrdd a Peter yn ôl yn yr atig.

Dyna sut oedd pethau pan ddaeth hi'n amser pryd bwyd. Arhosodd Peter i fyny grisiau. Doedd neb yn malio dim yn ei gylch; byddai'n rhaid iddo fynd i'w wely heb swper. Roedden ni wrthi'n bwyta ac yn sgwrsio'n hapus pan glywsom chwibaniad treiddgar. Fe roesom i gyd y gorau i fwyta a syllu'n syfrdan ar ein gilydd, pob wyneb fel y galchen.

Yna, clywsom lais Peter yn galw drwy'r simnai: 'Ddo i ddim i lawr!'

Neidiodd Mr van Daan ar ei draed, ei napcyn yn syrthio ar lawr, a bloeddiodd a'i wyneb yn fflamgoch, 'Rydw i wedi cael digon!'

Gafaelodd Dad yn ei fraich, i geisio'i dawelu, ac aeth y ddau i fyny i'r atig. Wedi peth wmbredd o gicio a stryffaglio, y diwedd fu i Peter ddychwelyd i'w ystafell a chau'r drws, ac aethom ninnau ymlaen â'n pryd bwyd.

Roedd Mrs van Daan am gadw brechdan i'w chariad bach ond gwrthododd Mr van Daan yn bendant gan ddweud, 'Os nad ydi o'n ymddiheuro'r munud yma, mi fydd yn rhaid iddo gysgu yn yr atig.'

Gwnaeth hynny i'r gweddill ohonom brotestio fod mynd heb swper yn ddigon o gosb. Beth pe bai Peter yn dal annwyd a ninnau'n methu anfon am y meddyg?

Dychwelyd i'r atig, heb ymddiheuro, wnaeth Peter. Penderfynodd

Mr van Daan adael i bethau fod er iddo sylwi fore trannoeth fod gwely Peter wedi'i ddefnyddio. Roedd Peter yn ôl yn yr atig am saith, ond llwyddodd Dad, drwy gyfrwng rhai geiriau caredig, i'w berswadio i ddod i lawr. Wedi tridiau o wep sur a thawelwch mul-aidd, roedd popeth yn ôl fel roedden nhw.

Dy Anne

Dydd Llun, Medi 21, 1942

F'annwyl Kitty,

Heddiw rydw i am roi rhywfaint o hanes cyffredinol y Rhandy iti. Mae lamp wedi cael ei gosod uwchben fy ngwely i fel y galla i, yn y dyfodol, dynnu'r cordyn a chynnau'r golau pan fydda i'n clywed y gynnau'n tanio. Alla i mo'i defnyddio hi ar hyn o bryd gan ein bod ni'n cadw'r ffenestr yn gilagored, ddydd a nos.

Mae aelodau gwrywaidd y teulu van Daan wedi adeiladu cwpwrdd bwyd hwylus dros ben efo sgrin warchod i gadw'r pryfed draw. Hyd yn hyn, roedd y cwpwrdd anfarwol hwn yn cael ei gadw yn ystafell Peter ond yn niffyg awyr iach cafodd ei symud i'r atig. Mae yna silff lle'r oedd y cwpwrdd yn sefyll ac rydw i wedi cynghori Peter i roi bwrdd o dan y silff, rỳg liwgar ar lawr a'i gwpwrdd ei hun lle mae'r bwrdd ar hyn o bryd. Efallai y byddai hynny'n gwneud ei gilfach yn fwy cyfforddus, er na fyddwn i'n hoffi cysgu yno, mae hynny'n siŵr.

Mae Mrs van Daan yn annioddefol. Rydw i'n cael fy nhafodi drwy'r amser am siarad gormod, ond mae'r cyfan fel dŵr oddi ar gefn hwyaden! Mae gan Madam gynllwyn newydd i fyny'i llawes ar hyn o bryd: ceisio osgoi golchi'r padelli a'r sosbenni. Os oes yna damaid o fwyd wedi'i adael yn y sosban, mae hi'n gadael iddo ddifetha yn hytrach na'i roi mewn dysgl wydr. Yna yn y prynhawn a Margot wedi cael ei gadael i olchi'r holl sosbenni, mae hi, Madam, yn ebychu, 'O, Margot druan, mae ganddoch chi gymaint o waith i'w wneud!'

Bob yn ail wythnos mae Mr Kleiman yn dod â llyfrau arbennig imi, wedi'u hysgrifennu ar gyfer merched fy oed i. Rydw i wedi gwirioni ar y gyfres *Joop ter Heul*, ac wedi mwynhau pob un o lyfrau Cissy van Marxveldt. Rydw i wedi darllen *Hurtrwydd Haf* bedair gwaith, ac mae'r sefyllfaoedd afresymol yn dal i beri i mi chwerthin.

Mae Dad a fi wrthi'n gweithio ar ein coeden achau ar hyn o bryd, ac yntau'n dweud ychydig bach wrtha i am bob aelod o'r teulu wrth fynd ymlaen.

Rydw i wedi dechrau ar fy ngwaith ysgol, yn gweithio'n galed iawn ar fy Ffrangeg, ac yn llwyddo i wthio pump o ferfau afreolaidd i 'mhen bob dydd. Ond rydw i wedi anghofio gormod o lawer o'r hyn ddysgais i yn yr ysgol.

Cyndyn iawn ydi Peter o fynd ymlaen â'i Saesneg. Mae rhai llyfrau ysgol newydd gyrraedd ac ro'n i wedi dod â stôr helaeth o lyfrau nodiadau, pensiliau, rwberi a labelau o gartref. Mae Pim (dyna'n henw anwes ni ar Dad) am i mi ei helpu efo'i wersi Iseldireg. Rydw i'n berffaith fodlon gwneud hynny ond iddo fy helpu i efo'r Ffrangeg a phynciau eraill. Ond mae o'n gwneud y camgymeriadau mwyaf anhygoel!

Mi fydda i'n gwrando ar y darllediadau Iseldiraidd o Lundain weithiau. Cyhoeddodd y Tywysog Bernhard yn ddiweddar fod y Dywysoges Juliana yn disgwyl babi ym mis Ionawr ac rydw i'n meddwl fod hynny'n beth ardderchog. Mae pawb yma'n synnu fod gen i'r fath ddiddordeb yn y Teulu Brenhinol.

Ychydig nosweithiau'n ôl fi oedd pwnc y drafodaeth, a daeth pawb ohonom i'r casgliad fy mod i'n dwp. Fel canlyniad i hynny, mi wnes i fwrw ati i 'ngwaith ysgol drannoeth gan nad oes gen i fawr o awydd bod yn ôl yn nosbarth un pan fydda i'n bedair ar ddeg neu bymtheg oed. Cafodd y ffaith nad ydw i'n cael darllen fawr ddim ei drafod hefyd. Ar hyn o bryd, mae Mam yn darllen *Heeren, Vrouwen en Knechten - Gwŷr, Gwragedd a Gweision* - ond dydw i ddim yn cael ei ddarllen, wrth gwrs (er bod Margot!). Cyn i mi gael caniatâd i hynny, bydd yn rhaid i mi aeddfedu'n feddyliol, fel fy chwaer dalentog. Yna fe fuon ni'n trafod fy anwybodaeth i o athroniaeth, seicoleg a ffisioleg (mi es ati ar unwaith i chwilio am y geiriau mawr hyn yn *Koenen*, y geiriadur Iseldireg). Mae'n wir na wn i ddim byd am y pynciau. Ond efallai y bydda i'n fwy galluog y flwyddyn nesaf!

Rydw i newydd gael braw o sylweddoli nad oes gen i ond un ffrog lewys hir a thair cardigan i'w gwisgo yn ystod y gaeaf. Mae Dad wedi rhoi caniatâd i mi wau siwmper wen. Er nad ydi'r edafedd fawr o beth, mi fydd yn gynnes, a dyna sy'n cyfri. Fe adawyd peth o'n dillad ni efo ffrindiau, ond yn anffodus chawn ni mohonyn nhw'n ôl nes bydd y rhyfel drosodd. Hynny ydi, os byddan nhw'n dal ar gael.

Ro'n i newydd orffen ysgrifennu rhywbeth am Mrs van Daan pan gerddodd hi i mewn i'r ystafell. A dyna gau'r llyfr yn glep.

'Hei, Anne, alla i gael un cip bach?'

'Na, Mrs van Daan.'

'Dim ond y dudalen olaf?'

'Na, dim hyd yn oed y dudalen olaf, Mrs van Daan.'

Ro'n i'n teimlo'n swp sâl gan fod yna ddisgrifiad braidd yn anffafriol ohoni hi ar y dudalen honno.

Mae yna rywbeth yn digwydd yma bob dydd ond rydw i'n rhy flinedig a diog i'w gofnodi i gyd.

Dy Anne

Dydd Gwener, Medi 25, 1942

Fy annwyl Kitty,

Mae gan Dad ffrind o'r enw Mr Dreher, dyn yn ei saithdegau sy'n wael, yn dlawd ac yn fyddar fel postyn. Wrth ei ochr, fel rhyw atodiad diwerth, mae'i wraig, saith mlynedd ar hugain yn iau a'r un mor dlawd, ei choesau a'i breichiau yn llwythog o freichledau a modrwyau, go iawn a ffug, gweddillion dyddiau mwy llewyrchus. Mae Mr Dreher wedi bod yn boendod mawr i Dad eisoes ac ro'n i bob amser yn edmygu dull amyneddgar Pim o drafod yr hen ŵr pathetig ar y ffôn. Pan oedden ni'n byw gartref, byddai Mam yn arfer cynghori Dad i roi gramoffon o flaen y derbynnydd, un fyddai'n ailadrodd bob tri munud, 'Ia, Mr Dreher' a 'Na, Mr Dreher' gan nad oedd yr hen greadur yn deall yr un gair o atebion hirwyntog Dad p'un bynnag.

Heddiw ffoniodd Mr Dreher i'r swyddfa a gofynnodd i Mr Kugler fynd i'w weld. Gan nad oedd fawr o hwyl ar Mr Kugler, fe addawodd anfon Miep ond canslo'r trefniant wnaeth hi. Ffoniodd Mrs Dreher deirgwaith, ond gan fod Miep yn ôl y sôn allan drwy gydol y prynhawn, roedd yn rhaid iddi ddynwared llais Bep. Roedd yna rialtwch mawr yn y swyddfa yn ogystal â'r Rhandy. Bob tro y bydd y ffôn yn canu rŵan, mae Bep yn dweud, 'Mrs Dreher sydd 'na' a Miep yn chwerthin, fel bod y rhai sydd y pen arall yn cael eu cyfarch â phiffian anghwrtais. Mae'n rhaid mai hon ydi'r swyddfa orau yn y byd i gyd. Mae'r meistri a'r merched yn cael y fath hwyl efo'i gilydd!

Ambell fin nos, mi fydda i'n mynd am sgwrs efo'r teulu van Daan. Fe fyddwn ni'n bwyta 'bisgedi camffor' (bisgedi triagl sy'n cael eu cadw mewn cwpwrdd yn llawn pelenni camffor) ac yn cael amser da. Roedden ni'n trafod Peter yn ddiweddar ac mi ddywedais i ei fod o'n mwytho fy moch i'n aml a na dda gen i mo hynny. Yn nodweddiadol o rieni, fe ofynnon nhw i mi oedd yna bosibilrwydd y gallwn i ddod i garu Peter fel brawd, gan ei fod o'n fy ngharu i fel chwaer. 'O, na!' meddwn i, ond yr hyn oedd yn fy meddwl i oedd, 'O, ych-a-fi!' Dychmyga'r peth! Mi wnes i ychwanegu fod Peter braidd yn lletchwith ond mai swildod oedd yn gyfrifol am hynny efallai. Mae bechgyn nad ydyn nhw erioed wedi cael fawr i'w wneud efo merched yn tueddu i fod felly.

Mae'n rhaid i mi ddweud fod Pwyllgor y Rhandy (adran y dynion) yn ddyfeisgar iawn. Be feddyli di o'r cynllwyn sydd ganddyn nhw i gael neges i Mr Broks, un o drafaelwyr Cwmni Opekta a ffrind sydd wedi bod yn cuddio rhai pethau i ni ar y slei? Maen nhw'n mynd i deipio llythyr i berchennog siop yn ne Zeeland, un o gwsmeriaid Opekta fel mae'n digwydd, i ofyn iddo lenwi ffurflen a'i hanfon yn ôl yn yr amlen amgaeedig. Fe fydd Dad ei hun wedi ysgrifennu'r cyfeiriad ar yr amlen. Unwaith y bydd y llythyr yn dychwelyd o Zeeland, fe ellir tynnu'r ffurflen allan a rhoi neges yn yr amlen i gadarnhau fod Dad yn fyw. Fel hyn, fe all Mr Broks ddarllen y llythyr heb amau dim. Fe ddewison nhw dalaith Zeeland gan ei bod yn agos i Wlad Belg (mae'n ddigon hawdd smyglo llythyr dros y ffin), ac am nad oes gan neb hawl teithio yno heb drwydded arbennig. Châi trafaeliwr cyffredin fel Mr Broks byth mo'r drwydded.

Fe wnaeth Dad beth rhyfedd ddoe. Yn drwm o gwsg, baglodd i ffwrdd i'w wely. Roedd ei draed yn oer ac mi rois i fenthyg fy sanau nos iddo. Bum munud yn ddiweddarach taflodd y sanau ar lawr a thynnu'r blancedi dros ei ben gan fod y golau'n ei boeni. Wedi i'r lamp gael ei diffodd, gwthiodd ei ben allan yn dringar heibio i'r dillad gwely. Roedd y cyfan yn ddigri iawn. Fe ddechreuon ni sôn fel mae Peter yn galw Margot yn '*anti*'. Yn sydyn clywyd llais Dad o'r dyfnderoedd: '*Figilanti* wyt ti'n 'i feddwl.'

Mae Mouschi'r gath yn gleniach efo fi fel mae amser yn mynd heibio, ond rydw i'n dal i'w hofni hi ryw gymaint.

Dy Anne

Dydd Sul, Medi 27, 1942

F'annwyl Kitty,

Cafodd Mam a fi'r hyn sy'n cael ei alw'n 'drafodaeth' heddiw, ond yn anffodus mi ddechreuais i feichio crio. Does gen i mo'r help. Mae Dadi bob *amser* yn glên efo fi, ac yn fy neall i'n well o lawer. Ar adegau fel hyn, alla i ddim goddef Mam. Mae'n amlwg fy mod i'n ddirgelwch llwyr iddi; ŵyr hi ddim beth ydi 'marn i am y pethau mwyaf cyffredin.

Roedden ni'n sôn am forynion a'r ffaith y dylid cyfeirio atyn nhw fel 'cymorth cartref' y dyddiau hyn. Roedd hi'n haeru mai dyna fyddan nhw'n dymuno cael eu galw, unwaith y bydd y rhyfel drosodd. Nid felly yr o'n i'n gweld pethau. Dyna hi'n dweud wedyn fy mod i'n cyfeirio at 'nes ymlaen' byth a hefyd ac yn ymddwyn fel pe bawn i rêl ledi, er nad ydi hynny'n wir o gwbl. Dydw i ddim yn credu fod adeiladu cestyll yn yr awyr yn beth mor ofnadwy i'w wneud, ond i rywun beidio cymryd hynny ormod o ddifrif. P'un bynnag, mae Dadi, fel rheol, yn ochri efo fi. Hebddo fo, allwn i ddim goddef y lle yma.

Dydw i ddim yn gallu cyd-dynnu'n rhy dda efo Margot chwaith. Er nad ydi'n teulu ni byth yn ffraeo hyd at daro fel maen nhw i fyny grisiau, rydw i'n cael y sefyllfa'n bell o fod yn ddymunol. Mae personoliaethau Mam a Margot mor estron i mi. Rydw i'n deall fy ffrindiau'n well nag yr ydw i'n deall fy mam fy hun. On'd ydi hynny'n drueni?

Am y canfed tro, mae Mrs van Daan yn pwdu. Mae hi tu hwnt o oriog ac mae wedi bod yn symud mwy a mwy o'i heiddo o'r neilltu a'u rhoi dan glo. Biti garw na fyddai Mam yn ymateb i bob diflaniad drwy wneud i'n heiddo ni ddiflannu yn yr un modd.

Mae'n ymddangos fod rhai pobl, fel y ddau van Daan, yn cael pleser mawr nid yn unig o feithrin eu plant eu hunain, ond o helpu pobl eraill i feithrin eu plant hwy. Does ar Margot ddim angen hynny gan ei bod hi wrth natur yn dda, yn garedig a galluog, yn ddrych o berffeithrwydd, ond yn ôl pob golwg mae gen i ddigon o ddrygioni ar ein cyfer ni'n dwy. Mae'r ystafell wedi atseinio fwy nag unwaith gan gerydd y ddau van Daan a'm hatebion haerllug innau. Mae Dad a Mam bob amser yn fy amddiffyn i'n ffyrnig. Hebddyn nhw, go brin y gallwn i lamu'n ôl i'r frwydr eiriol mor hunanfeddiannol ag arfer. Maen nhw wastad yn dweud wrtha i am siarad llai, peidio busnesu a bod yn fwy gwylaidd, ond rydw i fel pe bawn i wedi fy nhynghedu i fethiant. Oni bai fod Dad mor amyneddgar mi fyddwn i wedi hen anobeithio cyrraedd disgwyliadau digon rhesymol fy rhieni.

Os ydw i'n cymryd cyfran fechan o'r llysiau sy'n gas gen i ac yn fy helpu fy hun i fwy o datws, mae'r ddau van Daan, yn arbennig Mrs van Daan, yn methu credu fod unrhyw blentyn wedi cael ei ddifetha i'r fath raddau. 'Dowch rŵan, Anne, ychydig mwy o lysiau,' meddai hi.

'Na, ddim diolch, Mrs van Daan, mae'r tatws yn fwy na digon.'

'Ond mae llysiau'n llesol i chi. Dyna mae'ch mam yn ei ddweud hefyd. Dowch, 'chydig rhagor.' Mae hi'n dal i fynnu nes i Dad ymyrryd ac amddiffyn fy hawl i wrthod bwyd nad ydw i'n ei hoffi.

Mae hynny'n peri i Mrs van Daan golli'i limpin: 'Pe baech chi wedi bod yn fy nghartref i, fe fyddech chi wedi gweld sut y dylai plant gael eu dwyn i fyny. Dydw i ddim yn galw hyn yn fagwraeth briodol. Mae Anne wedi'i difetha'n rhemp. Fyddwn i byth yn caniatáu'r fath beth. Petai hi'n ferch i mi ...'

Dyma fel mae pob pregeth yn dechrau ac yn diweddu: 'Petai Anne yn ferch i mi ...' Diolch byth nad ydw i ddim.

Ond i ddychwelyd at y pwnc o fagu plant. Ddoe roedd yna dawelwch llethol wedi i Mrs van Daan orffen ei haraith. Ac yna meddai Dad: 'Rydw i'n meddwl fod Anne wedi'i dwyn i fyny'n eithriadol o dda. O leiaf mae hi wedi dysgu peidio ymateb i'ch pregethau diddiwedd chi. Cyn belled ag y mae llysiau'n y cwestiwn, y cyfan sydd gen i i'w ddweud ydi edrychwch adref.'

A dyna Mrs van Daan wedi'i gorchfygu. Cyfeirio yr oedd Dad at y ffaith nad ydi Madam yn gallu dygymod â na ffa na bresych fin nos gan eu bod nhw'n 'codi gwynt' arni. Mi allwn innau ddweud yr un peth. Un dwp ydi hi, yntê? P'un bynnag, gobeithio y bydd hi'n rhoi'r gorau i siarad amdana i.

Rydw i wrth fy modd yn ei gweld hi'n gwrido. Fydda i byth yn gwrido, ac mae hynny'n ei chynhyrfu hi'n arw.

Dy Anne

Dydd Llun, Medi 28, 1942

F'annwyl Kitty,

Bu'n rhaid i mi roi'r gorau iddi ddoe, er nad o'n i'n agos i ddarfod. Rydw i bron â marw eisiau sôn am un arall o'n cwerylon ni. Ond cyn dod at hynny, mi hoffwn i ddweud hyn: fy mod i'n ei weld yn beth rhyfedd fod pobl mewn oed yn ffraeo mor hawdd ac mor aml ac am bethau mor ddibwys. Ro'n i wedi arfer meddwl mai dim ond plant oedd yn cweryla a'u bod nhw'n tyfu allan o hynny. Wrth gwrs, mae yna weithiau reswm digonol dros gael ffrae 'go iawn' ond dydi'r cyfnewid geiriol sy'n mynd ymlaen yma yn ddim ond cecru. Mi ddylwn i fod wedi dygymod bellach â'r ffaith fod y cweryla yma'n rhan o fywyd bob dydd ond dydw i ddim, a dydw i ddim yn debygol o wneud gan mai fi ydi testun y mwyafrif o'r 'trafodaethau'. (Dyna maen nhw'n eu galw, yn hytrach na 'cwerylon'. All yr Almaenwyr ddim gwahaniaethu rhyngddyn nhw!) Maen nhw â'u llach arna i am bob *dim*, ac rydw i'n golygu bob dim; f'ymddygiad i, fy mhersonoliaeth i, fy moesau i. Mae pob modfedd ohona i, o 'mhen i 'nhraed, ac yn ôl, yn destun siarad a thrafodaeth. Rydw i'n cael fy mhledu'n gyson gan eiriau cas a bloeddiadau, er nad ydw i erioed wedi arfer â'r peth. Yn ôl pob golwg, mae disgwyl i mi ddioddef y cyfan, fel oen bach. Ond alla i ddim! Dydw i ddim yn bwriadu cymryd fy sarhau fel hyn. Mi ddangosa i iddyn nhw na chafodd Anne Frank mo'i geni ddoe. Fe fydd yn rhaid iddyn nhw eistedd i fyny a gwrando arna i a chadw eu cegau mawr ar gau pan wna i iddyn nhw sylweddoli y dylen nhw roi sylw i'w moesau eu hunain yn hytrach na fy rhai i. Sut maen nhw'n meiddio ymddwyn yn y fath fodd! Mae'r peth yn farbaraidd. Rydw i wedi diarhebu, dro ar ôl tro, at y fath anghwrteisi ac yn fwy na dim ... y fath dwpdra (Mrs van Daan). Gynted ag y bydda i wedi dygymod â'r syniad, a fydd hynny ddim yn hir, mi ro i flas eu ffisig eu hunain iddyn nhw a fyddan nhw fawr o dro'n newid eu cân. Ydw i o ddifri mor anghwrtais, pengaled, ystyfnig, digywilydd, twp, diog a.y.b., a.y.b. ag y mae'r ddau van Daan yn dweud fy mod i? Nac ydw, wrth gwrs. Mi wn i fod gen i fy meiau a 'ngwendidau, ond maen nhw'n eu chwyddo y tu hwnt i reswm! Pe bait ti ond yn gwybod, Kitty, fel yr ydw i'n berwi tu mewn pan maen nhw'n fy ngheryddu ac yn fy ngwawdio i. Wn i ddim pa mor hir y galla i ddal heb ffrwydro.

Ond dyna ddigon am hynna. Rydw i wedi dy ddiflasu di'n ddigon hir â 'nghwerylon i, ac eto alla i ddim peidio ychwanegu un sgwrs ginio tu hwnt o ddiddorol.

Rywfodd neu'i gilydd fe drodd y sgwrs i gyfeiriad natur ddiymffrost Pim. Fe ŵyr pawb am ei wyleidd-dra, a go brin y byddai'r un mwyaf twp yn amau'r ffaith. Yn sydyn dyna Mrs van Daan, sy'n teimlo'r angen i wthio'i phig i mewn i bob sgwrs, yn dweud: 'Rydw innau'n wylaidd ac encilgar iawn hefyd, yn llawer mwy felly na 'ngŵr!'

Glywaist ti beth mwy chwerthinllyd yn dy fyw? Mae'r frawddeg ynddi'i hun yn dangos yn glir nad ydi gwyleidd-dra yn un o'i nodweddion hi!

Dyna Mr van Daan, oedd yn teimlo rheidrwydd i egluro'r 'llawer mwy felly na 'ngŵr', yn dweud yn ddigyffro, 'Dydw i ddim yn dymuno bod yn wylaidd nac yn encilgar. Yn fy mhrofiad i, dydi hynny ddim yn talu.' A gan droi ata i, meddai ymhellach, 'Paid â bod yn rhy wylaidd ac encilgar, Anne, neu chyrhaeddi di unman.'

Roedd Mam yn cytuno'n llwyr â'i safbwynt. Ond bu'n rhaid i Mrs van Daan ychwanegu'i phwt, fel arfer. Y tro yma, fodd bynnag, dewisodd gyfarch fy rhieni yn hytrach na fi ac meddai: 'Mae'n rhaid fod ganddoch chi ryw olwg ryfedd iawn ar fywyd i allu dweud y fath beth wrth Anne. Roedd pethau'n wahanol pan o'n i'n tyfu i fyny. Er, go brin eu bod nhw wedi newid llawer ers hynny, ond mewn cartref cyfoes fel eich un chi!'

Ergyd i Mam oedd honno gan ei bod hi wedi bod yn amddiffyn ei syniadau cyfoes ar fagu plant sawl tro. Roedd Mrs van Daan wedi cynhyrfu gymaint fel bod ei hwyneb hi'n fflamgoch. Mae pobl sy'n gwrido'n hawdd yn fwy tebygol o golli'r dydd wrth golli limpin.

Wedi ystyried am funud, meddai'r fam ddi-wrid, oedd yn

awyddus i ddod â'r sgwrs i ben gynted ag oedd bosib: 'Wel, Mrs van Daan, rydw i'n cytuno na ddylai rhywun fod yn orwylaidd. Mae fy ngŵr i, Margot a Peter y tu hwnt o ddiymhongar, ond er nad ydan ni'n gwbl wahanol go brin y bydden ni'n dwy, Mr van Daan ac Anne yn cymryd ein gwthio o gwmpas gan neb.'

Mrs van Daan: 'O, Mrs Frank, dydw i ddim yn eich deall chi! Rydw i mor wylaidd. Sut y gallwch chi fy nghyhuddo i o fod yn ymwthgar?'

Mam: 'Ddwedais i mo hynny, ond fyddai neb yn eich disgrifio chi fel un encilgar.'

Mrs van Daan: 'Mi hoffwn i wybod ym mha ffordd yr ydw i'n ymwthgar. Mae'n rhaid i mi ofalu amdanaf fy hun. Does yna neb arall yn debygol o wneud, a llwgu fyddai fy hanes i, ond dydi hynny ddim yn golygu nad ydw i'r un mor wylaidd ac encilgar â'ch gŵr.'

Doedd gan Mam fawr o ddewis ond chwerthin am ben yr hunan-amddiffyniad afresymol hwnnw. Cythruddwyd Mrs van Daan ac aeth ymlaen i barablu mewn cymysgedd o Almaeneg ac Iseldireg nes bod ei thafod dadleugar yn glymau. Yna cododd o'i chadair ac roedd hi ar fin gadael yr ystafell pan syrthiodd ei llygaid arna i. Fe ddylet ti fod wedi'i gweld hi! Fel mae'n digwydd, yr eiliad y trodd Mrs van Daan tuag ata i, ro'n i'n ysgwyd fy mhen mewn cyfuniad o dosturi ac eironi. Doedd hynny ddim yn fwriadol, ond ro'n i wedi bod yn gwrando mor astud ar ei haraith hi fel bod fy ymateb i'n gwbl naturiol. Dyna hi'n troi ar ei sawdl ac yn rhoi pryd o dafod i mi mewn Almaeneg cras, anghynnes a di-chwaeth, yn union fel gwraig-gwerthu-pysgod dew, wynepgoch. Roedd hi'n olygfa anfarwol. Pe bawn i'n artist, mi fyddwn i wedi hoffi tynnu llun ohoni fel yr oedd hi'r munud hwnnw. Roedd hi'n edrych mor ddigri, yr hen dwpsen fach benchwiban! Rydw i wedi dysgu un peth; ddoi di byth i nabod neb yn iawn nes cael ffrae go iawn efo fo neu hi. Dyna pryd mae gwir gymeriad rhywun yn ei amlygu'i hun!

Dy Anne

Dydd Mawrth, Medi 29, 1942

F'annwyl Kitty,

Fe all y pethau rhyfeddaf ddigwydd pan mae rhywun mewn cuddfan! Ceisia ddychmygu hyn. Gan nad oes bàth ar gael, rydan ni'n gorfod ymolchi mewn twbyn a gan nad oes yna ddŵr poeth yn unman ond y swyddfa (hynny ydi, y llawr isaf), rydan ni'n saith, yn ein tro, yn gwneud yn fawr o'r amheuthun hwnnw. Ond gan ein bod ni i gyd mor wahanol a phob un yn berchen ar ryw gyfran o weddustra, mae pob aelod o'r teulu wedi dewis lle gwahanol i ymolchi. Mae Peter wedi dewis cegin y swyddfa, er bod yno ddrws gwydr. Ar yr amser penodol, mae'n mynd o gwmpas pob un ohonom yn ei dro ac yn ein rhybuddio i beidio cerdded heibio i'r gegin am hanner awr, gan gredu fod y rhybudd hwnnw'n ddigonol. Mae Mr van Daan wedi penderfynu fod diogelwch ei ystafell ei hun yn gorbwyso'r drafferth o orfod cario'r dŵr poeth i fyny'r holl risiau. Dydi Mrs van Daan ddim wedi cael bàth hyd yn hyn; mae hi'n aros i ddewis y lle gorau. Mae Dad yn cymryd ei fàth yn y swyddfa breifat, Mam yn y gegin y tu ôl i sgrin dân, ac mae Margot a fi wedi hawlio'r swyddfa flaen. Gan fod y llenni wedi'u cau ar brynhawn Sadwrn, rydan ni'n gorfod ymolchi yn y tywyllwch. Tra bod un yn y bàth, mae'r llall yn sbecian allan drwy hollt yn y llenni ac yn syllu mewn rhyfeddod ar yr amrywiaeth diderfyn o bobl.

Mi ge's i ddigon ar hynny ac rydw i wedi bod wrthi ers wythnos bellach yn ceisio meddwl am le mwy cyfforddus i ymolchi. Peter awgrymodd y gallwn i roi'r twbyn yn nhoiled y swyddfa. Yno, rydw i'n gallu eistedd, rhoi'r golau ymlaen, cloi'r drws, tywallt y dŵr allan heb help neb, a'r cyfan heb ofni y bydd rhywun yn fy ngweld i. Dydd Sul oedd y tro cyntaf i mi ddefnyddio'r ystafell ymolchi newydd hyfryd ac er bod hynny'n swnio'n beth rhyfedd rydw i'n hoffi'r lle'n fwy nag unman arall.

Roedd y plymer lawr grisiau ddydd Mercher, yn symud y peipiau a'r draeniau o doiled y swyddfa i'r cyntedd rhag ofn i ni gael gaeaf caled ac i'r peipiau rewi. Fe wnaeth ei ymweliad bethau'n anodd iawn i ni gan nad oedd modd rhedeg dŵr yn ystod y dydd na mynd i'r tŷ bach. Mi ddweda i wrthot ti sut y gwnaethon ni ddelio â'r broblem er y byddi di, efallai, yn fy ngweld i braidd yn ddi-chwaeth, ond dydw i ddim mor fursennaidd na alla i drafod pethau o'r fath. Y diwrnod y cyrhaeddon ni yma, aeth Dad a fi ati i ddyfeisio pot pi-pi drwy aberthu un o'r jariau piclo i'r pwrpas. Tra bu'r plymer yma, rhoddwyd y jariau ar waith i ateb galwadau natur. I mi, doedd hyn ddim hanner cymaint o dreth â gorfod eistedd yn llonydd drwy'r dydd, heb ddweud gair. Elli di ddim dychmygu pa mor anodd oedd hynny i Meistres Cwac Cwac Cwac. Rydan ni'n gorfod sibrwd drwy'r dydd, ar y gorau, ond roedd hi'n ddengwaith gwaeth methu symud na siarad.

Wedi tridiau o eistedd cyson, roedd fy mhen-ôl i wedi cyffio ac yn boenus. Bu gwneud ymarferion cyn mynd i'r gwely o help.

Dy Anne

Dydd Iau, Hydref 1, 1942

Annwyl Kitty,

Mi ge's i sioc ddychrynllyd ddoe. Am wyth o'r gloch, fe ganodd cloch y drws yn sydyn. Ro'n i'n meddwl yn siŵr fod rhywun wedi dod i'n nôl ni, ac fe wyddost at bwy yr ydw i'n cyfeirio. Ond mi wnes i dawelu pan dyngodd pawb mai plant castiog neu'r postmon oedd yno.

Distaw iawn ydi hi yma'r dyddiau hyn. Mae Mr Levinsohn, fferyllydd bychan Iddewig, yn gweithio i Mr Kugler yn y gegin. Gan ei fod yn gyfarwydd â'r holl adeilad, rydan ni'n byw mewn ofn y bydd iddo gymryd yn ei ben fynd i gael golwg ar yr hen labordy. Mae gofyn i ni fod cyn ddistawed â llygod. Pwy fyddai wedi dyfalu, dri mis yn ôl, y byddai'n rhaid i Anne, yr arian byw o eneth, eistedd mor dawel am oriau bwygilydd ac, yn fwy fyth, y gallai hi wneud hynny?

Roedd pen blwydd Mrs van Daan ar y nawfed ar hugain. Er nad oedd modd cael dathliad mawr, cafodd bryd da o fwyd, blodau ac anrhegion syml. Yn ôl pob golwg mae'r blodau carnasiwn coch gafodd hi gan ei gŵr yn draddodiad teuluol.

Gad i mi aros am funud efo Mrs van Daan a dweud wrthot ti fod ei hymdrechion i fflyrtio efo Dad yn mynd o dan fy nghroen i. Mae hi'n tynnu'i llaw dros ei rudd a'i wallt, yn codi'i sgert ac yn dweud pethau mae hi'n eu hystyried yn sylwadau gogleisiol i geisio denu sylw Pim. Yn ffodus, dydi Pim ddim yn ei chael hi'n ddigri na deniadol a fydd o byth yn ymateb i'w fflyrtio hi. Fel y gwyddost ti, rydw i o natur eiddigeddus ac alla i ddim goddef ei hymddygiad hi. Wedi'r cyfan, dydi Mam ddim yn ymddwyn fel yna tuag at Mr van Daan, ac mi ddwedais i hynny wrth Mrs van D., heb flewyn ar dafod.

Fe all Peter fod yn ddigri iawn weithiau. Mae ganddon ni un peth yn gyffredin sy'n peri i bawb chwerthin: rydan ni'n dau yn mwynhau gwisgo i fyny. Un min nos fe gerddon ni i mewn i'r ystafell, Peter yn un o ffrogiau tynn ei fam a fi yn siwt Peter, y fo'n gwisgo het a fi'n gwisgo cap. Roedd y rhai mewn oed yn eu dyblau, a ninnau'n mwynhau ein hunain lawn cymaint.

Prynodd Bep sgertiau newydd i Margot a fi yn siop Bijenkorf. Mae'r defnydd yn erchyll, fel sach datws. Go brin y byddai'r siopau wedi meiddio gwerthu'r fath ddillad cyn y rhyfel a hynny am 24.00 *guilder* (un Margot) a 7.75 *guilder* (f'un i).

Mae ganddon ni rywbeth i edrych ymlaen ato: mae Bep wedi archebu cwrs llaw-fer drwy'r post i Margot, Peter a fi. Aros di, erbyn yr adeg yma y flwyddyn nesaf fe fyddwn ni'n rhugl mewn llaw-fer. P'un bynnag, mae dysgu ysgrifennu mewn cod y tu hwnt o ddefnyddiol.

Alla i ddim gwneud y smwddio gan fod gen i boen dychrynllyd yn un o fysedd fy llaw chwith. Dyna i ti beth ydi lwc!

Mae Mr van Daan am i mi eistedd nesaf ato wrth y bwrdd bwyd, gan nad ydi Margot yn bwyta digon i'w blesio. Does gen i ddim gwrthwynebiad; rydw i'n mwynhau unrhyw newid. Mae'r gath fach ddu sydd wastad yn crwydro o gwmpas yr iard yn fy atgoffa i o fy Moortje annwyl. Rheswm arall dros groesawu'r newid ydi fod Mam yn pigo arna i byth a beunydd, yn arbennig wrth y bwrdd bwyd. Rŵan bydd yn rhaid i Margot ddioddef y gwaethaf ohono. Na fydd, o ran hynny, gan na fydd Mam byth yn gwawdio'r fath batrwm o berffeithrwydd! Ar hyn o bryd, rydw i'n gwneud ati i herio Margot am ei bod hi mor berffaith, ac mae'n gas ganddi hynny. Efallai y bydd yn wers iddi beidio bod mor angylaidd. Mae'n hen bryd iddi ddysgu.

I gloi'r gybolfa hon o newyddion, jôc arbennig o ddigri gan Mr van Daan:

Beth sy'n mynd clic naw deg naw o weithiau a clac unwaith?

Neidr gantroed efo un troed clwb.

Hwyl iti, Anne

Dydd Sadwrn, Hydref 3, 1942

Annwyl Kitty,

Roedd pawb yn fy herian i ddoe oherwydd i mi orwedd ar y gwely wrth ochr Mr van Daan. 'Yn dy oed di! C'wilydd!' a sylwadau eraill tebyg. Hen lol wirion, wrth gwrs. Fyddwn i byth eisiau cysgu efo Mr van Daan yn y ffordd maen nhw'n ei feddwl.

Ddoe cafodd Mam a fi ffrae arall ac roedd hi'n chwarae'r andros. Wrth iddi restru fy ngwendidau i wrth Dad fe ddechreuodd grio ac fe wnaeth hynny i mi grio, hefyd, ac roedd gen i gur mawr yn fy mhen p'un bynnag. Y diwedd fu i mi ddweud wrth Dad fy mod i'n ei garu o lawer mwy nag ydw i'n caru Mam, ac fe ddywedodd yntau mai chwiw dros dro oedd hynny. Ond dydw i ddim yn cytuno. Alla i mo'i dioddef hi. Rydw i'n gorfod gwasgu 'nhafod rhag arthio arni drwy'r amser, a'm gorfodi fy hun i gadw 'mhen pan fyddwn i, o ddewis, yn hoffi rhoi clewten iawn iddi. Wn i ddim pam yr ydw i wedi cymryd yn ei herbyn hi gymaint. Mae Dad yn dweud y dylwn i gynnig helpu Mam os nad ydi hi'n teimlo'n dda neu'n dioddef o gur pen, ond dydw i ddim yn bwriadu gwneud hynny gan nad ydw i'n ei charu hi nac yn mwynhau rhoi help llaw iddi. Mi alla i ddychmygu Mam yn marw ryw ddiwrnod ond mae marwolaeth Dad yn beth cwbl annirnad. Mae bai arna i, ond dyna sut yr ydw i'n teimlo. Rydw i'n gobeithio na fydd Mam *byth* yn darllen hwn na dim arall yr ydw i wedi'i ysgrifennu.

Rydw i wedi cael caniatâd i ddarllen mwy o lyfrau sydd wedi'u bwriadu ar gyfer rhai hŷn. Mae *Ieuenctid Efa* gan Nico van Suchtelen yn fy nghadw i'n brysur ar hyn o bryd. Does yna fawr o wahaniaeth rhwng hwn a llyfrau i ferched yn eu harddegau. Roedd Efa'n credu fod plant yn tyfu ar goed, fel afalau, a bod y storc yn eu plycio oddi ar y goeden pan oedden nhw'n aeddfed ac yn eu cario at eu mamau. Ond pan welodd hi gath ei ffrind yn geni cathod bach roedd hi'n credu fod cathod yn dodwy wyau ac yn eu deor fel cywion, a bod mam oedd eisiau plentyn yn mynd i'w gwely ychydig ddyddiau cyn hynny i ddodwy wy ac eistedd arno. Wedi i'r babi gyrraedd, roedd y mamau mewn peth gwendid ar ôl cyrcydu mor hir. Fe ddechreuodd Efa deimlo ei bod hi eisiau babi hefyd. Dyna hi'n cymryd sgarff wlân ac yn ei thaenu ar lawr fel bod yr wy'n syrthio i hwnnw, ac yna'n mynd ar ei chwrcwd a dechrau gwthio. Wrth iddi aros, roedd hi'n clwcian fel iâr, ond ddaeth yna'r un wy allan. O'r diwedd, a hithau wedi bod yn ei chwman am amser hir, fe ddaeth yna rywbeth allan, ond selsig oedd o, nid wy. Roedd Efa'n teimlo cywilydd, ac yn meddwl ei bod hi'n sâl. Digri, yntê? Mae yna rai rhannau o *Ieuenctid Efa* hefyd sy'n sôn am ferched yn gwerthu'u cyrff allan ar y stryd ac yn hawlio haldiad o arian. Mi fyddwn i wedi 'mharlysu pe bai'n rhaid i mi wneud hynny. Mae misglwyf Efa yn cael ei grybwyll hefyd. O, rydw i'n ysu am gael fy misglwyf - mi fydda i wedi tyfu i fyny o ddifri wedyn.

Mae Dad yn cwyno eto ac yn bygwth mynd â'r dyddiadur oddi arna i. Dyna beth ydi hunllef! O hyn ymlaen, rydw i'n mynd i'w guddio.

Anne Frank

Dydd Mercher, Hydref 7, 1942

Rydw i'n dychymgu ...

Fy mod i wedi mynd i'r Swistir. Mae Dad a fi'n cysgu yn un ystafell ac mae stydi'r bechgyn, fy ngefndryd i, Bernd a Stephan Elias, wedi'i addasu'n ystafell eistedd lle y galla i dderbyn ymwelwyr. Er mwyn rhoi syrpreis imi, maen nhw wedi prynu dodrefn newydd yn cynnwys bwrdd, desg, cadair freichiau a gwely difán. Mae pob dim yn fendigedig. Ymhen ychydig ddyddiau, mae Dad yn rhoi 150 *guilder* imi - wedi'u cyfnewid am arian y Swistir wrth gwrs, ond mi galwa i nhw'n *guilders* - ac yn dweud wrtha i am brynu popeth sydd arna i ei angen, i gyd i mi fy hun. (Yn ddiweddarach, rydw i'n cael *guilder* yr wythnos, i brynu beth fynna i.) I ffwrdd â fi efo Bernd a phrynu:

3 fest gotwm am 0.50 = 1.50

3 nicer cotwm am 0.50 = 1.50

3 fest wlân am 0.75 = 2.25

3 nicer gwlân am 0.75 = 2.25

2 bais am 0.50 = 1.00

2 fra (y maint lleiaf) am 0.50 = 1.00

5 pyjamas am 1.00 = 5.00

1 gŵn nos haf am 2.50 = 2.50

1 gŵn nos gaeaf am 3.00 = 3.00

2 siaced wely am 0.75 = 1.50

1 gobennydd bach am 1.00 = 1.00

1 pâr o slipars ysgafn am 1.00 = 1.00

1 pâr o slipars cynnes am 1.50 = 1.50

1 pâr o esgidiau haf (ysgol) am 1.50 = 1.50

1 pâr o esgidiau haf (gorau) am 2.00 = 2.00

1 pâr o esgidiau gaeaf (ysgol) am 2.50 = 2.50

1 pâr o esgidiau gaeaf (gorau) am 3.00 = 3.00

2 ffedog am 0.50 = 1.00

25 o hancesi am 0.05 = 1.25

4 pâr o sanau sidan am 0.75 = 3.00

4 pâr o sanau pen-glin am 0.25 = 1.00

4 pâr o sanau bach am 0.25 = 1.00

2 bâr o sanau tewion am 1.00 = 2.00

3 pellen o edafedd gwyn (dillad isaf, cap) = 1.50

3 pellen o edafedd glas (siwmper, sgert) = 1.50

3 pellen o edafedd amryliw (cap, sgarff) = 1.50

Sgarffiau, beltiau, coleri, botymau = 1.25

Hefyd 2 ffrog ysgol (haf), 2 ffrog ysgol (gaeaf), 2 ffrog orau (haf), 2 ffrog orau (gaeaf), 1 sgert haf, 1 sgert orau (gaeaf), 1 sgert ysgol (gaeaf), 1 gôt law, 1 gôt haf, 1 gôt aeaf, 2 het, 2 gap. Cyfanswm = 108.00 guilder.

2 bwrs, 1 siwt sglefrio, 1 pâr o esgidiau sglefrio, 1 cês (yn cynnwys powdwr wyneb, hufen croen, hufen coluro, hufen glanhau, hylif llosg haul, gwlân cotwm, pecyn cymorth cyntaf, rouge, minlliw, pensel aeliau, hylif bàth, persawr, sebon, pwff powdwr).

Hefyd 4 crys chwys am 1.50, 4 blows am 1.00, eitemau amrywiol am 10.00, llyfrau ac anrhegion am 4.50.

Dydd Gwener, Hydref 9, 1942

F'annwyl Kitty,

Does gen i ddim ond newyddion drwg a digalon i ti heddiw. Mae'r llu ffrindiau a chydnabod Iddewig sydd ganddon ni'n cael eu cario i ffwrdd wrth y dwsinau. Mae'r Gestapo yn eu trin yn egar iawn ac yn eu cludo ymaith mewn wagenni gwartheg i Westerbork, y gwersyll mawr yn Drenthe lle maen nhw'n anfon yr Iddewon i gyd. Roedd Miep yn sôn fel y llwyddodd rhywun i ddianc oddi yno. Mae Westerbork yn swnio'n erchyll. Dydyn nhw'n cael fawr ddim i'w fwyta a llai fyth i'w yfed, gan nad oes dŵr ar gael ond am un awr y dydd, a does yna ond un toiled a sinc ar gyfer rhai cannoedd o bobl. Mae dynion a merched yn cysgu yn yr un ystafell ac amryw o'r merched a'r plant yn cael eu pennau wedi'u heillio. Oherwydd hynny, a golwg Iddewig y mwyafrif, mae dianc bron yn amhosibl.

Os ydi hi cynddrwg â hynny yn yr Iseldiroedd, sut yn y byd mae pethau yn y mannau anghysbell ac anwaraidd lle mae'r Almaenwyr yn eu hanfon? Rydan ni'n tybio fod y mwyafrif yn cael eu llofruddio. Mae'r radio Saesneg yn dweud eu bod yn cael eu gwenwyno â nwy. Efallai mai dyna'r ffordd gyflymaf i farw.

Rydw i'n teimlo'n ofnadwy. Mae disgrifiad Miep o'r erchyllterau hyn yn rhwygo calon, ac mae hithau wedi'i hysgwyd yn arw. Y dydd o'r blaen, er enghraifft, fe adawodd yr Almaenwyr hen Iddewes fethedig ar riniog drws Miep tra oedden nhw'n mynd i chwilio am gar. Roedd gan yr hen greadures arswyd y chwiloleuadau llachar a'r gynnau oedd yn tanio at yr awyrennau Prydeinig uwchben. Ond doedd fiw i Miep roi lloches iddi. Fyddai neb yn meiddio gwneud hynny. Mae'r Almaenwyr bonheddig yn ddigon hael lle mae cosbi'n y cwestiwn.

Mae Bep hefyd yn teimlo'n druenus iawn gan fod ei chariad yn cael ei anfon i'r Almaen. Bob tro y bydd yr awyrennau'n hedfan uwchben mae arni ofn y gwnân nhw ollwng yr oll o'u bomiau ar Bertus. Go brin fod ffraethebion fel 'Paid â phoeni, allan nhw i gyd ddim syrthio arno fo' neu 'Un bom sydd angen' yn addas dan yr amgylchiadau. Nid Bertus ydi'r unig un sy'n cael ei orfodi i weithio yn yr Almaen. Mae llond trenau o fechgyn ifanc yn gadael bob dydd. Pan fydd y trên yn aros yn un o'r gorsafoedd bychain mae rhai yn ceisio sleifio ymaith, ond ychydig iawn sy'n llwyddo i ddianc a chanfod lle i guddio.

Ond nid dyna ddiwedd fy ngofidiau i. Wyt ti'n gyfarwydd â'r term 'gwystlon'? Dyna'r gosb ddiweddaraf i derfysgwyr, a'r un fwyaf erchyll y gall neb feddwl amdani. Mae dinasyddion amlwg - pobl ddiniwed - yn cael eu cymryd yn garcharorion i aros eu dienyddiad. Os ydi'r Gestapo yn methu dod o hyd i'r terfysgwr, maen nhw'n cipio pump o wystlon a'u rhoi yn erbyn y wal, i'w saethu. Mae'r papurau'n cyfeirio at eu marwolaeth fel 'damweiniau angheuol'.

On'd ydi'r Almaenwyr yn enghreifftiau perffaith o ddynoliaeth! Ac i feddwl fy mod i'n un ohonyn nhw! Na, dydi hynny ddim yn wir. Fe aeth Hitler â'n cenedligrwydd ni oddi arnom amser maith yn ôl. A ph'un bynnag, does yna ddim gelynion mwy ar wyneb daear na'r Almaenwyr a'r Iddewon.

Dy Anne

Dydd Mercher, Hydref 14, 1942

Annwyl Kitty,

Rydw i tu hwnt o brysur. Ddoe mi ddechreuais drwy gyfieithu pennod o *La Belle Nivernaise* gan wneud nodyn o eiriau newydd. Yna mi fûm i'n gweithio ar broblem fathemateg erchyll a chyfieithu tair tudalen o ramadeg Ffrangeg yn ogystal. Heddiw, gramadeg Ffrangeg a hanes. Rydw i'n gwrthod yn bendant mynd i'r afael â'r mathemateg felltith yna bob dydd. Mae Dad yn meddwl ei fod yn erchyll hefyd. Er fy mod i rywfaint yn well na fo, does yr un ohonon ni'n werth dim o ddifri, ac rydan ni'n gorfod galw am help Margot bob tro. Rydw i hefyd yn gweithio ar fy llaw-fer, ac yn ei fwynhau. Ohonon ni'n tri, fi sydd ar y blaen.

Rydw i newydd orffen darllen *Y Teulu Storm*. Mae o'n eitha da, ond ddim i'w gymharu â *Joop ter Heul*. P'un bynnag, mae'r un geiriau i'w cael yn y ddau lyfr, ac mae hynny'n ddigon naturiol gan mai'r un ydi'r awdur. Mae Cissy van Marxveldt yn awdur ffantastig.

Mi wna i'n siŵr fod fy mhlant i yn cael darllen ei llyfrau hi hefyd.

Rydw i wedi darllen amryw o ddramâu Korner yn ogystal, er enghraifft *Hedwig*, *Y Cefnder o Bremen*, *Yr Athrawes Gartref*, *Y Domino Gwyrdd* a.y.b. ac mae'i ddull o ysgrifennu'n apelio ata i.

Mae Mam, Margot a fi yn ffrindiau mawr unwaith eto. Mae hynny'n llawer brafiach. Neithiwr roedd Margot a fi'n gorwedd, ochr wrth ochr, yn fy ngwely i. Doedd yna ddim lle i symud na llaw na throed, ond roedd hynny'n rhan o'r hwyl. Fe ofynnodd Margot a gâi hi ddarllen fy nyddiadur i weithiau.

'Rhannau ohono fo,' meddwn i, a'i holi am ei dyddiadur hi. Mi ge's innau ganiatâd i ddarllen hwnnw.

Yna fe ddechreuon ni sôn am y dyfodol, ac mi ofynnais i beth oedd hi am fod ar ôl tyfu i fyny. Roedd hi'n gwrthod ateb, fel pe bai ganddi ryw gyfrinach fawr. Er nad ydw i'n rhy siŵr, rydw i'n casglu fod a wnelo hynny rywbeth â mynd i ddysgu. Ddylwn i ddim bod mor fusneslyd!

Bore heddiw ro'n i'n gorwedd ar wely Peter, wedi'i ymlid o oddi arno. Roedd Peter yn gandryll, ond waeth gen i. Fe allai ystyried bod ychydig yn fwy cyfeillgar tuag ata i weithiau. Wedi'r cyfan, mi rois i afal iddo neithiwr.

Mi ofynnais i i Margot unwaith oedd hi'n meddwl fy mod i'n hyll ac fe ddywedodd hithau fy mod i'n giwt a bod gen i lygaid tlws. Braidd yn amwys oedd hynny, yntê?

Wel, tan tro nesa.

Anne Frank

O.N. Fe gymron ni i gyd dro ar y glorian bore heddiw. Mae Margot yn pwyso 60 kilo, Mam 62, Dad 70, Anne 44, Peter 67, Mrs van Daan 53, Mr van Daan 75. Rydw i wedi ennill 8 kilo mewn tri mis. Dipyn go lew, yntê?

Dydd Mawrth, Hydref 20, 1942

F'annwyl Kitty,

Mae fy llaw i'n dal i grynu, er bod dwyawr wedi mynd heibio er pan gawson ni'r sioc. Mi ddylwn i egluro fod pump diffoddwr tân yn yr adeilad. Bu staff y swyddfa mor esgeulus ag anghofio ein rhybuddio ni pryd y byddai'r saer, neu pwy bynnag, yn dod i'w llenwi nhw. Yn ein hanwybodaeth, wnaethon ni'r un ymdrech i gadw'n ddistaw nes i mi glywed sŵn morthwylio ar y landin (gyferbyn â'r silffoedd llyfrau) Gan gymryd yn ganiataol mai'r saer oedd yno, mi e's i ar fy union i ddweud wrth Bep, oedd yn cael ei chinio, na allai fynd yn ôl lawr grisiau. Yna aeth Dad a fi i sefyll wrth y drws er mwyn gallu clywed y dyn yn gadael. Wedi iddo fod yn gweithio am ryw chwarter awr, rhoddodd y saer ei forthwyl ac arfau eraill i lawr ar ein silffoedd llyfrau ni (dyna oedden ni'n ei feddwl, o leiaf!) a churo ar y drws. Roedden ni'n dau fel y galchen. Oedd o wedi clywed rhywbeth, wedi'r cyfan, ac eisiau darganfod beth oedd y tu ôl i'r silffoedd llyfrau rhyfedd yma? Roedd hynny'n ddigon tebygol, gan ei fod yn dal ati i guro, tynnu, gwthio a phlycio.

Ro'n i bron â llewygu o arswyd wrth feddwl y gallai'r dieithryn hwn ddod o hyd i'n cuddfan unigryw ni. A minnau'n credu'n siŵr fod fy nyddiau i wedi'u rhifo, dyna ni'n clywed llais Mr Kleiman yn dweud, 'Agorwch y drws. Fi sydd 'ma.'

Fe agoron ni'r drws ar unwaith. Beth oedd wedi digwydd, meddet ti? Roedd y bachyn sy'n cau'r silffoedd wedi mynd yn sownd. Dyna pam nad oedden nhw wedi gallu'n rhybuddio ni fod y saer o gwmpas. Wedi i'r dyn adael, daeth Mr Kleiman i nôl Bep, ond roedd o'n methu agor y silffoedd. Alla i ddim dweud wrthot ti gymaint o ryddhad oedd hynny. Roedd y dyn y tybiwn i ei fod yn ceisio torri i mewn i'r Rhandy Dirgel wedi tyfu a thyfu yn fy nychymyg i nes mynd nid yn unig yn gawr ond hefyd y Ffasgydd creulonaf yn y byd. Whiw! Yn ffodus, fe drodd popeth allan yn iawn, y tro yma o leiaf.

Fe gawson ni andros o hwyl ddydd Llun gan fod Miep a Jan yn aros efo ni dros nos. Cysgodd Margot a fi yn llofft Dad a Mam er mwyn i'r ddau Gies gael ein gwlâu ni. Cafodd bwydlen arbennig ei pharatoi o ran parch iddyn nhw ac roedd y bwyd yn flasus iawn. Fe dorrwyd ar y miri am un cyfnod byr gan i lamp Dad chwythu ffiws a'n plymio ni i ganol y tywyllwch. Beth oedd yna i'w wneud? Roedd ganddon ni ffiws sbâr ond roedd y bocs ym mhen draw'r warws - tasg annymunol iawn wedi nos. Ond mentrodd y dynion allan ac mewn deng munud roedd y canhwyllau wedi'u rhoi i gadw unwaith eto.

Er fy mod i wedi codi'n gynnar y bore 'ma roedd Jan eisoes wedi gwisgo. Gan ei fod yn gorfod gadael am hanner awr wedi wyth, roedd yn cael ei frecwast am wyth. Roedd Miep wrthi'n gwisgo ac yn ei dillad isaf pan e's i i mewn. Pan fydd hi'n mynd ar ei beic, mae hi'n gwisgo'r un math o ddillad isaf hirion ag ydw i. Gwisgodd Margot a minnau'n frysiog ac roedden ni i fyny grisiau yn gynharach nag arfer. Wedi brecwast pleserus, gadawodd Miep am y swyddfa. Roedd hi'n tywallt y glaw ac roedd hi'n falch nad oedd raid iddi feicio i'w gwaith. Gwnaeth Dad a fi'r gwlâu ac yna mi es i ati i ddysgu pump o ferfau Ffrangeg afreolaidd. Dyna i ti weithgar, yntê?

Roedd Margot a Peter yn darllen yn ein hystafell ni a Mouschi wedi cyrlio i fyny ar y difán wrth ochr Margot. Wedi i mi orffen efo'r berfau, mi es i atyn nhw a darllen *Ni Phaid y Coed â Chanu.* Mae'n llyfr hyfryd, ond anghyffredin iawn. Rydw i'n tynnu at y diwedd.

Yr wythnos nesaf, tro Bep ydi aros yma.

Dy Anne

Dydd Iau, Hydref 29, 1942

F'annwyl Kitty,

Rydw i'n bryderus iawn. Mae Dad yn sâl, yn sbotiau drosto a'i wres yn uchel. Y frech goch, efallai. Meddylia, allwn ni ddim galw meddyg hyd yn oed! Mae Mam yn gwneud iddo chwysu yn y gobaith o ostwng ei dymheredd.

Bore heddiw, dywedodd Miep fod y dodrefn wedi cael eu symud allan o ystafelloedd y teulu van Daan ar Zuider-Amstellaan. Does neb wedi sôn gair wrth Mrs van D. hyd yma. Mae hi wedi bod mor '*nervenmässig*', mor nerfus yn ddiweddar, a does arnon ni ddim awydd gwrando arni'n tuchan a chwyno unwaith eto am y llestri gwych a'r cadeiriau heirdd y bu'n rhaid iddi eu gadael ar ôl. Bu'n rhaid i ninnau adael y rhan fwyaf o'r pethau yr oedden ni'n eu trysori hefyd. Beth ydi'r diben cwyno am hynny rŵan?

Mae Dad am i mi ddechrau darllen llyfrau gan Hebbel ac awduron enwog eraill o'r Almaen. Rydw i'n gallu darllen Almaeneg yn eitha rhugl erbyn hyn ond fy mod i'n dueddol o fwmblan y geiriau yn hytrach na'u darllen yn ddistaw i mi fy hun. Ond mi ddo i dros hynny. Mae Dad wedi estyn dramâu Goethe a Schiller o'r cwpwrdd mawr ac yn bwriadu darllen i mi bob min nos. Rydan ni wedi dechrau efo Don Carlos. Wedi'i symbylu gan esiampl dda Dad, gwthiodd Mam ei llyfr gweddi i 'nwylo i. Rydw i'n darllen rhai gweddïau mewn Almaeneg, o ran cwrteisi. Maen nhw'n swnio'n hyfryd ond dydyn nhw'n golygu fawr ddim i mi. Pam mae hi'n mynnu i mi ymddwyn mor grefyddol a defosiynol?

Rydan ni am oleuo'r stof am y tro cyntaf fory. Gan nad ydi'r simnai wedi cael ei glanhau ers hydoedd, mae'r ystafell yn siŵr o lenwi â mwg. Dim ond gobeithio y bydd hi'n tynnu!

Dy Anne

Dydd Llun, Tachwedd 2, 1942

Annwyl Kitty,

Fe arhosodd Bep efo ni nos Wener. Roedd hynny'n hwyl ond chysgodd hi ddim yn rhy dda oherwydd ei bod hi wedi yfed gwin. Am y gweddill ohonon ni, does yna ddim byd arbennig i'w gofnodi. Roedd gen i andros o gur pen ddoe ac mi es i i 'ngwely'n gynnar. Mae Margot yn blagus eto.

Y bore 'ma mi ddechreuais i roi trefn ar un o ffeiliau cardiau mynegai'r swyddfa oedd wedi dymchwel a chwalu. Cyn bo hir ro'n i wedi drysu'n lân. Mi ofynnais i Margot a Peter helpu ond roedden nhw'n rhy ddiog, felly mi rois i'r cardiau i gadw. Dydw i ddim mor wirion â gwneud y cyfan fy hun!

Anne Frank

O.N. Mi anghofiais i grybwyll y newydd pwysig fod fy misglwyf i'n debygol o ddechrau toc. Rydw i'n gwybod hynny gan i mi ganfod staen gwyn ar fy nicer, ac i Mam ddarogan ei fod ar ei ffordd. Alla i ddim aros. Mae o'n brofiad mor ysgytiol. Trueni na alla i ddefnyddio'r tyweli pwrpasol ond does dim modd eu cael bellach, a dim ond merched sydd wedi cael plant sy'n gallu defnyddio tamponau fel rhai Mam.

YCHWANEGWYD GAN ANNE AR IONAWR 22, 1944:

Allwn i byth ysgrifennu'r math yna o beth bellach.

Rŵan fy mod i'n ailddarllen fy nyddiadur wedi blwyddyn a hanner, rydw i'n rhyfeddu at fy niniweidrwydd plentynnaidd. Mi wn i'n fy nghalon na allwn i byth fod yr un mor ddiniwed eto, er cymaint yr hoffwn i fod felly. Rydw i'n gallu deall y newid hwyliau a'r sylwadau am Margot, Mam a Dad fel pe bawn i wedi eu hysgrifennu ddoe ddiwethaf, ond alla i ddim dychmygu ysgrifennu mor agored am faterion eraill. Mae darllen y tudalennau sy'n delio â phrofiadau oedd, o edrych yn ôl, yn fwy dymunol nag yr oedden nhw ar y pryd, yn peri i mi deimlo'n chwithig iawn. Mae fy nisgrifiadau i mor ddi-chwaeth. Ond dyna ddigon ar y pwnc yna.

Rydw i hefyd yn gallu deall fy hiraeth a'm dyhead am Moortje. Byth er pan gyrhaeddais i yma rydw i wedi bod yn dyheu'n anymwybodol - ac yn ymwybodol weithiau - am ymddiriedaeth, cariad ac agosatrwydd. Fe all y dyhead yma amrywio yn ei ddwyster ond mae yno, bob amser.

Dydd Iau, Tachwedd 5, 1942

Annwyl Kitty,

Mae'r dynion yn hapus oherwydd bod y Prydeinwyr wedi cael peth llwyddiant yn yr Affrig o'r diwedd a Stalingrad yn dal i sefyll, ac fe gawsom de a choffi'r bore 'ma. Does yna ddim byd arall o werth i'w adrodd.

Yr wythnos hon rydw i wedi bod yn darllen yn helaeth a gwneud tipyn o waith. Felly y dylai pethau fod. Dyna'n sicr y ffordd tuag at lwyddiant.

Mae Mam a fi'n cyd-dynnu'n well yn ddiweddar ond dydan ni *byth* yn glòs. Er nad ydi Dad yn dangos ei deimladau, mae o gymaint o gariad ag erioed. Fe danion ni'r stof ychydig ddyddiau'n ôl ac mae'r ystafell yn dal yn llawn o fwg. Mae'n well gen i wres canolog, ac nid fi ydi'r unig un, debyg. Hen sinach ydi Margot (does 'na ddim gair arall i'w disgrifio hi), yn rhygnu arni'n gyson, fore, brynhawn a nos.

Anne Frank

Dydd Sadwrn, Tachwedd 7, 1942

F'annwyl Kitty,

Mae Mam ar bigau'r drain a dydi hynny ddim yn argoeli'n rhy dda i mi. Ai cyd-ddigwyddiad ydi o nad ydi Dad a Mam byth yn dweud y drefn wrth Margot ac yn fy meio i am bopeth? Neithiwr, er enghraifft, roedd Margot yn darllen llyfr yn cynnwys darluniau cain. Yna fe roddodd y llyfr o'r neilltu a gadael yr ystafell. Gan nad o'n i'n gwneud dim ar y pryd, mi godais i'r llyfr a dechrau edrych ar y lluniau. Fe ddychwelodd Margot, gweld ei llyfr *hi* yn fy nwylo i, crychu'i haeliau mewn tymer a mynnu'r llyfr yn ôl. Dim ond eisiau gweld ychydig rhagor o'r lluniau o'n i. Roedd Margot yn mynd yn fwy a mwy lloerig wrth y munud a dyna Mam yn rhoi ei phig i mewn: 'Roedd Margot yn darllen y llyfr yna; rho fo'n ôl iddi'.

Daeth Dad i'r ystafell, cymryd yn ganiataol fod Margot yn cael cam, heb hyd yn oed wybod beth oedd dan sylw, a throi tu min arna i: 'Mi hoffwn i weld beth fyddet ti'n ei wneud petai Margot yn meiddio edrych ar un o dy lyfrau *di*!'

Mi ildiais i'r llyfr yr eiliad honno a gadael yr ystafell, 'wedi pwdu', yn eu tyb nhw. Ond do'n i na phwdlyd na blin, dim ond digalon.

Pa hawl oedd gan Dad i farnu heb wybod yr achos? Mi fyddwn i wedi rhoi'r llyfr yn ôl i Margot, a hynny'n llawer cynt, petai Dad a

Mam heb ymyrryd a rhuthro i ochri efo Margot fel pe bai hi'n dioddef rhyw anghyfiawnder mawr.

Wrth gwrs fod Mam wedi ochri efo Margot; mae'r ddwy'n cefnogi'i gilydd ar bob dim. Rydw i mor gyfarwydd â hynny nes fy mod i'n gwbwl ddifater o gerydd Mam a thymer oriog Margot. Rydw i'n eu caru, ond dim ond am mai Mam a Margot ydyn nhw. Fel pobl, fe all y ddwy fynd i'r lleuad cyn belled ag yr ydw i'n y cwestiwn. Mae Dad yn wahanol. Pan fydda i'n ei weld yn ochri efo Margot, yn cymeradwyo pob gweithred, yn ei chanmol, yn ei chofleidio, mae gwayw'n cnoi y tu mewn i mi oherwydd fy mod i wedi gwirioni arno fo. Rydw i'n modelu fy hun arno ac yn ei garu'n fwy na neb yn y byd. Dydi o ddim yn sylweddoli ei fod yn trafod Margot yn wahanol i mi: mae Margot yn digwydd bod yr un fwyaf galluog, y fwyaf caredig, y dlysaf a'r orau. Ond mae gen i hawl cael fy nghymryd o ddifri hefyd. Fi bob amser oedd clown a mawrddrwg y teulu. Rydw i wedi gorfod talu ddwywaith am fy mhechodau bob tro, efo'r cerydd i ddechrau ac yna'r teimlad o anobaith. Dydi'r maldod diystyr a'r trafodaethau coeg-ddifrifol ddim yn fy modloni i bellach. Rydw i'n dyheu am dderbyn rhywbeth gan Dad nad ydi o'n alluog i'w roi. Dydw i ddim yn genfigennus o Margot; dydw i erioed wedi bod. Dydw i ddim yn eiddigeddus o'i hymennydd na'i phrydferthwch hi. Ond mi hoffwn i allu teimlo fod Dad yn fy ngharu i, nid am fy mod i'n blentyn iddo, ond mai fi ydw i, Anne.

Rydw i'n cydio'n dynn yn Dad oherwydd bod fy nirmyg i o Mam yn cynyddu'n ddyddiol. Drwyddo fo'n unig yr ydw i'n gallu dal gafael yn yr owns sydd gen i'n weddill o ymlyniad teuluol. Dydi o ddim yn deall fy mod i'n teimlo'r angen weithiau i roi tafod i 'nheimladau tuag at Mam. Mae'n anfodlon siarad am hynny, ac mae'n osgoi unrhyw drafodaeth sy'n ymwneud â gwendidau Mam.

Ac eto, mae'n anoddach i mi ddelio efo Mam, a'i holl ddiffygion, na dim arall. Wn i ddim sut y dylwn i ymddwyn. Alla i ddim yn hawdd ei chyhuddo hi i'w hwyneb o fod yn esgeulus, gwawdlyd a chalongaled, ond alla i ddim dal ymlaen i gymryd y bai am bob dim chwaith.

Gan fy mod i'n hollol wahanol i Mam rydan ni'n siŵr o daro'n erbyn ein gilydd. Dydw i ddim yn bwriadu ei barnu hi; does gen i mo'r hawl i hynny. Rydw i'n edrych arni fel mam yn unig. Dydi hi ddim yn fam i mi - rydw i'n gorfod gofalu amdanaf fy hun. Rydw i wedi torri fy hun i ffwrdd oddi wrthyn nhw ac yn cynllunio fy nghwrs fy hun. Gawn ni weld lle fydd hynny'n fy arwain i. Does gen i ddim dewis, gan fy mod i'n gallu darlunio beth ddylai mam a gwraig fod ac yn methu canfod dim o hynny yn yr un yr ydw i'n galw 'Mam' arni hi.

Dro ar ôl tro, rydw i'n addunedu y bydd i mi anwybyddu esiampl ddrwg Mam. Y cyfan ydw i eisiau ydi gweld ei rhinweddau hi a cheisio canfod ynof fi fy hun yr hyn sy'n brin ynddi hi. Ond dydi hynny ddim yn gweithio, ac yn waeth na dim dydi Dad a Mam ddim yn sylweddoli mor annigonol ydyn nhw na faint yr ydw i'n ei feio arnyn nhw am fy siomi i. Oes yna rieni ar gael, tybed, sy'n gallu gwneud eu plant yn gwbl hapus?

Weithiau mi fydda i'n meddwl fod Duw eisiau fy rhoi i ar brawf, ar hyn o bryd ac yn y dyfodol. Mi fydd yn rhaid i mi geisio bod yn dda drwy fy ymdrech fy hun, heb neb i'w efelychu na neb i roi cyngor i mi, ond fe wnaiff hynny fi'n gryfach cymeriad yn y diwedd.

Pwy ond fi sy'n mynd i ddarllen y llythyrau hyn? At bwy y galla i droi am gysur ond ata i fy hun? Rydw i angen cysur yn aml gan fy mod i'n teimlo'n wan, ac yn methu cyrraedd y disgwyliadau yn amlach na pheidio. Rydw i'n ymwybodol o hynny, ac yn addunedu gwneud yn well, bob dydd.

Does yna ddim cysondeb yn eu triniaeth ohona i. Un diwrnod maen nhw'n dweud fod Anne yn ferch gyfrifol ac yn haeddu gwybod popeth, ac yna drannoeth yn haeru fod Anne yn hulpen fach anwybodus ac eto'n credu ei bod wedi dysgu popeth sydd angen ei wybod allan o lyfrau! Nid babi na'r cariad bach maldodus a phob gweithred o'i heiddo'n destun chwerthin mohona i bellach. Mae gen i fy syniadau fy hun, fy nghynlluniau a'm delfrydau, ond heb allu eu mynegi hyd yn hyn.

O, wel. Mae cymaint o bethau'n chwyrlïo drwy fy meddwl i yn y nos pan fydda i ar fy mhen fy hun, neu yn ystod y dydd pan fydda i wedi fy ngorfodi i geisio dygymod â phobl na alla i mo'u dioddef neu rai sydd wastad yn camddeall fy mwriadau i. Dyna pam yr ydw i bob amser yn dychwelyd at fy nyddiadur - yno y bydda i'n dechrau ac yn diweddu gan fod Kitty yn amyneddgar bob amser. Rydw i'n addo iddi y gwna i ddal ati, ar waethaf popeth; y gwna i ganfod fy llwybr fy hun a dal fy nagrau'n ôl. Mi fyddai'n dda gen i pe bawn i'n gallu gweld rhyw ganlyniad neu, am unwaith, yn derbyn anogaeth gan rywun sy'n fy ngharu i.

Paid â 'nghondemnio i, dim ond meddwl amdana i fel un sydd weithiau'n cyrraedd pen ei thennyn!

Dy Anne

Dydd Llun, Tachwedd 9, 1942

F'annwyl Kitty,

Roedd Peter yn cael ei ben blwydd yn un ar bymtheg ddoe. Ro'n i i fyny grisiau erbyn wyth, ac fe fuon ni'n cael golwg ar ei anrhegion. Cafodd gêm o Monopoly, rasel a thaniwr sigarennau. Nid ei fod yn smocio gymaint â hynny, ond er mwyn dangos ei hun.

Ond daeth y syrpréis mwyaf oddi wrth Mr van Daan, pan gyhoeddodd am un o'r gloch fod y Prydeinwyr wedi glanio yn Tunis, Algiers, Casablanca ac Oran.

'Dyma ddechrau'r diwedd,' meddai pawb, ond meddai Churchill, Prif Weinidog Prydain, oedd yn siŵr o fod wedi clywed yr un peth yn cael ei ddweud yn Lloegr: 'Nid dyma'r diwedd. Nid dyma ddechrau'r diwedd hyd yn oed. Ond hyn, efallai, ydi diwedd y dechrau.' Wyt ti'n gweld y gwahaniaeth? P'un bynnag, mae yna reswm dros fod yn optimistaidd. Dydi Stalingrad, y ddinas yn Rwsia sydd wedi bod o dan warchae ers tri mis, ddim wedi syrthio i ddwylo'r Almaenwyr hyd yn hyn.

Ond i ddychwelyd i'r Rhandy, mi fyddai'n well i mi sôn rywfaint am ein cyflenwad bwyd. (Mi ddylwn egluro fod yna griw barus iawn ar y llawr uchaf.)

Mae pobydd clên iawn, ffrind i Mr Kleiman, yn danfon bara i ni bob dydd. Wrth gwrs, dydan ni ddim yn cael cymaint ag yr oedden ni'n ei gael gartref, ond mae'n ddigon. Rydan ni hefyd yn prynu llyfrau dogni ar y farchnad ddu. Mae'r pris yn mynd i fyny drwy'r amser ac eisoes wedi codi o 27 i 33 *guilder*. A hynny ddim ond am ddarnau bach o bapur!

Er mwyn gwneud yn siŵr fod ganddon ni gyflenwad o fwyd maethlon sy'n cadw, yn ogystal â'r cant a hanner o duniau sydd wedi cael eu storio yma, rydan ni wedi prynu cant pedwar deg kilo o ffa sychion, nid yn unig i ni, ond i staff y swyddfa hefyd. Cafodd y sachau eu rhoi ar fachau yn y cyntedd, wrth y fynedfa gudd, ond agorodd gwnïad rhai o dan y pwysau. Dyna benderfynu eu symud i'r atig ac ar Peter y syrthiodd y cyfrifoldeb o gael y sachau trymion i fyny yno. Roedd wedi llwyddo i gael pump o'r chwe sach i fyny'r grisiau heb anhap ac yn brysur efo'r un olaf pan dorrodd y sach gan hyrddio llif, neu yn hytrach gawod, o genllysg ffa brown drwy'r awyr ac i lawr y grisiau. Fe wnaeth y dau ddeg tri kilo o ffa oedd yn y sach honno ddigon o sŵn i ddeffro'r meirwon. Roedden nhw'n credu'n siŵr lawr grisiau fod y tŷ'n syrthio am eu pennau. Roedd Peter wedi'i syfrdanu ar y dechrau, ond yna fe dorrodd allan i chwerthin yn ei ddyblau wrth fy ngweld i'n sefyll ar waelod y grisiau, fel ynys yng nghanol môr brown, a thonnau o ffa'n llempian yn erbyn fy fferau i. Er i ni fynd ati rhag blaen i'w codi, mae ffa mor fychan a llithrig fel eu bod nhw'n rowlio i bob twll a chornel. Rŵan, bob tro y byddwn ni'n mynd i fyny'r grisiau, rydan ni'n plygu a chwilio er mwyn gallu cyflwyno dyrnaid o ffa i Mrs van Daan.

Mi fu ond y dim imi ag anghofio nodi fod Dad wedi gwella o'i salwch.

Dy Anne

O.N. Maen nhw newydd gyhoeddi ar y radio fod Algiers wedi syrthio. Mae Morocco, Casablanca ac Oran wedi bod yn nwylo'r Prydeinwyr ers sawl diwrnod. Rydan ni rŵan yn disgwyl newyddion am Tunis.

Dydd Mawrth, Tachwedd 10, 1942

F'annwyl Kitty,

Newydd anfarwol! Rydan ni'n bwriadu cymryd un arall atom i'r guddfan!

Ydan, wir i ti. Roedden ni'n ymwybodol o'r dechrau fod yma ddigon o le a bwyd i un arall, ond yn gyndyn o roi mwy o bwysau ar ysgwyddau Mr Kugler a Mr Kleiman. Ond gan fod yr adroddiadau o'r pethau erchyll sy'n digwydd i'r Iddewon yn gwaethygu bob dydd, penderfynodd Dad gael gair efo'r ddau fonheddwr, ac roedden nhw'n meddwl ei fod yn syniad ardderchog. 'Mae'r sefyllfa yr un mor beryglus i saith ag ydi hi i wyth,' medden nhw, ac mae hynny'n ddigon gwir. Unwaith yr oedd hyn wedi'i setlo, roedd yn rhaid eistedd i lawr a mynd drwy gylch ein cydnabod i geisio meddwl am berson sengl a fyddai'n toddi i mewn i'n teulu estynedig ni. Doedd hynny ddim yn anodd. Wedi i Dad wrthod y cyfan o berthnasau'r teulu van Daan, dyna ddewis deintydd o'r enw Alfred Dussel. Mae o'n byw efo merch tipyn iau, sy'n Gristion ac yn un ddengar iawn. Go brin eu bod nhw'n briod, ond dydi hynny nac yma nac acw. Mae'n cael ei ddisgrifio fel un tawel a llednais, ac o'n hadnabyddiaeth arwynebol ni a'r teulu van Daan ohono, yn ymddangos yn ddyn dymunol. Gan fod Miep yn ei adnabod, fe all hi wneud y trefniadau angenrheidiol. Os y daw, bydd gofyn i Mr Dussel gysgu yn fy ystafell i yn lle Margot, a bydd yn rhaid iddi hi ddefnyddio'r gwely plygu. Fe ofynnwn iddo ddod â rhywbeth i lenwi tyllau mewn dannedd efo fo.

Dy Anne

Dydd Iau, Tachwedd 12, 1942

F'annwyl Kitty,

Mae Miep wedi bod yn gweld Dr Dussel. Yr eiliad yr aeth hi i mewn, fe ofynnodd iddi a wyddai am le iddo guddio. Roedd o'n falch dros ben pan ddywedodd Miep fod ganddi le ar ei gyfer ac y byddai gofyn iddo fynd i guddio gynted ag oedd bosibl, ddydd Sadwrn os oedd modd. Roedd Dussel yn credu fod hynny'n amhosibl, gan ei fod eisiau rhoi trefn ar ei gofnodion, setlo'i gyfrifon a rhoi sylw i rai o'i gleifion. Daeth Miep â'r neges i ni'r bore 'ma. Roedden ni'n credu mai peth annoeth oedd aros cyn hired. Mae'r holl baratoadau yma'n golygu rhoi eglurhad i nifer o bobl y byddai'n well iddyn nhw beidio â gwybod gormod. Aeth Miep yn ôl i ofyn i Dr Dussel a allai ddod ar y Sadwrn wedi'r cyfan. Dywedodd na ac mae'n dod ddydd Llun.

Rydw i'n credu ei fod yn beth rhyfedd na wnaeth o neidio am y cynnig. Pe baen nhw'n ei ddal ar y stryd, fyddai hynny o ddim help i'w waith papur na'i gleifion. Felly pam yr oedi? Os wyt ti'n gofyn i mi, peth gwirion oedd i Dad adael iddo gael ei ffordd ei hun.

Ar wahân i hynny, dim newyddion.

Dy Anne

Dydd Mawrth, Tachwedd 17, 1942

F'annwyl Kitty,

Mae Dussel wedi cyrraedd. Digwyddodd popeth yn ddidramgwydd. Roedd Miep wedi dweud wrtho y byddai dyn yn ei gyfarfod mewn man arbennig y tu allan i'r swyddfa bost am un ar ddeg y bore. Roedd Dussel yn y lle iawn ar yr amser iawn. Aeth Mr Kleiman i fyny ato, ei hysbysu fod y dyn yr oedd wedi trefnu i'w gyfarfod wedi methu dod, a gofyn iddo alw heibio i'r swyddfa i weld Miep. Cymerodd Mr Kleiman dram yn ôl i'r swyddfa tra oedd Dussel yn dilyn ar droed.

Am ugain munud wedi un ar ddeg curodd Dussel ar ddrws y swyddfa. Gofynnodd Miep iddo dynnu'i gôt, fel na fyddai'r seren felen i'w gweld, ac aeth â fo i'r swyddfa breifat, lle bu Mr Kleiman yn ei gadw i sgwrsio nes bod y ddynes lanhau wedi gadael. Gan gymryd arni fod angen y swyddfa breifat i bwrpas arall, aeth Miep â Dussel i fyny'r grisiau, agor y silffoedd llyfrau a chamu i mewn, er mawr syndod i Dussel.

Yn y cyfamser, roedd y saith ohonom yn eistedd o gwmpas y

bwrdd yn barod i groesawu ein cyd-guddiwr efo coffi a brandi. Yn gyntaf, dangosodd Miep ystafell fyw'r teulu Frank iddo. Er iddo adnabod y dodrefn er ei union doedd ganddo mo'r syniad lleiaf ein bod ni yno, reit uwch ei ben. Pan ddywedodd Miep wrtho, bu ond y dim iddo â llewygu mewn braw. Drwy drugaredd, daeth â Dussel i fyny'r grisiau ar unwaith yn hytrach na'i adael mewn gwewyr. Gollyngodd ei hun i gadair a syllu'n syfrdan arnom fel pe bai'n ceisio darllen ein meddyliau ni. Yna, meddai dan gagio, '*Aber* ... ond chi ddim yn Gwlad Belg felly? Y swyddog, y car milwrol, nhw ddim yn dod? Chi wedi methu dianc?'

Dyna egluro'r cyfan iddo, fel y bu i ni roi'r si ar led am y swyddog a'r car yn fwriadol er mwyn camarwain pobl a'r Almaenwyr a fyddai'n siŵr o ddod i chwilio amdanom yn hwyr neu'n hwyrach. Roedd Dussel yn fud yn wyneb y fath ddyfeisgarwch, a heb allu gwneud dim ond syllu o'i gwmpas mewn syndod wrth iddo archwilio gweddill ein Rhandy hyfryd a thra ymarferol ni. Cawsom i gyd ginio efo'n gilydd. Yna aeth Dussel i gael cyntun bach, ymuno â ni amser te, rhoi'r ychydig bethau y llwyddodd Miep i ddod â nhw yma ymlaen llaw i gadw, a dechrau teimlo'n fwy cartrefol. Yn arbennig pan dderbyniodd gopi teipiedig o reolau a rheoliadau'r Rhandy Dirgel (cynhyrchiad van Daan):

PROSBECTWS AC ARWEINLYFR I'R
RHANDY DIRGEL

Cyfleustra unigryw fel preswylfa dros dro i Iddewon
ac eraill digartref

Yn agored drwy'r flwyddyn: Wedi'i leoli mewn amgylchedd hyfryd, tawel, coediog yng nghanol Amsterdam. Dim tai preifat yn y cyffiniau. Gellir ei gyrraedd drwy gymryd tram 13 neu 17, hefyd â char neu feic. I'r sawl a waharddwyd rhag defnyddio'r fath drafnidiaeth gan awdurdodau'r Almaen, gellir hefyd ei gyrraedd ar droed. Mae ystafelloedd wedi neu heb eu dodrefnu ar gael unrhyw amser, gyda, neu heb, brydau bwyd.

Tâl: *Rhad ac am ddim.*

Deiet: Braster isel.

Dŵr rhedegog yn y toiled (sori, dim bàth) ac ar amryw o'r waliau, tu mewn ac allan. Dau le tân hyfryd.

Storfa ddigonol ar gyfer amrywiaeth o nwyddau. Dwy sêff fawr, fodern.

Radio breifat yn cysylltu â Llundain, Efrog Newydd, Tel Aviv a sawl gorsaf arall. Ar gael i'r holl breswylwyr ar ôl 6 p.m. Ni ellir tiwnio i mewn i orsafoedd yr Almaen ond i wrando cerddoriaeth glasurol. Mae gwrando bwletinau newyddion yr Almaen (o ble bynnag y darlledir hwy) a throsglwyddo'r wybodaeth i eraill wedi'i wahardd yn llwyr.

Oriau gorffwys: Rhwng 10 p.m. a 7:30 a.m.; 10:15 a.m. ar Sul. Oherwydd yr amgylchiadau, rhaid i'r preswylwyr barchu'r oriau gorffwys yn ystod y dydd yn ôl cyfarwyddiadau'r Oruchwyliaeth. Er mwyn sicrhau diogelwch pawb, rhaid cadw'n gaeth i'r oriau gorffwys!!

Gweithgarwch amser rhydd: Wedi'i wahardd y tu allan i'r tŷ hyd oni hysbysir ymhellach.

Defnydd o iaith: Mae'n ofynnol siarad yn ddistaw bob amser. Dim ond iaith pobl wareiddiedig sydd i gael ei siarad, felly dim Almaeneg.

Darllen ac ymlacio: Ni chaniateir darllen llyfrau Almaeneg, ar wahân i'r clasuron a gweithiau o natur academaidd. Mae pob llyfr arall yn cael ei ganiatáu.

Ymarferiadau: Yn ddyddiol.

Canu: Yn dawel ac ar ôl 6 p.m.

Ffilmiau: Rhaid trefnu ymlaen llaw.

Dosbarthiadau: Cwrs wythnosol drwy'r post mewn llaw-fer. Cynigir cyrsiau mewn Saesneg, Ffrangeg, Mathemateg a Hanes unrhyw awr o'r dydd. Y tâl ar ffurf gwersi, e.e. Iseldireg.

Adran arbennig i ofalu am anifeiliaid bach anwes (ac eithrio llygod, y mae angen caniatâd arbennig ar eu cyfer).

Prydau bwyd:

> *Brecwast*: Am 9 a.m. yn ddyddiol ac eithrio gwyliau a dydd Sul; oddeutu 11:30 a.m. ar ddydd Sul a gwyliau.
> *Pryd ganol dydd*: Pryd ysgafn. O 1:15 p.m. i 1:45 p.m.
> *Pryd min nos*: Pryd poeth neu oer. Yr amser yn amrywio yn ôl y darllediadau newyddion.

Amodau mewn perthynas i'r Corfflu Cyflenwi: Rhaid i'r preswylwyr fod yn barod i helpu gyda gwaith y swyddfa bob amser.

Baddonau: Mae'r twbyn ar gael i bawb ar ôl 9 a.m. dydd Sul. Gall y preswylwyr gymryd bàth yn y toiled, y swyddfa breifat neu'r swyddfa flaen, yn ôl y dewis.

Diod gadarn: Fel meddyginiaeth yn unig.

Y diwedd

Dy Anne

Dydd Iau, Tachwedd 19, 1942

F'annwyl Kitty,

Fel yr oedden ni wedi tybio, mae Dussel yn ddyn dymunol iawn. Wrth gwrs roedd o'n ddigon parod i rannu ystafell efo fi. A dweud y gwir, dydw i ddim yn rhy hapus o gael dieithryn yn defnyddio fy mhethau i, ond mae'n rhaid aberthu er mwyn achos da, ac rydw i'n falch fy mod i'n gallu gwneud cyfraniad bach. 'Os y gallwn ni achub dim ond un o'n ffrindiau, mae popeth arall yn ddibwys,' meddai Dad, ac mae o'n berffaith iawn.

Ar ei ddiwrnod cyntaf yma, gofynnodd Dussel bob math o gwestiynau i mi - er enghraifft, pryd mae'r ddynes lanhau'n cyrraedd y swyddfa, beth ydi'n trefniadau ni ynglŷn ag ymolchi a phryd y mae ganddon ni hawl defnyddio'r tŷ bach. Fe elli di chwerthin, ond dydi'r pethau hyn ddim mor hawdd pan wyt ti mewn cuddfan. Yn ystod y dydd, fiw i ni wneud unrhyw sŵn y gellid ei glywed lawr grisiau. Pan mae rhywun arall yno, fel y ddynes lanhau, mae gofyn i ni fod yn fwy gofalus fyth. Mi eglurais i hyn i gyd i Dussel, ond ro'n i wedi synnu ei fod mor araf i ddeall. Er ei fod yn gofyn pob cwestiwn ddwywaith all o yn ei fyw gofio beth mae rhywun wedi'i ddweud.

Efallai ei fod wedi cynhyrfu oherwydd y newid sydyn ac y daw dros hyn. Fel arall, mae pob dim yn iawn.

Mae Dussel wedi bod yn sôn llawer am y byd y tu allan, hwnnw yr ydan ni wedi cael ein torri i ffwrdd oddi wrtho gyhyd. Roedd ganddo newyddion trist. Mae ffrindiau a chydnabod dirifedi wedi cael eu dwyn ymaith i wynebu tynged ddychrynllyd. Noson ar ôl noson, mae cerbydau milwrol gwyrdd a llwyd yn crwydro'r strydoedd. Mae'r Almaenwyr yn curo ar bob drws i holi a oes yna Iddewon yn byw yno. Os oes, bydd y teulu cyfan yn cael ei gipio i ffwrdd ar unwaith. Os nad oes, ymlaen i'r drws nesaf. Mae'n amhosibl dianc o'u crafangau ond trwy fynd i guddio. Weithiau, pan fydd ganddyn nhw restr o enwau, dydyn nhw ond yn galw'n y tai lle bydd helfa dda i'w chael. Yn aml iawn, maen nhw'n cynnig gwobr, hyn a hyn y pen. Mae fel erlid caethweision yn yr hen amser. Dydw i ddim yn dweud hyn yn ysgafn; mae'n llawer rhy drasig i hynny. Noson ar ôl noson, wedi iddi dywyllu, rydw i'n gweld rhesi hirion o bobl dda, ddiniwed a phlant wylofus yn cerdded ymlaen ac ymlaen ar orchymyn dyrnaid o ddynion sy'n eu bwlio a'u curo nes eu bod bron â disgyn. Does yna neb yn cael ei arbed. Mae'r cleifion, yr hen bobl, plant, babanod a merched beichiog i gyd wedi'u gorfodi i ymuno â gorymdaith angau.

Mor dda ydi hi arnon ni yma, mor dda ac mor dawel. Ni fyddai raid i ni feddwl ddwywaith am yr holl ddioddef oni bai am y ffaith ein bod ni'n poeni am y rhai sy'n annwyl inni, rhai nad oes modd i ni eu helpu bellach. Rydw i'n teimlo cywilydd o fod yn gorwedd mewn gwely cynnes pan mae rhai o'm ffrindiau gorau allan acw yn cwympo gan flinder neu'n cael eu bwrw i'r llawr.

Rydw i'n arswydo wrth feddwl am yr holl ffrindiau agos sydd bellach ar drugaredd y bwystfilod creulonaf a rodiodd daear erioed.

A'r cyfan am mai Iddewon ydyn nhw.

Dy Anne

Dydd Gwener, Tachwedd 20, 1942

F'annwyl Kitty,

Wyddon ni ddim sut i ymateb mewn difri. Ychydig iawn o newyddion am yr Iddewon oedd wedi'n cyrraedd ni hyd yma ac roedden ni'n credu mai'r peth gorau oedd ceisio cadw mor galonnog ag oedd bosibl. Bob hyn a hyn, byddai Miep yn digwydd crybwyll beth oedd wedi digwydd i un o'n ffrindiau, ond fe benderfynodd beidio dweud rhagor gan fod Mam neu Mrs van Daan yn torri i grio. Ond fe fuon ni'n saethu cwestiynau at Dussel ac roedd y storïau oedd ganddo i'w hadrodd mor echrydus fel na allwn eu cael allan o'n meddyliau. Unwaith y byddwn ni wedi cael cyfle i dreulio'r newyddion, fe awn yn ôl, debyg, at y cellwair a'r herian. Fydd dal ymlaen i fod mor ddiysbryd ag yr ydan ni ar hyn o bryd o ddim help i ni na neb arall. A beth fyddai'r pwynt o droi'r Rhandy Dirgel yn Rhandy Melancolaidd?

Beth bynnag yr ydw i'n ei wneud, alla i ddim peidio meddwl am y rhai sydd wedi mynd. Rydw i'n fy nal fy hun yn chwerthin ac yn cofio nad oes gen i hawl bod mor galonnog. Ond a ddylwn i dreulio'r diwrnod cyfan yn crio? Na, alla i ddim gwneud hynny ac mae'r tristwch hwn yn siŵr o fynd heibio.

Yn ogystal â'r trueni yma, mae yna un arall, ond o natur mwy personol ac yn ddim o'i gymharu â'r holl ddioddef y bûm i'n sôn amdano. Er hynny, mae'n rhaid i mi ddweud wrthot ti fy mod i wedi mynd i deimlo'n ddiweddar fel pe bai pawb wedi troi eu cefnau arna i. Mae gwagle rhy eang o 'nghwmpas i. Fyddwn i byth yn arfer meddwl am y peth gan fod cwmni ffrindiau a chael amser da yn mynd â 'mryd i. Rŵan rydw i'n meddwl un ai am bethau digalon neu amdanaf fy hun. Fe gymerodd amser i mi sylweddoli na all Dad, er mor garedig ydi o, gymryd lle'r hen fyd. Mae Mam a Margot wedi peidio â chyfri yn fy nheimladau i ers tro byd.

Ond pam yr ydw i'n dy boeni di efo'r fath ffwlbri? Mi wn i fy mod i'n sobor o anniolchgar, Kitty, ond pan fydda i wedi cael fy nwrdio am y canfed tro a bod gen i'r holl drallodion eraill i feddwl amdanyn nhw hefyd, mae 'mhen i'n dechrau chwyrlïo!

Dy Anne

Dydd Sadwrn, Tachwedd 28, 1942

F'annwyl Kitty,

Rydan ni wedi bod yn defnyddio gormod o drydan, mwy nag oedd wedi'i ganiatáu i ni. Y canlyniad: cynildeb eithafol a'r posibilrwydd y bydd y trydan yn cael ei dorri i ffwrdd. Dim golau am bythefnos; rhywbeth i edrych ymlaen ato, yntê? Ond pwy ŵyr, efallai na fydd pethau cynddrwg â hynny. Gan ei bod yn rhy dywyll i ddarllen ar ôl pedwar neu hanner awr wedi pedwar fe fyddwn ni'n difyrru'r amser â'r gweithgareddau rhyfeddaf: gosod posau, gwneud ymarferiadau yn y tywyllwch, sgwrsio yn Saesneg neu Ffrangeg, adolygu llyfrau - ond mae popeth yn mynd yn ddiflas ymhen tipyn. Ddoe mi ddois i o hyd i ddifyrrwch newydd: defnyddio sbienddrych i sbecian i mewn i ystafelloedd y cymdogion. Yn ystod y dydd, mae'n amhosibl agor y llenni, fodfedd hyd yn oed, ond does dim drwg mewn gwneud hynny wedi iddi dywyllu.

Wyddwn i ddim erioed o'r blaen fod cymdogion yn gallu bod mor ddiddorol. Ein cymdogion ni, o leiaf. Rydw i wedi gweld rhai yn cael pryd o fwyd, un teulu'n gwneud ffilmiau cartref a'r deintydd dros y ffordd yn rhoi sylw i hen wraig fach ofnus.

Mae Dussel, y dyn oedd, medden nhw, yn dod ymlaen yn dda efo plant ac yn hanner eu haddoli, wedi troi allan i fod yn ddisgyblwr henffasiwn ac yn draddodwr pregethau annioddefol o hirwyntog ar foesau. Gan mai i mi y rhoddwyd y fraint unigryw (!) o rannu fy ystafell gyfyng efo'i Fawrhydi, a gan mai fi ydi'r un sy'n cael ei hystyried y fwyaf anhydrin o'r tri ifanc, mae ceisio osgoi'r un hen gerydd sy'n cael ei hyrddio ata i, a chymryd arnaf beidio â chlywed, yn gymaint ag y galla i ei wneud. Fyddai hynny ddim mor ddrwg oni bai fod Dussel yn gymaint o hen brep ac wedi dewis Mam o bawb fel yr un i dderbyn ei adroddiadau. Os ydi Dussel newydd osod y ddeddf i lawr, mae Mam yn ailadrodd y cyfan, gan fy lambastio i o ddifri'r tro yma. Ac os ydw i'n lwcus, mae Mrs van Daan yn fy ngalw i gyfri bum munud yn ddiweddarach ac yn ailosod y ddeddf i lawr!

Wir i ti, dydi o ddim yn beth hawdd bod yn ddafad ddu sy'n ganolbwynt sylw teulu cudd o bigwyr beiau.

Yn fy ngwely yn y nos, wrth i mi feddwl am fy aml bechodau a'r gwendidau sy'n cael eu chwyddo y tu hwnt i bob rheswm, rydw i'n drysu cymaint efo'r holl bethau y mae gofyn i mi eu hystyried fel bod yn rhaid i mi grio neu chwerthin, dibynnu ar fy hwyl. Yna rydw i'n syrthio i gysgu efo'r teimlad rhyfedd fy mod i eisiau bod yn wahanol i'r hyn ydw i, neu'n wahanol i'r hyn yr ydw i eisiau bod, neu efallai eisiau ymddwyn yn wahanol i'r hyn ydw i neu'r hyn ydw i eisiau bod.

O diar, rydw i'n dy ddrysu dithau rŵan. Maddeua i mi, ond dydw i ddim yn hoffi croesi pethau allan ac mae gwastraffu papur yn bechod mewn cyfnod o brinder fel hwn. Felly yr unig beth alla i ei wneud ydi dy gynghori di i beidio â darllen y paragraff uchod na gwneud unrhyw ymdrech i'w ddatrys, gan na fyddai'n bosibl i ti ganfod dy ffordd allan byth wedyn!

Dy Anne

Dydd Llun, Rhagfyr 7, 1942

F'annwyl Kitty,

Bu ond y dim i *Hanukkah*, Gŵyl y Cysegriad, a Dydd Sant Nicolas gyd-daro eleni; un diwrnod oedd rhyngddyn nhw. Roeson ni fawr o sylw i *Hanukkah*, dim ond cyfnewid rhai anrhegion syml a goleuo'r canhwyllau, am ddeng munud yn unig, gan fod canhwyllau'n brin. Ond dim gwahaniaeth am hynny, cyn belled â'n bod ni'n canu'r gân. Fe wnaeth Mr van Daan *menorah*, canhwyllbren allan o goed, a dyna ofalu am hynny hefyd.

Roedd Dydd Sant Nicolas ar y Sadwrn yn llawer mwy o hwyl. Yn ystod y pryd min nos, roedd Bep a Miep mor brysur yn sibrwd wrth Dad nes deffro chwilfrydedd pawb a gwneud i ni amau fod rhywbeth ar droed. Ac yn siŵr i ti, am wyth o'r gloch dyna ni i gyd yn gorymdeithio i lawr y grisiau pren a thrwy'r cyntedd, oedd fel y fagddu (roedd hynny'n rhoi'r cryd i mi, ac ro'n i'n dyheu am fod yn ôl i fyny grisiau!) i'r ystafell fach dywyll. Gan nad oes yna ffenestri yn yr ystafell honno, roedden ni'n gallu rhoi'r golau ymlaen. Wedi gwneud hynny, agorodd Dad y cwpwrdd mawr.

Dyna ni i gyd yn gweiddi, 'O, mae hyn yn ardderchog!'

Yn y gornel, roedd basged fawr wedi'i haddurno â phapur lliwgar ac arni fasg o Pedr Ddu.

Fe aethom â'r fasged i fyny'r grisiau rhag blaen. Ynddi, roedd anrheg fach i bawb, yn cynnwys pennill addas. Gan dy fod ti'n gyfarwydd â'r math o benillion mae pobl yn eu hysgrifennu i'w gilydd ar Ddydd Sant Nicolas, wna i mo'u copïo nhw i ti.

Mi ge's i ddol wedi'i gwneud o fara melys a'i sgert yn fag dal manion, cafodd Dad bentanau llyfrau, ac felly ymlaen. Wel, p'un bynnag, roedd o'n syniad gwych a gan nad oedd yr wyth ohonom erioed wedi dathlu Dydd Sant Nicolas o'r blaen, yn amser da i ddechrau.

Dy Anne

O.N. Roedd ganddon ninnau anrhegion i bawb lawr grisiau, rhai pethau oedd yn weddill o'r Hen Ddyddiau Da, ac mae Miep a Bep bob amser yn falch o dderbyn arian.

Clywsom heddiw fod llestr llwch Mr van Daan, ffrâm llun Mr Dussel a phentanau llyfrau Dad i gyd wedi'u gwneud gan neb llai na Mr Voskuijl. Mae'n ddirgelwch i mi sut y gall neb fod mor ddeheuig efo'i ddwylo!

Dydd Iau, Rhagfyr 10, 1942

F'annwyl Kitty,

Roedd Mr van Daan yn arfer delio â chig, selsig a pherlysiau. Cafodd ei gyflogi gan gwmni Dad oherwydd ei wybodaeth am berlysiau ac eto, er mawr lawenydd i ni, ei dalent selsigaidd sydd wedi bod o'r budd mwyaf ar hyn o bryd.

Roedden ni wedi archebu dogn helaeth o gig (y farchnad ddu, wrth gwrs) i'w gadw rhag ofn fod amser caled o'n blaenau. Penderfynodd Mr van Daan wneud briwgig a selsig. Ro'n i wrth fy modd yn ei wylio'n rhoi'r cig drwy'r felin; unwaith, dwywaith, teirgwaith. Yna, cymysgodd weddill y cynhwysion â'r cig mâl a defnyddio peipen hir i wthio'r cymysgedd i'r croen. Fe fwytaon ni'r cig mân i ginio efo bresych picl ond roedd yn rhaid sychu'r selsig yn barod i'w canio, a dyna'u taenu dros bolyn oedd yn hongian wrth ddau linyn o'r nenfwd. Roedd pawb yn eu dyblau'n chwerthin wrth weld y selsig crog gan fod golwg mor ddigri arnyn nhw.

Roedd y gegin yn un llanast a Mr van Daan, yn fol i gyd, ac yn edrych yn dewach nag erioed yn ffedog ei wraig, yn llafurio efo'r cig. Roedd o'n edrych yn rêl cigydd efo'i ddwylo gwaedlyd, ei wyneb coch a'i ffedog fudr. Roedd Mrs van Daan yn ceisio gwneud popeth ar unwaith: dysgu Iseldireg allan o lyfr, rhoi tro i'r cawl, cadw llygad ar y cig a thuchan ei bod wedi torri asen. Dyna sy'n digwydd pan fydd hen (!) wragedd yn gwneud ymarferiadau dwl er mwyn ceisio cael gwared â'u penolau tewion. Roedd Dussel yn eistedd wrth y stof yn dabio'i lygad dolurus efo te camomil, a Pim, oedd yn eistedd yn llwybr yr unig belydryn o haul i ddod trwy'r ffenestr, yn gorfod symud ei gadair yma ac acw, o'r ffordd. Mae'n rhaid fod y gwynegon yn ei boeni gan ei fod yn ei gwman a golwg boenus arno wrth iddo gadw un llygad ar Mr van Daan. Roedd o'n fy atgoffa i o'r hen bobl fethedig sydd i'w cael mewn cartrefi henoed. Roedd Peter yn chwarae o gwmpas efo Mouschi'r gath a Mam, Margot a fi yn plicio tatws. Mewn gwirionedd, doedd yna neb yn gwneud ei waith yn iawn, gan ein bod ni i gyd yn rhy brysur yn gwylio Mr van Daan.

Mae Dussel wedi agor ei bractis deintyddol. O ran hwyl, mi ro i ddisgrifiad i ti o'i sesiwn efo'i glaf cyntaf.

Roedd Mam wrthi'n smwddio pan eisteddodd Mrs van Daan, yr ysglyfaeth cyntaf, ar gadair yng nghanol yr ystafell. Agorodd Dussel ei gês, yn llawn pwysigrwydd, a gofyn am *eau de cologne*, i'w ddefnyddio fel diheintydd, a faselin, a fyddai'n gorfod gwneud y tro yn lle cŵyr. Edrychodd i mewn i geg Mrs van Daan a darganfod dau ddant a wnâi iddi wingo mewn poen ac ebychu'n annealladwy bob tro y byddai'n cyffwrdd â nhw. Wedi archwiliad maith (maith cyn belled ag yr oedd Mrs van D. yn y cwestiwn, gan na chymerodd y cyfan fwy na dau funud) dechreuodd Dussel grafu i mewn i un o'r tyllau. Ond na, doedd gan Mrs van D. yr un bwriad o adael iddo wneud hynny. Chwipiodd ei breichiau a'i choesau nes i Dussel, o'r diwedd, ollwng ei stiliwr ... ac aeth hwnnw'n sownd yn nant Mrs van D. Dyna'i diwedd hi! Dechreuodd Mrs van D. ddyrnu a chicio i bob cyfeiriad, crio (hynny sydd bosibl efo erfyn o'r fath yn dy geg) a cheisio'i blycio allan, dim ond i'w wthio i mewn ymhellach fyth. Safai Dussel yn ddigynnwrf a'i ddwylo ar ei ochr, yn gwylio'r olygfa tra oedd y gweddill ohonom yn rowlio chwerthin. Wrth gwrs, roedd hynny'n beth milain i'w wneud. Pe bawn i'n ei lle hi, rydw i'n siŵr y byddwn i wedi gweiddi mwy fyth. Wedi peth wmbredd o wingo, cicio, sgrechian a gweiddi, llwyddodd Mrs van D. i dynnu'r stiliwr allan. Aeth Dussel ymlaen â'i waith fel pe na bai dim wedi digwydd, a hynny mor gyflym fel na chafodd Mrs van Daan gyfle i wneud rhagor o giamocs. Ond dyna, fe gafodd fwy o help nag erioed o'r blaen gan i Mr van D. a minnau, y ddau gynorthwywr, wneud ein gwaith yn dda. Roedd yr olygfa'n debyg i un o ysgythriadau'r Oesoedd Canol dan y teitl 'Cwac ar Waith'. Yn y cyfamser, fodd bynnag, roedd y claf yn dechrau anesmwytho, gan fod gofyn iddi gadw llygad ar 'ei' chawl a'i phryd bwyd 'hi'. Mae un peth yn siŵr: fydd Mrs van D. ddim ar frys i wneud apwyntiad deintyddol arall!

Dy Anne

Dydd Sul, Rhagfyr 13, 1942

F'annwyl Kitty,

Rydw i'n eistedd yma'n gyfforddus braf yn y swyddfa flaen, yn sbecian allan drwy agen yn y llenni trymion. Er ei bod yn llwyd dywyll mae digon o olau'n weddill i allu gweld i ysgrifennu.

Teimlad rhyfedd iawn ydi gwylio pobl yn cerdded heibio. Mae pawb yn ymddangos ar gymaint o frys fel eu bod nhw ond y dim â baglu dros eu traed eu hunain. Mae'r rhai sydd ar feiciau'n chwyrlïo heibio mor gyflym fel na alla i hyd yn oed ddweud pwy sydd ar y beic. Dydi'r bobl sy'n byw yn y gymdogaeth hon ddim yn rhy ddeniadol i'r llygad. Mae'r plant, yn arbennig, mor fudr fel na fyddet ti eisiau eu cyffwrdd nhw â pholyn lein. Plant bach y slymiau a'u trwynau'n rhedeg. Prin y galla i ddeall gair maen nhw'n ei ddweud.

Brynhawn ddoe, pan oedd Margot a fi yma'n cael bàth, meddwn i, 'Beth pe baen ni'n cymryd gwialen bysgota ac yn bachu'r plant yna fesul un wrth iddyn nhw gerdded heibio, eu rhoi'n y twbyn, golchi a thrwsio'u dillad a ...'

'A fory fe fydden nhw'r un mor fudr a charpiog ag oedden nhw cynt,' atebodd Margot.

Ond rydw i'n moedro. Mae yna hefyd bethau eraill i edrych arnyn nhw: ceir, cychod a'r glaw. Rydw i'n gallu clywed y tramiau a'r plant ac yn mwynhau fy hun.

Mae ein meddyliau ni mor ddigyfnewid â ni ein hunain. Maen nhw fel ceffylau bach, yn troi o'r Iddewon i fwyd, o fwyd i wleidyddiaeth. Gyda llaw, a sôn am Iddewon, mi welais i ddau pan o'n i'n sbecian heibio i'r llenni ddoe. Dyna beth oedd rhyfeddod. Ro'n i'n teimlo'n hynod o annifyr, fel pe bawn i wedi eu bradychu i'r awdurdodau a rŵan yn llygad-dyst o'u trallodion.

Dros y ffordd i ni mae yna gwch preswyl lle mae cychwr yn byw efo'i wraig a'i blant. Mae ganddo gi bach swnllyd. Dydan ni ond yn adnabod y ci oddi wrth ei gyfarthiad a'i gynffon, sydd i'w gweld wrth iddo redeg o gwmpas y dec. O, dyna biti, mae hi wedi dechrau glawio a'r rhan fwyaf o'r bobl o'r golwg dan eu hambarelau. Y cyfan alla i ei weld ydi cotiau glaw a'r tu ôl i ambell gap gwlân bob hyn a hyn. Does dim angen i mi weld rhagor a dweud y gwir. Erbyn hyn, rydw i'n gallu adnabod y merched ar amrantiad: wedi magu bloneg o fwyta tatws, yn gwisgo côt goch neu gôt werdd ac esgidiau treuliedig, bagiau siopa'n hongian ar eu breichiau, yn gwgu neu'n gwenu, dibynnu ar dymer eu gwŷr.

Dy Anne

Dydd Mawrth, Rhagfyr 22, 1942

F'annwyl Kitty,

Roedd pawb yn y Rhandy wrth eu boddau o glywed ein bod ni i gyd i dderbyn wythfed rhan o kilo yn ychwaneg o fenyn y Nadolig. Yn ôl y papurau, mae gan bawb hawl i chwarter kilo, ond cyfeirio y maen nhw at y rhai lwcus sy'n derbyn eu llyfrau dogni gan y llywodraeth, nid Iddewon mewn cuddfan fel ni na allan nhw ond fforddio prynu pedwar yn hytrach nag wyth llyfr dogni ar y farchnad ddu. Mae pob un ohonom yn mynd i bobi rhywbeth efo'r menyn. Mi wnes i ddwy deisen a llwyth o fisgedi'r bore 'ma. Mae prysurdeb mawr i fyny grisiau ac mae Mam wedi fy siarsio i nad ydw i i wneud unrhyw astudio na darllen nes bod yr holl waith tŷ wedi'i orffen.

Mae Mrs van Daan yn gorwedd yn ei gwely yn nyrsio'i hasen friw. Mae'n cwyno gydol y dydd, yn mynnu'n barhaus fod y rhwymau i gael eu newid a byth yn fodlon ar ddim. Mi fydda i'n falch o'i gweld hi ar ei thraed ac yn abl i glirio ei llanast ei hun. Mae'n rhaid i mi gyfaddef ei bod hi'n hynod o weithgar a thaclus ac yn ddigon siriol cyn belled â'i bod hi'n iach, gorff a meddwl.

Fel pe bawn i ddim yn clywed digon o 'hisht, hisht' yn ystod y dydd gan fy mod i bob amser yn gwneud 'gormod' o sŵn, mae fy annwyl rannwr ystafell wedi cymryd yn ei ben ddweud 'hisht, hisht' wrtha i drwy'r nos hefyd. Yn ôl Dussel, does gen i ddim hawl troi drosodd hyd yn oed. Rydw i'n gwrthod cymryd unrhyw sylw ohono a'r tro nesaf y bydd yn fy hishtio i, mi wna innau'r un peth iddo fo.

Mae'n mynd yn fwy a mwy plagus a myfïol bob dydd. Ar wahân i'r wythnos gyntaf, welais i'r un o'r bisgedi y gwnaeth eu haddo mor daer i mi. Ar Suliau, mae'n arbennig o blagus, yn mynnu rhoi'r golau ymlaen ar doriad gwawr i ymarfer am ddeng munud.

I mi, mae'r artaith fel petai'n para am oriau, gan fod y cadeiriau yr ydw i'n eu defnyddio i estyn fy ngwely yn cael eu siglo yn ôl a blaen o dan fy mhen cysglyd. Wedi iddo orffen ei ymarferiadau drwy chwifio'i freichiau'n egnïol, mae Ei Fawrhydi yn dechrau gwisgo. Gan fod ei ddillad isaf yn hongian ar fachyn, mae'n bustachu heibio i 'ngwely i i'w nôl ac yna'n bustachu'n ôl. Ond mae'i dei ar y bwrdd, ac mae'n gwthio ac yn cloncian ei ffordd heibio i'r cadeiriau unwaith eto.

Ond a' i ddim i wastraffu rhagor o dy amser di'n cwyno am hen ddynion ffiaidd. Fyddai hynny o ddim help p'un bynnag. Yn anffodus, rydw i wedi gorfod rhoi heibio fy nghynlluniau i ddial arno, fel datgysylltu'r bylb trydan, cloi'r drws a chuddio'i ddillad, er mwyn cadw heddwch.

O, rydw i'n mynd yn fwy synhwyrol o hyd! Mae gofyn i ni fod yn rhesymol ynglŷn â phopeth yr ydan ni'n ei wneud yma: astudio, gwrando, dal ein tafodau, helpu eraill, bod yn garedig, cyfaddawdu a wn i ddim beth arall! Mae arna i ofn y bydd fy synnwyr cyffredin i, oedd yn brin ar y gorau, wedi'i ddisbyddu i gyd ac na fydd gen i ddim yn weddill pan ddaw'r rhyfel i ben.

Dy Anne

Dydd Mercher, Ionawr 13, 1943

F'annwyl Kitty,

Mi ge's i fy aflonyddu dro ar ôl tro'r bore 'ma, ac oherwydd hynny dydw i ddim wedi gallu gorffen un dim yn iawn.

Rydan ni wedi cael hobi newydd, sef llenwi pacedi efo powdwr grefi, un o gynhyrchion Gies a'i Gwmni. Roedd Mr Kugler wedi methu cael neb arall i lenwi'r pacedi, a ph'un bynnag mae'n rhatach i ni wneud hynny. Dyma'r math o waith maen nhw'n ei wneud mewn carchardai. Mae tu hwnt o ddiflas, yn ein gwneud ni'n benysgafn ac yn peri i ni biffian chwerthin.

Mae pethau dychrynllyd yn digwydd y tu allan. Bob awr o'r dydd a'r nos, mae pobl druenus, ddiymadferth yn cael eu llusgo o'u tai. Chân' nhw fynd â dim ond sach gefn ac ychydig arian i'w canlyn, ac mae'r ychydig eiddo hwnnw'n cael ei ddwyn oddi arnyn nhw ar y ffordd. Mae teuluoedd yn cael eu rhwygo a dynion, gwragedd a phlant yn cael eu hysgaru. Daw plant adref o'r ysgol i gael fod eu rhieni wedi diflannu. Daw gwragedd yn ôl o fod yn siopa i gael eu tai wedi eu cloi a'u selio a'u teuluoedd wedi mynd. Mae'r Cristnogion yn yr Iseldiroedd hefyd yn byw mewn ofn gan fod eu meibion yn cael eu hanfon i'r Almaen. Mae arswyd ar bawb. Bob nos, mae cannoedd o awyrennau'n hedfan drosodd ar eu ffordd i ddinasoedd yr Almaen i aredig y tir â'u bomiau. Bob awr, mae cannoedd, os nad miloedd, o bobl yn cael eu lladd yn Rwsia a'r Affrig. All neb gadw allan o'r gyflafan, mae'r byd cyfan yn rhyfela, ac er bod y Cynghreiriaid yn gwneud beth yn well, does dim golwg y daw pethau i ben.

Rydan ni'n ffodus. Yn fwy ffodus na miliynau o bobl. Mae'n dawel a diogel yma, ac rydan ni'n defnyddio'n harian i brynu bwyd. Rydan ni mor hunanol fel ein bod ni'n sôn am 'wedi'r rhyfel' ac yn edrych ymlaen at gael dillad ac esgidiau newydd pan y dylen ni, o ddifri, fod yn cynilo pob ceiniog i helpu eraill pan fydd y rhyfel drosodd ac i achub beth bynnag fydd ar ôl i'w achub.

Mae plant y gymdogaeth yn rhedeg o gwmpas mewn crysau tenau a chlocsiau. Does ganddyn nhw na chotiau na chapiau na sanau, na neb i'w helpu. Maen nhw'n cerdded o'u tai oerion drwy strydoedd oerion i ystafell ddosbarth oerach fyth gan gnoi moronen i geisio lleddfu'r pangfeydd o newyn. Mae pethau wedi gwaethygu gymaint yn yr Iseldiroedd fel bod lluoedd o blant yn stopio pobl ar y stryd i erfyn am ddarn o fara.

Mi allwn i dreulio oriau'n sôn wrthot ti am y dioddef sydd wedi dod yn sgil y rhyfel, ond fyddwn i ond yn gwneud fy hun yn fwy digalon fyth. Y cyfan allwn ni ei wneud ydi aros, mor dawel ag sy'n bosibl, iddo ddod i ben. Mae'r Iddewon a'r Cristnogion, fel ei gilydd, yn aros, yr holl fyd yn aros, ac amryw yn aros marwolaeth.

Dy Anne

Dydd Sadwrn, Ionawr 30, 1943

F'annwyl Kitty,

Rydw i'n berwi o gynddaredd, ond fiw i mi ddangos hynny. Mi hoffwn i sgrechian, pystylu'r llawr, rhoi ysgytwad iawn i Mam, crio a wn i ddim beth arall oherwydd y geiriau cas, yr edrychiadau gwatwarus a'r cyhuddiadau y mae hi'n eu hyrddio ata i ddiwrnod ar ôl diwrnod ac sy'n gwanu i mi fel saethau o fwa tynn, a bron yn amhosibl eu tynnu allan o 'nghorff. Mi hoffwn i weiddi ar Mam, Margot, y tri van Daan, Dussel, a Dad hefyd: 'Rhowch lonydd i mi, gadewch i mi gael un noson o leiaf heb grio fy hun i gysgu, fy llygaid yn llosgi a 'mhen yn pwyo. Gadewch i mi fynd i ffwrdd, i ffwrdd oddi wrth bopeth, ymaith o'r byd yma!' Ond alla i ddim gwneud hynny. Alla i ddim gadael iddyn nhw wybod fy amheuon i, na gweld y clwyfau maen nhw wedi'u hachosi. Allwn i ddim goddef eu cydymdeimlad na'u herian difalais. Fyddai hynny ond yn gwneud i mi fod eisiau sgrechian fwy fyth.

Mae pawb yn credu fy mod i'n dangos fy hun pan fydda i'n siarad, yn chwerthinllyd pan fydda i'n ddistaw, yn ddigywilydd pan fydda i'n ateb, yn gyfrwys pan mae gen i syniad da, yn ddiog pan ydw i'n flinedig, yn hunanol pan fydda i'n bwyta un tamaid yn fwy nag y dylwn i, yn dwp, llwfr, ystrywgar a.y.b., a.y.b. Y cyfan ydw i'n ei glywed drwy'r dydd ydi plentyn mor blagus ydw i, ac er fy mod i'n ceisio chwerthin a chymryd arnaf beidio â malio, rydw i *yn* malio. Mi fyddai'n dda gen i pe bawn i'n gallu gofyn i Dduw am bersonoliaeth arall, un nad ydi hi'n cythruddo pawb.

Ond mae hynny'n amhosibl. Fel hyn y ganed fi, ac eto rydw i'n siŵr nad ydw i'n gymeriad drwg. Rydw i'n gwneud fy ngorau i blesio pawb, mwy nag y mae neb yn ei sylweddoli. Pan fydda i fyny grisiau rydw i'n ceisio gwneud yn ysgafn o'r peth gan nad ydw i am iddyn nhw weld fy ngofidiau i.

Fwy nag unwaith, wedi hyrddiau o edliw afresymol, rydw i wedi arthio ar Mam: 'Dydi o ddim gwahaniaeth gen i beth ydach chi'n ei ddweud. Pam na wnewch chi olchi'ch dwylo ohona i - dydw i'n da i ddim.' Wrth gwrs, fe fyddai'n dweud wrtha i am beidio ateb yn ôl ac yn fy anwybyddu i'n gyfan gwbl am ddeuddydd. Yna'n sydyn byddai'r cyfan wedi ei anghofio a hithau'n fy nhrin fel pawb arall.

Mae'n amhosibl i mi fod yn wenau i gyd un diwrnod ac yn wenwynllyd drannoeth. Mi fyddai'n well gen i ddewis y llwybr canol, er nad ydi hwnnw'n aur i gyd, a chadw fy meddyliau i mi fy hun. Efallai, rywdro, y bydda i'n trin y lleill yr un mor ddirmygus ag y maen nhw'n fy nhrin i. O, biti na allwn i.

Dy Anne

Dydd Gwener, Chwefror 5, 1943

F'annwyl Kitty,

Er bod hydoedd er pan ysgrifennais i atat ti i ddweud am y cwerylon, mae pethau'n dal yr un fath. Roedd Dussel yn cymryd ein gwrthdaro dibwys ni'n ddifrifol iawn ar y dechrau, ond mae wedi hen arfer erbyn hyn ac wedi rhoi'r gorau i geisio bod yn ganolwr.

Dydi Margot a Peter ddim beth fyddet ti'n ei alw'n 'ifanc'; mae'r ddau mor ddistaw a diflas. Wrth eu hochr nhw, rydw i'n sefyll allan fel ploryn ar wyneb, ac mae rhywun yn dweud wrtha i byth a beunydd, 'Dydi Margot a Peter ddim yn ymddwyn fel yna. Pam na wnei di ddilyn esiampl dy chwaer?' Mae'n gas gen i hynny.

Rydw i'n cyfaddef nad oes gen i unrhyw ddyhead o fath yn y byd i fod yn debyg i Margot. Mae hi'n rhy lipa a goddefol, yn gadael i eraill ddylanwadu arni a bob amser yn ildio o dan bwysau. Rydw i eisiau bod yn gryfach cymeriad! Ond mi fydda i'n cadw syniadau fel y rhain i mi fy hun. Wnaen nhw ddim ond chwerthin am fy mhen i pe bawn i'n ceisio fy amddiffyn fy hun drwy gynnig hyn fel eglurhad.

Yn ystod prydau bwyd mae'r awyr yn drwm o dyndra. Yn ffodus, mae'r ffrwydradau'n cael eu ffrwyno weithiau gan y 'bwytawyr cawl', y rhai sy'n dod i fyny o'r swyddfa i gael cwpaned o gawl ganol dydd.

Brynhawn heddiw, cyfeiriodd Mr van Daan unwaith eto at y

ffaith fod Margot yn bwyta cyn lleied. 'Mae'n siŵr eich bod chi'n gwneud hynny er mwyn cadw'ch siâp,' meddai'n bryfoclyd.

A dyna Mam, sydd bob amser yn neidio i amddiffyn Margot, yn dweud mewn llais uchel, 'Alla i ddim diodda'ch hen glebran dwl chi funud yn rhagor.'

Roedd wyneb Mrs van Daan cyn goched â chrib ceiliog ond y cyfan wnaeth Mr van Daan oedd syllu'n syth o'i flaen, heb ddweud gair.

Rydan ni'n cael achos i chwerthin yn aml, er hynny. Sbel yn ôl roedd Mrs van Daan yn ein diddanu ni efo'i ffwlbri arferol. Sôn am y gorffennol yr oedd hi gan ddweud cymaint o lawiau oedd hi a'i thad a chymaint o fflyrt oedd hi. 'Wyddoch chi be,' meddai hi, 'fe ddwedodd Tada wrtha i os oedd un o'r bonheddwyr yn mynd yn hy arna i fy mod i i ddweud "Cofiwch, syr, fy mod i'n ledi" ac fe fyddai'n gwybod beth o'n i'n ei olygu.' Roedden ni'n ein dyblau'n chwerthin, fel pe bai hi wedi dweud andros o jôc dda.

Mae hyd yn oed Peter, er ei fod mor dawel, yn gwneud i ni chwerthin o dro i dro. Mae ganddo'r anfantais o fod wedi gwirioni ar eiriau tramor, heb wybod eu hystyr. Un prynhawn allen ni ddim defnyddio'r toiled, gan fod ymwelwyr yn y swyddfa. Aeth pethau'n drech na Peter, a bu'n rhaid iddo ddefnyddio'r tŷ bach, ond heb dynnu'r dŵr. Er mwyn ein rhybuddio ni o'r arogl anhyfryd, rhoddodd arwydd ar ddrws yr ystafell ymolchi: 'SVP - nwy!'. Yr hyn yr oedd Peter yn ei olygu, wrth gwrs, oedd 'Perygl - nwy!' ond roedd o'n credu fod 'SVP' yn edrych yn fwy chwaethus. Doedd ganddo mo'r syniad lleiaf mai ystyr hynny oedd 'os gwelwch yn dda'.

Dy Anne

Dydd Sadwrn, Chwefror 27, 1943

F'annwyl Kitty,

Mae Pim yn disgwyl yr ymosodiad unrhyw ddiwrnod rŵan. Cafodd Churchill lid yr ysgyfaint ond mae'n gwella'n raddol. Mae Gandhi, amddiffynnydd rhyddid yr India, yn ymprydio am y canfed tro.

Mae Mrs van D. yn haeru ei bod hi'n un sy'n derbyn yr anochel. Ond pwy sydd â'r ofn mwyaf pan fydd y gynnau'n tanio? Petronella van Daan, wrth gwrs.

Daeth Jan â'r llythyr esgobol, wedi'i ysgrifennu gan yr esgobion at eu plwyfolion, i'w ddangos i ni. Roedd yn llythyr hyfryd a chalonogol. 'Bobl yr Iseldiroedd, codwch ac ymrowch ati. Mae'n rhaid i bob un ohonom ddewis ei arfau ei hun i ymladd dros ryddid ein gwlad, ein pobl a'n crefydd! Rhowch eich cymorth a'ch cefnogaeth. Gweithredwch yn awr!' Dyna maen nhw'n ei bregethu o'r pulpud. Faint o les fydd hynny? Mae'n bendant yn rhy hwyr i allu helpu ein cyd-Iddewon.

Chredi di ddim beth sydd wedi digwydd i ni'r tro yma. Mae perchennog yr adeilad wedi'i werthu heb hysbysu Mr Kugler a Mr Kleiman. Un bore, cyrhaeddodd y perchennog newydd a phensaer i archwilio'r lle. Diolch byth fod Mr Kleiman yn y swyddfa. Dangosodd bopeth oedd yna i'w weld i'r ddau fonheddwr, popeth ond y Rhandy Dirgel. Fe gymerodd arno ei fod wedi gadael yr allwedd gartref ac ni holodd y perchennog newydd ragor. Dim ond gobeithio na ddaw yn ei ôl a mynnu cael gweld y Rhandy. Os digwydd hynny, fe fyddwn ni mewn trybini mawr!

Mae Dad wedi gwagio un o'r blychau ffeilio i Margot a fi a'i lenwi â chardiau mynegai sy'n wag un ochr. Hon fydd ein ffeil ddarllen ni ac mae disgwyl i ni wneud nodyn o bob llyfr, yr awdur a'r dyddiad. Rydw i wedi dysgu dau air newydd: 'puteindy' a 'hoeden' ac wedi prynu llyfr ysgrifennu ychwanegol er mwyn cofnodi'r holl eiriau dieithr.

Mae'r drefn ynglŷn â rhannu menyn a margarîn wedi'i newid a phob un ohonom i gael ei gyfran ar ei blât ei hun. Rydw i'n credu fod y rhaniad yma'n un annheg iawn. Mae'r teulu van Daan, sydd bob amser yn paratoi brecwast i bawb, yn eu helpu eu hunain i fwy na dwbl yr hyn maen nhw'n ei roi i ni. Mae gan Mam a Dad ormod o ofn helynt i ddweud dim ac mae hynny'n biti gan y dylai rhai sy'n gwneud peth felly gael blas eu ffisig eu hunain.

Dy Anne

Dydd Iau, Mawrth 4, 1943

F'annwyl Kitty,

Mae gan Mrs van D. lysenw newydd - rydan ni wedi dechrau ei galw hi'n Mrs Beaverbrook. Wrth gwrs, dydi hynny'n golygu dim i ti, felly gad i mi egluro. Mae yna ryw Mr Beaverbrook yn dwrdio'n aml ar y radio Saesneg fod yr ymosodiad ar yr Almaen yn llawer rhy drugarog. Mae Mrs van Daan, sydd bob amser yn gwrth-ddweud pawb, gan gynnwys Churchill a'r adroddiadau newyddion, yn cytuno'n llwyr. Meddwl yr oedden ni y byddai'n syniad da ei rhoi'n wraig iddo, a gan fod hynny'n ei phlesio hi, Mrs Beaverbrook fydd hi o hyn allan.

Rydan ni i gael gweithiwr newydd yn y warws, gan fod yr hen un yn cael ei anfon i'r Almaen. Mae hynny'n newydd drwg iddo fo ond yn newydd da i ni gan na fydd y gweithiwr newydd yn gyfarwydd â'r adeilad. Rydan ni'n dal i fod yn ochelgar o'r dynion sy'n gweithio'n y warws.

Mae Gandhi wedi dechrau bwyta unwaith eto.

Mae busnes y farchnad ddu yn ffynnu. Petai ganddon ni'r modd i dalu'r prisiau afresymol, fe allen ni wneud moch iawn ohonom ein hunain. Mae'r gwerthwr llysiau yn prynu tatws gan y '*Wehrmacht*', y lluoedd arfog, ac yn dod â nhw mewn sachau i'r swyddfa breifat. Gan ei fod yn gwybod ein bod ni'n cuddio yma, mae'n gwneud pwynt o gyrraedd yn ystod yr awr ginio, pan fydd gweithwyr y warws allan.

Ar hyn o bryd mae cymaint o bupur yn cael ei falu fel ein bod ni'n tisian ac yn tagu â phob anadliad a phawb sy'n dod i fyny'n ein cyfarch ni â 'T...isiw'. Mae Mrs van D. yn gwrthod mynd i lawr gan dyngu y bydd hi'n swp sâl os y caiff hi un chwiff arall o bupur.

Dydw i ddim yn meddwl fod busnes Dad yn un rhy ddymunol. Dim byd ond pectin a phupur. Os cynhyrchu bwyd, pam nad melysion?

Y bore 'ma, fe dorrodd storm go iawn o fellt a tharanau geiriol am fy mhen i unwaith eto. Roedd yr awyr yn las a 'nghlustiau innau'n canu oherwydd yr holl gyfeiriadau aflednais at fy nrygioni i o'i gymharu â daioni'r teulu van Daan. Tân a brwmstan!

Dy Anne

Dydd Mercher, Mawrth 10, 1943

F'annwyl Kitty,

Cawsom doriad yn y cylchrediad trydan neithiwr. Yn ogystal â hynny, roedd y gynnau'n rhuo drwy'r nos. Dydw i ddim eto wedi gallu trechu fy ofn o awyrennau a saethu, ac mi fydda i'n cripian i wely Dad bron bob nos er mwyn cael cysur. Mi wn i ei fod yn swnio'n blentynnaidd, ond aros di nes i hyn ddigwydd i ti! Mae'r gynnau peiriant yn gwneud cymaint o sŵn fel na all rhywun glywed ei lais ei hun. A dyna hi Mrs Beaverbrook, yr un sy'n derbyn yr anochel, yn brwydro i gadw'r dagrau'n ôl ac yn dweud, mewn llais bach gwan, 'O, mae hyn mor ddychrynllyd. O, mae'r gynnau mor swnllyd' - sy'n ffordd arall o ddweud, 'Rydw i mor ofnus'.

Doedd pethau ddim i weld hanner cynddrwg wrth olau cannwyll ag oedden nhw'n y tywyllwch. Ro'n i'n crynu, fel pe bawn i'n dioddef o dwymyn, ac yn ymbil ar Dad i ailoleuo'r gannwyll. Roedd o'n bendant: dim golau. Yn sydyn fe glywsom hwrdd y gynnau peiriant, ac mae hynny ddengwaith gwaeth na'r gynnau sy'n tanio at yr awyrennau. Neidiodd Mam allan o'r gwely a mynnu cynnau'r gannwyll, ar waethaf anfodlonrwydd Pim. Ei hateb pendant hi i'w gwyno oedd, 'Wedi'r cyfan, dydi Anne ddim yn gyn-filwr!' A dyna ddiwedd hynna!

Ydw i wedi sôn wrthot ti am rai o ofnau eraill Mrs van D? Na, dydw i ddim yn credu. Er mwyn i ti allu dal i fyny ag anturiaethau diweddaraf y Rhandy Dirgel, mi ddylwn i ddweud hyn wrthot ti, hefyd. Un noson roedd Mrs van D. yn credu iddi glywed sŵn traed trymion yn yr atig, ac roedd ganddi gymaint o ofn lladron nes iddi ddeffro'i gŵr. Yr union eiliad honno, diflannodd y lladron, a'r unig beth allai Mr van D. ei glywed oedd tabyrddu ofnus calon y wraig sy'n honni derbyn yr anochel. A dyna hi'n llefain, 'O, Putti! (Putti ydi enw anwes Mr van D.) Mae'n rhaid eu bod nhw wedi dwyn y cyfan o'n selsig ni a'r ffa sych. A beth am Peter? O, wyt ti'n credu fod Peter yn dal yn ddiogel yn ei wely?'

'Mi 'dw i'n siŵr nad ydyn nhw wedi dwyn Peter. Paid â bod mor wirion a gad i mi fynd yn ôl i gysgu!'

Amhosibl. Roedd ar Mrs van D. ormod o ofn i gysgu.

Ychydig nosweithiau'n ddiweddarach cafodd y teulu van Daan eu deffro gan synau annaerol. Aeth Peter i fyny i'r atig efo fflachlamp a dyna andros o sŵn sgrialu. Be ddyliet ti welodd o'n rhedeg i ffwrdd? Haid o lygod mawr anferthol!

Unwaith y deallon ni pwy oedd y lladron, fe adawon ni i Mouschi gysgu yn yr atig a welson ni ddim golwg o'r ymwelwyr diwahoddiad wedyn ... yn y nos, o leiaf.

Rai nosweithiau'n ôl (roedd hi'n hanner awr wedi saith ac yn dal yn olau) aeth Peter i fyny i'r atig i nôl hen bapurau newyddion. Roedd yn rhaid iddo ddal yn dynn wrth y ceuddrws er mwyn dringo i lawr yr ysgol. Rhoddodd ei law allan heb edrych ac fe fu ond y dim iddo â syrthio oddi ar yr ysgol gan fraw a phoen. Heb sylweddoli, roedd o wedi rhoi ei law ar lygoden fawr a honno wedi ei frathu yn ei fraich. Erbyn iddo'n cyrraedd ni, roedd cyn wynned â'r galchen, ei goesau'n crynu a'r gwaed wedi socian drwy'i byjamas. Dim rhyfedd ei fod wedi cael cymaint o ysgytiad, gan nad ydi mwytho llygoden fawr yn brofiad rhy bleserus, yn arbennig pan mae honno'n suddo'i dannedd i dy fraich di.

Dy Anne

Dydd Gwener, Mawrth 12, 1943

F'annwyl Kitty,

Gad i mi gyflwyno: Mama Frank, lladmerydd y plant! Menyn ychwanegol i'r rhai ifanc, y problemau sy'n wynebu ieuenctid heddiw - unrhyw beth fynni di, ac mae Mam yn amddiffyn y genhedlaeth iau. Wedi ysgarmes neu ddwy, mae hi bob amser yn llwyddo i gael ei ffordd ei hun.

Mae un o'r jariau cig wedi difetha. Gwledd i Mouschi a Boche.

Dwyt ti ddim wedi cyfarfod Boche hyd yn hyn, er ei bod o gwmpas cyn i ni ddod yma i guddio. Cath y warws a'r swyddfa ydi hi, yr un sy'n cadw'r llygod i ffwrdd o'r storfa. Mae'n hawdd egluro ei henw gwleidyddol rhyfedd. Am gyfnod roedd gan Gies a'i Gwmni ddwy gath: un i'r warws ac un i'r atig. Byddai eu llwybrau'n croesi o dro i dro, a hynny'n ddieithriad yn arwain at frwydr. Cath y warws oedd yr ymosodwr bob amser ond cath yr atig oedd yn trechu'n y diwedd, yn union fel mewn gwleidyddiaeth. Felly cafodd cath y warws ei henwi yr Almaenwr, neu 'Boche' a chath yr atig y Sais, neu 'Tommy'. Rywdro wedyn cafwyd gwared â Tommy ond mae Boche yno o hyd i'n diddanu ni pan awn ni lawr grisiau.

Rydan ni wedi bwyta cymaint o ffa Ffrengig a ffa gwynion fel na alla i ddioddef edrych arnyn nhw. Mae hyd yn oed meddwl amdanyn nhw'n gwneud i mi deimlo'n sâl.

Mae'r dogn nosweithiol o fara wedi ei atal.

Mae Dadi newydd ddweud nad ydi o mewn hwyliau rhy dda. Mae golwg mor drist yn ei lygaid - druan bach!

Rydw i'n methu rhoi'r llyfr *Cnoc ar y Drws* gan Ina Bakker Boudier i lawr. Mae hanes y teulu wedi ei ysgrifennu'n arbennig o dda ond dydi'r rhannau sy'n delio â'r rhyfel, awduron a rhyddid merched ddim cystal. A dweud y gwir, does gen i fawr o ddiddordeb yn y pynciau hynny.

Ymgyrchoedd bomio erchyll ar yr Almaen. Mae Mr van Daan yn bigog. A'r rheswm: prinder sigareti.

Ni gafodd y gorau yn y drafodaeth a ddylen ni ddechrau ar y tuniau bwyd ai peidio.

Alla i ddim gwisgo'r un o'm parau esgidiau ar wahân i'r esgidiau sgio, sydd braidd yn anymarferol o gwmpas y tŷ. Roedd pâr o sandalau gwellt a brynwyd am 6.50 *guilder* wedi treulio i lawr i'w gwadnau ymhen wythnos. Efallai y gall Miep fachu rhywbeth ar y farchnad ddu.

Mae'n bryd i mi dorri gwallt Dad. Gan fy mod i'n gwneud y

gwaith mor dda, mae Pim yn tyngu na fydd yn ymweld â'r un siop farbwr wedi'r rhyfel. Trueni fy mod i'n rhicio'i glust mor aml!

Dy Anne

Dydd Iau, Mawrth 18, 1943

Fy anwylaf Kitty,

Mae Twrci wedi ymuno â'r rhyfel. Cyffro mawr. Disgwyl yn bryderus am adroddiadau ar y radio.

Dydd Gwener, Mawrth 19, 1943

F'annwyl Kitty,

Mewn llai nag awr, roedd siom yn dilyn y llawenydd. Dydi Twrci ddim wedi ymuno â'r rhyfel hyd yn hyn. Un o weinidogion y cabinet oedd wedi bod yn sôn y byddai Twrci yn ildio ei niwtraliaeth yn o fuan. Roedd y gwerthwr papurau yn Sgwâr Dam yn gweiddi 'Twrci yn ochri â Lloegr!' a'r papurau'n cael eu cipio o'i ddwylo. Dyna sut y bu i ni glywed y sibrydion calonogol.

Mae papurau mil *guilder* yn mynd i gael eu diddymu. Fe fydd hynny'n ergyd i'r rhai sy'n delio ar y farchnad ddu a'u tebyg, ond yn fwy o ergyd fyth i'r rhai sy'n cuddio ac unrhyw un arall sydd ag arian na all roi cyfrif amdano. Os am dalu â phapur mil *guilder* mae'n rhaid gallu esbonio sut y cefaist ti o, a phrofi hynny. Gellir dal i'w defnyddio i dalu trethi, ond dim ond tan yr wythnos nesaf. Bydd y papurau hanner can *guilder* yn cael eu diddymu'r un pryd. Defnyddiodd Gies a'i Gwmni y papurau mil *guilder* nad oedd modd rhoi cyfrif amdanyn nhw i dalu ffigurau amcan y trethi am y blynyddoedd sydd i ddod, felly mae popeth yn ymddangos yn ddigon agored.

Derbyniodd Dussel ddril deintydd, un henffasiwn sy'n cael ei weithio â'r troed. Canlyniad hynny, mae'n debyg, ydi y bydda i'n cael archwiliad trwyadl yn fuan.

Mae Dussel yn esgeulus iawn pan mae gofyn ufuddhau i reolau'r tŷ. Yn ogystal â gohebu â'i Charlotte, mae hefyd yn anfon llythyrau ymgomiol at amryw o rai eraill. Mae'n caniatáu i Margot, athrawes Iseldireg y Rhandy, gywiro'r llythyrau iddo. Er bod Dad wedi ei wahardd yn bendant rhag dal ymlaen a Margot wedi rhoi'r gorau i gywiro'r llythyrau, mae gen i ryw deimlad y bydd wrthi eto cyn bo hir.

Mae'r Führer wedi bod yn siarad â'r milwyr clwyfedig. Fe fuon ni'n gwrando ar y radio, ac roedd y cyfan yn bathetig. Rhywbeth tebyg i hyn oedd y cwestiynau a'r atebion:

'Fy enw i yw Heinrich Scheppel.'

'Ymhle y cawsoch chi'ch clwyfo?'

'Yn ymyl Stalingrad.'

'Beth ydi natur y clwyf?'

'Ewinrhew yn y traed a thoriad yn y fraich chwith.'

A dyna ddisgrifiad perffaith o'r sioe bypedau erchyll a glywyd ar y radio. Roedd y clwyfedigion yn ymddangos yn falch o'u clwyfau - gorau po fwyaf - ac un wedi cyffroi cymaint wrth feddwl ysgwyd llaw â'r Führer (rydw i'n cymryd fod ei law yn dal ganddo) fel mai prin y gallai ddweud gair.

Mi ddigwyddais i ollwng sebon Dussel ar y llawr a sathru arno. Rŵan mae yna un darn ar goll. Rydw i eisoes wedi gofyn i Dad wneud iawn iddo am y difrod, yn arbennig gan nad ydi Dussel yn cael ond un talp o sebon eilradd y mis.

Dy Anne

Dydd Iau, Mawrth 25, 1943

F'annwyl Kitty,

Neithiwr roedd Mam, Dad, Margot a fi'n eistedd yn eitha cytûn pan ddaeth Peter i mewn yn sydyn a sibrwd rhywbeth yng nghlust Dad. Mi glywais i'r geiriau 'casgen wedi troi drosodd yn y warws' a 'rhywun yn ffidlan efo'r drws'.

Roedd Margot wedi clywed hefyd, ond yn ceisio fy nhawelu i, gan fy mod i wedi mynd cyn wynned â'r galchen ac yn ddychrynllyd o nerfus. Arhosodd y tair ohonom yno mewn gwewyr tra oedd Dad a Peter yn mynd lawr grisiau. Rai munudau'n ddiweddarach daeth Mrs van Daan i fyny o'r swyddfa lle'r oedd hi wedi bod yn gwrando ar y radio, a dweud fod Pim wedi gofyn iddi ei throi i ffwrdd a chripian i fyny'r grisiau. Ond fe wyddost be sy'n digwydd pan mae rhywun yn ceisio bod yn ddistaw - roedd yr hen risiau'n gwichian ddwywaith yn uwch nag arfer. Ymhen pum munud wedyn, fe ailymddangosodd Peter a Pim, y naill mor welw â'r llall, i ddweud beth oedd wedi digwydd.

Roedden nhw wedi cuddio o dan y grisiau, ac aros, ond ddigwyddodd dim. Yna'n sydyn dyna ddwy ergyd uchel fel petai dau ddrws wedi cael eu cau'n glep yn rhywle'n y tŷ. Llamodd Pim i fyny'r grisiau tra oedd Peter yn mynd i rybuddio Dussel, ac fe wnaeth hwnnw ei ymddangosiad o'r diwedd gan chwarae'r andros a gwneud peth wmbredd o sŵn. Yna i ffwrdd â ni i gyd yn nhraed ein sanau at y ddau van Daan ar y llawr nesaf. Roedd Mr van D. wedi clwydo am y nos gan ei fod yn dioddef o annwyd trwm, felly dyna ni'n casglu o gwmpas ei wely ac yn trafod ein hamheuon mewn sibrydion. Bob tro y byddai Mr van D. yn tagu'n stwrllyd roedd Mrs van D. a fi bron â chael gwasgfa. Daliodd ati i dagu nes i rywun gael y syniad gwych o roi *codeine* iddo. Gostegodd y peswch ar unwaith.

Er i ni aros ac aros unwaith eto, doedd dim i'w glywed. A dyna benderfynu'n y diwedd fod y lladron wedi cymryd y goes pan glywson nhw sŵn traed mewn adeilad oedd cyn ddistawed â'r bedd. Y broblem bellach oedd fod y cadeiriau yn y swyddfa breifat wedi eu gosod ar gylch o gwmpas y radio a honno wedi'i thiwnio i Loegr. Os oedd y lladron wedi agor y drws trwy rym a wardeniaid y cyrchoedd awyr yn sylwi ac yn galw'r heddlu, gallai'r canlyniadau fod yn rhai difrifol iawn. Dyna Mr van Daan yn codi o'i wely, gwisgo'i gôt a'i drowsus, a dilyn Dad yn ochelgar i lawr y grisiau, a Peter (wedi'i arfogi â morthwyl trwm er mwyn ei amddiffyn ei hun) wrth eu sodlau. Arhosodd y boneddigesau (yn cynnwys Margot a fi) ar bigau'r drain nes i'r dynion ddychwelyd ymhen pum munud i ddweud fod popeth yn dawel yn yr adeilad. Fe gytunon ni i beidio rhedeg tap na thynnu dŵr yn y tŷ bach; ond gan fod stumog pawb yn corddi oherwydd yr holl dyndra, fe elli di ddychmygu'r drewdod oedd yna wedi i ni i gyd gymryd ein tro yn y toiled.

Pan mae rhywbeth fel hyn yn digwydd mae trychinebau eraill yn siŵr o ddilyn, a doedd hwn ddim yn eithriad. Rhif un: fe beidiodd cloc y Westertoren â tharo, a minnau wedi'i gael yn gymaint o gysur bob amser. Rhif dau: gadawodd Mr Voskuijl yn gynnar neithiwr, a doedden ni ddim yn siŵr oedd o wedi rhoi'r allwedd i Bep ai peidio a hithau wedi anghofio cloi'r drws.

Ond doedd hynny nac yma nac acw bellach. Doedd y nos ond megis dechrau, a ninnau heb fod yn siŵr beth i'w ddisgwyl. Roedd y ffaith nad oedden ni wedi clywed smic rhwng chwarter wedi wyth - pan ddaeth y lleidr i'r adeilad a rhoi ein bywydau mewn perygl - a hanner awr wedi deg, yn ein calonogi ryw gymaint. Erbyn meddwl, go brin y byddai'r un lleidr wedi torri i mewn mor gynnar fin nos, pan oedd pobl yn dal o gwmpas ar y stryd. Yn ogystal â hynny, trawodd y syniad ni y gallai rheolwr warws Cwmni Keg y drws nesaf fod yn dal wrth ei waith. Oherwydd y cyffro a'r waliau tenau, mae'n hawdd camgymryd synau ac mae'r dychymyg yn dueddol o chwarae triciau ar rywun ar adegau o berygl.

Felly, i'n gwlâu â ni, ond nid i gysgu. Roedd Dad a Mam a Dussel yn effro bron drwy'r nos ac nid gormodiaith ydi dweud na fu i minnau gysgu'r un winc bron. Y bore 'ma, aeth y dynion i lawr i weld a oedd y drws allan yn dal ar glo, ond roedd popeth yn iawn!

Wrth gwrs, fe roeson ni adroddiad manwl o'r digwyddiad, oedd ymhell o fod yn ddymunol, i holl weithwyr y swyddfa. Mae'n llawer haws chwerthin am ben pethau fel hyn wedi iddyn nhw ddigwydd a Bep oedd yr unig un i'n cymryd ni o ddifri.

Dy Anne

O.N. Roedd y toiled wedi blocio'r bore 'ma, a bu'n rhaid i Dad wthio polyn hir i mewn i bysgota am lwythi o garthion a ryseitiau mefus (dyna ydan i'n ei ddefnyddio fel papur tŷ bach ar hyn o bryd). Cafodd y polyn ei losgi wedyn.

Dydd Sadwrn, Mawrth 27, 1943

F'annwyl Kitty,

Rydan ni wedi gorffen ein cwrs llaw-fer ac yn ceisio canolbwyntio ar gynyddu'n cyflymder ar hyn o bryd. On'd ydan ni'n beniog! Gad i mi ddweud rhagor wrthot ti am fy mhynciau 'lladd amser' (dyna ydw i'n galw'r cyrsiau, gan mai'r cyfan yr ydan ni'n ei wneud ydi ceisio gwneud i'r dyddiau fynd heibio mor gyflym ag y bo modd fel ein bod ni gymaint â hynny'n nes at ddiwedd ein hamser yma). Rydw i'n gwirioni ar fytholeg, yn arbennig duwiau Groeg a Rhufain. Mae pawb yma'n credu nad ydi'r diddordeb hwn yn ddim ond chwiw'r munud, gan nad ydyn nhw erioed wedi clywed am un yn ei harddegau sy'n gallu gwerthfawrogi mytholeg. Fi ydi'r un gyntaf, debyg!

Mae ar Mr van Daan annwyd, neu gosi bach yn ei wddw, o ran hynny, ond mae'n gwneud andros o stŵr ynghylch y peth. Mae'n garglio efo te camomeil, yn gorchuddio taflod ei geg efo tintur myrr ac yn rhwbio olew ewcalyptws dros ei frest, ei drwyn, cnawd ei ddannedd a'i dafod. Ac ar ben pob dim, mae hwyl y fall arno!

Rhoddodd Rauter, un o bwysigion yr Almaen, anerchiad yn ddiweddar. 'Rhaid i bob Iddew fod allan o'r tiriogaethau sydd dan reolaeth yr Almaenwyr cyn Gorffennaf 1. Bydd talaith Utrecht yn cael ei charthu o Iddewon (fel pe baen nhw'n chwilod duon) rhwng Ebrill 1 a Mai 1 a thaleithiau Gogledd a De'r Iseldiroedd rhwng Mai 1 a Mehefin 1.' Mae'r trueiniaid hyn yn cael eu certio ymaith i ladd-dai aflan fel gyrr o wartheg gwael a diymgeledd. Ond a' i ddim i sôn rhagor am y peth. Mae fy meddyliau i'n troi'n hunllefau.

Un newydd da ydi fod adran Almaenig y Ganolfan Gyflogi wedi'i rhoi ar dân mewn ymgyrch ddifrodi. Ychydig ddyddiau'n ddiweddarach aeth swyddfa'r Cofrestrydd i fyny mewn fflamau. Roedd dynion oedd yn cymryd arnynt fod yn aelodau o heddlu'r Almaen wedi clymu a gagio'r gwarchodwyr a llwyddo i ddifa rhai dogfennau pwysig.

Dy Anne

Dydd Iau, Ebrill 1, 1943

F'annwyl Kitty,

Dydw i ddim mewn hwyl chwarae castiau (gweler y dyddiad). I'r gwrthwyneb, mi alla i heddiw, heb betruso, ddyfynnu'r dywediad 'anhap ni ddaw ei hunan'.

Yn gyntaf, cafodd Mr Kleiman, ein haul ni i gyd, bwl arall o waedu o'r stumog a bydd yn rhaid iddo aros yn ei wely am o leiaf dair wythnos. Mi ddylwn ddweud ei fod wedi cael dipyn o helynt efo'i stumog, ac nad oes gwellhad i'w gael. Yn ail, mae'r ffliw ar Bep. Yn drydydd, mae Mr Voskuijl yn gorfod mynd i'r ysbyty yr wythnos nesaf. Wlser ar y stumog sydd ganddo, yn ôl pob golwg, a bydd gofyn iddo gael triniaeth. Yn bedwerydd, daeth rheolwyr Diwydiannau Pomosin yma o Frankfurt i drafod y newid yn nhrefniadau cludiad Opekta. Er bod Dad wedi mynd dros y pwyntiau pwysig efo Mr Kleiman, roedd yr amser yn rhy fyr iddo allu rhoi cyfarwyddyd mor fanwl i Mr Kugler.

Cyrhaeddodd y gwŷr bonheddig o Frankfurt. Roedd Dad eisoes yn crynu yn ei esgidiau wrth feddwl sut y byddai'r trafodaethau'n mynd rhagddynt, ac yn dweud, drosodd a throsodd, 'Pe bawn i ond yn gallu bod yno. Pe bawn i ond yn gallu bod lawr grisiau.'

'Pam nad ewch i orwedd â'ch clust wrth y llawr? Gan mai yn y swyddfa breifat y byddan nhw, fe allwch chi glywed pob dim.'

Gloywodd wyneb Dad, a bore ddoe am hanner awr wedi deg cymerodd Margot a Pim (mae dwy glust yn well nag un) eu lle ar y llawr. Roedd y trafodaethau'n dal ymlaen ganol dydd, ond doedd Dad ddim mewn unrhyw gyflwr i ddal ymlaen â'i ymgyrch glustfeinio. Roedd o mewn artaith o ganlyniad i orwedd yn y fath ystum anarferol ac anghyfforddus am oriau. Am hanner awr wedi dau fe glywsom leisiau yn y cyntedd. Mi gymerais i le Dad, a Margot yn cadw cwmni i mi. Ond roedd y sgwrs mor hirwyntog a diflas nes i mi syrthio i gysgu, yno ar y leino oer, caled. Doedd fiw i Margot fy nghyffwrdd i, na dweud dim, rhag ofn iddyn nhw ein clywed ni. Mi gysgais am hanner awr go dda a deffro'n sydyn, wedi anghofio pob gair o'r drafodaeth bwysig. Yn ffodus, roedd Margot wedi talu mwy o sylw.

Dy Anne

Dydd Gwener, Ebrill 2, 1943

F'annwyl Kitty,

O'r arswyd, mae yna nodyn du arall wedi'i ychwanegu at restr fy mhechodau i. Neithiwr ro'n i'n gorwedd yn y gwely yn aros i Dad fy ngwneud i'n glyd a dweud fy mhader efo fi, pan ddaeth Mam i'r ystafell, eistedd ar y gwely a gofyn yn dyner iawn, 'Anne, dydi Dad ddim yn barod. Be 'taswn i'n gwrando arnat ti'n dweud dy bader heno?'

'Na, Mamsi.'

Dyna Mam yn codi, sefyll wrth fy ngwely i am funud, ac yna cerdded yn araf at y drws. Yna'n sydyn dyna hi'n troi ata i, ei hwyneb wedi'i ddirdynnu gan boen, a dweud, 'Dydw i ddim eisiau bod yn ddig efo chdi. Alla i mo dy orfodi di i 'ngharu i.' Roedd dagrau yn treiglo i lawr ei gruddiau wrth iddi adael yr ystafell.

Mi orweddais i'n llonydd, yn meddwl fy mod i ar fai yn ei gwrthod hi mor greulon, ac eto'n gwybod na allwn i fod wedi'i hateb hi mewn unrhyw ffordd arall. Alla i ddim rhagrithio a gweddïo efo hi pan nad ydw i'n dymuno gwneud hynny. Ro'n i'n teimlo trueni dros Mam - trueni mawr iawn - oherwydd fy mod i wedi sylweddoli am y tro cyntaf yn fy mywyd fod fy oerni i'n ei tharfu hi. Mi welais i'r tristwch yn ei hwyneb pan ddywedodd na all fy ngorfodi i'w charu hi. Mae dweud y gwir yn anodd, ac yn brifo, ond y gwir ydi mai hi sydd wedi fy ngwrthod i. Hi ydi'r un, efo'i sylwadau anystyriol a'i chellwair creulon ynglŷn â phethau nad ydw i'n eu gweld yn ddigri, sydd wedi peri i mi fethu ymateb i unrhyw arwydd o gariad ar ei rhan. Fel y mae 'nghalon i'n suddo bob tro yr ydw i'n clywed ei geiriau hallt, felly'n union y bu i'w chalon hi suddo pan sylweddolodd nad oes rhithyn o gariad rhyngom bellach.

Chafodd hi ddim cwsg gan iddi fod yn crio bron drwy'r nos. Mae Dad wedi bod yn osgoi edrych arna i, ac os ydi'n llygaid ni yn digwydd cyfarfod, mi alla i ddarllen y geiriau ynddyn nhw: 'Sut y medri di fod mor greulon? Rhag dy gywilydd di'n achosi'r fath ofid i dy fam!'

Mae pawb yn disgwyl i mi ymddiheuro, ond dydi hwn ddim yn rhywbeth y galla i ymddiheuro amdano, gan i mi ddweud y gwir. Byddai Mam yn siŵr o fod wedi dod i wybod yn hwyr neu'n hwyrach p'un bynnag. Rydw i'n ymddangos yn ddifater ynglŷn â dagrau Mam ac edrychiadau Dad, ac rydw i yn ddihidio, oherwydd eu bod nhw bellach yn teimlo'r hyn yr ydw i wastad wedi'i deimlo. Alla i ddim ond pitïo Mam gan y bydd yn rhaid iddi ystyried beth ddylai ei hagwedd hi fod, a hynny ar ei liwt ei hun. O'm rhan fy hun, rydw i am bara i aros yn fud a chadw hyd braich. Dydw i ddim yn bwriadu cilio rhag y gwir oherwydd hira'n y byd y bydd yn cael ei ohirio, caleta'n y byd fydd hi iddyn nhw ei dderbyn o'i glywed!

Dy Anne

Dydd Mawrth, Ebrill 27, 1943

F'annwyl Kitty,

Mae'r tŷ yn dal i ysgwyd o ganlyniad i'r cwerylon. Mae pawb benben: Mam a fi, Mr van Daan a Dad, Mam a Mrs van D. Dyna i ti beth ydi awyrgylch ddymunol, yntê? Unwaith eto, mae'r rhestr arferol o wendidau Anne wedi cael ei gwyntyllu'n helaeth.

Dychwelodd ein hymwelwyr Almaenig y Sadwrn diwethaf, ac aros tan chwech. Roedden ni i gyd yn eistedd i fyny grisiau, heb feiddio symud na llaw na throed. Pan nad oes neb yn gweithio yma nac yn yr adeiladau cyfagos, mae pob sŵn troed i'w glywed yn y swyddfa breifat. Rydw i'n gynrhon i gyd o orfod eistedd yn llonydd mor hir.

Cafodd Mr Voskuijl ei anfon i'r ysbyty, ond mae Mr Kleiman yn ôl yn y swyddfa. Fe beidiodd y gwaedu o'i stumog yn gynt nag arfer. Dywedodd wrthym fod Swyddfa'r Cofrestrydd wedi dioddef difrod ychwanegol oherwydd bod y dynion tân wedi boddi'r adeilad cyfan yn hytrach na diffodd y fflamau'n unig. Mae hynny'n codi 'nghalon i!

Mae Gwesty'r Carlton wedi'i ddinistrio. Syrthiodd dwy awyren Brydeinig, yn llwythog o fomiau tân, yn union ar ben yr *Offiziersheim*, Clwb y Swyddogion Almaenig. Aeth y gornel gyfan lle mae Vijzelstraat yn ymuno â Singel i fyny mewn fflamau. Mae'r cyrchoedd awyr ar ddinasoedd yr Almaen yn cynyddu'n ddyddiol. Dydan ni ddim wedi cael noson dda o orffwys ers hydoedd, ac mae gen i gleisiau duon o dan fy llygaid oherwydd diffyg cwsg.

Mae'r bwyd yr ydan ni'n ei gael yn erchyll. I frecwast, dim ond brechdan sych a choffi *ersatz*. I ginio, ers pythefnos bellach, un ai pigoglys neu letys a thatws sy'n blasu'n felys a phwdr. Os am golli pwysau, y Rhandy ydi'r lle i fod! Maen nhw'n cwyno'n enbyd i fyny grisiau, ond dydan ni ddim yn ei ystyried yn gymaint o drasiedi â hynny.

Mae'r holl Iseldirwyr fu'n ymladd neu a gafodd eu galw i'r fyddin yn 1940 yn cael eu hanfon i weithio i'r Führer fel carcharorion rhyfel. Mae'n siŵr gen i eu bod nhw'n gwneud hynny rhag ofn ymosodiad!

Dy Anne

Dydd Sadwrn, Mai 1, 1943

F'annwyl Kitty,

Roedd pen blwydd Dussel ddoe. Doedd o ddim am ei ddathlu ar y dechrau, yn ôl pob golwg, ond pan gyrhaeddodd Miep efo bag siopa mawr yn gorlifo o anrhegion, roedd mor gynhyrfus â phlentyn bach. Mae ei annwyl 'Lotje' wedi anfon llwyth o bethau iddo - wyau, menyn, bisgedi, lemonêd, bara, brandi, teisen sinsir, blodau, orenau, siocled, llyfrau a phapur ysgrifennu. Pentyrrodd ei anrhegion ar fwrdd a'u gadael ar sioe am dridiau, yr hen ffŵl gwirion!

Paid â meddwl am funud ei fod o'n llwgu. Fe ddaethon ni o hyd i fara, caws, jam a wyau yn ei gwpwrdd. Mae'n gywilydd o beth fod un yr ydan ni wedi bod mor garedig wrtho a'i gymryd i mewn atom i'w arbed rhag distryw yn hel yn ei fol y tu ôl i'n cefnau heb gynnig dim i ni. Wedi'r cyfan, rydan ni wedi rhannu popeth oedd ganddon ni efo fo. Ond yr hyn sy'n waeth fyth, yn ein barn ni, ydi ei fod mor grintachlyd efo Mr Kleiman, Mr Voskuijl a Bep. Fydd o byth yn rhoi un dim iddyn nhw. Ym marn Dussel, mae'r orenau y mae Kleiman gymaint o'u hangen oherwydd ei stumog wan yn debygol o wneud mwy o les i'w stumog o'i hun.

Bu'r gynnau'n rhuo cymaint heno fel fy mod i eisoes wedi gorfod hel fy eiddo at ei gilydd bedair gwaith. Heddiw mi es ati i bacio cês efo'r pethau y byddwn i eu hangen petai gofyn i ni ffoi, ond sylw Mam oedd, 'A lle fyddet ti'n mynd?', ac mae hi'n iawn, wrth gwrs.

Mae'r cyfan o'r Iseldiroedd yn cael ei chosbi oherwydd streiciau'r gweithwyr. Mae rheolaeth filwrol wedi'i chyhoeddi, a phawb i gael un cwpon menyn yn llai. Dyna beth ydi plant drwg.

Mi olchais i wallt Mam heno a dydi hynny ddim yn dasg hawdd y dyddiau hyn. Rydan ni'n gorfod defnyddio hylif glanhau gludiog oherwydd nad oes rhagor o shampŵ i'w gael. Ar ben hynny, cafodd Mam drafferth mawr i gribo'i gwallt oherwydd nad oes gan grib y teulu ond deg dant yn weddill!

Dy Anne

Dydd Sul, Mai 2, 1943

Pan fydda i'n meddwl am ein bywydau ni yma, rydw i'n dod i'r casgliad ein bod ni'n byw mewn paradwys o'n cymharu â'r Iddewon nad ydyn nhw mewn cuddfan. Er hynny mae'n debyg y bydda i, pan fydd popeth yn ôl i'r arferol, yn rhyfeddu sut y gallen ni, oedd wedi arfer â bywyd mor gyfforddus, suddo mor isel. Hynny ydi, yn ein harferion. Er enghraifft, mae'r un oelcloth wedi bod ar y bwrdd er pan ddaethon ni yma. Wedi'r holl ddefnydd, mae'n bell o fod yn ddi-staen. Rydw i'n gwneud fy ngorau i'w lanhau ond gwaith di-ddiolch ydi hynny, gan fod y cadach llestri a brynwyd sbel cyn i ni ddod i'n cuddfan yn fwy o dyllau nag o gadach. Mae'r ddau van Daan wedi bod yn cysgu drwy'r gaeaf ar yr un gynfas wlanen, nad oes modd ei golchi gan fod y powdwr yn brin ac wedi'i ddogni. P'un bynnag, mae'r powdwr o safon mor isel fel ei fod yn ddiwerth. Mae Dad yn cerdded o gwmpas mewn trowsus a'i odre wedi raflio, a'i dei hefyd yn dangos ôl traul. Rhwygodd staes Mam o henaint heddiw y tu hwnt i'w drwsio, ac mae Margot yn gwisgo bra sydd ddau faint yn rhy fychan. Mae Mam a Margot wedi bod yn rhannu tair fest gydol y gaeaf, ac mae fy rhai i mor fyr fel nad ydyn nhw hyd yn oed yn gorchuddio fy mol i. Mae'r anawsterau yma i gyd yn bethau y gellir eu goresgyn, ond mi fydda i'n meddwl mewn sobrwydd weithiau sut y gallwn ni, a phopeth o'n heiddo, o'm niceri i i frws siafio Dad, mor hen a threuliedig, fyth obeithio adennill y safonau a'r statws oedd i ni cyn y rhyfel?

Dydd Sul, Mai 2, 1943

Agwedd Trigolion y Rhandy tuag at y Rhyfel

Mr van Daan. Yn ein barn ni oll, mae gan y bonheddwr parchus hwn ddealltwriaeth arbennig o wleidyddiaeth. Er hynny, mae'n darogan y bydd yn rhaid i ni aros yma hyd ddiwedd '43. Er bod hynny'n amser hir iawn, mae'n bosibl para ymlaen. Ond pwy all ein sicrhau ni y bydd y rhyfel hwn, nad ydi o wedi achosi dim ond poen a galar, drosodd erbyn hynny? Ac na fydd dim wedi digwydd i ni na'r rhai sy'n ein helpu ymhell cyn yr amser hwnnw? Neb! Dyna pam mae pob dydd yn llawn tensiynau. Mae disgwyl a gobeithio yn creu tyndra, fel mae ofn - pan glywn ni, er enghraifft, sŵn yn y tŷ neu'r tu allan, pan mae'r gynnau'n tanio neu pan fyddwn ni'n darllen 'datganiadau' newydd yn y papurau, gan ein bod yn ofni y bydd y rhai sy'n ein helpu'n cael eu gorfodi i fynd i guddio rywdro hefyd. Y dyddiau hyn mae pawb yn sôn am yr angen i guddio. Wyddon ni ddim faint o bobl sydd mewn cuddfan ar hyn o bryd; mae'r nifer, wrth gwrs, yn fychan o'i gymharu â'r boblogaeth yn gyffredinol, ond ymhen amser fe fyddwn ni'n rhyfeddu, mae'n siŵr, faint o bobl dda'r Iseldiroedd fu'n fodlon rhoi lloches i Iddewon a Christnogion ar ffo, am arian ac am ddim. Mae yna hefyd nifer anghredadwy o bobl yn berchen ar gardiau adnabod ffug.

Mrs van Daan. Pan glywodd y rhiain brydferth hon (yn ei thyb hi) ei bod yn dod yn haws cael papurau ID ffug, dyna hi'n cynnig ar unwaith fod pob un ohonom yn cael un wedi'i baratoi. Fel petai hynny'n ddim, a Dad a Mr van Daan yn graig o arian.

Mae Mrs van Daan wastad yn dweud y pethau mwyaf chwerthinllyd a'i Phutti hi'n cael ei gythruddo'n aml. A dim rhyfedd, oherwydd dyna Kerli'n cyhoeddi un diwrnod, 'Pan fydd hyn i gyd drosodd, rydw i'n mynd i gael fy medyddio'; a dro arall, 'Rydw i wedi bod eisiau mynd i Jeriwsalem erioed. Dydw i ond yn teimlo'n gartrefol efo Iddewon eraill.'

Mae *Pim* yn optimydd mawr ond mae ganddo'i resymau bob amser.

Tuedd *Mr Dussel* ydi llunio popeth wrth fynd rhagddo ac fe ddylai unrhyw un sy'n dymuno gwrth-ddweud Ei Fawrhydi feddwl ddwywaith. Mae'n ymddangos i mi fod gair Alfred Dussel yn gyfraith ar ei aelwyd ei hun, ond dydi hynny ddim yn dderbyniol gan Anne Frank, a dweud y lleiaf.

Go brin fod barn aelodau eraill teulu'r Rhandy am y rhyfel o unrhyw bwys. Lle mae gwleidyddiaeth yn y cwestiwn, y pedwar yma ydi'r unig rai sy'n cyfri. A dweud y gwir, dim ond dau ohonyn nhw, ond fod Madame van Daan a Dussel yn eu cynnwys eu hunain hefyd.

Dydd Mawrth, Mai 18, 1943

F'annwyl Kitty,

Yn ddiweddar, mi fûm i'n llygad-dyst o ymladdfa ffyrnig rhwng peilotiaid yr Almaen a Lloegr. Yn anffodus, bu'n rhaid i rai o'r Cynghreiriaid neidio allan o'u hawyren oherwydd ei bod ar dân. Fe welodd ein dyn llefrith ni, sy'n byw yn Halfweg, bedwar Canadiad yn eistedd ar ochr y ffordd, ac roedd un ohonyn nhw'n rhugl mewn Iseldireg. Gofynnodd i'r dyn llefrith am dân i'w sigarét a dywedodd wrtho fod y criw wedi cynnwys chwe dyn. Cawsai'r peilot ei losgi i farwolaeth ac roedd y pumed wedi mynd i guddio. Daeth Heddlu Cudd yr Almaen i arestio'r pedwar oedd yn weddill, a doedd yr un ohonyn nhw wedi'i glwyfo. Sut y gallai neb fod mor hunanfeddiannol wedi'r profiad erchyll o barasiwtio o awyren wenfflam?

Er ei bod hi'n boeth, rydan ni'n gorfod cynnau tân bob yn eilddydd er mwyn llosgi crafion llysiau ac ysbwriel. Fiw i ni daflu dim i'r biniau, rhag ofn i weithwyr y warws ei weld. Un weithred fach ddiofal, a dyna'i diwedd hi!

Mae gofyn i fyfyrwyr coleg lenwi ffurflen swyddogol yn datgan eu bod 'yn cefnogi'r Almaenwyr ac yn cymeradwyo'r Drefn Newydd'. Mae pedwar ugain y cant wedi penderfynu ufuddhau i'w cydwybod ond bydd y gosb yn un lem. Bydd unrhyw fyfyriwr sy'n gwrthod arwyddo yn cael ei anfon i un o wersylloedd llafur yr Almaenwyr. Beth sy'n mynd i ddigwydd i ieuenctid ein gwlad os ydyn nhw i gyd yn cael eu gorfodi i wneud llafur caled yn yr Almaen?

Bu'n rhaid i Mam gau'r ffenestr neithiwr gan fod y gynnau'n gwneud cymaint o sŵn; ro'n i yng ngwely Pim. Yn sydyn, fe glywsom Mrs van D. yn rhoi naid, yn union uwch ein pennau, fel pe bai wedi cael ei brathu gan Mouschi. Dilynwyd hyn gan glec uchel, oedd yn swnio fel petai bom dân wedi glanio wrth ochr fy ngwely i. Dyna fi'n sgrechian, 'Golau! Golau!'

Rhoddodd Pim y lamp ymlaen. Ro'n i'n disgwyl i'r ystafell fynd i fyny mewn fflamau unrhyw funud. Ddigwyddodd dim. Rhuthrodd pawb i fyny'r grisiau i weld beth oedd yn digwydd. Pan welodd Mr a Mrs van D. olau coch drwy'r ffenestr agored, roedd o'n meddwl fod tân wrth ymyl a hithau'n siŵr fod y tŷ'n wenfflam. Roedd Mrs van D. yn sefyll wrth y gwely a'i choesau'n crynu pan glywyd y glec. Arhosodd Dussel i fyny grisiau i gael mygyn ac ymlusgodd pawb arall yn ôl i'w gwlâu. Mewn llai na chwarter awr, roedd y saethu wedi ailddechrau. Llamodd Mrs van D. o'r gwely a phrysuro i lawr i ystafell Dussel i geisio'r cysur nad oedd i'w gael gan ei gŵr. Croesawodd Dussel hi â'r geiriau, 'Dowch i 'ngwely i, 'mechan i!'

Torrodd pawb allan i chwerthin yn afreolus. Doedd rhu'r gynnau ddim yn tarfu arnon ni bellach; roedd ein holl ofnau ni wedi eu hysgubo i ffwrdd.

Dy Anne

Dydd Sul, Mehefin 13, 1943

F'annwyl Kitty,

Mae'r gerdd ysgrifennodd Dad imi ar fy mhen blwydd yn rhy dda i'w chadw i mi fy hun.

Gan mai yn Almaeneg yn unig y mae Pim yn ysgrifennu ei benillion, cynigiodd Margot ei chyfieithu hi i'r Iseldireg. Fe gei di weld drosot dy hun ei bod hi wedi gwneud gwaith rhagorol. Mae'n dechrau efo'r crynodeb arferol o ddigwyddiadau'r flwyddyn ac yn mynd ymlaen fel hyn:

Yr ieuengaf sydd yma, ond nid plentyn chwaith,

Mae dy fywyd di'n anodd, a phawb wrth eu gwaith

O geisio ymroi i dy ddysgu di.

'Y ni sy'n gwybod! Cym' di gyngor gen i!'

Yr un a fu'r gri o'r dechreuad,

'Yr hen a ŵyr orau, gennym ni mae'r profiad.'

Ni sy'n deall trefn pethau, bob amser yn barod,

Ac mae'n gwendidau'n rhy fychan i'w canfod.

Peth rhwydd yw barnu eraill bob amser

Gan fod eu beiau hwy'n fwy o lawer.

Ond mae'n anodd i ni, dy rieni, er ceisio,

Dy drafod yn deg, a chydymdeimlo.

Mae pigo beiau'n arferiad sy'n cydio.

I gyd-fyw â hen bobl, mae angen gras

Er mwyn dioddef eu swnian - mi wn i fod blas

Y bilsen yn chwerw, ond rhaid ei llyncu

Os am gadw heddwch a byw'n un teulu.

Ni fu'r holl fisoedd yma yn ofer,

Gan mai dy gas beth yw gwastraffu amser.

Rwyt ti'n darllen a studio ar hyd y diwrnod,

Yn benderfynol o ymlid diflastod.

Ond y cwestiwn anoddaf, a'r un sy'n dy flino,

Yw, 'Beth sydd gen i ar ôl i'w wisgo?

Dim niceri yn weddill, a 'nillad i'n fychan,

Fy fest i fel cadach; rydw i'n edrych fel bwgan!

Er mwyn gwisgo esgidiau, byddai'n rhaid torri 'modiau,

O diar, rwy'n dioddef pla o ofidiau!'

Cafodd Margot drafferth i odli'r rhan sy'n sôn am fwyd, felly rydw i'n gadael hwnnw allan. Ar wahân i hynny, mae hi'n gerdd dda, on'd ydi?

Rydw i wedi cael fy nifetha'n rhemp rhwng popeth ac wedi derbyn amryw o anrhegion hyfryd, yn cynnwys llyfr trwchus ar fy hoff bwnc, mytholeg Groeg a Rhufain. Alla i ddim cwyno ynglŷn â phrinder melysion ychwaith. Roedd pawb wedi cyfrannu o'r dogn oedd ganddyn nhw wrth gefn. Fel Benjamin y teulu cudd, mi ge's i fwy nag yr ydw i'n ei haeddu.

Dy Anne

Dydd Mawrth, Mehefin 15, 1943

F'annwyl Kitty,

Mae peth wmbredd o bethau wedi digwydd, ond rydw i'n meddwl yn aml fy mod i'n dy ddiflasu di â 'nghlebran anniddorol ac y byddai'n well gen ti gael llai o lythyrau. Felly mi geisia i gadw'r newyddion cyn fyrred ag sy'n bosibl.

Fu dim rhaid i Mr Voskuijl gael triniaeth ar ei stumog wedi'r cyfan. Unwaith yr oedd y meddygon wedi rhoi archwiliad iddo, fe welsant ei fod yn dioddef o ganser. Roedd hwnnw wedi cerdded mor bell fel bod llawdriniaeth yn ddibwynt. A dyna bwytho'r clwyf, ei gadw'n yr ysbyty am dair wythnos, ei fwydo'n dda a'i anfon adref. Ond fe wnaethon nhw un camgymeriad anfaddeuol: dweud wrth y dyn druan yn union beth oedd yn ei aros. Gan na all weithio rhagor, mae'n treulio'i amser yn eistedd yn y tŷ, ei wyth plentyn o'i gwmpas, yn hel meddyliau ynglŷn â'i farwolaeth agos. Rydw i'n teimlo piti mawr drosto ac yn gresynu fy mod i'n methu mynd allan. Oni bai am hynny, mi fyddwn i'n galw i'w weld cyn amled ag y gallwn i ac yn ei helpu i symud ei feddwl. I ni, mae'n drychineb na all yr hen Voskuijl caredig adael i ni wybod beth sy'n cael ei ddweud a'i wneud yn y warws. Mr Voskuijl oedd ein cynorthwywr a'n cefnogwr pennaf a'r un a fyddai'n ein cynghori ni ynglŷn â mesurau diogelwch. Rydan ni'n gweld ei golli'n arw iawn.

Y mis nesaf ein tro ni ydi trosglwyddo ein radio i'r awdurdodau. Mae gan Mr Kleiman radio fechan wedi'i chuddio yn ei gartref, ac mae am ei rhoi i ni i gymryd lle'r blwch radio hardd. Mae'n resyn ein bod ni'n gorfod ildio'r Philips mawr ond all rhai yn ein sefyllfa ni ddim fforddio tynnu sylw'r awdurdodau. Fe awn ni â'r radio fach i fyny grisiau, wrth gwrs. Beth ydi un radio gudd pan mae yna eisoes Iddewon cudd ac arian cudd?

Drwy'r wlad i gyd mae pobl yn ceisio cael gafael ar hen radio i'w throsglwyddo i'r awdurdodau yn hytrach na'u 'ffynhonnell gysur'. Wrth i'r adroddiadau o'r tu allan waethygu a gwaethygu, mae'n berffaith wir fod y radio â'i llais gwyrthiol yn ein helpu ni i gadw'n galonnog ac i ddweud wrthym ein hunain, 'Cwyd dy galon a dal ati i gredu; mae dyddiau gwell i ddod!'

Dy Anne

Dydd Sul, Gorffennaf 11, 1943

Annwyl Kitty,

I ddychwelyd at y pwnc o fagu plant (am y canfed tro) mae'n rhaid i mi ddweud fy mod i'n ymdrechu i fod yn gymwynasgar, yn gyfeillgar a charedig ac yn gwneud fy ngorau glas i geisio cadw'r curlaw cerydd rhag bod yn ddim mwy na glaw mân. Mae'n anodd iawn ceisio ymddwyn fel plentyn delfrydol efo pobl na elli di mo'u dioddef, yn arbennig pan nad wyt ti'n meddwl yr un gair o'r hyn wyt ti'n ei ddweud. Ond rydw i'n sylweddoli fod ychydig o ragrithio yn talu'n well na'r hen ddull o ddweud yn union beth oedd ar fy meddwl i (er nad oes neb byth yn gofyn fy marn i nac yn malio'r naill ffordd na'r llall). Wrth gwrs, rydw i'n anghofio fy rôl yn aml ac yn ei chael yn amhosibl ffrwyno fy nhymer pan fydda i'n cael fy nhrin yn annheg. Canlyniad hynny ydi eu bod nhw'n treulio'r wythnosau nesaf yn dweud mai fi ydi'r eneth fwyaf ddigywilydd ar wyneb daear. Wyt ti ddim yn credu fy mod i'n haeddu tosturi weithiau? Mae'n beth da nad ydw i o natur sorllyd, gan y gallwn i droi'n chwerw a chas. Mi alla i weld ochr ddigri'r dwrdio y rhan amlaf, ond mae hynny'n haws pan mae rhywun arall heblaw fi yn cael ei roi ar y carped.

Rydw i wedi penderfynu (ar ôl ystyried yn ddwys) rhoi'r gorau i'r llaw-fer. Yn gyntaf, er mwyn i mi gael mwy o amser i'r pynciau eraill, ac yn ail, oherwydd fy llygaid. Stori drist ydi honno. Mae fy ngolwg i wedi gwaethygu'n arw ac mi ddylwn fod wedi cael sbectol hydoedd yn ôl. (Ych a fi, mi fydda i'n edrych fel tylluan!) Ond fel y gwyddost ti, mae pethau felly allan o gyrraedd pobl mewn cuddfan.

Ddoe doedd neb yma'n gallu siarad am ddim ond llygaid Anne a'i golwg byr, oherwydd i Mam awgrymu y dylwn i fynd i weld y meddyg llygaid efo Mrs Kleiman. Roedd hyd yn oed clywed hynny'n gwneud i fy nghoesau i grynu, gan ei fod yn gam mor fawr i'w gymryd. Mynd allan! Cerdded i lawr y *stryd* ! Allwn i ddim dychmygu'r peth. Ro'n i wedi fy mharlysu ar y dechrau, yna'n falch. Ond doedd pethau ddim mor syml â hynny, gan na allai'r rhai yr oedd gofyn iddyn nhw gymeradwyo'r cam ddod i unrhyw benderfyniad ar fyrder. Byddai'n rhaid iddyn nhw'n gyntaf bwyso a mesur yr holl anawsterau a pheryglon, er bod Miep yn barod i gychwyn ar unwaith a minnau wrth ei chwt. Yn y cyfamser, ro'n i wedi estyn fy nghôt lwyd o'r cwpwrdd, ond roedd honno mor gwta fel y gallai fod yn eiddo fy chwaer fach, pe bai gen i un. Fe agorwyd yr hem er mwyn ei llaesu, ond roedd hi'n amhosibl cau'r botymau. Rydw i'n awyddus i wybod beth fydd eu penderfyniad, ond dydw i ddim yn credu y bydd i'r cynllun byth weithio gan fod y Prydeinwyr wedi glanio yn Sisili a Dad yn gobeithio unwaith eto am 'y diwedd sydyn'.

Mae Bep wedi bod yn rhoi peth wmbredd o waith swyddfa i Margot a fi. Mae hynny'n gwneud i ni deimlo'n bwysig, ac yn help mawr iddi hi. Fe all unrhyw un ffeilio llythyrau a llenwi llyfrau cyfrifon, ond rydan ni'n dwy'n gwneud hynny'n rhyfeddol o gywir a manwl.

Mae gan Miep gymaint i'w gario fel ei bod hi'n edrych fel mul bach dan ei bwn. Mae'n mynd allan bron bob dydd i geisio cael gafael ar lysiau i ni, ac yna'n beicio'n ôl â'r negesi mewn bagiau siopa mawr. Hi hefyd ydi'r un sy'n dod â llyfrau o'r llyfrgell bob dydd Sadwrn. Fe fyddwn ni'n ysu am y Sadwrn, gan fod hynny'n golygu llyfrau. Rydan ni fel criw o blant yn derbyn anrhegion. Does gan bobl gyffredin ddim syniad beth mae llyfrau yn ei olygu i rywun mewn caethiwed. Yr unig adloniant sydd ar gael i ni ydi darllen, astudio a gwrando ar y radio.

Dy Anne

Dydd Mawrth, Gorffennaf 13, 1943

Y Bwrdd Bach Gorau

Brynhawn ddoe rhoddodd Dad ganiatâd i mi ofyn i Dussel a fyddai mor garedig (dyna brofi pa mor fanesol ydw i) â gadael i mi ddefnyddio'r bwrdd sy'n ein hystafell ni am ddau brynhawn yr wythnos, rhwng pedwar o'r gloch a hanner awr wedi pump. Rydw i eisoes yn eistedd yno bob dydd rhwng hanner awr wedi dau a phedwar tra mae Dussel yn cael cyntun, ond mae'r ystafell a'r bwrdd wedi eu gwahardd i mi am weddill yr amser. Mae'n amhosibl astudio yn ein hystafell fawr gyffredin yn ystod y prynhawn gan fod gormod o fynd a dod. P'un bynnag, mae Dad yn hoffi eistedd wrth y ddesg yn ystod y prynhawn.

Felly roedd y cais yn ymddangos yn un digon rhesymol, ac wedi ei eirio'n gwrtais iawn. A beth feddyli di oedd ateb y gŵr dysgedig? 'Na.' Dim ond 'Na!' swta.

Ro'n i wedi fy nghythruddo ac yn benderfynol o beidio cymryd fy mwrw oddi ar fy echel. Mi ofynnais iddo beth oedd ei reswm dros ddweud 'Na', ond do'n i ddim elwach. Rhywbeth fel hyn oedd yr eglurhad: 'Mae'n rhaid i minnau astudio, wyddost ti, ac os na alla i wneud hynny yn ystod y prynhawniau, fydd dim modd i mi ddod i ben. Mae'n rhaid i mi orffen y dasg yr ydw i wedi'i gosod i mi fy hun; fel arall does yna ddim pwynt mewn dechrau. P'un bynnag, go brin dy fod ti'n cymryd dy waith o ddifri. Mytholeg - pa fath o waith ydi hwnnw? Dydi darllen a gwau ddim yn cyfri chwaith. Rydw i'n defnyddio'r bwrdd, ac yn bwriadu dal ymlaen i wneud hynny.'

Ac meddwn i, 'Rydw i yn cymryd fy ngwaith o ddifri, Mr Dussel. Mae'n amhosibl i mi astudio yn yr ystafell drws nesaf yn ystod y prynhawniau, ac mi fyddwn i'n gwerthfawrogi pe baech chi'n ailystyried fy nghais i!'

Wedi dweud hynny, trodd yr Anne, oedd wedi ei sarhau, ei chefn ar y deintydd dysgedig a'i anwybyddu'n llwyr. Ro'n i'n berwi o gynddaredd ac yn teimlo fod Dussel wedi ymddwyn yn hynod o anfoesgar (ac mae hynny'n ffaith) a minnau wedi bod yn hynod o gwrtais.

Y noson honno, wedi i mi lwyddo i gael gafael ar Pim a dweud beth oedd wedi digwydd, fe fuon ni'n trafod beth ddylai fy ngham nesaf i fod, gan nad o'n i'n bwriadu rhoi'r ffidil yn y to a bod yn well gen i ddelio â'r mater fy hun. Rhoddodd Pim amlinelliad bras i mi o sut i fynd i'r afael â Dussel gan fy rhybuddio i aros tan drannoeth, oherwydd fy mod i wedi cynhyrfu gymaint. Anwybyddu'r cyngor hwnnw wnes i, fodd bynnag, ac aros am Dussel wedi i'r llestri gael eu golchi. Roedd gwybod fod Pim yn eistedd drws nesaf yn fy nhawelu i ryw gymaint.

A dyna fi'n dechrau, 'Mr Dussel, mae'n ymddangos eich bod chi'n credu nad oes unrhyw bwynt mewn trafod y mater ymhellach, ond rydw i'n erfyn arnoch chi i ailystyried.'

Ac meddai Dussel, gan wenu ei wên fwyaf dengar, 'Rydw i'n ddigon parod i drafod y mater, er ei fod eisoes wedi'i setlo.'

Mi ddaliais ymlaen i siarad er gwaethaf ymyriadau mynych Dussel, 'Pan ddaethoch chi yma gyntaf, y cytundeb oedd y bydden ni'n dau yn rhannu'r ystafell. Pe baen ni'n ei rhannu'n deg, fe allech chi gael y bore i gyd a minnau'r prynhawn. Ond dydw i ddim hyd yn oed yn gofyn gymaint â hynny, dim ond am ddau brynhawn yr wythnos, sy'n ymddangos yn rhesymol iawn i mi.'

Llamodd Dussel allan o'i gadair fel pe bai wedi eistedd ar

ddraenen, 'Pa fusnes sydd gen ti i sôn am dy hawl di i'r ystafell? A lle yr ydw i i fynd? Efallai y dylwn i ofyn i Mr van Daan adeiladu cilfach i mi yn yr atig. Nid chdi ydi'r unig un sy'n methu cael lle tawel i weithio. Rwyt ti wastad yn creu helynt. Pe bai Margot dy chwaer, sydd â llawer mwy o hawl i le gweithio na chdi, wedi dod ata i efo'r un cais, fyddwn i ddim wedi breuddwydio gwrthod, ond amdanat ti ...'

Unwaith eto, dyna gyfeirio at y mytholeg a'r gwau, ac unwaith eto roedd Anne wedi ei sarhau. Roddais i'r un arwydd o hynny, fodd bynnag, dim ond gadael i Dussel orffen: 'Ond, na, mae'n amhosibl siarad efo chdi. Rwyt ti'n gywilyddus o hunanol. Does yna neb arall yn cyfri, cyn belled â dy fod ti'n cael dy ffordd dy hun. Welais i erioed y fath blentyn. Ond wedi dweud hynny, mae'n rheidrwydd arna i adael i ti gael dy ffordd, gan nad ydw i am i neb ddweud yn y dyfodol fod Anne Frank wedi methu ei harholiadau oherwydd i Mr Dussel wrthod ildio'i fwrdd!'

Fe aeth ymlaen ac ymlaen fel mai prin y gallwn i gadw i fyny â'r fath lifeiriant o eiriau. Un munud ro'n i'n meddwl, 'Fo a'i gelwyddau. Mi ro i'r fath ddyrnod yn ei hen wep hyll fel ei fod o'n rhybedio yn erbyn y wal!' Ond y munud nesaf, ro'n i'n dweud wrthyf fy hun, 'Pwylla. Dydi creadur fel hwn ddim gwerth cynhyrfu'n ei gylch.'

O'r diwedd roedd cynddaredd Dussel wedi'i ddisbyddu. Gadawodd yr ystafell, ei fynegiant yn un o fuddugoliaeth yn gymysg â dicter, a phocedi ei gôt yn bochio o fwyd.

Mi redais at Dad i adrodd y stori, neu o leiaf y rhannau hynny nad oedd wedi llwyddo i'w dilyn ei hun. Penderfynodd Pim gael gair â Dussel y noson honno ac fe barodd y sgwrs am fwy na hanner awr. Roedd yn rhaid trafod i ddechrau a ddylai Anne gael defnyddio'r bwrdd ai peidio. Dywedodd Dad ei fod o a Dussel wedi delio â'r pwnc unwaith o'r blaen a'i fod wedi cymryd arno gyd-weld â Dussel oherwydd nad oedd am anghytuno â'r hynaf yng ngŵydd yr ieuengaf, ond nad oedd yn credu, hyd yn oed bryd hynny, bod y sefyllfa'n deg. Roedd Dussel yn teimlo nad oedd gen i hawl siarad fel pe bai o'n dresbaswr sy'n hawlio popeth o fewn golwg. Fe barodd hynny i Dad brotestio, gan nad oedd wedi fy nghlywed i'n dweud y fath beth. Roedd y sgwrs yn pendilio yn ôl ac ymlaen, Dad yn amddiffyn fy 'hunanoldeb' a'r 'gwaith dibwys' a Dussel yn grwgnach yn barhaus.

Bu'n rhaid i Dussel ildio o'r diwedd, a rhoddwyd y cyfle i mi weithio heb ymyrraeth am ddau brynhawn yr wythnos. Roedd Dussel wedi pwdu'n arw, gan wrthod siarad efo fi am ddeuddydd, ac yn gwneud yn siŵr ei fod wrth y bwrdd rhwng pump a hanner awr wedi pump - plentynnaidd iawn, wrth gwrs.

Mae pwy bynnag sydd mor bitw a phedantig yn bum deg pedwar oed wedi'i eni felly a wnaiff o byth newid.

Dy Anne

Dydd Gwener, Gorffennaf 16, 1943

F'annwyl Kitty,

Mae lladron wedi torri i mewn yma eto, o ddifri'r tro yma! Aeth Peter i lawr i'r warws yn ôl ei arfer am saith y bore 'ma a sylwodd ar unwaith fod drws y warws a'r drws allan yn agored. Rhoddodd gyfrif o hynny i Pim yn ddiymdroi, ac aeth yntau i lawr i'r swyddfa breifat, tiwnio'r radio i orsaf Almaeneg, a chloi'r drws. Yna daeth y ddau i fyny grisiau. Mewn amgylchiadau o'r fath rydan ni dan orchymyn i 'beidio ymolchi na rhedeg dŵr, cadw'n ddistaw, bod wedi gwisgo erbyn wyth o'r gloch a pheidio â mynd i'r toiled' ac fe gadwon ni'r rheolau i'r llythyren, fel bob amser. Roedd yr wyth ohonom yn falch ein bod wedi cysgu mor dda a heb glywed dim. Roedden ni'n flin am sbel gan nad oedd neb o'r swyddfa wedi dod i fyny gydol y bore. Gadawodd Mr Kleiman ni ar bigau'r drain tan hanner awr wedi un ar ddeg. Roedd y lladron, meddai, wedi agor y drws allan a drws y warws â throsol. Gan nad oedd dim oedd yn werth ei ddwyn yn y warws, dyna drio'u lwc ar y llawr cyntaf. Roedden nhw wedi dwyn dau flwch yn cynnwys 40 *guilder*, llyfrau sieciau gweigion ac, yn waeth na dim, cwponau am 150 kilo o siwgwr, y cyfan sy'n cael ei ganiatáu i ni. Fydd hi ddim yn hawdd cael gafael ar rai newydd.

Mae Mr Kugler yn credu fod y lleidr hwn yn perthyn i'r giang a wnaeth ymdrech aflwyddiannus i agor y tri drws (un y warws a'r ddau ddrws allan) chwech wythnos yn ôl.

Achosodd y lladrad gynnwrf arall, ond mae'r Rhandy fel pe bai'n ffynnu ar gyffro. Yn naturiol, roedden ni'n falch fod y cofnodydd arian a'r teipiaduron wedi eu cuddio'n ddiogel yn ein cwpwrdd dillad ni.

Dy Anne

O.N. Glaniad yn Sisili. Cam arall yn nes at y ...!

Dydd Llun, Gorffennaf 19, 1943

F'annwyl Kitty,

Cafodd Gogledd Amsterdam ei fomio'n drwm iawn ddoe. Roedd yna gryn lawer o ddifrod yn ôl pob golwg. Mae strydoedd cyfain yn garnedd ac fe gymer gryn amser iddyn nhw ddod o hyd i'r cyrff. Mae dau gant wedi eu lladd cyn belled a nifer dirifedi wedi eu clwyfo; mae'r ysbytai'n orlawn. Rydan ni'n clywed am blant amddifaid yn chwilio am eu rhieni marw ymysg yr adfeilion lle mae'r tân yn mudlosgi. Rydw i'n dal i grynu wrth feddwl am y grŵn pell, undonog oedd yn arwyddo'r dinistr agos.

Dydd Gwener, Gorffennaf 23, 1943

Mae Bep yn gallu cael gafael ar lyfrau ysgrifennu ar hyn o bryd, yn arbennig llyfrau cyfrifon a dyddiaduron, sy'n ddefnyddiol iawn i'm chwaer o gyfrifydd! Mae mathau eraill ar werth hefyd, ond paid â gofyn sut rai na pha mor hir y byddan nhw'n para. Ar hyn o bryd mae'r cyfan yn dwyn y label 'Dim angen cwponau'! Fel pob dim arall y gellir eu prynu heb stampiau dogni, maen nhw'n gwbl ddiwerth ac yn cynnwys deuddeg tudalen o bapur llwyd efo llinellau culion sy'n gogwyddo ar draws y dudalen. Mae Margot yn chwarae efo'r syniad o wneud cwrs mewn caligraffi; rydw i wedi ei cynghori i fynd ymlaen. Cha i ddim gwneud hynny gan Mam, oherwydd fy llygaid, ond lol ydi peth felly. Yr un fydd y canlyniadau, beth bynnag wna i.

Gan nad wyt ti erioed wedi cael profiad o ryfel, Kitty, a gan na wyddost ti fawr ddim am fyw mewn cuddfan, er gwaethaf fy llythyrau i, gad i mi ddweud wrthot ti, o ran hwyl, beth mae pob un ohonom yn dymuno ei wneud gyntaf pan gawn ni fynd allan unwaith eto.

Dyhead Margot a Mr van Daan ydi cael bàth poeth, yn llawn i'r ymylon, a gorwedd ynddo am hanner awr a rhagor. Mae Mrs van Daan yn blysu teisen hufen, Mam yn ysu am gwpaned o goffi go iawn, a Dussel yn methu meddwl am ddim ond cael gweld ei Charlotte. Byddai Dad yn ymweld â Mr Voskuijl, Peter yn mynd i lawr i'r dref ac i'r sinema, ac amdana i, mi fyddwn i wedi cael cymaint o fodd i fyw fel na fyddai gen i syniad ble i ddechrau.

Rydw i'n dyheu'n fwy na dim am ein cartref ein hunain, rhyddid i symud o gwmpas a rhywun i fy helpu i efo'r gwaith cartref unwaith eto. Mewn geiriau eraill, cael mynd yn ôl i'r ysgol!

Mae Bep wedi cynnig cael ffrwythau i ni, am y prisiau rhad honedig: grawnwin 2.50 *guilder* am hanner kilo, eirin Mair 10.70

fflorin am hanner kilo, un eirinen wlanog 10.50 fflorin, melonau 11.50 fflorin y kilo. Dim rhyfedd fod y papurau, noson ar ôl noson, yn cynnwys y geiriau 'CADWER Y PRISIAU I LAWR!' mewn llythrennau breision, trwchus.

Dydd Llun, Gorffennaf 26, 1943

Annwyl Kitty,

Roedd ddoe'n ddiwrnod cythryblus iawn, ac rydan ni i gyd yn dal ar bigau'r drain. Wir, mae'n siŵr dy fod ti'n gofyn tybed oes yna unrhyw ddiwrnod yn mynd heibio heb ryw fath o gynnwrf.

Fe glywson ni'r seiren rybudd gyntaf yn y bore pan oedden ni'n cael ein brecwast, ond chymron ni ddim sylw ohoni, gan mai unig arwyddocâd hynny oedd fod yr awyrennau'n croesi'r arfordir. Gan fod gen i andros o gur pen, mi es i orwedd i lawr am awr wedi brecwast ac yna i'r swyddfa tua dau o'r gloch. Roedd Margot wedi gorffen ei gwaith swyddfa am hanner awr wedi dau ac wrthi'n hel ei phethau at ei gilydd pan ddechreuodd y seiren udo unwaith eto. Fe aethom ein dwy yn ôl i fyny grisiau. Dim eiliad yn rhy fuan, fel mae'n digwydd, oherwydd mewn llai na phum munud roedd y gynnau'n rhuo mor uchel nes ein gorfodi ni i fynd i sefyll yn y cyntedd. Roedd y tŷ yn ysgwyd a'r bomiau'n dal i syrthio. Ro'n i'n dal yn dynn yn fy mag 'dianc', er mwyn cael rhywbeth i ddal gafael ynddo yn hytrach na bod yn barod i redeg i ffwrdd. Mi wn i nad ydi hynny'n bosibl, ond pe bai'n rhaid i ni adael byddai cael ein gweld ar y stryd yr un mor beryglus â chael ein dal mewn cyrch awyr. Ar ôl hanner awr pylodd grwnan yr awyrennau a dechreuodd y tŷ ddod yn fyw unwaith eto. Gadawodd Peter ei wylfa'n yr atig, arhosodd Dussel yn y swyddfa ffrynt a Mrs van D. yn niogelwch y swyddfa breifat. Roedd Mr van Daan wedi bod yn gwylio o'r llawr uchaf, a gwasgarodd y rhai ohonom oedd ar y landin yma ac acw i wylio'r colofnau mwg yn codi o'r harbwr. Cyn hir roedd arogl tân ym mhobman a'r ddinas fel pe bai hi dan orchudd o niwl trwchus.

Er nad ydi tân mawr o'r fath yn olygfa bleserus, yn ffodus i ni roedd y cyfan drosodd a dychwelodd pawb at eu hamryfal orchwylion. Fel yr oedden ni'n eistedd i lawr i'n pryd min nos: rhybudd cyrch awyr arall. Roedd y bwyd yn dda ond mi gollais i bob archwaeth y munud y clywais i'r seiren. Ddigwyddodd dim, fodd bynnag, a daeth y caniad diogelwch dri chwarter awr yn ddiweddarach. Wedi i'r llestri gael eu golchi: rhybudd cyrch awyr arall, tanio a fflyd o awyrennau. Roedden ni i gyd yn meddwl, 'O, diar, dwywaith mewn un diwrnod. Mae hynny ddwywaith yn ormod'. Doedden ni ddim elwach o hynny, oherwydd dechreuodd y bomiau dywallt i lawr unwaith yn rhagor, y tro yma ar yr ochr arall i'r ddinas. Yn ôl yr adroddiadau o Brydain, cafodd Maes Awyr Schipol ei fomio. Roedd yr awyrennau'n plymio a dringo, yr awyr yn ferw gwyllt o rwnan y peiriannau, a'r cyfan yn ddigon i godi gwallt pen rhywun. Drwy gydol yr amser, ro'n i'n meddwl, 'Dyma fo, dyma'r diwedd'.

Mi alla i dy sicrhau di fod fy nghoesau i'n dal i grynu pan es i i 'ngwely am naw. Deffro wedyn ar drawiad hanner nos: mwy o awyrennau! Roedd Dussel wrthi'n tynnu amdano ond wnes i ddim sylw ohono, dim ond neidio i fyny, yn gwbl effro, wrth sŵn yr ergyd gyntaf. Mi arhosais yng ngwely Dad tan un, yn fy ngwely fy hun tan hanner awr wedi un, ac ro'n i'n ôl yng ngwely Dad am ddau. Ond roedd yr awyrennau'n dal i ddod. O'r diwedd fe beidiodd y tanio ac mi ddychwelais i 'ngwely unwaith eto a syrthio i gysgu am hanner awr wedi dau.

Saith o'r gloch. Deffro'n ddisymwth a chodi ar f'eistedd yn y gwely. Roedd Mr van Daan efo Dad. Y peth cyntaf ddaeth i'm meddwl i oedd: lladron. Pan glywais i Mr van Daan yn dweud 'popeth', mi feddyliais fod pob dim wedi ei ddwyn. Ond na, y tro yma roedd y newydd yn un rhagorol, y gorau yr ydan wedi'i gael ers misoedd, ers pan ddechreuodd y rhyfel efallai. Mae Mussolini wedi ymddiswyddo a brenin yr Eidal wedi cymryd y llywodraeth drosodd.

Roedden ni'n neidio o lawenydd. Wedi'r digwyddiadau erchyll ddoe, dyma newydd da sy'n dod â gobaith i ni! Gobaith y daw'r rhyfel i ben, gobaith am heddwch.

Daeth Mr Kugler heibio a dweud wrthym fod ffatri awyrennau Fokker wedi'i difrodi. Cafwyd rhybudd cyrch awyr eto'r bore 'ma, awyrennau'n hedfan uwchben, ac yna seiren rybudd arall. Rydw i wedi cael llond bol ar rybuddion. Dydw i wedi cysgu fawr ddim, a'r peth olaf yr ydw i eisiau'i wneud ydi gweithio. Ond ar hyn o bryd mae disgwyl y canlyniadau o'r Eidal a'r gobaith y daw'r rhyfel i ben cyn diwedd y flwyddyn yn ein cadw ni ar flaenau ein traed.

Dy Anne

Dydd Iau, Gorffennaf 29, 1943

F'annwyl Kitty,

Roedd Mrs van Daan, Dussel a fi yn golchi'r llestri, ac ro'n i'n hynod o ddistaw. Mae hyn yn beth anarferol i mi ac roedden nhw'n siŵr o sylwi, felly er mwyn osgoi cwestiynau, mi fûm i'n cribino fy ymennydd am bwnc niwtral. Mi feddyliais i y byddai'r llyfr *Henri o'r Ochr Draw i'r Ffordd* yn gwneud y tro, ond camgymeriad mawr oedd hynny. Os nad ydi Mrs van Daan yn arthio arna i, mae Dussel yn siŵr o wneud. Dyma hanfod yr helynt: roedd Dussel wedi cymeradwyo'r llyfr i Margot a fi fel enghraifft o ysgrifennu rhagorol. Roedden ni'n credu ei fod yn bopeth ond hynny. Roedd y bachgen bach wedi ei bortreadu'n dda, ond am y gweddill ... taw piau hi. Mi ddigwyddais i grybwyll hynny pan oedden ni wrthi'n golchi'r llestri, a dyna Dussel yn dechrau arni:

'Sut yn y byd y gelli di ddeall seicoleg dyn? Dydi un plentyn ddim mor anodd(!). Ond rwyt ti lawer rhy ifanc i ddarllen y fath lyfr. Byddai dyn ugain oed, hyd yn oed, yn cael trafferth i'w ddeall.' (Pam, felly, yr aeth allan o'i ffordd i'w gymeradwyo i Margot a fi?)

Aeth Mrs van D. a Dussel ymlaen â'u rhefru: 'Rwyt ti'n gwybod gormod am bethau na ddylet ti eu gwybod. Rwyt ti wedi dy ddwyn i fyny yn y ffordd anghywir. Yn nes ymlaen, pan fyddi di'n hŷn, fydd dim modd i ti fwynhau un dim. Fe fyddi di'n dweud, "O, mi ddarllenais i hynny ugain mlynedd yn ôl mewn rhyw lyfr neu'i gilydd." Mi fydd gofyn i ti frysio os wyt ti am gael gŵr neu syrthio mewn cariad, gan fod pob dim yn siŵr o dy siomi di. Rwyt ti eisoes yn gwybod popeth sydd i'w wybod mewn theori. Ond yn ymarferol? Stori arall ydi honno!'

Elli di ddychmygu sut yr o'n i'n teimlo? Mi rois i gryn syndod i mi fy hun drwy ateb yn ddigyffro, 'Efallai eich bod chi'n credu nad ydw i wedi cael fy nwyn i fyny'n y ffordd iawn, ond fe fyddai sawl un yn anghytuno!'

Yn ôl pob golwg, mae'r ddau'n credu fod magwraeth dda yn cynnwys ceisio fy nhroi i yn erbyn fy rhieni, gan mai dyna'r cyfan maen nhw'n ei wneud. Ac mae peidio â sôn wrth eneth o f'oed i am bynciau sydd wedi'u bwriadu ar gyfer rhai mewn oed i'w gymeradwyo! Fe allwn ni i gyd weld beth ydi canlyniad magwraeth o'r fath.

Ar y pryd mi allwn i fod wedi rhoi clusten iawn i'r ddau am wneud ffŵl ohona i. Ro'n i'n benwan, a phe bawn i'n gwybod am ba hyd y bydd yn rhaid i ni oddef ein gilydd, mi fyddwn i'n dechrau cyfri'r dyddiau.

Mae Mrs van Daan yn un dda i siarad! Os oes rhywun yn gosod esiampl, hi ydi honno - esiampl ddrwg! Mae hi tu hwnt o ymwthgar, yn hunanbwysig, yn gyfrwys, yn ystrywgar ac yn gyson anfodlon. Ar ben hynny, ychwaneger rhodres a mursendod. Heb unrhyw amheuaeth, mae hi'n berson cwbl ffiaidd. Mi allwn i ysgrifennu llyfr cyfan am Madame van Daan, ac efallai y gwna i ryw ddiwrnod. Fe all unrhyw un ymddangos yn ddengar ar yr wyneb pan mae'n dymuno hynny. Mae Mrs van D. yn wên i gyd efo dieithriaid, yn arbennig dynion, felly mae'n hawdd gwneud camgymeriad pan wyt ti'n ei chyfarfod hi am y tro cyntaf.

Mae Mam yn meddwl fod Mrs van D. yn rhy dwp i drafferthu efo hi, Margot ei bod yn rhy ddibwys, a Pim ei bod yn rhy hyll (yn llythrennol a ffigurol). Wedi astudiaeth faith (fydda i byth yn rhagfarnllyd ar y dechrau), rydw i wedi dod i'r casgliad ei bod hi'r tri hynny, a llawer mwy yn ogystal. Mae ganddi gymaint o nodweddion annymunol, felly pam y dylwn i ddethol dim ond un ohonyn nhw?

Dy Anne

O.N. A wnaiff y darllenydd gymryd i ystyriaeth fod y stori hon wedi ei hysgrifennu cyn i gynddaredd yr awdur dawelu?

Dydd Mawrth, Awst 3, 1943

F'annwyl Kitty,

Mae pethau'n mynd rhagddynt yn dda ar y ffrynt gwleidyddol a'r Blaid Ffasgaidd wedi ei gwahardd yn yr Eidal. Mae pobl yn ymladd y Ffasgiaid mewn sawl lle - mae hyd yn oed rhan o'r fyddin wedi ymuno'n y frwydr. Sut y gall gwlad fel yna bara i ryfela yn erbyn Lloegr?

Aed â'n radio hardd i ffwrdd yr wythnos ddiwethaf. Roedd Dussel yn flin iawn efo Mr Kugler oherwydd iddo'i throsglwyddo ar y diwrnod penodedig. Mae Dussel yn llithro'n is ac yn is yn fy meddwl i, ac eisoes islaw sero. Mae popeth y mae'n ei ddweud am wleidyddiaeth, hanes, daearyddiaeth neu unrhyw beth arall mor chwerthinllyd fel bod gen i gywilydd ei ailadrodd: bydd Hitler yn mynd i ebargofiant; mae harbwr Rotterdam yn fwy nag un Hamburg; mae'r Saeson yn ffyliaid am na wnaethon nhw fanteisio ar y cyfle i fomio'r Eidal yn ysgyrion; ac ymlaen, ac ymlaen.

Rydan ni newydd gael y trydydd cyrch awyr. Mi benderfynais i wasgu fy nannedd ac ymarfer bod yn wrol.

Mrs van Daan, yr un sydd bob amser yn dweud, 'Gadewch iddyn nhw syrthio' a 'Mae'n well darfod â bang na pheidio â darfod o gwbl', ydi'r un fwyaf llwfr yn ein mysg. Roedd hi'n crynu fel deilen y bore 'ma ac fe dorrodd allan i grio hyd yn oed. Cafodd ei chysuro gan y gŵr y bu iddi gyhoeddi cadoediad efo fo'n ddiweddar wedi wythnos o gecru. Bu ond y dim i'r olygfa fy ngwneud innau'n ordeimladwy.

Mae Mouschi wedi profi, y tu hwnt i amheuaeth, fod i gadw cath ei anfanteision yn ogystal â'i fanteision. Mae'r tŷ cyfan yn fyw o chwain, ac mae'n gwaethygu bob dydd. Taenodd Mr Kleiman bowdwr melyn ym mhob twll a chornel, ond ni chymerodd y chwain unrhyw sylw. Mae hyn yn ein gwneud ni i gyd yn nerfus iawn. Rydan ni'n ein gwaith yn dychmygu brathiadau ar ein breichiau a'n coesau neu rannau eraill o'n cyrff ac yn neidio i fyny i wneud ymarferiadau, gan fod hynny'n rhoi esgus i ni gael gwell golwg ar ein coesau a'n gyddfau. Ond rydan ni'n llawer rhy anystwyth i allu troi ein pennau hyd yn oed; dyna'r tâl am ddiffyg ymarfer. Fe syrthiodd yr ymarferiadau go iawn ar fin y ffordd amser maith yn ôl.

Dy Anne

Dydd Mercher, Awst 4, 1943

F'annwyl Kitty,

Gan ein bod ni mewn cuddfan ers dros flwyddyn bellach, rwyt ti'n gwybod llawer iawn am ein bywydau ni. Er, alla i'n fy myw ddweud y cyfan wrthot ti, gan ei fod mor wahanol i fywydau pobl gyffredin ar adegau cyffredin. Ond er mwyn i ti gael golwg gliriach ar bethau, rydw i am roi disgrifiad, bob hyn a hyn, o ran o ddiwrnod cyffredin. Mi ddechreua i efo'r min nos a'r nos.

Naw o'r gloch fin nos. Mae amser gwely yn y Rhandy yn dechrau â pheth wmbredd o stŵr a mwstwr bob amser. Mae cadeiriau'n cael eu symud, gwlâu yn cael eu tynnu i lawr, blancedi'n cael eu hagor allan - a dim yn aros lle'r oedd o yn ystod y dydd. Rydw i'n cysgu ar wely difán bychan, dim ond metr a hanner o hyd, felly mae gofyn ychwanegu cadeiriau er mwyn ei ymestyn. Mae'n rhaid symud popeth - cwrlid, cynfasau, gobennydd, blancedi - oddi ar wely Dussel, gan mai yno y maen nhw'n cael eu cadw yn ystod y dydd.

Daw sŵn gwichian dychrynllyd o'r ystafell drws nesaf; gwely plygu Margot sy'n cael ei osod i fyny. Mwy o flancedi, gobennydd arall, unrhyw beth i geisio gwneud y slatiau coed ychydig yn fwy cyfforddus. Mae sŵn fel taranau i fyny grisiau. Gwely Mrs van D. sy'n cael ei symud yn erbyn y ffenestr fel y gall Ei Mawrhydi, yn ei siaced wely binc, arogli awyr y nos drwy'i ffroenau bach tyner.

Naw o'r gloch. Wedi i Peter orffen, fy nhro i ydi defnyddio'r toiled. Rydw i'n ymolchi o'm corun i'm sawdl, ac yn amlach na pheidio yn canfod chwannen fach yn arnofio yn y sinc (dim ond yn ystod y tywydd poeth). Rydw i'n glanhau fy nannedd, yn cyrlio 'ngwallt, yn trin fy ewinedd ac yn dabio perocsid ar fy ngwefus uchaf er mwyn gwynnu'r blew duon - hyn i gyd mewn llai na hanner awr.

Hanner awr wedi naw. Rydw i'n gwisgo fy ngŵn nos. Efo sebon yn un llaw, pot, pinnau gwallt, nicer, cyrlwyr a swp o wlân cotwm yn y llall, rydw i'n prysuro allan o'r toiled. Mae'r nesaf yn y ciw heb eithriad yn fy ngalw i'n ôl i gael gwared â'r blew bach modrwyog, del, ond hyll i eraill, yr ydw i wedi eu gadael yn y sinc.

Deg o'r gloch. Mae'n bryd rhoi'r llenni blacowt i fyny a dweud nos da. Am y chwarter awr nesaf, o leiaf, mae'r tŷ yn llawn gwichian gwlâu ac ocheneidiau sbringiau toredig, ac yna, a chymryd nad ydi'r cymdogion uwchben yn cael un o'u cwerylon priodasol yn y gwely, tawelwch.

Hanner awr wedi un ar ddeg. Mae drws y toiled yn gwichian. Mae llafn cul o olau'n treiddio i'r ystafell. Esgidiau gwichlyd, côt fawr, yn fwy hyd yn oed na'r dyn y tu mewn iddi .... Dussel yn dychwelyd o'i waith nosweithiol yn swyddfa Mr Kugler. Rydw i'n ei glywed yn llusgo'i draed yn ôl a blaen am ddeng munud cyfan, siffrwd papur (wrth iddo guddio bwyd yn ei gwpwrdd) a'r gwely'n cael ei baratoi. Yna mae'n diflannu eto, a'r unig beth sydd i'w glywed ydi'r sŵn amheus o'r toiled bob hyn a hyn.

Tri o'r gloch union. Rydw i'n gorfod codi i ddefnyddio'r llestr tun o dan y gwely, sydd â mat rwber oddi tano rhag ofn iddo ddigwydd gollwng. Mi fydda i bob amser yn dal fy anadl wrth wneud, gan ei fod yn tasgu i'r tun fel ffrwd i lawr llethr mynydd. Mae'r pot yn cael ei roi'n ôl a'r ffigur yn y goban wen (yr un sy'n peri i Margot ebychu bob nos, 'O, yr hen goban anweddus yna!') yn dringo'n ôl i'r gwely. Mae'r un dan sylw yn gorwedd yn effro am tua chwarter awr, yn gwrando ar synau'r nos. Yn gyntaf, er mwyn clywed a oes yna ladron i lawr grisiau, ac yna ar yr amryfal wlâu - i fyny grisiau, y drws nesaf, a'm hystafell i - er mwyn gallu dweud a ydi'r lleill yn cysgu ai peidio. Dydi hyn ddim yn beth dymunol, yn arbennig pan mae a wnelo ag un aelod o'r teulu, o'r enw Dr Dussel. Yn gyntaf, sŵn fel pysgodyn yn ymladd am ei anadl, a hwnnw'n cael ei ailadrodd naw neu ddeg gwaith. Yna'r gwefusau'n cael eu gwlychu'n helaeth. Bob yn ail â hynny, sŵn llempian, yn cael ei ddilyn gan gyfnod maith o droi a throsi ac aildrefnu'r gobennydd. Wedi pum munud o dawelwch perffaith, mae'r un drefn yn cael ei hailadrodd deirgwaith, ac yna, yn ôl pob golwg, mae wedi llwyddo i'w suo ei hun yn ôl i gysgu am sbel.

Weithiau bydd y gynnau'n tanio yn ystod y nos, rhwng un a phedwar o'r gloch. Fydda i byth yn ymwybodol o'r peth cyn iddo ddigwydd, ond yn sydyn rydw i'n fy nghael fy hun, o ran arferiad, yn sefyll wrth ochr fy ngwely. O dro i dro, rydw i mor brysur yn breuddwydio (am ferfau Ffrangeg afreolaidd neu ffrae i fyny grisiau) fel nad ydw i'n sylweddoli nes bod y freuddwyd drosodd fod y tanio wedi gorffen a minnau wedi aros yn dawel yn fy ystafell. Ond mi fydda i'n deffro'n amlach na pheidio. Yna mi fydda i'n cipio gobennydd a hances boced, yn gwisgo fy ngŵn nos a'm sliperi ac yn rhuthro i'r drws nesaf at Dad, yn union fel y disgrifiodd Margot yn ei cherdd ben blwydd:

Pan glywir ergydion yn y tywyllwch,
Mae'r drws yn gwichian ar agor, a gwelwch
Yn dod i'r golwg ffigur mewn gwyn
Gan wasgu'i gobennydd a'i hances yn dynn.

Unwaith yr ydw i wedi cyrraedd y gwely mawr, mae'r gwaethaf drosodd, heblaw pan mae'r tanio'n fwy trystiog nag arfer.

Chwarter i saith. Brrring ... y cloc larwm, sy'n clochdar unrhyw awr o'r dydd neu'r nos, os ydach chi am iddo wneud hynny ai peidio. Gwich ... clec ... mae Mrs van D. wedi ei droi i ffwrdd. Rhagor o wichian ... Mr van D. yn codi, troi'r dŵr ymlaen a rhuthro i'r toiled.

Chwarter wedi saith. Mae'r drws yn gwichian unwaith eto. Fe gaiff Dussel fynd i'r toiled. Fy hun o'r diwedd, rydw i'n cael gwared â'r llenni blacowt ... ac mae diwrnod arall yn y Rhandy wedi dechrau.

Dy Anne

Dydd Iau, Awst 5, 1943

F'annwyl Kitty,

Gad i ni sôn am y cinio ganol dydd heddiw.

Mae'n hanner awr wedi hanner. Mae'r teulu oll yn gollwng ocheneidiau o ryddhad gan fod Mr van Maaren, y dyn â'r gorffennol amheus, a Mr de Kok wedi mynd adref i ginio.

I fyny grisiau gellir clywed clepian glanhawr Mrs van D. ar ei hunig garped hardd. Mae Margot yn gafael mewn swp bychan o lyfrau ac yn anelu am ddosbarth y 'dysgwyr araf', gan mai dyna ydi Dussel, yn ôl pob golwg. Mae Pim yn mynd i eistedd i gornel efo'i gydymaith cyson, Dickens, yn y gobaith o gael ychydig heddwch a thawelwch a Mam yn brysio i fyny'r grisiau i helpu'r wraig-tŷ fach brysur. Rydw i'n twtio'r toiled a mi fy hun yr un pryd.

Chwarter i un. Maen nhw'n llithro i mewn o un i un: Mr Gies yn gyntaf ac yna un ai Mr Kleiman neu Mr Kugler, yn cael eu dilyn gan Bep a hyd yn oed Miep ar adegau.

Un o'r gloch. Yn glwstwr o gwmpas y radio fechan, mae pawb yn gwrando'n astud ar y BBC. Dyma'r unig amser pan nad ydi aelodau teulu'r Rhandy yn torri ar draws ei gilydd, gan na all hyd yn oed Mr van Daan ddadlau â'r siaradwr.

Chwarter wedi un. Dosbarthu bwyd. Caiff pawb o'r swyddfa gwpaned o gawl ac, os oes pwdin ar gael, beth o hwnnw hefyd. Mae'r Mr Gies bodlon yn mynd i eistedd ar y difán neu'n pwyso yn erbyn y ddesg efo'i bapur newydd, ei gwpan, a'r gath, yn amlach na pheidio, wrth ei ochr. Os ydi unrhyw un o'r tri yn eisiau, mae'n siŵr o leisio protest. Mae Mr Kleiman yn adrodd y newyddion diweddaraf o'r dref, a does dim gwell ffynhonnell i'w chael. Mae Mr Kugler yn brysio i fyny'r grisiau, yn rhoi cnoc bach ysgafn, ond cadarn, ar y drws ac yn dod i mewn un ai dan wasgu'i ddwylo pan mae'n ddi-sgwrs ac mewn hwyliau drwg neu'n eu rhwbio mewn afiaith pan mae'n siaradus ac mewn hwyliau da.

Chwarter i ddau. Mae pawb yn codi oddi wrth y bwrdd ac yn mynd i ddilyn eu llwybrau eu hunain. Mae Margot a Mam yn golchi'r llestri, Mr a Mrs van D. yn anelu am y gwely, Peter am yr atig, Dad am ei wely, Dussel hefyd, ac Anne yn gwneud ei gwaith cartref.

Yn dilyn hyn daw awr dawela'r diwrnod, pan maen nhw i gyd yn cysgu a dim i aflonyddu arna i. Yn ôl yr olwg ar ei wyneb, mae Dussel yn breuddwydio am fwyd. Ond dydw i ddim yn syllu'n rhy hir arno, gan fod yr amser yn hedfan heibio. Cyn i mi sylweddoli fe fydd yn bedwar o'r gloch a'r Dr Dussel pedantig ar ei draed a'r cloc yn ei law oherwydd fy mod i funud yn hwyr yn clirio'r bwrdd iddo.

Dy Anne

Dydd Sadwrn, Awst 7, 1943

F'annwyl Kitty,

Ychydig wythnosau'n ôl mi ddechreuais i ysgrifennu stori, un ddychmygol o'i dechrau i'w diwedd, ac rydw i wedi cael cymaint o fwynhad fel bod cynnyrch fy ysgrifbin yn dechrau pentyrru.

Dy Anne

Dydd Llun, Awst 9, 1943

F'annwyl Kitty

Ymlaen â ni â diwrnod arferol yn y Rhandy. Gan ein bod eisoes wedi cael ein cinio ganol dydd, mae'n bryd disgrifio'r cinio min nos.

Mr van Daan. Y cyntaf i gael ei fwyd, yn cymryd cyfran helaeth o bob dim sydd at ei ddant. Yn ymuno yn y sgwrs gan amlaf, byth yn petruso rhag rhoi ei farn. Ei air bob amser yn derfynol. Os bydd i unrhyw un awgrymu'n wahanol, gall Mr van D. roi cyfri da ohono'i hun. O, fe all hwn hisian fel cath ... ond mae'n well gen i beidio codi'i wrychyn. Unwaith yr wyt ti wedi gweld hynny'n digwydd, fyddi di byth eisiau ei weld wedyn. Barn Mr van Daan ydi'r un orau; fo sy'n gwybod popeth am bopeth. Mae'n wir fod gan y dyn ben da ar ei ysgwyddau ond mae hwnnw wedi chwyddo cryn dipyn.

Madame. O ddifri, dweud dim fyddai'r peth gorau. Ambell ddiwrnod, yn arbennig pan mae tymer ddrwg ar ei ffordd, mae'n anodd darllen ei hwyneb hi. Er nad y hi ydi pwnc y trafodaethau, mae rhywun yn sylweddoli, wrth eu dadansoddi, mai hi ydi'r un euog. Er bod pawb yn dewis anwybyddu hynny, fe allet ti ddweud mai hi ydi'r symbylydd. Creu helynt, dyna beth mae Mrs van Daan yn ei ystyried yn hwyl. Creu helynt rhwng Mrs Frank ac Anne. Dydi hi ddim mor hawdd gwneud hynny rhwng Margot a Mr Frank.

Ond i ddychwelyd at y bwrdd. Efallai fod Mrs van D. yn meddwl weithiau nad ydi hi'n cael digon, ond nid felly mae pethau. Y tatws gorau, y tamaid mwyaf blasus, y darn mwyaf brau o beth bynnag sydd ar gael, dyna gredo Madame. Fe gaiff pob un o'r lleill ei dro, ond i mi gael y gorau. (Yr union beth y mae hi'n cyhuddo Anne Frank o'i wneud.) Ei hail gredo ydi - dal ati i siarad. Cyn belled â bod rhywun yn gwrando, dydi hi ddim fel pe bai'n ystyried a oes ganddyn nhw ddiddordeb ai peidio. Mae'n rhaid ei bod hi'n credu fod popeth a ddywed Mrs van Daan o ddiddordeb i bawb.

Dim ond i ti wenu'n bryfoclyd, cymryd arnat wybod popeth, cynnig cyngor i bawb a'u mwytho - mae hynny'n siŵr o greu argraff dda. Ond os wyt ti'n edrych yn fanylach, mae'r argraff dda yn pylu. Un, mae hi'n weithgar; dau, yn siriol; tri yn fflyrtlyd - ar adegau'n dlws. Dyna Petronella van Daan.

Y trydydd ciniawr. Ychydig iawn sydd gan hwn i'w ddweud. Mae'r Mr van Daan ifanc yn dawel gan amlaf a byth yn tynnu sylw ato'i hun. Cyn belled ag y mae ei archwaeth yn y cwestiwn, mae fel cawg diwaelod. Hyd yn oed wedi'r pryd mwyaf sylweddol, fe all edrych i lygaid rhywun yn gwbl ddigyffro a haeru y gallai fod wedi bwyta ddwywaith cymaint.

Rhif pedwar - Margot. Yn pigo fel aderyn, heb yngan gair. Yn bwyta dim ond llysiau a ffrwythau. 'Wedi'i difetha', ym marn y ddau van Daan. 'Rhy ychydig o ymarfer ac awyr iach', yn ein barn ni.

Wrth ei hochr hi - Mama. Bwytawraig iach ac yn gwneud ei siâr o'r siarad. Fyddai neb yn meddwl, fel efo Mrs van Daan, fod hon yn wraig tŷ. Beth ydi'r gwahaniaeth rhwng y ddwy? Wel, Mrs van D. sy'n coginio a Mam sy'n golchi'r llestri a chwyro'r dodrefn.

Rhifau chwech a saith. Dydw i ddim am ddweud fawr am Dad a fi. Y cyntaf ydi'r person mwyaf gwylaidd wrth y bwrdd; bob amser yn gwneud yn siŵr fod pawb arall wedi cael eu bwyd. Dydi o'n gofyn dim iddo'i hun; mae popeth gorau i'r plant. Daioni wedi'i bersonoli, dyna ydi Pim. Yn eistedd nesaf ato mae bwndel nerfau'r Rhandy.

Dussel. Helpwch eich hunan, cadwch eich llygaid ar y bwyd, bwytewch a byddwch dawel. Ac os oes raid i chi ddweud rhywbeth, siaradwch am fwyd er mwyn popeth, gan nad ydi hynny'n arwain i gweryl, dim ond ymffrost. Mae Dussel yn bwyta plateidiau anferthol, a dydi 'na' ddim yn rhan o'i eirfa, sut bynnag flas sydd ar y bwyd.

Trowsus yn cyrraedd hyd at ei geseiliau, siaced goch, sliperi lledr du a sbectol ffrâm gorn - dyna sut mae'n edrych pan mae'n gweithio wrth y bwrdd bach, yn astudio drwy'r amser ond byth yn cyrraedd unman. Yr unig bethau sy'n torri ar hyn ydi'r cyntun prynhawnol, bwyd a - ei hoff lecyn - y toiled. Dair, bedair, bum gwaith y diwrnod bydd rhywun yn siŵr o fod yn aros y tu allan i'r toiled, yn neidio'n ddiamynedd o'r naill droed i'r llall, yn ceisio dal a phrin yn llwyddo. Ydi Dussel yn malio? Nag ydi, yn malio'r un botwm corn. O chwarter wedi saith hyd hanner awr wedi, o hanner awr wedi hanner tan un, o ddau i chwarter wedi, o bedwar i chwarter wedi, o chwech i chwarter wedi, o hanner awr wedi un ar ddeg tan ddeuddeg. Fe elli di osod dy oriawr wrthyn nhw; dyma'r 'sesiynau eistedd'. Fydd o byth yn newid y drefn nac yn cymryd ei ddylanwadu gan y lleisiau y tu allan, sy'n erfyn arno i agor y drws cyn bod trychineb yn digwydd.

Rhif naw. Er nad ydi hi'n un o deulu'r Rhandy, mae'n rhannu ein tŷ a'n bwrdd. Mae Bep, hefyd, yn fwytawraig iach. Mae'n clirio'i phlât a dydi hi byth yn fisi. Mae'n hawdd ei phlesio ac mae hynny'n ein plesio ninnau. Gellir ei disgrifio fel hyn: siriol, rhadlon, caredig a chymwynasgar.

Dydd Mawrth, Awst 10, 1943

F'annwyl Kitty,

Syniad newydd: yn ystod prydau bwyd rydw i'n siarad mwy efo fi fy hun nag â'r lleill ac mae i hynny ddwy fantais. Yn gyntaf, maen nhw'n falch nad oes raid iddyn nhw wrando ar fy nghlebran diddiwedd i, ac yn ail, does dim rhaid i mi gael fy nharfu gan eu syniadau nhw. Er nad ydw i'n meddwl fod fy syniadau i'n rhai twp, mae eraill yn credu hynny, ac felly mae'n well i mi eu cadw nhw i mi fy hun. Rydw i'n defnyddio'r un dacteg pan fydd gofyn i mi fwyta rhywbeth sy'n gas gen i. Rydw i'n rhoi'r plât o 'mlaen, cymryd arnaf fod y bwyd yn flasus tu hwnt, osgoi edrych arno, a chyn i mi sylweddoli mae'r cyfan wedi diflannu. Pan fydda i'n codi yn y bore, profiad annymunol arall, rydw i'n llamu allan o'r gwely gan feddwl, 'Mi fyddi di'n llithro'n ôl o dan y blancedi toc', yn cerdded at y ffenestr, agor y llenni blacowt, ffroeni'r crac nes cael chwa o awyr iach, a dyna fi'n effro. Rydw i'n tynnu'r dillad gwely mor gyflym ag sydd modd rhag ofn i mi gael fy nhemtio i fynd yn ôl iddo. Wyddost ti beth mae Mam yn galw peth fel hyn? Celfyddyd byw. Ymadrodd rhyfedd, yntê?

Rydan ni i gyd wedi bod yn teimlo braidd yn ddryslyd ers rhai dyddiau gan fod clychau cloc Westertoren, sydd mor annwyl yn ein golwg ni, wedi cael eu cludo ymaith yn ôl pob golwg i'w toddi at bwrpas y rhyfel a does ganddon ni'r un syniad beth ydi'r amser cywir, ddydd na nos. Rydw i'n dal i obeithio y gwnân nhw roi rhywbeth yn eu lle, wedi'i wneud o dun neu gopr efallai, er mwyn atgoffa'r gymdogaeth o'r cloc.

Lle bynnag yr ydw i'n mynd, i fyny neu i lawr, mae pawb yn ciledrych yn edmygus ar fy nhraed, sydd wedi eu haddurno â phâr o esgidiau rhyfeddol o hardd (ac ystyried yr amserau!). Llwyddodd Miep i gael gafael arnyn nhw am 27.50 *guilder*. Swêd a lledr lliw gwin a sodlau cymharol uchel. Rydw i'n teimlo fel pe bawn i ar fachau pren ac yn ymddangos yn dalach nag yr ydw i hyd yn oed.

Roedd ddoe'n ddiwrnod anlwcus iawn i mi. Yn gyntaf, mi bigais fy mawd â phen pŵl nodwydd fawr. O ganlyniad i hynny, bu'n rhaid i Margot blicio'r tatws yn fy lle i (mae ymyl aur i bob cwmwl) ac roedd ysgrifennu'n boendod. Yna mi drawais mor galed yn erbyn drws y cwpwrdd fel y bu ond y dim iddo fy nharo i drosodd, ac mi ge's i bryd o dafod am wneud cymaint o sŵn. Roedden nhw'n gwrthod i mi redeg dŵr i olchi fy nhalcen, a rŵan rydw i'n cerdded o gwmpas efo lwmp fel wy uwchben fy llygad de. I wneud pethau'n waeth, fe aeth bawd fy nhroed de i'n sownd yn y glanhawr carpedi. Roedd o'n boenus, ac fe waedodd gryn dipyn, ond mi benderfynais ei anwybyddu oherwydd bod fy anhwylderau eraill eisoes yn peri'r fath drafferth i mi; peth gwirion i'w wneud, gan fy mod i'n cerdded o gwmpas rŵan â bawd llidiog. Oherwydd yr eli, y rhwymau a'r plasteri, rydw i'n methu cael fy esgidiau newydd hyfryd am fy nhraed.

Mae Dussel wedi rhoi ein bywydau mewn perygl am y canfed tro. Mynnodd fod Miep yn dod â llyfr sydd wedi ei wahardd, un sy'n ymosod ar Mussolini, iddo. Ar y ffordd yma cafodd ei tharo i lawr gan feic modur yr SS. Collodd ei phen yn lân a gweiddi 'Y diawliaid!' cyn seiclo ymlaen. Feiddia i ddim meddwl beth fyddai'r canlyniad pe baen nhw wedi mynd â hi i'r pencadlys.

Dy Anne

Gorchwyl Dyddiol yn Ein Cymuned Fechan: Plicio Tatws!

Mae un person yn nôl pentwr o bapurau newydd; un arall y cyllyll (gan gadw'r un orau iddo'i hun, wrth gwrs); y trydydd, y tatws; a'r pedwerydd, y dŵr.

Mae Dussel yn dechrau arni. Er nad ydi o'n eu plicio'n rhy dda, mae'n dal ati'n ddi-baid, gan giledrych i'r dde a'r chwith i weld a ydi pawb arall yn dilyn ei esiampl. Na, dydyn nhw ddim!

'Ti edrych yma, Anne. Fi'n cymryd y piliwr yn fy llaw fel hyn a crafu o'r top i'r gwaelod! *Nein*, nid fel yna ... fel hyn!'

'Rydw i'n meddwl fod fy ffordd i'n haws, Mr Dussel,' meddwn i'n betrus.

'Ond hon y ffordd orau, Anne. Ti derbyn hyn gen i. Wrth gwrs, dim gwahaniaeth, ti gwneud y ffordd ti eisiau.'

Ymlaen â ni i blicio. Rydw i'n sbecian ar Dussel drwy gil fy llygad. Ar goll yn ei feddyliau, mae'n ysgwyd ei ben (o'm herwydd i, mae'n siŵr) ond yn dal ei dafod.

Rydan ni'n dal ati i blicio. Rydw i'n edrych ar Dad, yr ochr arall i mi. I Dad, nid gorchwyl ydi plicio tatws, ond crefft. Pan mae o'n darllen, mae ganddo grychiad dwfn yn ei war. Ond pan mae o'n paratoi tatws, ffa neu lysiau, mae'n ymddangos fel pe bai wedi ymgolli'n llwyr yn ei dasg. Unwaith y mae'n gwisgo'i wyneb-plicio-tatws byddai'n amhosibl iddo gynhyrchu dim llai na'r daten biliedig berffaith.

Rydw i'n dal ati i weithio, ond yn codi fy llygaid am eiliad. Mae hynny'n ddigon i weld fod Mrs van D. yn ceisio denu sylw Dussel. Mae'n dechrau drwy edrych i'w gyfeiriad, ond mae Dussel yn cymryd arno beidio â sylwi. Yna mae'n wincio. Dussel yn dal ati i blicio. Chwerthin wedyn. Dim ymateb. Yna mae Mam yn chwerthin hefyd, a Dussel yn eu hanwybyddu'n llwyr. Gan iddi fethu cyrraedd ei nod, mae gofyn i Mrs van D. newid ei thacteg. Ysbaid fer o dawelwch. Yna mae'n dweud, 'Putti, pam na wisgi di ffedog neu mi fydda i wrthi drwy'r dydd fory yn ceisio cael y sbotiau oddi ar dy siwt di.'

'Dydw i ddim yn ei maeddu hi.'

Ysbaid fer arall o dawelwch. 'Putti, pam na steddi di?'

'Rydw i'n iawn fel yr ydw i. Mae'n well gen i sefyll!'

Tawelwch.

'Putti, bydd yn ofalus, *du sprizt schon*!' (rwyt ti'n tasgu dŵr)

'Mi wn i hynny, Mami, ond rydw i yn ofalus.'

Mae Mrs van D. yn chwilio am bwnc arall. 'Dwed wrtha i, Putti, pam nad oes yna ymgyrchoedd bomio gan y Prydeinwyr heddiw?'

'Am fod y tywydd yn ddrwg, Kerli.'

'Ond roedd hi'n braf ddoe a doedden nhw ddim yn hedfan bryd hynny chwaith.'

'Gad i ni sôn am rywbeth arall.'

'Pam? Siawns na all rhywun siarad am y peth, neu gynnig barn?'

'Na!'

'Pam ddim?'

'O, bydd ddistaw, *Mammichen*!' (Mami)

'Mae Mr Frank yn ateb ei wraig o, bob amser.'

Mae Mr van D. yn ceisio ei reoli ei hun. Mae'r sylw hwn yn mynd dan ei groen bob amser, ond dydi Mrs van D. ddim yn un i ildio: 'O, fydd 'na byth ymosodiad!'

Wrth i Mrs van D. sylwi fod Mr van D. cyn wynned â'r galchen, mae'n cochi at ei chlustiau ond mae'n benderfynol o ddal ymlaen: 'Dydi'r Prydeinwyr yn gwneud dim!'

Mae'r bom yn ffrwydro. 'A rŵan, cau dy geg, *Donnerwetter noch einmal!*' (er mwyn y nefoedd)

Prin mae Mam yn gallu dal heb chwerthin, ac rydw i'n syllu'n syth o 'mlaen.

Mae sefyllfaoedd fel hyn yn cael eu hailadrodd bron bob dydd, os na fyddan nhw wedi cael andros o ffrae. Bryd hynny, mae'r ddau'n cadw eu cegau ar gau.

Mae'n bryd i mi nôl rhagor o datws. Rydw i'n mynd i fyny i'r atig lle mae Peter yn brysur yn pigo chwain oddi ar y gath. Mae'n codi'i olygon, y gath yn sylwi, ac yn diflannu fel mellten, allan drwy'r ffenestr ac i mewn i'r landar.

Mae Peter yn rhegi. Rydw innau hefyd yn diflannu dan chwerthin.

Rhyddid yn y Rhandy

Hanner awr wedi pump. Mae dyfodiad Bep yn arwyddo fod ein rhyddid nosweithiol ni ar ddechrau. Caiff pethau eu rhoi ar waith yn syth bìn. Rydw i'n mynd i fyny grisiau efo Bep, sy'n arfer cael ei phwdin cyn y gweddill ohonom. Cyn iddi roi ei chlun i lawr, mae Mrs van D. yn dechrau rhestru ei gofynion gan ddechrau fel arfer efo, 'O, gyda llaw, Bep, mae yna un peth yr ydw i ei eisiau ...' Mae Bep yn wincio arna i. Fydd Mrs van D. byth yn colli cyfle i adael i bwy bynnag sy'n dod i fyny wybod ei gofynion. Dyna un rheswm, mae'n debyg, pam nad ydi'r un ohonyn nhw'n hoffi mynd i fyny yno.

Chwarter i chwech. Mae Bep yn gadael. Rydw i'n mynd i lawr i gael golwg o gwmpas: i'r gegin, i ddechrau, yna i'r swyddfa breifat ac wedi hynny i'r cwt glo i agor y twll cathod i Mouschi.

Wedi archwiliad maith, rydw i'n cyrraedd swyddfa Mr Kugler. Yno, mae Mr van Daan yn cribinio'r holl ddroriau a ffeiliau am bost heddiw. Mae Peter yn gafael yn Boche ac allwedd y warws; Pim yn halio'r teipiadur i fyny'r grisiau; Margot yn chwilio o gwmpas am le tawel i wneud ei gwaith swyddfa; Mrs van D. yn rhoi tecellaid o ddŵr ar y stof; Mam yn dod i lawr y grisiau'n cario sosbenaid o datws; pob un ohonom yn gwybod ei waith.

Daw Peter yn ôl o'r warws cyn pen dim. Y cwestiwn cyntaf sy'n cael ei ofyn iddo ydi - Wyt ti wedi cofio dod â'r bara? Na, mae o wedi anghofio. Mae'n cyrcydu wrth ddrws y swyddfa ffrynt i'w wneud ei hun mor fychan ag sy'n bosibl, yn cropian ar ei bedwar at y cwpwrdd dur, yn estyn y bara ac yn paratoi i adael. O leiaf, dyna'i fwriad, ond cyn iddo sylweddoli beth sy'n digwydd mae Mouschi wedi neidio drosto a mynd i eistedd o dan y ddesg.

Mae Peter yn syllu o'i gwmpas. Aha, dyna hi'r gath! Mae'n cripian yn ôl i'r swyddfa ac yn gafael ynddi gerfydd ei chynffon. Mae Mouschi'n hisian; Peter yn ocheneidio. A beth ydi canlyniad hyn? Rŵan, mae Mouschi'n eistedd wrth y ffenestr ac yn ei llyfu ei hun, yn hynod falch o fod wedi gallu dianc o afael Peter. Does gan Peter ddim dewis bellach ond ei denu â darn o fara. Ydi, mae Mouschi'n derbyn yr abwyd, yn ei ddilyn allan, a'r drws yn cau.

Rydw i'n gwylio hyn i gyd drwy grac yn y drws.

Mae Mr van Daan yn rhoi clep i ddrws swyddfa Mr Kugler mewn tymer a Margot a fi'n ciledrych ar ein gilydd, ac yn meddwl yr un peth. Mae'n rhaid ei fod wedi dechrau corddi unwaith eto oherwydd rhyw gamgymeriad ar ran Mr Kugler ac wedi anghofio popeth am Gwmni Keg y drws nesaf.

Clywir sŵn troed arall yn y cyntedd. Daw Dussel i mewn. Mae'n cerdded at y ffenestr fel pe bai biau'r lle, ffroeni ... tagu, tisian a chlirio'i wddw. Anlwcus - pupur oedd o. Ymlaen â Dussel i'r swyddfa ffrynt. Mae'r llenni ar agor a hynny'n golygu na all gael gafael ar ei bapur ysgrifennu. Mae'n diflannu dan wgu.

Mae Margot a fi'n ciledrych ar ein gilydd unwaith eto. Rydw i'n nodio wrth ei chlywed hi'n dweud, 'Un dudalen yn llai i'w anwylyd fory.'

Mae troedio eliffant i'w glywed ar y grisiau. Dussel sydd yno, yn chwilio am gysur yn ei hoff lecyn.

Rydan ni'n dal ati i weithio. Cnoc, cnoc, cnoc ... Mae tair cnoc yn dynodi amser swper!

Dy Anne

Dydd Llun, Awst 23, 1943

Wenn Die Uhr Halb Neune Schlägt
(Pan mae'r cloc yn taro hanner awr wedi wyth)

Mae Margot a Mam yn nerfus. Mae'n hanner awr wedi wyth y bore. 'Shh ... Dad. Taw, Otto. Shh ... Pim! Tyd yma, elli di ddim rhedeg rhagor o ddŵr. Yn dawel bach!' Dyna enghraifft o'r hyn sy'n cael ei ddweud wrth Dad yn y toiled. Ar ben hanner awr wedi wyth, mae'n rhaid iddo fod yn yr ystafell fyw. Dim rhedeg dŵr, dim tynnu dŵr yn y tŷ bach, dim cerdded o gwmpas, dim sŵn o fath yn y byd. Os nad ydi gweithwyr y swyddfa wedi cyrraedd, mae pob smic i'w glywed yn y warws.

Am ugain munud wedi wyth mae'r drws yn agor i fyny grisiau, yn cael ei ddilyn gan dair cnoc ysgafn ar y llawr ... uwd Anne. Rydw i'n prysuro i fyny i nôl fy nysgl ci bach.

Yn ôl i lawr grisiau, rhaid gwneud popeth yn gyflym, gyflym. Rydw i'n cribo fy ngwallt, cadw'r pot, gwthio'r gwely i'w le. Hisht, mae'r cloc yn taro hanner awr wedi wyth! Mae Mrs van D. yn shifflad drwy'r ystafell, wedi newid o'i hesgidiau i'w slipars; Mr van D. hefyd, yn rêl Charlie Chaplin. Tawelwch.

O'r diwedd, mae'r sefyllfa deuluol berffaith wedi cyrraedd ei huchafbwynt. Rydw i eisiau darllen neu astudio. Margot hefyd, a Dad a Mam. Mae Dad yn eistedd (efo Dickens a'r geiriadur wrth gwrs) ar ymyl y gwely pantiog, gwichlyd, nad oes iddo fatres weddus hyd yn oed. Fe ellid rhoi dau obennydd mawr ar bennau'i gilydd ond mae Dad yn meddwl, 'Dydw i ddim eisiau'r rhain. Mi alla i ymdopi hebddyn nhw.'

Unwaith mae o â'i drwyn mewn llyfr, fydd Dad byth yn codi'i ben. Mae'n chwerthin bob hyn a hyn ac yn ceisio cael Mam i gymryd diddordeb yn y stori.

'Does gen i ddim amser rŵan.'

Mae'n edrych yn siomedig, yna'n dal ymlaen i ddarllen. Ychydig yn ddiweddarach, pan ddaw at ran ddiddorol arall, mae'n rhoi cynnig arni eto: 'Mae'n *rhaid* i chi ddarllen hwn, Mam!'

Mae Mam yn eistedd ar y gwely plygu yn darllen, gwnïo, gwau neu astudio, beth bynnag sy'n cael y flaenoriaeth ar y pryd. Yn sydyn mae'n cael rhyw syniad neu'i gilydd ac yn brysio i ddweud, cyn i'r peth fynd yn angof, 'Anne, cofia ... Margot, gwna nodyn o hyn ...'

Tawelwch eto am sbel. Mae Margot yn cau ei llyfr yn glep; Dad yn crychu'i dalcen, ei aeliau'n ffurfio bwa bach digri a'r rhych canolbwyntio'n ailymddangos, cyn ei gladdu ei hun yn ei lyfr unwaith eto; Mam yn dechrau sgwrsio efo Margot a minnau'n dechrau gwrando o chwilfrydedd. Toc mae Pim yn cael ei dynnu i mewn i'r sgwrs ... Naw o'r gloch! Brecwast!

Dydd Gwener, Medi 10, 1943

F'annwyl Kitty,

Bob tro y bydda i'n ysgrifennu atat ti, mae rhywbeth arbennig wedi digwydd, rhywbeth annymunol yn hytrach na dymunol gan amlaf. Y tro yma, fodd bynnag, mae rhywbeth gwych yn mynd ymlaen.

Roedden ni'n gwrando ar y newyddion saith ddydd Mercher, Medi 8, a'r peth cyntaf glywson ni oedd hyn: '*Here follows the best news from whole the war: Italy has capitulated.*' Yr Eidal wedi ildio'n ddiamod! Dechreuodd y darllediad Iseldiraidd o Loegr am chwarter wedi wyth â'r newyddion: 'Wrandawyr, awr a chwarter yn ôl, fel yr o'n i'n gorffen ysgrifennu fy adroddiad dyddiol, derbyniwyd y newydd rhagorol fod yr Eidal wedi ildio. Credwch fi, wnes i erioed daflu fy nodiadau i'r fasged ysbwriel gyda'r fath lawenydd a boddhad ag y gwnes i heddiw!'

Chwaraewyd 'Duw Gadwo'r Brenin' ynghyd ag anthem genedlaethol yr Amerig, a'r *Internationale* Rwsiaidd. Fel bob amser, roedd y rhaglen Iseldiraidd yn galonogol heb fod yn rhy optimistaidd.

Mae'r Prydeinwyr wedi glanio yn Naples, a Gogledd yr Eidal wedi'i feddiannu gan yr Almaenwyr. Arwyddwyd y cadoediad ddydd Gwener, Medi 3, y diwrnod y glaniodd y Prydeinwyr yn yr Eidal. Mae'r Almaenwyr yn rhefru a rhuo yn y papurau am frad Badoglio a brenin yr Eidal.

Serch hynny, mae yna newydd drwg yn ogystal. Fel y gwyddost ti, rydan ni i gyd yn hoff iawn o Mr Kleiman. Mae bob amser yn siriol ac yn rhyfeddol o ddewr, er ei fod yn sâl ac mewn poen drwy'r amser ac yn methu bwyta na cherdded fawr. Meddai Mam yn ddiweddar, 'Pan ddaw Mr Kleiman i mewn i ystafell, mae'r haul yn dechrau tywynnu', ac mae hi wedi taro'r hoelen ar ei phen.

Mae'n ymddangos y bydd yn rhaid iddo fynd i'r ysbyty i gael triniaeth egar ar ei stumog ac aros yno am o leiaf bedair wythnos. Fe ddylet ti fod wedi ei weld pan ddaeth i ffarwelio â ni. Roedd o'n ymddwyn mor naturiol, yn union fel pe bai ar gychwyn i wneud rhyw neges neu'i gilydd.

Dy Anne

Dydd Iau, Medi 16, 1943

F'annwyl Kitty,

Mae'r berthynas rhwng aelodau'r Rhandy yn mynd o ddrwg i waeth. Fiw i ni agor ein cegau adeg pryd bwyd (dim ond i fwyta) gan fod rhywun yn siŵr o ddigio neu gamddeall beth bynnag sy'n cael ei ddweud. Daw Mr Voskuijl i ymweld â ni weithiau. Yn anffodus, dydi o ddim yn ymdopi'n rhy dda. Mae'n gwneud pethau'n anoddach fyth i'w deulu efo'i agwedd beth ydi'r ots gen i, rydw i'n mynd i farw p'un bynnag. Wrth feddwl pa mor groendenau ydi pawb yma, mi alla i'n hawdd ddychmygu sut mae pethau ar aelwyd y teulu Voskuijl.

Rydw i wedi bod yn cymryd llysiau Cadwgan (falerian) bob dydd i geisio ymladd y pryder a'r iselder ond dydi hynny ddim yn fy rhwystro i rhag bod yn fwy digalon fyth drannoeth. Byddai un chwerthiniad iach yn fwy o help na deg dafn o falerian, ond rydan ni bron wedi anghofio sut i chwerthin. Rydw i'n ofni weithiau y bydd yr holl dristwch yma'n peri i fy wyneb i bantio, a chorneli fy ngheg droi ar i lawr yn barhaol. Dydi'r lleill ddim gwell na fi. Mae'n gas gan bawb feddwl am yr hunllef o aeaf.

Un peth arall sy'n taflu cysgod dros y dyddiau ydi'r ffaith fod Mr van Maaren, y dyn sy'n gweithio'n y warws, yn dechrau cael amheuon ynglŷn â'r Rhandy Dirgel. Byddai unrhyw un gweddol ddeallus wedi sylwi erbyn hyn fod Miep weithiau'n dweud ei bod yn mynd i'r lab, Bep i'r ystafell ffeilio, Mr Kleiman i ystorfa Opekta, tra bod Mr Kugler yn haeru mai i'r adeilad drws nesaf y mae'r Rhandy'n perthyn, ac nid i hwn.

Fydden ni ddim yn malio beth mae Mr van Maaren yn ei feddwl o'r sefyllfa oni bai ei fod yn cael ei adnabod fel un annibynadwy a hynod chwilfrydig. Dydi o ddim yn un i gymryd ei arwain oddi ar y trywydd.

Un diwrnod roedd Mr Kugler eisiau bod yn fwy gochelgar nag arfer, felly am ugain munud wedi hanner gwisgodd ei gôt ac i ffwrdd â fo i'r siop fferyllydd rownd y gornel. Daeth yn ei ôl ymhen llai na phum munud a sleifio i fyny'r grisiau fel lleidr i ymweld â ni. Roedd yn paratoi i adael am chwarter wedi un ond daeth Bep i'w gyfarfod ar y landin a'i rybuddio fod van Maaren yn y swyddfa. Dyna Mr Kugler yn troi ar ei sawdl ac yn aros efo ni am chwarter awr arall. Yna tynnodd ei esgidiau a cherdded yn nhraed ei sanau (er ei fod yn dioddef o annwyd) i'r atig ffrynt ac i lawr y grisiau arall, un cam ar y tro i osgoi'r gwichiadau. Fe gymerodd hynny chwarter awr iddo ond cyrhaeddodd y swyddfa'n ddiogel, o'r tu allan i'r adeilad.

Yn y cyfamser, roedd Bep wedi dod i nôl Mr Kugler o'r Rhandy ar ôl cael gwared â van Maaren. Ond roedd Mr Kugler eisoes wedi gadael ac ar y pryd yn dal i gripian ar flaenau'i draed i lawr y grisiau. Beth oedd y bobl a âi heibio yn ei feddwl tybed wrth ei weld o wrthi'n gwisgo'i esgidiau allan ar y stryd? Yr argian fawr, Mr Rheolwr yn nhraed ei sanau!

Dy Anne

Dydd Mercher, Medi 29, 1943

F'annwyl Kitty,

Pen blwydd Mrs van Daan heddiw. Y cyfan gafodd hi ganddon ni, ar wahân i dri stamp dogni ar gyfer caws, cig a bara, oedd potyn o jam. Rhoddodd ei gŵr, Dussel a gweithwyr y swyddfa flodau a phethau i'w bwyta iddi, a dim arall. Dyna sut mae pethau ar adegau fel hyn!

Cafodd Bep bwl o nerfau'r wythnos ddiwethaf oherwydd bod ganddi gymaint o negeseuon i'w gwneud. Roedd pobl yn ei hanfon allan, drosodd a throsodd, yn mynnu bob tro ei bod yn mynd yr eiliad honno neu'n mynd eilwaith neu'n dweud ei bod hi wedi gwneud rhywbeth o'i le. A phan feddyli di fod ganddi ei gwaith swyddfa rheolaidd i'w wneud, fod Mr Kleiman yn sâl, Miep gartref yn dioddef o annwyd, Bep ei hun wedi sigo'i ffêr, yn cael helynt efo'i chariad, a bod ganddi dad cwynfanllyd ar yr aelwyd, does ryfedd ei bod hi ym mhen ei thennyn. Fe fuon ni'n ei chysuro hi gan ddweud y byddai'r rhestri siopa'n crebachu ohonynt eu hunain ond iddi roi ei throed i lawr unwaith neu ddwy a dweud nad oes ganddi mo'r amser.

Bu drama fawr yma ddydd Sadwrn, un na welsom ei thebyg yma erioed o'r blaen. Dechreuodd efo trafodaeth ynglŷn â van Maaren a gorffen mewn dadl a dagrau. Cwynodd Dussel wrth Mam ei fod yn cael ei drin fel un gwahanglwyfus, nad oedd yr un ohonom yn ymddwyn yn gyfeillgar tuag ato ac nad oedd wedi gwneud dim i haeddu hynny. Dilynwyd hyn gan beth wmbredd o weniaith ond, yn ffodus, chafodd Mam mo'i thwyllo'r tro yma. Fe ddywedodd wrtho ein bod ni wedi ein siomi ynddo ac iddo fod yn dân ar groen ar fwy nag un achlysur. Addawodd Dussel y lleuad iddi ond, fel arfer, dydan ni ddim wedi gweld cymaint ag un pelydryn.

Mae hi am storm rhwng y ddau van Daan; mi alla i ei gweld hi'n dod! Mae Dad yn gandryll oherwydd eu bod nhw'n ein twyllo ni drwy ddal eu gafael ar gig a phethau eraill. O, pa fath o danchwa sydd ar fin digwydd rŵan? Pe bawn i ond yn gallu bod yn rhydd o'r holl helyntion! Pe bawn i ond yn gallu gadael y lle yma! Maen nhw'n ein gyrru ni'n benwan!

Dy Anne

Dydd Sul, Hydref 17, 1943

F'annwyl Kitty,

Mae Mr Kleiman yn ei ôl, diolch byth! Er ei fod yn edrych braidd yn welw, fe gychwynnodd allan yn siriol ddigon i werthu rhai dillad ar ran Mr van Daan.

Y gwir plaen ydi fod Mr van Daan yn brin o arian erbyn hyn. Collodd ei gan *guilder* olaf yn y warws ac mae hynny'n dal i greu helynt i ni. Mae'r dynion yn methu deall sut y daeth can *guilder* i fod yn y warws ar fore Llun. Mae'r amheuon yn lleng. Yn y cyfamser, mae'r can *guilder* wedi eu dwyn. Pwy ydi'r lleidr?

Ond sôn yr o'n i am y prinder arian. Mae gan Mrs van D. lwythi o ffrogiau, cotiau ac esgidiau ac mae'n ymddangos na all wneud heb yr un ohonyn nhw. Fe fydd hi'n anodd gwerthu siwt Mr van D., ac er i feic Peter gael ei roi ar werth mae'n ei ôl eto gan nad oedd neb ei eisiau. Ond nid dyna ddiwedd y stori, gan fod Mrs van D. yn mynd i orfod ildio'i chôt ffwr. Yn ei barn hi, fe ddylai'r cwmni ein cynnal ni, ond siarad gwirion ydi hynny. Wedi ffrae wyllt ynghylch y peth, maen nhw bellach yn dechrau ar yr 'O, fy annwyl Putti' a 'Kerli 'nghariad i', y cam cyntaf tuag at gymod.

Rydw i'n chwysu wrth feddwl am y cabledd y mae'r tŷ parchus hwn wedi gorfod ei ddioddef yn ystod y mis diwethaf. Mae Dad yn cerdded o gwmpas a'i wefusau wedi eu gwasgu'n dynn. Mae'n edrych i fyny mewn dychryn bob tro y clyw ei enw, fel pe bai ganddo ofn cael ei alw i setlo problem ddyrys arall. Mae Mam wedi cynhyrfu gymaint fel bod ei hwyneb yn flotiau cochion, Margot yn cwyno gan gur yn ei phen, Dussel yn methu cysgu, Mrs van D. yn berwi a chorddi drwy gydol y dydd, ac rydw i wedi drysu'n lân. A dweud y gwir, mi fydda i weithiau'n anghofio â phwy yr ydan ni wedi ffraeo ac â phwy yr ydan ni wedi cymodi.

Yr unig ffordd i symud fy meddwl ydi astudio, ac rydw i wedi bod yn gwneud llawer o hynny'n ddiweddar.

Dy Anne

Dydd Gwener, Hydref 29, 1943

Fy anwylaf Kitty,

Mae Mr Kleiman i ffwrdd o'r gwaith eto. Dydi o ddim yn cael eiliad o heddwch gan ei stumog. Ŵyr o ddim, hyd yn oed, a ydi'r gwaedu wedi peidio. Daeth atom i ddweud nad oedd yn teimlo'n dda a'i fod am fynd adref. Am y tro cyntaf, roedd o'n ymddangos yn isel iawn ei ysbryd.

Bu rhagor o frwydrau ffyrnig rhwng Mr a Mrs van D. Mae'r rheswm yn syml: diffyg arian. Roedden nhw eisiau gwerthu côt fawr a siwt Mr van D. ond doedd dim modd cael neb i'w prynu. Roedd y prisiau'n rhy uchel.

Beth amser yn ôl roedd Mr Kleiman yn sôn am ffyriwr y mae'n ei adnabod. Rhoddodd hynny'r syniad i Mr van D. o werthu côt ffwr ei wraig. Mae'r gôt ganddi ers dwy flynedd ar bymtheg ac wedi ei gwneud o groen cwningen. Cafodd Mrs van D. 325 *guilder* amdani, sy'n swm enfawr. Roedd am gadw'r arian i brynu dillad newydd iddi ei hun wedi'r rhyfel a bu'n rhaid wrth ymdrech galed iawn ar ran Mr van D. i roi ar ddeall iddi fod gwir angen yr arian i gyfarfod â chostau byw.

Elli di ddim dychmygu'r sgrechian, y gweiddi, y pystylu traed a'r rhegi oedd yn mynd ymlaen. Roedd y peth yn frawychus. Arhosodd fy nheulu i wrth waelod y grisiau, pob un yn dal ei anadl, rhag ofn y byddai angen eu gwahanu. Mae'r holl ffraeo, y dagrau a'r tyndra wedi mynd yn gymaint o bwysau a straen fel fy mod i'n crio wrth ddisgyn i'r gwely bob nos ac yn diolch i'r drefn fod gen i hanner awr i mi fy hun.

Rydw i'n ymdopi'n burion, er fy mod wedi colli pob archwaeth at fwyd. Y cyfan ydw i'n ei glywed ydi: 'Yr argian fawr, rwyt ti'n edrych yn wael!' Mae'n rhaid i mi gyfaddef eu bod nhw'n gwneud eu gorau i 'nghadw i'n iach drwy fy nghymell i lyncu decstros, olew iau, calsiwm a thabledi burum. Mae fy nerfau'n cael y gorau arna i'n aml, yn arbennig ar y Sul; dyna pryd y bydda i'n teimlo'n wirioneddol druenus. Mae'r awyrgylch yn fwll, swrth a thrymaidd. Does yna'r un aderyn i'w glywed y tu allan. Mae tawelwch llethol, gormesol yn hongian dros y tŷ ac yn glynu wrtha i fel pe bai am fy llusgo i lawr i barthau dyfnaf Annwn. Ar adegau fel hyn, dydi Dad, Mam a Margot yn cyfri dim i mi. Rydw i'n crwydro o ystafell i ystafell, i fyny ac i lawr y grisiau, ac yn teimlo fel aderyn a'i adenydd wedi eu rhwygo ymaith, un sy'n dal ymlaen i'w hyrddio ei hun yn y tywyllwch yn erbyn barrau ei gawell cyfyng. Mae llais y tu mewn i mi'n sgrechian, 'Gadewch fi allan, lle mae awyr iach a chwerthin!' Fydda i ddim hyd yn oed yn trafferthu ateb bellach, dim ond gorwedd ar y difán a mynd i gysgu er mwyn i'r amser, y tawelwch a'r arswyd dychrynllyd fynd heibio'n gynt, gan nad oes modd eu dileu.

Dy Anne

Dydd Mercher, Tachwedd 3, 1943

F'annwyl Kitty,

Er mwyn symud ein meddyliau yn ogystal â'u datblygu, archebodd Dad brosbectws o Ganolfan Addysg Leiden. Aeth Margot drwy'r llyfryn trwchus o leiaf deirgwaith heb ganfod dim at ei dant nac o fewn ei chyllideb. Roedd Dad yn haws ei blesio a phenderfynodd anfon am wers brawf mewn 'Lladin Elfennol'. Cyn gynted gair â gweithred. Cyrhaeddodd y wers. Bwriodd Margot i'r gwaith yn eiddgar, a phenderfynodd gymryd y cwrs, ar waetha'r costau. Mae'n llawer rhy anodd i mi, er y byddwn i'n hoffi dysgu Lladin.

Er mwyn rhoi cynllun gwaith newydd i minnau, hefyd, gofynnodd Dad i Mr Kleiman gael *Beibl y Plant* imi, fel y gallwn i, o'r diwedd, ddysgu rhywbeth am y Testament Newydd.

'Ydach chi'n bwriadu rhoi Beibl i Anne ar *Hanukkah*?' holodd Margot, braidd yn anesmwyth.

'Ydw ... Wel, efallai y byddai Dydd Sant Nicolas yn fwy addas,' atebodd Dad.

Wedi'r cyfan, dydi'r Iesu a *Hanukkah* ddim yn cyd-fynd yn hollol.

Gan fod y glanhawr carpedi wedi torri, rydw i'n gorfod cymryd hen frws i sgubo'r carped bob nos. Mae'r ffenestr wedi'i chau, y golau ymlaen a'r stof yn llosgi, a dyna lle'r ydw i'n brwsio'r carped. Ro'n i'n meddwl y tro cyntaf y bûm i wrthi, 'Mi fydd yna ryw broblem, debyg. Mae rhywun yn siŵr o gwyno.' Ro'n i'n iawn. Cafodd Mam gur yn ei phen oherwydd y cymylau trwchus o lwch oedd yn chwyrlïo o gwmpas yr ystafell, roedd geiriadur Lladin newydd Margot yn gremst o faw, ac roedd Dad yn cwyno nad oedd y llawr yn edrych ddim gwahanol p'un bynnag. A dyna'r diolch ydw i'n ei gael am fy nhrafferth.

Rydan ni wedi penderfynu fod y stof i gael ei thanio am hanner awr wedi saith ar fore Sul o hyn ymlaen, yn hytrach nag am hanner awr wedi pump. Rydw i'n credu fod hynny'n fenter. Beth fydd y cymdogion yn ei feddwl pan welan nhw'r simnai'n mygu?

Mae'r un peth yn wir am y llenni. Er pan ddaethon ni yma gyntaf, maen nhw wedi cael eu hoelio'n sownd wrth y ffenestri. Weithiau mae un o'r boneddigion neu'r boneddigesau yn methu gwrthsefyll yr ysfa i sbecian allan. Y canlyniad: storm o gerydd. Yr ymateb: 'O, fydd neb yn sylwi.' Dyna sut mae pob gweithred o ddiofalwch yn dechrau ac yn diweddu. Fydd neb yn sylwi, neb yn clywed, neb yn talu'r sylw lleiaf. Hawdd dweud, ond ydi hynny'n wir?

Ar hyn o bryd, mae'r cwerylon ystormus wedi gostegu; dim ond Dussel a'r ddau van Daan sy'n dal yn benben. Pan fydd Dussel yn sôn am Mrs van D. mae'n ddieithriad yn ei galw 'yr hen fuwch 'na' neu 'yr hulpan wirion 'na' a Mrs van D., yn ei thro, yn cyfeirio at ein gŵr bonheddig tra dysgedig fel 'hen gadi ffan' neu 'hen ferch groendenau, niwrotig' ac felly ymlaen.

Y crochan yn galw'r tecell yn ddu!

Dy Anne

Nos Lun, Tachwedd 8, 1943

F'annwyl Kitty,

Pe bait ti'n darllen fy llythyrau i gyd ar un eisteddiad fe fyddet ti'n sylwi eu bod nhw wedi eu hysgrifennu mewn amrywiaeth o hwyliau. Mae'r ffaith fy mod i mor ddibynnol ar yr hwyliau hyn, yma yn y Rhandy, yn fy ngwylltio i, ond nid fi ydi'r unig un. Rydan ni i gyd yn dioddef oddi wrthyn nhw. Os ydw i wedi ymgolli mewn llyfr, mae gofyn i mi aildrefnu fy meddyliau cyn y galla i gymysgu â phobl eraill, rhag ofn iddyn nhw feddwl fy mod i'n colli arni. Fel y gweli di, rydw i yng nghanol pwl o ddigalondid ar hyn o bryd. Alla i ddim dweud beth yn union sydd wedi achosi hynny, ond rydw i'n credu ei fod o'n tarddu o'm llwfrdra i, sy'n fy wynebu i'n gyson. Heno, pan oedd Bep yn dal yma, canodd cloch y drws yn hir ac yn uchel. Yr eiliad honno mi es i cyn wynned â'r galchen. Roedd fy stumog i'n corddi, fy nghalon i'n curo fel gordd - a'r cyfan am fod gen i ofn.

Yn fy ngwely yn y nos, rydw i'n fy ngweld fy hun yn unig mewn daeargell, heb Dad a Mam. Neu rydw i'n crwydro'r strydoedd, neu mae'r Rhandy ar dân, neu maen nhw'n dod ganol nos i fynd â ni i ffwrdd a minnau'n cripian o dan y gwely mewn anobaith. Rydw i'n gweld popeth yn union fel pe bai'n digwydd. Ac i feddwl y gallai hyn i gyd ddigwydd yn fuan!

Mae Miep yn dweud yn aml ei bod yn genfigennus oherwydd bod ganddon ni'r fath heddwch a thawelwch yma. Efallai fod hynny'n wir, ond mae'n amlwg nad ydi hi'n ymwybodol o'n hofnau ni.

Alla i yn fy myw â chredu y bydd y byd yn normal i ni byth eto. Rydw i'n sôn am 'wedi'r rhyfel', ond yn teimlo fel pe bawn i'n siarad am gastell yn yr awyr, rhywbeth na fydd byth yn troi'n sylwedd.

Rydw i'n gweld yr wyth ohonom yn y Rhandy fel clwt o awyr las wedi'i amgylchynu â chymylau duon, bygythiol. Mae'r sbotyn crwn perffaith lle'r ydan ni'n sefyll yn dal yn ddiogel, ond mae'r cymylau'n symud tuag atom a'r cylch rhyngom a'r perygl sy'n agosáu yn cau'n dynnach a thynnach. Rydan ni wedi ein hamgylchynu â thywyllwch a pheryglon, ac wrth i ni chwilio'n orffwyll am ffordd allan rydan ni'n taro yn erbyn ein gilydd yn gyson. Rydan ni i gyd yn syllu ar y brwydro oddi tanom a'r heddwch a'r prydferthwch uwch ein pennau. Yn y cyfamser, rydan ni wedi cael ein torri i ffwrdd gan y cruglwyth cymylau fel na allwn ni fynd i fyny nac i lawr. Mae'n ymrithio o'n blaenau fel wal ddiadlam sy'n ceisio ein gwasgu, ond heb lwyddo hyd yn hyn. Alla i wneud dim ond galw ac ymbil, 'O, gylch, gylch, agor yn llydan a gad i ni ddod allan!'

Dy Anne

Dydd Iau, Tachwedd 11, 1943

F'annwyl Kitty,

Rydw i wedi meddwl am deitl da i'r bennod hon.

I'm Hysgrifbin
In Memoriam

Roedd f'ysgrifbin i'n un o'r pethau mwyaf gwerthfawr oedd gen i. Ro'n i'n meddwl y byd ohono, yn arbennig gan fod iddo nib trwchus, ac mae'n rhaid i mi wrth un felly i allu ysgrifennu'n daclus. Mae wedi cael bywyd hir a diddorol, a dyma grynodeb ohono.

Pan o'n i'n naw oed, cyrhaeddodd yr ysgrifbin mewn parsel (wedi'i bacio mewn gwlân cotwm) fel 'sampl heb iddo werth masnachol' yr holl ffordd o Aachen, lle'r oedd Nain (y rhoddwr caredig) yn arfer byw. Ro'n i'n gorwedd yn y gwely yn dioddef o'r ffliw, a gwyntoedd Chwefror yn udo o gwmpas y tŷ. Roedd yr ysgrifbin ysblennydd hwn mewn blwch lledr coch, ac mi ddangosais i o i'm ffrindiau ar y cyfle cyntaf. Y fi, Anne Frank, perchennog balch ysgrifbin.

Pan o'n i'n ddeg oed, mi ge's ganiatâd i fynd â'r ysgrifbin i'r ysgol ac, er fy syndod, gadawodd yr athrawes i mi ei ddefnyddio. Ond pan o'n i'n un ar ddeg oed roedd yn rhaid rhoi fy nhrysor o'r neilltu unwaith eto gan nad oedd athrawes y chweched dosbarth yn caniatáu i ni ddefnyddio dim ond pinnau ysgrifennu a photiau inc yr ysgol. Yna pan ddechreuais i yn y *Lyceum* Iddewig yn ddeuddeg oed cafodd yr ysgrifbin gas newydd i ddathlu'r achlysur. Yn ogystal â bod ynddo le i bensel, roedd iddo hefyd sip, oedd yn llawer mwy trawiadol. Pan o'n i'n dair ar ddeg oed, daeth yr ysgrifbin efo fi i'r Rhandy ac rydan ni wedi cydweithio ar ddyddiaduron a storïau di-rif. Ro'n i wedi troi fy mhedair ar ddeg oed, a'm hysgrifbin yn mwynhau ei flwyddyn olaf yn fy nghwmni i pan ...

Roedd hi newydd droi pump o'r gloch brynhawn Gwener. Mi adewais fy ystafell ac ro'n i ar fin eistedd i lawr wrth y bwrdd pan ge's i fy ngwthio o'r neilltu i wneud lle i Margot a Dad, oedd eisiau ymarfer eu Lladin. Arhosodd yr ysgrifbin yn segur ar y bwrdd tra oedd ei berchennog wedi'i gorfodi i wneud y tro â chornel fechan o'r bwrdd, lle y dechreuodd rwbio ffa, dan ocheneidio. Dyna sut y byddwn ni'n cael gwared â'r llwydni oddi ar y ffa a'u cael i'w cyflwr gwreiddiol. Am chwarter i chwech, mi ysgubais y llawr, taro'r baw mewn papur newydd, ynghyd â'r ffa pwdr, a'i daflu i'r stof. Saethodd anferth o fflam i fyny ac mi feddyliais innau peth mor wych oedd fod y stof, oedd wedi bod yn ymladd am ei hanadl olaf, wedi cael adferiad mor wyrthiol.

Roedd popeth yn dawel unwaith eto. Roedd y myfyrwyr Lladin wedi gadael. Mi eisteddais wrth y bwrdd, yn barod i ailgydio yn fy ngwaith. Ond er i mi chwilio ym mhobman, doedd dim golwg o'r ysgrifbin yn unman. Mi gymerais un golwg arall. Aeth Margot ati i chwilio, Mam, Dad, Dussel hefyd. Ond roedd yr ysgrifbin wedi diflannu'n llwyr.

'Efallai ei fod o wedi syrthio i mewn i'r stof, efo'r ffa!' awgrymodd Margot.

'Naddo siŵr,' atebais.

Ond y noson honno, a'r ysgrifbin heb ymddangos, daeth pawb i'r casgliad ei fod wedi llosgi, yn arbennig gan fod seliwloid yn cynnau mor hawdd. Cafodd ein hofnau gwaethaf eu cadarnhau drannoeth pan aeth Dad ati i wagio'r stof a darganfod y clip, sy'n cydio'r ysgrifbin wrth boced, yng nghanol y lludw. Doedd dim golwg o'r nib aur. 'Mae'n rhaid ei fod o wedi toddi a glynu wrth ryw garreg neu'i gilydd,' dyfalodd Dad.

Mae gen i un cysur yn weddill, er cyn lleied hwnnw: cafodd fy ysgrifbin ei amlosgi a dyna ydi fy nymuniad innau ryw ddydd a ddaw!

Dy Anne

Dydd Mercher, Tachwedd 17, 1943

F'annwyl Kitty,

Mae'r digwyddiadau diweddar wedi peri i'r tŷ siglo i'w seiliau. Oherwydd bod y difftheria wedi torri allan yng nghartref Bep, chaiff hi ddim dod i gysylltiad â ni am chwech wythnos. Hebddi hi, bydd y coginio a'r siopa yn anodd iawn, heb sôn am golli'i chwmni. Mae Mr Kleiman yn dal yn ei wely a heb fwyta dim ond griwal ers tair wythnos a Mr Kugler hyd at ei glustiau mewn gwaith.

Mae Margot yn anfon ei gwersi Lladin at athro sy'n eu cywiro a'u hanfon yn ôl. Mae wedi cofrestru o dan enw Bep. Mae'r athro yn un clên, a ffraeth hefyd. Rydw i'n siŵr ei fod yn falch o gael myfyrwraig mor alluog.

Mae Dussel wedi cynhyrfu a wyddon ni ddim pam. Roedd pawb wedi sylwi nad oedd o'n dweud fawr pan oedd o i fyny grisiau; yn siarad 'run gair efo Mr a Mrs van Daan. Aeth hyn ymlaen am rai dyddiau, ac yna manteisiodd Mam ar y cyfle i'w rybuddio y gallai Mrs van D. wneud bywyd yn fwy annymunol fyth iddo. Dywedodd Dussel mai Mr van Daan oedd wedi dechrau'r mudandod ac nad oedd ganddo unrhyw fwriad ei dorri. Mi ddylwn egluro mai ddoe, Tachwedd 16, oedd pen blwydd cyntaf ei arhosiad yn y Rhandy. Cafodd Mam blanhigyn i ddathlu'r achlysur ond chafodd Mrs van Daan ddim byd, er ei bod hi wedi cyfeirio at y dyddiad sawl tro a dweud, heb flewyn ar ei thafod, ei bod hi'n credu y dylai Dussel ein tretio ni i bryd o fwyd. Yn hytrach na gwneud defnydd o'r cyfle i ddiolch i ni - am y tro cyntaf - am fod mor anhunanol â'i dderbyn i mewn, ddwedodd o'r un gair. Ac ar fore'r unfed ar bymtheg, pan ofynnais i iddo pa un dylwn i ei gynnig iddo, llongyfarchiadau ynteu cydymdeimlad, atebodd y gwnâi unrhyw un y tro. Chafodd Mam, oedd wedi ei hethol ei hun fel cymodwraig, ddim effaith arno o gwbl, ac arhosodd y sefyllfa'n union fel yr oedd hi.

Mi alla i ddweud, heb ormodiaith, fod colled ar Dussel. Rydan ni'n chwerthin ynom ein hunain yn aml oherwydd nad oes ganddo na chof, na barn bendant na synnwyr cyffredin. Mae wedi rhoi difyrrwch inni fwy nag unwaith wrth geisio ailadrodd rhyw newydd neu'i gilydd, gan ei fod, yn ddieithriad, yn cawlio'r neges honno. Heblaw hynny, mae'n ateb pob cerydd a chyhuddiad â llwyth o addewidion teg nad ydi o byth yn llwyddo i'w cadw.

'Der Mann hat einen grossen Geist
Und ist so klein von Taten!'

('*Mae ysbryd dyn yn fawr / Ond mor bitw ei weithredoedd!*')

Dy Anne

Dydd Sadwrn, Tachwedd 27, 1943

F'annwyl Kitty,

Neithiwr, fel yr o'n i ar fin syrthio i gysgu, ar amrantiad ymddangosodd Hanneli o flaen fy llygaid i.

Mi allwn i ei gweld hi yno, wedi'i gwisgo mewn carpiau, ei hwyneb yn denau a churiedig. Fe edrychodd arna i efo'r fath dristwch a cherydd yn ei llygaid mawr fel fy mod i'n gallu darllen y neges ynddyn nhw: 'O, Anne, pam wyt ti wedi cilio oddi wrtha i? Helpa fi, helpa fi, achub fi o'r uffern yma!'

Ac alla i mo'i helpu hi. Alla i wneud dim ond sefyll o'r neilltu a gwylio tra mae pobl eraill yn dioddef a marw. Y cyfan alla i ei wneud ydi gweddïo ar Dduw i ddod â hi'n ôl inni. Hanneli welais i, a neb arall, ac mi wn i pam. Mi wnes i ei chamfarnu hi, gan nad o'n i'n ddigon aeddfed i ddeall ei hanawsterau. Roedd hi'n meddwl y byd o'i ffrind ac mae'n siŵr ei fod yn ymddangos iddi hi fel pe bawn i'n ceisio mynd â hi oddi arni. Druan â hi, mae'n rhaid ei bod yn teimlo'n ofnadwy. Mi wn i hynny, oherwydd fy mod i'n gyfarwydd â'r teimlad fy hun. Er i mi gael ambell fflach o amgyffred, y munud nesaf ro'n i wedi ymgolli unwaith yn rhagor yn fy mhroblemau a 'mhleserau i fy hun.

Roedd bai arna i yn ei thrin hi'n y fath fodd, a rŵan roedd hi'n edrych arna i, o mor ddiymadferth, efo'i hwyneb gwelw a'i llygaid ymbilgar. Pe bawn i ond yn gallu ei helpu! O, Dduw, mae gen i bopeth yr ydw i'n ei ddymuno tra mae ffawd wedi gafael yn Hanneli â'i grafanc creulon. Roedd hi mor ddefosiynol â fi, yn fwy felly efallai, ac roedd hithau eisiau gwneud yr hyn oedd yn iawn. Felly, pam y cefais i fy newis i fyw, tra mae hi'n debygol o farw? Beth ydi'r gwahaniaeth rhyngon ni? Pam yr ydan ni rŵan mor bell oddi wrth ein gilydd?

A dweud y gwir, do'n i ddim wedi meddwl fawr amdani ers misoedd, blwyddyn o leiaf. Er nad o'n i wedi ei hanghofio'n gyfan gwbl, roedd hynny'n ddigon i fy nghadw i rhag ei gweld yn ei holl drueni.

O, Hanneli, rydw i'n gobeithio os gwnei di fyw drwy'r rhyfel a dychwelyd aton ni, y bydd modd i mi dy gymryd di i mewn a gwneud iawn am y cam.

Ond hyd yn oed pe bawn i mewn sefyllfa i'w helpu yn y dyfodol, fydd ei hangen hi byth gymaint ag yr ydi o ar hyn o bryd. Fydd hi'n cofio amdana i weithiau, tybed, a sut mae hi'n teimlo tuag ata i?

Dduw trugarog, cysura hi, fel na fydd o leiaf ar ei phen ei hun. O, pe bait Ti ond yn gallu dweud wrthi fy mod i'n meddwl amdani â thosturi a chariad, efallai y byddai hynny'n ei helpu i ddal ymlaen.

Rhaid i mi roi'r gorau i feddwl am hyn gan nad ydw i'n cyrraedd unman. Rydw i'n dal i weld ei llygaid mawr ac alla i ddim dianc rhagddyn nhw. Ydi Hanneli'n credu yn Nuw o ddifri calon ynteu a gafodd crefydd ei wthio arni hi? Wn i mo hynny hyd yn oed. Wnes i erioed drafferthu gofyn.

Hanneli, Hanneli, pe bawn i ond yn gallu dy gipio di i ffwrdd o'r lle'r wyt ti, yn gallu rhannu'r cyfan sydd gen i efo ti. Mae'n rhy hwyr. Alla i mo dy helpu di bellach na dad-wneud y drwg wnes i. Ond anghofia i byth mohoni eto ac mi fydda i wastad yn gweddïo drosti.

Dy Anne

Dydd Llun, Rhagfyr 6, 1943

F'annwyl Kitty,

Fel yr oedd Dydd Sant Nicolas yn agosáu roedd pawb ohonom yn meddwl mwy a mwy am y fasged a addurnwyd ar gyfer yr Ŵyl y llynedd. Ro'n i, yn fwy na neb, yn credu y byddai'n drueni peidio â dathlu eleni. Ar ôl meddwl yn hir, mi ge's i syniad, un digri. Dyna ymgynghori â Pim, ac fe aethom ati wythnos yn ôl i ysgrifennu pennill ar gyfer pob un ohonom.

Am chwarter i wyth fin nos Sul, i fyny'r grisiau â ni yn cario'r fasged ddillad fawr, oedd wedi ei haddurno â thorion a dolennau papur carbon pinc a glas. Ar y top roedd darn mawr o bapur lapio brown a nodyn ynghlwm wrtho. Roedd pawb yn rhyfeddu braidd at faint yr anrheg. Mi dynnais i'r nodyn oddi ar y papur a'i ddarllen yn uchel:

'Daeth Dydd Sant Nicolas welwch chi
Eto heibio i'n cuddfan ni;
Ni fydd yr un hwyl, yn anffodus,
Â'r llynedd, gyda'i ddiwrnod hapus.
Bryd hynny nid oedd lle i amau
Mai optimistiaeth oedd y gorau,

Y byddem oll yn saff a rhydd
Ymhell o'r fan, cyn dod y dydd.
Ond cofio'r Ŵyl a wnawn er hynny,
Er nad oes dim ar ôl i'w rannu.
Mae gennym gysur at bob gofid:
Edryched pawb i mewn i'w esgid!'

Cafwyd bloeddiadau o chwerthin wrth i bob un ohonom estyn ei esgid allan o'r fasged. I mewn ym mhob esgid roedd parsel bychan wedi'i lapio mewn papur lliwgar ac enw'r perchennog arno.

Dy Anne

Dydd Mercher, Rhagfyr 22, 1943

F'annwyl Kitty,

Mae pwl drwg o ffliw wedi fy rhwystro i rhag ysgrifennu atat ti tan heddiw. Mae bod yn sâl yma yn beth ofnadwy. Roedd yn rhaid i mi blymio o dan y flanced â phob pesychiad - unwaith, dwywaith, teirgwaith - a cheisio ymatal rhag pesychu rhagor. Gan fod y cosi'n fy ngwddw'n gwrthod cilio, bu'n rhaid i mi yfed llefrith efo mêl neu siwgwr a sipian losin peswch. Mae fy mhen i'n troi dim ond wrth feddwl am yr holl feddyginiaethau a orfodwyd arna i: chwysu'r dwymyn allan, triniaeth stêm, cadachau gwlybion, cadachau sychion, diod boeth, garglio, swabio fy ngwddw, gorwedd yn llonydd, clustog ychwanegol i gadw'n gynnes, poteli dŵr poeth, lemonêd, a'r thermomedr bob dwyawr. Ydi'r triniaethau hyn yn debygol o wella rhywun? Yr adeg waethaf o'r cyfan oedd pan benderfynodd Dussel gymryd arno bod yn feddyg a rhoi ei ben seimlyd ar fy mynwes noeth i wrando'r synau. Ar wahân i'r ffaith fod ei wallt yn fy nghosi i, ro'n i'n teimlo'n swil, er iddo astudio meddygaeth ddeng mlynedd ar hugain yn ôl a bod ganddo ryw fath o radd feddygol. Pam y dylai orffwyso'i ben ar fy nghalon? Wedi'r cyfan, dydi o ddim yn gariad imi! O ran hynny, go brin y gallai ddweud y gwahaniaeth rhwng sŵn iach ac un afiach. Byddai'n rhaid iddo gael chwistrellu'i glustiau yn gyntaf, gan fod ei glyw wedi gwaethygu'n ddychrynllyd. Ond dyna ddigon am fy salwch i. Rydw i cyn iached â'r gneuen unwaith eto; yn dalach o dros gentimetr ac wedi ennill un kilo. Rydw i'n welw, ond yn ysu am fynd yn ôl at fy llyfrau.

Ausnahmsweise (am unwaith - yr unig derm addas yma) rydan ni i gyd yn cyd-dynnu'n dda. Dim cwerylon, er na fydd hynny'n para'n hir mae'n siŵr. Ni chafwyd y fath heddwch a thawelwch yn y tŷ hwn ers o leiaf chwe mis.

Mae Bep yn dal wedi'i hynysu oherwydd fod ei chwaer yn heintus, ond mae gobaith y daw'r cyfnod hwnnw i ben unrhyw ddiwrnod rŵan.

Rydan ni'n cael dogn ychwanegol o olew coginio, melysion a thriagl dros y Nadolig. Ar *Hanukkah*, rhoddodd Dussel deisen hyfryd i Mrs van Daan a Mam. Roedd wedi gofyn i Miep ei pharatoi. A hithau â chymaint o waith eisoes! Cafodd Margot a fi froets wedi'i wneud o ddarn arian, yn disgleirio i gyd. Alla i mo'i ddisgrifio, ond mae'n werth ei weld.

Mae gen innau anrheg Nadolig i Miep a Bep. Am fis cyfan, rydw i wedi bod yn cadw'r siwgwr y bydda i'n arfer ei roi ar fy uwd, ac mae Mr Kleiman wedi'i ddefnyddio i wneud ffondant.

Mae'n bwrw glaw mân a'r awyr yn gymylog, y stof yn drewi, a'r bwyd yn pwyso'n drwm ar ein stumogau gan achosi amrywiaeth o rwmblan.

Mae'r rhyfel mewn stad o gyfwng a'r ysbryd yn isel.

Dy Anne

Dydd Gwener, Rhagfyr 24, 1943

Annwyl Kitty,

Fel yr ydw i wedi dweud sawl tro o'r blaen, mae ein hwyliau ni'n dueddol o effeithio cryn dipyn arnon ni yma, ac yn fy achos i mae hynny wedi gwaethygu'n ddiweddar. Mae '*Himmelhoch jauchzend, zu Tode betrübt*' (Llinell enwog o waith Goethe : 'Ar ben y byd neu yn nyfnder anobaith') - yn arbennig o wir amdana i. Rydw i 'ar ben y byd' pan fydda i'n meddwl mor lwcus ydan ni, ac yn fy nghymharu fy hun â phlant Iddewig eraill, ac 'yn nyfnder anobaith' pan mae Mrs Kleiman, er enghraifft, yn galw heibio ac yn sôn am glwb hoci Jopie, tripiau canŵ, dramâu'r ysgol a the prynhawn efo ffrindiau.

Dydw i ddim yn credu fy mod i'n genfigennus o Jopie, ond rydw i'n dyheu am gael amser da am unwaith a chwerthin cymaint nes bod fy ochrau i'n brifo. Rydan ni wedi cael ein caethiwo yma fel gwahanglwyfion, ac mae hynny'n waeth yn ystod y gaeaf a gwyliau'r Nadolig a'r Flwyddyn Newydd. O ddifri, ddylwn i ddim bod yn ysgrifennu hyn, gan ei fod yn gwneud i mi ymddangos mor anniolchgar, ond alla i ddim cadw popeth i mi fy hun, felly mi ailadrodda i'r hyn ddywedais i ar y dechrau: 'Mae papur yn fwy amyneddgar na phobl'.

Pa bryd bynnag y daw rhywun yma o'r tu allan, y gwynt yn eu dillad a'r oerni ar eu gruddiau, rydw i'n teimlo fel claddu fy mhen o dan y blancedi i geisio fy rhwystro fy hun rhag meddwl, 'Pryd y cawn ni'r hawl i anadlu awyr iach unwaith eto?' Ond gan na ddylwn i guddio fy mhen o dan y blancedi a bod yn rhaid i mi ei ddal yn uchel a chadw wyneb, mae'r meddyliau'n dal i ddod, nid unwaith, ond drosodd a throsodd.

Cred di fi, os wyt ti wedi cael dy gau i mewn am flwyddyn a hanner, fe all hynny fod yn ormod i ti ar adegau. Ond all rhywun ddim anwybyddu teimladau, pa mor annheg ac anniolchgar bynnag maen nhw'n ymddangos. Rydw i'n dyheu am gael reidio beic, dawnsio, chwibanu, edrych ar y byd, teimlo'n ifanc a gwybod fy mod i'n rhydd, rydw i'n dyheu am hynny ac eto alla i mo'i ddangos. Meddylia beth fyddai'n digwydd pe bai'r wyth ohonom yn ein pitïo ein hunain neu'n cerdded o gwmpas a'r anfodlonrwydd yn amlwg ar ein hwynebau. Beth fyddai'n dod ohonon ni? Mi fydda i'n meddwl weithiau a fydd unrhyw un byth yn fy neall i, a fydd unrhyw un byth yn anwybyddu fy anniolchgarwch a'r ffaith mai Iddewes ydw i a 'ngweld i'n unig fel geneth yn ei harddegau mewn gwir angen ychydig o hwyl go iawn. Wn i ddim, ac allwn i ddim trafod hyn efo neb gan y byddwn i'n siŵr o ddechrau crio. Mae crio'n gallu dwyn rhyddhad, ond i rywun beidio â gwneud hynny ar ei ben ei hun.

Ar waethaf fy holl egwyddorion ac ymdrechion, rydw i - bob dydd a phob awr o bob dydd - yn gweld eisiau mam sy'n fy neall i. Dyna pam, ym mhopeth yr ydw i'n ei wneud a'i ysgrifennu, y bydda i'n dychmygu'r math o fam yr hoffwn i fod i 'mhlant yn y dyfodol. Y fam nad ydi hi'n cymryd popeth mae pobl yn ei ddweud yn rhy ddifrifol, ond yn fy nghymryd i o ddifri. Rydw i'n ei chael hi'n anodd fy egluro fy hun, ond mae'r gair 'mami' yn dweud y cyfan. Wyddost ti beth ydw i wedi'i ddarganfod? Er mwyn cael y teimlad o alw fy mam wrth enw sy'n swnio fel 'Mami', rydw i'n ei galw hi'n 'Mamsi' yn aml. Weithiau mi fydda i'n ei dalfyrru'n 'Mams': y 'Mami' amherffaith. Mi hoffwn i allu ei hanrhydeddu hi drwy ollwng yr 's' a rhoi'r 'i' yn ei le. Mae'n dda o beth nad ydi hi'n sylweddoli hyn, gan na fyddai ond yn ei gwneud hi'n ddigalon.

Wel, dyna ddigon o hynna. Mae ysgrifennu hwn wedi fy nghodi i ryw gymaint o 'ddyfnder anobaith'.

Dy Anne

Mae'n drannoeth y Nadolig, ac alla i ddim peidio meddwl am Pim a'r stori ddywedodd o wrtha i'r adeg yma'r llynedd. Do'n i ddim yn deall ystyr ei eiriau gystal y llynedd ag yr ydw i rŵan. Pe bai ond yn sôn am y peth eto, efallai y gallwn i brofi iddo fy mod i'n deall!

Otto Frank, gyda Margot ac Anne ar ei lin, 1931.

Edith Frank a'i dwy ferch yn Frankfurt, Mawrth 1933.

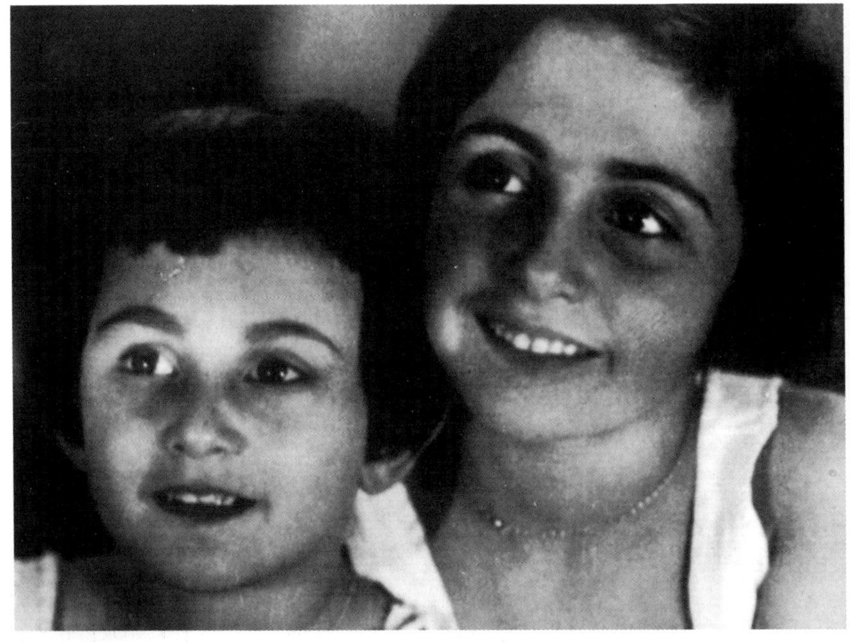

Anne a Margot

Y rhai fu'n helpu'r rhai oedd yn cuddio; o'r chwith i'r dde: Mr Koophuis, Miep Gies, Elli Vossen a Mr Kraler.

Mr a Mrs van Daan (chwith) a Mr Kraler.

Peter van Daan

Mr Dussel

**Cynllun lloriau,
263 Prinsengracht**

Ail lawr

1. Storfa berlysiau
2. Landin a chwpwrdd llyfrau
3. Ystafell y teulu Frank
4. Ystafell Anne
5. Ystafell ymolchi a thoiled

Trydydd llawr

6. Ystafell y teulu van Daan
7. Ystafell Peter van Daan
8. Atig

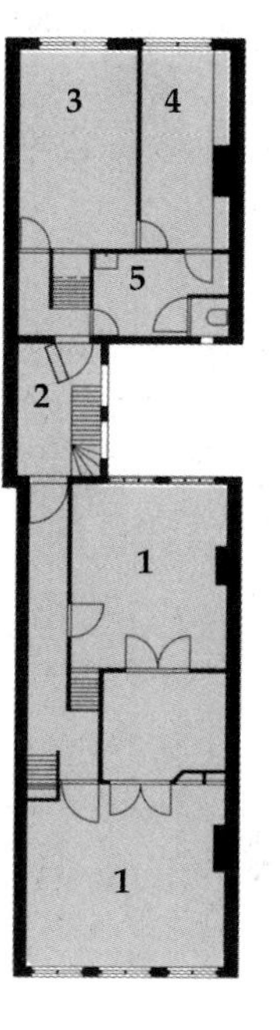

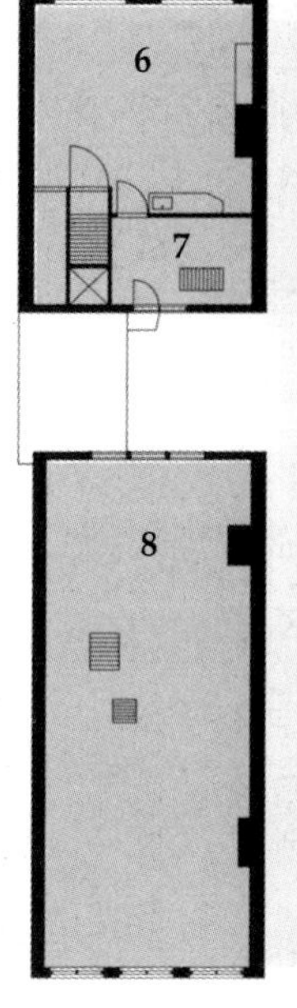

Y fynedfa i'r Rhandy Dirgel.

128

alles alleen omdat je niet naar de goede raad
van je eigen goede helft luistert. Ach, ik zou wel
willen luisteren, maar het gaat niet, als ik stil
en ernstig ben denken allen dat het een nieuwe
comedie is en dan moet ik me wel met een
grapje eruit redden, nog niet eens van mijn
eigen familie gesproken, die beslist denkt dat
ik ziek ben, me hoofdpijnpillen en kalmeer-
tabletten laat slikken, me in hals en voorhoofd
voelt of ik koorts heb, naar mijn ontlasting
vraagt en mijn slechte bui bekritiseert; dat
houd ik niet vol, als er zo op me gelet
wordt dan word ik eerst snibbig, dan verdrie-
tig en tenslotte draai ik mijn hart weer om,
draai het slechte naar buiten, het goede naar
binnen en zoek aldoor naar een middel om te
worden zoals ik zo erg graag zou willen zijn
en zo als ik zou kunnen zijn, als ..... er geen
andere mensen in de wereld zouden wonen.

je Anne M. Frank.

Y geiriau olaf a ysgrifennodd Anne yn ei dyddiadur, ar 1 Awst 1944.

301.✓	Engers	Isidor —	30.4. 93-	Kaufmann
302✓	Engers	Leonard	15.6. 20-	Lamdarbeiter
303✓	Franco	Manfred -	✓1.5. 05-	Verleger
304.	Frank	Arthur	22.8. 81	Kaufmann
305.	Frank ×	Isaac	✓29.11.87	Installateur
306.	Frank	Margot	16.2. 26	ohne
307.	Frank ✓	Otto	✓12.5. 89	Kaufmann
308.✓	Frank-Hollaender	Edith	16.1. 00	ohne
309.	Frank	Anneliese	12.6. 29	ohne
310.	v.Franck	Sara -	27.4. 02-	Typistin
311.	Franken	Rozanna	16.5. 96-	Landarbeiter
312.✓	Franken-Weyand	Johanna	24.12.96	Landbauer
313.	Franken	Hermann -	✓12.5.34	ohne
314.	Franken	Louis	10.8. 17-	Gaertner
315.	Franken R	Rosalina	29.3. 27	Landbau

Rhan o'r rhestr o'r rhai a deithiodd ar y trên olaf o Westerbork i Auschwitz.

Rydw i'n credu i Pim ddweud wrtha i oherwydd ei fod o, sy'n gwybod 'cyfrinachau personol' cymaint o rai eraill, angen mynegi ei deimladau ei hun am unwaith. Fydd Pim byth yn siarad amdano'i hun a dydw i ddim yn meddwl fod gan Margot unrhyw syniad o'r hyn y mae wedi bod drwyddo. Pim druan, all o mo 'nhwyllo i i feddwl ei fod wedi anghofio'r ferch honno. Wnaiff o byth. Mae hyn wedi ei wneud yn oddefgar iawn, gan nad ydi o'n ddall i ffaeleddau Mam. Rydw i'n gobeithio y bydda i'n tyfu rywfaint yn debyg iddo, ond heb orfod mynd drwy'r un profiadau.

Dy Anne

Dydd Llun, Rhagfyr 27, 1943

Nos Wener mi ge's i anrheg Nadolig am y tro cyntaf yn fy mywyd. Roedd Mr Kleiman, Mr Kugler a'r merched wedi paratoi syrpréis ardderchog inni. Roedd Miep wedi pobi teisen Nadolig flasus efo 'Heddwch 1944' wedi'i ysgrifennu arni a Bep wedi darparu llwyth o fisgedi o'r un safon â'r rhai oedd ar gael cyn y rhyfel.

Roedd yna jar o iogwrt i Peter, Margot a fi a photel o gwrw yr un i'r rhai hŷn. Ac unwaith eto roedd popeth wedi'i lapio'n ddel, a lluniau tlysion wedi eu glynu'n sownd wrth y parseli. Ar wahân i hynny, aeth y gwyliau heibio'n gyflym.

Anne

Dydd Mercher, Rhagfyr 29, 1943

Neithiwr ro'n i'n drist iawn eto. Daeth Nain a Hanneli i'm meddwl i unwaith yn rhagor. Nain, O! fy Nain annwyl. Cyn lleied yr oedden ni'n sylweddoli gymaint yr oedd hi'n ei ddioddef oherwydd ei salwch. Roedd hi mor garedig bob amser ac yn cymryd y fath ddiddordeb ym mhopeth oedd a wnelo â ni. Ac i feddwl ei bod wedi cadw'i chyfrinach erchyll iddi ei hun drwy'r cyfan.

Roedd Nain bob amser mor dda a ffyddlon. Fyddai hi byth wedi siomi'r un ohonom. Beth bynnag oedd yn digwydd, dim gwahaniaeth pa mor ddrygionus o'n i, roedd hi wastad yn cadw fy rhan i. Nain, oeddech chi'n fy ngharu i? Efallai nad oeddech chi'n fy neall i chwaith. Wn i ddim. Mae'n rhaid fod Nain yn unig, yn unig iawn er ein bod ni ganddi. Mae'n bosibl i ti fod yn unig er bod llawer o bobl yn dy garu di, gan nad wyt ti er hynny 'yr un a'r unig un' i neb.

A Hanneli? Ydi hi'n dal yn fyw? Beth mae hi'n ei wneud? Dduw da, gwylia drosti a thyrd â hi'n ôl inni. Hanneli, ti sy'n fy atgoffa i o beth allai fy nhynged i fod. Rydw i'n fy ngweld fy hun yn dy le di. Felly pam mae'r hyn sy'n digwydd yma yn fy nigalonni i mor aml? Oni ddylwn i fod yn hapus, bodlon a balch, ond pan fydda i'n meddwl am Hanneli a'r rhai sy'n dioddef efo hi? Rydw i'n hunanol a llwfr. Pam yr ydw i wastad yn meddwl ac yn breuddwydio'r pethau mwyaf erchyll ac eisiau sgrechian mewn arswyd? Oherwydd nad oes gen i ddigon o ffydd yn Nuw, er gwaethaf popeth. Mae wedi rhoi cymaint i mi, a minnau heb ei haeddu, ac eto rydw i'n dal i wneud cymaint o gamgymeriadau bob dydd.

Fe all meddwl am ddioddefiadau rhai annwyl wneud i ti feichio crio; yn wir, fe allet ti dreulio'r diwrnod cyfan yn crio. Yr unig beth all rhywun ei wneud ydi gofyn i Dduw gyflawni gwyrth all achub rhai ohonyn nhw o leiaf. Ac rydw i'n gobeithio fy mod i'n gwneud digon o hynny!

Anne

Dydd Iau, Rhagfyr 30, 1943

F'annwyl Kitty,

Ers y cwerylon ffyrnig diwethaf, mae pethau wedi setlo yma, nid yn unig rhyngon ni, Dussel a 'fyny grisiau' ond rhwng Mr a Mrs van D. hefyd. Er hynny, mae rhai cymylau stormus yn anelu tuag yma a'r cyfan oherwydd ... bwyd. Cafodd Mrs van D. y syniad hurt o ffrio llai o datws yn y bore er mwyn eu cael yn ddiweddarach. Roedd Mam a Dussel a'r gweddill ohonom yn anghytuno â hi ac oherwydd hynny rydan ni ar hyn o bryd yn gorfod rhannu'r tatws allan hefyd. Mae'n ymddangos nad ydi'r saim a'r olew yn cael eu rhannu'n deg, a bydd yn rhaid i Mam roi terfyn ar hynny. Mi adawa i i ti wybod os bydd yna unrhyw ddatblygiadau diddorol. Yn ystod y misoedd diwethaf rydan ni wedi bod yn rhannu'r cig (efo braster iddyn nhw, dim i ni), y cawl (hwy'n ei fwyta, ninnau ddim), y tatws (eu rhai nhw wedi'u plicio, ein rhai ni ddim), y manion ychwanegol a rŵan y tatws wedi'u ffrio hefyd.

Pe baen ni ond yn gallu ymrannu'n gyfan gwbl!

Dy Anne

O.N. Gwnaeth Bep gopi o lun cerdyn post o'r holl Deulu Brenhinol imi. Mae Juliana'n edrych yn ifanc iawn, a'r Frenhines hefyd. Mae'r tair geneth fach y tu hwnt o annwyl. Roedd hynny'n beth eithriadol o glên i Bep ei wneud, on'd oedd?

Dydd Sul, Ionawr 2, 1944

F'annwyl Kitty,

Y bore 'ma, pan nad oedd gen i ddim i'w wneud, mi es ati i droi tudalennau'r dyddiadur a chael sioc o weld cymaint o lythyrau'n delio â'r pwnc 'Mam' mewn modd mor eithafol a dyna fi'n dweud wrtha i fy hun, 'Anne, ai chdi, mewn difri, sy'n sôn am gasineb? O, Anne, sut y gallet ti?'

Mi eisteddais yno a'r llyfr agored yn fy llaw yn ceisio meddwl pam yr o'n i mor llawn o ddicter a chasineb fel bod yn rhaid i mi ymddiried y cyfan i ti. Mi geisiais ddeall Anne y llynedd ac ymddiheuro ar ei rhan, gan na fydd fy nghydwybod i byth yn dawel os gwna i dy adael di efo'r cyhuddiadau heb geisio egluro beth a'u symbylodd nhw. Ro'n i'n dioddef bryd hynny (ac yn dal i ddioddef) o'r hwyliau oedd yn cadw fy mhen o dan y dŵr (a siarad yn ffigurol) ac yn caniatáu i mi weld pethau o'm safbwynt i fy hun yn unig heb ystyried yn bwyllog beth oedd y lleill - y rhai yr o'n i, oherwydd fy natur fympwyol, wedi eu brifo neu eu tramgwyddo - wedi ei ddweud, ac yna ymddwyn fel y bydden nhw wedi gwneud.

Ro'n i'n cuddio y tu mewn i mi fy hun, yn meddwl am neb ond fi fy hun ac, mewn gwaed oer, yn cofnodi'r cyfan o'r llawenydd, y coegni a'r gofid yn fy nyddiadur. Oherwydd bod y dyddiadur hwn wedi datblygu'n rhyw fath o lyfr y cof, mae'n golygu llawer iawn i mi, ond mi allwn i'n hawdd ysgrifennu 'digwyddodd, darfu' ar amryw o'i dudalennau.

Ro'n i'n gandryll ulw efo Mam (ac yn para i fod felly'n aml). Mae'n wir nad oedd hi'n fy neall i, ond do'n innau ddim yn ei deall hi chwaith. Gan ei bod hi'n fy ngharu i, roedd hi'n dyner a serchog, ond oherwydd ei bod yn ei chael ei hun mewn sefyllfaoedd anodd o'm herwydd i a'r amgylchiadau trist a orfodwyd arni, roedd hi'n nerfus a phiwis, ac mi alla i ddeall pam yr oedd hi mor fyr ei thymer efo fi.

Ro'n i wedi fy nhramgwyddo, yn cymryd y cyfan yn llawer rhy ddifrifol ac yn ymddwyn yn haerllug a ffiaidd tuag ati ac roedd hynny, yn ei dro, yn ei gwneud hi'n drist. Roedden ni'n dwy wedi'n dal mewn pwll tro o annifyrrwch a gofid. Doedd o ddim yn gyfnod hapus iawn i'r un ohonom, ond o leiaf mae'n tynnu at ei derfyn. Do'n i ddim am weld beth oedd yn digwydd, ac ro'n i'n teimlo trueni mawr drosof i fy hun, ond mae hynny'n ddealladwy hefyd.

Doedd y ffrwydradau ffyrnig ar bapur yn ddim ond mynegiant o ddicter y gallwn i, mewn bywyd normal, fod wedi cael ei wared drwy fy nghloi fy hun yn fy ystafell, stampio 'nhroed ychydig o weithiau neu alw enwau ar Mam y tu ôl i'w chefn.

Mae'r cyfnod o draddodi barn ddagreuol ar Mam drosodd. Rydw i wedi callio ac mae nerfau Mam wedi sadio peth. Y rhan amlaf rydw i'n llwyddo i ddal fy nhafod pan fydda i'n teimlo'n ddig, a hithau hefyd; felly, ar yr wyneb, rydan ni'n ymddangos fel pe baen ni'n cyd-dynnu'n well. Ond mae yna un peth na alla i mo'i wneud, a hynny ydi caru Mam ag ymlyniad plentyn.

Rydw i'n esmwytho fy nghydwybod drwy ddweud ei bod yn well i'r geiriau angharedig fod i lawr ar bapur na bod Mam yn gorfod eu cario o gwmpas yn ei chalon.

Dy Anne

Dydd Iau, Ionawr 6, 1944

F'annwyl Kitty,

Heddiw mae gen i ddau gyfaddefiad i'w gwneud. Mae hynny'n mynd i gymryd amser, ond mae'n rhaid i mi gael dweud wrth rywun a ti ydi'r dewis mwyaf naturiol, gan fy mod i'n gwybod y gwnei di gadw cyfrinach, beth bynnag sy'n digwydd.

Mae a wnelo'r cyntaf â Mam. Fel y gwyddost ti, rydw i wedi cwyno'n aml yn ei chylch ac wedi gwneud fy ngorau i fod yn glên wedyn. Rydw i newydd sylweddoli beth sydd o'i le arni. Mae Mam ei hun wedi dweud ei bod hi'n ein hystyried ni'n fwy o ffrindiau na phlant. Mae hynny'n ddigon dymunol, wrth gwrs, ond all ffrind byth gymryd lle mam. Rydw i am i Mam osod esiampl dda a bod yn berson y galla i ei pharchu, ac mae hi yn esiampl i mi yn y rhan fwyaf o bethau, ond yn amlach na pheidio yn esiampl o'r hyn *na ddylid* ei wneud. Mae gen i'r teimlad fod Margot yn gweld pethau mor wahanol fel na fyddai hi byth yn gallu deall yr hyn yr ydw i newydd ei ddweud. Ac mae Dad yn osgoi pob sgwrs sy'n ymwneud â Mam.

Rydw i'n meddwl am fam fel un sydd, yn fwy na dim, yn berchen ar ddogn helaeth o ddoethineb, yn arbennig wrth ymdrin â'i phlant sy'n eu harddegau, ac nid un fel Mamsi, sy'n gwneud hwyl am fy mhen pan fydda i'n crio. Nid am fy mod i mewn poen, ond oherwydd pethau eraill.

Efallai fod hyn yn swnio'n bitw, ond dydw i erioed wedi gallu maddau iddi am un peth. Fe ddigwyddodd un diwrnod pan oedd raid i mi fynd at y deintydd. Roedd Mam a Margot wedi trefnu i fynd efo fi ac wedi cytuno y dylwn i fynd ar fy meic. Wedi i'r deintydd orffen a ninnau'n gadael, dyna Margot a Mam yn dweud wrtha i, yn serchog iawn, eu bod am fynd i lawr i'r dref i brynu rhywbeth neu i gael golwg arno, alla i ddim cofio beth. Ro'n i eisiau mynd efo nhw, wrth gwrs. Ond fe ddywedon nhw na chawn i ddim dod gan fod fy meic gen i. Llifodd dagrau cynddaredd i'm llygaid a dechreuodd Margot a Mam chwerthin am fy mhen. Ro'n i mor lloerig fel y bu i mi wthio fy nhafod allan arnyn nhw, yno ar y stryd fel yr oedd hen wraig fach yn digwydd mynd heibio, ac roedd hi'n amlwg wedi cael andros o sioc. Mi es i adref ar fy meic ac mae'n siŵr i mi fod yn crio am oriau. Yn rhyfedd iawn, er bod Mam wedi fy nghlwyfo i filoedd o weithiau, mae'r briw arbennig hwnnw'n dal i losgi bob tro y bydda i'n meddwl pa mor ddig o'n i ar y pryd.

Rydw i'n cael yr ail gyfaddefiad yn anodd gan ei fod a wnelo â fi. Dydw i ddim yn fursennaidd, Kitty, ac eto bob tro maen nhw'n rhoi cyfri manwl o'u hymweliadau â'r toiled, ac mae hynny'n aml, mae fy holl gorff i'n gwrthryfela.

Ddoe mi ddarllenais i erthygl ar wrido gan Sis Heyster. Roedd fel pe bai wedi ei chyfeirio'n unswydd ata i. Nid fy mod i'n gwrido'n hawdd, ond roedd gweddill yr erthygl yn gwbl berthnasol. Yr hyn mae hi'n ei ddweud yn sylfaenol ydi fod merched, wrth gyrraedd oed aeddfedrwydd, yn mynd i'w cragen ac yn dechrau meddwl am y newidiadau rhyfeddol sy'n digwydd i'w cyrff. Rydw i'n teimlo hynny hefyd, a dyna sy'n gyfrifol mae'n debyg am fy swildod diweddar ynglŷn â Margot, Mam a Dad. Ar y llaw arall, mae Margot yn fwy swil o lawer na fi, ac eto dydi hi ddim yn teimlo'r mymryn lleiaf o gywilydd.

Rydw i'n credu fod yr hyn sy'n digwydd i mi mor wyrthiol, nid yn unig y newidiadau y tu allan, ond y rhai y tu mewn i 'nghorff i hefyd. Fydda i byth yn sôn amdana i fy hun na dim o hyn efo'r lleill, a dyna pam y mae'n rhaid i mi eu trafod nhw efo mi fy hun. Bob tro y bydda i'n cael fy misglwyf (deirgwaith yn unig hyd yn hyn) rydw i'n cael y teimlad fy mod i, ar waetha'r poen, yr anghysur a'r llanastr, yn cario cyfrinach hyfryd i 'nghanlyn. Felly er ei fod yn boendod, mewn rhyw ffordd rydw i wastad yn edrych ymlaen at gael teimlo'r gyfrinach honno y tu mewn i mi unwaith eto.

Mae Sis Heyster yn nodi hefyd fod genethod fy oed i yn teimlo'n ansicr iawn ohonynt eu hunain a dim ond yn dechrau darganfod eu bod yn unigolion efo'u syniadau, eu meddyliau a'u harferion eu hunain. Newydd gael fy mhen blwydd yn dair ar ddeg oed o'n i pan symudon ni yma, felly mi ddechreuais i feddwl amdanaf fy hun a sylweddoli fy mod i wedi datblygu'n 'berson annibynnol' yn gynt na'r mwyafrif o enethod. Weithiau pan fydda i'n gorwedd yn fy ngwely yn y nos rydw i'n teimlo ysfa ofnadwy i gyffwrdd fy mronnau a gwrando ar guriad tawel, rheolaidd fy nghalon.

Yn ddiarwybod i mi fy hun, ro'n i eisoes wedi cael teimladau tebyg hyd yn oed cyn i mi ddod yma. Unwaith pan o'n i'n aros dros nos yng nghartref Jacque, allwn i ddim ffrwyno fy chwilfrydedd ynglŷn â'i chorff, nad o'n i erioed wedi ei weld gan ei bod hi wastad yn ei guddio oddi wrtha i. Mi ofynnais iddi a allen ni, fel prawf o'n cyfeillgarwch, gyffwrdd bronnau ein gilydd. Gwrthod wnaeth Jacque. Roedd gen i hefyd chwant ei chusanu, ac mi wnes i hynny. Bob tro y bydda i'n gweld merch noeth, fel y Fenws yn fy llyfr ar hanes arlunio, mi fydda i'n mynd i lesmair. Weithiau rydw i'n eu cael nhw mor rhyfeddol o gywrain fel fy mod i'n gorfod ymladd i gadw'r dagrau'n ôl. O na bai gen i eneth yn ffrind!

Dydd Iau, Ionawr 6, 1944

F'annwyl Kitty,

Roedd fy nyhead i am gael siarad â rhywun wedi mynd mor annioddefol fel i mi rywfodd gymryd yn fy mhen ddewis Peter ar gyfer hynny. Yr ychydig droeon y bûm i yn ystafell Peter yn ystod y dydd, ro'n i'n ei gweld hi'n glyd a diddos, ond gan fod Peter yn rhy gwrtais i ddangos y drws i rywun sy'n aflonyddu arno dydw i erioed wedi meiddio aros yn hir. Roedd gen i ofn iddo feddwl fy mod i'n fwrn. Rydw i wedi bod yn chwilio am esgus i loetran yn ei ystafell a'i gael i siarad heb iddo sylwi, ac fe ddaeth fy nghyfle i ddoe. Mae Peter, ti'n gweld, wedi mopio'i ben yn lân efo croeseiriau ar hyn o bryd, a dydi o'n gwneud dim arall drwy'r dydd. Ro'n i'n ei helpu a chyn pen dim roedden ni'n eistedd gyferbyn â'n gilydd wrth y bwrdd, Peter ar y gadair a minnau ar y difán.

Roedd edrych i'w lygaid glas tywyll a gweld fel yr oedd fy ymweliad annisgwyl i wedi effeithio arno yn rhoi rhyw deimlad rhyfedd imi. Ro'n i'n gallu darllen ei feddyliau mwyaf cyfrin. Mi allwn weld yr olwg ddiymadferth ar ei wyneb, yr ansicrwydd sut y dylai ymddwyn, ac ar yr un pryd awgrym ei fod yn ymwybodol o'i wrywdod. Mi welais ei swildod, a thoddi y tu mewn. Ro'n i eisiau gofyn iddo, 'Dywed wrtha i beth sy'n dy feddwl di. Elli di ddim edrych heibio i'r preblan arwynebol yma?' Ond mae'n haws meddwl am gwestiynau na'u gofyn.

Daeth y noswaith i'w therfyn, a dim wedi digwydd, ond fy mod i wedi sôn wrtho am yr erthygl ar wrido. Nid yr hyn ysgrifennais i atat ti, wrth gwrs, dim ond y byddai'n ennill sicrwydd wrth fynd yn hŷn.

Y noson honno mi orweddais yn fy ngwely yn beichio crio, gan wneud yn siŵr drwy'r amser nad oedd neb yn fy nghlywed i. Roedd y syniad o orfod mynd ar ofyn Peter yn wirioneddol ffiaidd. Ond fe wnaiff pobl unrhyw beth i ddiwallu eu dyheadau; rydw i, er enghraifft, wedi penderfynu ymweld â Peter yn amlach a cheisio ei gael i siarad, ryw fodd neu'i gilydd.

Paid â meddwl fy mod i mewn cariad efo Peter, oherwydd dydw i ddim. Pe bai gan Mr a Mrs van D. ferch yn hytrach na mab, mi fyddwn i wedi ceisio gwneud ffrindiau efo hi.

Wrth i mi ddeffro'r bore yma ychydig cyn saith mi gofiais ar unwaith am beth y bûm i'n breuddwydio. Ro'n i'n eistedd ar gadair a gyferbyn â fi roedd Peter ... Peter Schiff. Roedden ni'n edrych ar lyfr o ddarluniau gan Mary Bos. Roedd y freuddwyd mor fyw fel fy mod i hyd yn oed yn gallu cofio rhai o'r darluniau. Ond nid dyna'r cyfan - roedd y freuddwyd yn dal ymlaen. Yn sydyn, cyfarfu llygaid Peter â'm rhai i, ac mi syllais yn hir i'r llygaid brown melfedaidd. Yna meddai'n dyner iawn, 'Pe bawn i ond yn gwybod, mi fyddwn i wedi dod atat ti ymhell cyn hyn!' Aeth fy nheimladau'n drech na fi, a bu'n rhaid i mi droi i ffwrdd. Ac yna mi deimlais rudd feddal, O! mor fwyn a thyner, yn erbyn f'un i, ac roedd hynny mor braf, mor braf ...

Dyna pryd y deffrois i, yn dal i deimlo'i rudd yn erbyn f'un i a'i lygaid brown yn syllu i ddyfnder fy nghalon, mor ddwfn fel ei fod yn gallu ei darllen a gwybod gymaint yr o'n i wedi ei garu ac yn dal i'w garu. Dechreuodd fy llygaid lenwi â dagrau unwaith eto. Ro'n i'n drist oherwydd i mi ei golli eilwaith ac eto'n falch oherwydd fy mod yn gwybod i sicrwydd mai Peter oedd yr unig un i mi o hyd.

Mae'n beth od fy mod i'n gweld y fath ddarluniau llachar yn fy mreuddwydion dro ar ôl tro. Un noson, mi welais i Mam-gu (mam Dad) mor glir fel bod hyd yn oed ei chnawd meddal, fel melfed crychlyd, yn amlwg i mi. Dro arall, ymddangosodd Nain i mi fel angel gwarcheidiol. Wedi hynny, Hanneli, sy'n dal i gynrychioli dioddefaint fy ffrindiau yn ogystal ag un yr Iddewon yn gyffredinol, fel fy mod i, wrth weddïo drosti, yn gweddïo ar ran yr holl Iddewon a phawb sydd mewn angen.

A rŵan Peter, f'anwylaf Peter. Che's i erioed o'r blaen y fath ddarlun clir ohono yn fy meddwl. Does arna i ddim angen ffotograff, rydw i'n ei weld, O! mor dda.

Dy Anne

Dydd Gwener, Ionawr 7, 1944

F'annwyl Kitty,

Dyna ffŵl ydw i. Ro'n i wedi anghofio nad ydw i eto wedi dweud hanes fy un gwir gariad wrthot ti.

Pan o'n i'n eneth fach yn yr ysgol feithrin, mi gymerais i at Sally Kimmel. Roedd wedi colli'i dad, ac roedd ei fam ac yntau yn byw efo modryb. Un o gefndryd Sally oedd Appy, bachgen main, golygus, gwallt tywyll yn edrych fel un o sêr y sinema ac yn ennyn mwy o edmygedd na'r stwcyn bach digri, Sally. Ond doedd hynny'n cyfri dim i mi ac fe fuon ni'n mynd o gwmpas efo'n gilydd am amser hir. Ond ar wahân i hynny, chafodd fy nghariad i mo'i ddychwelyd nes i mi gyfarfod Peter. Ro'n i wedi gwirioni'n lân arno. Roedd yntau'n fy hoffi i, ac am un haf cyfan doedd dim modd ein gwahanu ni. Rydw i'n dal i allu ein gweld ni'n cerdded law yn llaw drwy'r gymdogaeth, Peter mewn siwt gotwm wen a fi mewn ffrog haf gwta. Ar ôl gwyliau'r haf symudodd Peter i ddosbarth un yn yr ysgol uchaf a minnau i ddosbarth chwech yn yr ysgol isaf. Byddai'n galw amdana i ar y ffordd adref, ac weithiau mi fyddwn i'n galw amdano fo. Peter oedd y bachgen delfrydol: tal, main a golygus efo wyneb dwys, tawel, deallus. Roedd ganddo wallt tywyll, llygaid brown hyfryd, bochau gwridog a thrwyn main siapus. Ro'n i wedi gwirioni ar ei wên, oedd yn gwneud iddo edrych mor fachgennaidd a direidus.

Ro'n i wedi mynd ar wyliau i'r wlad yr haf canlynol a phan ddychwelais i roedd Peter wedi symud o'i hen gartref ac yn byw yn yr un tŷ â bachgen lawer hŷn. Mae'n ymddangos i hwnnw ddweud wrtho mai dim ond plentyn o'n i, oherwydd fe roddodd Peter y gorau i 'ngweld i. Gan fy mod i'n ei garu gymaint ro'n i'n anfodlon wynebu'r gwir. Mi geisiais ddal fy ngafael arno nes i mi sylweddoli un diwrnod y byddai pobl yn meddwl fy mod i wedi gwirioni ar fechgyn pe bawn i'n para i redeg ar ei ôl.

Aeth y blynyddoedd heibio. Roedd Peter yn mynd o gwmpas efo genethod o'r un oed a ddim hyd yn oed yn trafferthu dweud helô wrtha i. Mi symudais i'r *Lyceum* Iddewig ac roedd amryw o fechgyn y dosbarth mewn cariad efo fi. Ro'n i'n mwynhau hynny ac yn gwerthfawrogi'r sylw, ond dyna'r cyfan. Yn ddiweddarach, collodd Hello ei ben arna i, ond fel rydw i wedi dweud eisoes, wnes i ddim syrthio mewn cariad byth wedyn.

Mae yna ddywediad: 'Mae Amser yn gwella pob briw'. Dyna fu fy hanes i. Ro'n i'n dweud wrtha i fy hun fy mod i wedi anghofio Peter ac nad o'n i'n hidio dim amdano bellach. Ond roedd fy atgofion i ohono mor gryf fel bod yn rhaid i mi gyfaddef i mi fy hun mai'r unig reswm oedd gen i dros beidio â'i hoffi oedd fy mod i'n genfigennus o'r merched eraill. Mi sylweddolais i'r bore 'ma nad oes dim wedi newid; i'r gwrthwyneb, fel yr ydw i wedi mynd yn hŷn ac yn fwy aeddfed, mae'r cariad wedi tyfu i 'nghanlyn i. Rydw i'n deall rŵan pam yr oedd Peter yn fy ngweld i'n blentynnaidd, ac eto mae meddwl ei fod wedi fy anghofio i'n llwyr yn dal i frifo. Mi welais ei wyneb mor glir ac mi wyddwn i sicrwydd na fyddai neb ond Peter wedi gallu aros yn fy nghof yn y fath fodd.

Oherwydd hynny rydw i wedi bod mewn cyflwr o ddryswch llwyr heddiw. Pan gusanodd Dad fi'r bore yma, ro'n i eisiau gweiddi, 'O na baech chi yn Peter!' Rydw i wedi bod yn meddwl amdano'n ddi-baid ac yn dweud wrtha i fy hun drosodd a throsodd drwy gydol y dydd, 'O, Petel 'nghariad i, fy annwyl, annwyl Petel ...'

Pwy all fy helpu i rŵan? Mae'n rhaid i mi ddal ymlaen a gweddïo ar Dduw y bydd iddo, os y do i byth allan o'r fan yma, adael i'n llwybrau ni groesi ac y bydd i Peter syllu i'm llygaid, darllen y cariad ynddyn nhw a dweud, 'O, Anne, pe bawn i ond yn gwybod, mi fyddwn i wedi dod atat ti ymhell cyn hyn.'

Unwaith pan oedd Dad a minnau'n sôn am ryw, fe ddywedodd fy mod i'n rhy ifanc i ddeall dyhead o'r fath. Ond ro'n i'n meddwl fy mod i yn ei ddeall, a rŵan rydw i'n sicr fy mod i. Does yna ddim mor werthfawr i mi bellach â f'annwyl Petel!

Mi welais fy wyneb yn y drych, ac roedd yn edrych mor wahanol. Roedd fy llygaid mor glir a dwfn, fy ngruddiau'n writgoch, a heb fod felly ers wythnosau, fy ngwefusau'n feddalach. Ro'n i'n ymddangos yn hapus, ac eto roedd yna rywbeth mor drist yn fy edrychiad i nes peri i'r wên gilio ar unwaith. Dydw i ddim yn hapus, gan fy mod i'n gwybod nad ydi Petel yn meddwl amdana i, ac eto mi alla i deimlo'i lygaid hardd yn syllu arna i a'i rudd fwyn, feddal yn erbyn f'un i ... O Petel, Petel, sut y galla i byth fy rhyddhau fy hun o'r darlun hwn ohonot ti? Onid efelychiad gwael fyddai unrhyw un arall? Rydw i'n dy garu di â chariad mor fawr fel nad oedd modd iddo ddal i dyfu yn fy nghalon. Roedd yn rhaid iddo lamu allan a'i ddatgelu ei hun yn ei holl ogoniant.

Wythnos yn ôl, ddoe hyd yn oed, pe bait ti wedi gofyn i mi, 'Pa un o dy ffrindiau fyddet ti fwyaf tebygol o'i briodi?' mi fyddwn wedi ateb, 'Sally, gan ei fod yn gwneud i mi deimlo'n braf, yn dawel a diogel!' Ond rŵan mi fyddwn i'n bloeddio, 'Petel, oherwydd fy mod i'n ei garu â'm holl galon a'm holl enaid. Rydw i'n fy rhoi fy hun yn llwyr!' Ar wahân i'r un peth hwnnw: fe gaiff gyffwrdd fy wyneb i, ond dyna'r cyfan.

Bore heddiw mi ddychmygais fy mod i'n yr atig ffrynt efo Petel, yn eistedd ar y llawr wrth y ffenestri. Wedi i ni fod yn siarad am sbel, fe ddechreuon ni'n dau grio. Eiliadau'n ddiweddarach mi deimlais ei wefusau a'i rudd dyner. O, Petel, tyrd ata i. Meddwl amdana i, f'anwylaf Petel!

Dydd Mercher, Ionawr 12, 1944

F'annwyl Kitty,

Mae Bep yn ôl ers pythefnos, er na chaiff ei chwaer fynd i'r ysgol tan yr wythnos nesaf. Cafodd Bep ei hun annwyd drwg a bu yn ei gwely am ddeuddydd. Bu Miep a Jan i ffwrdd o'r gwaith am ddeuddydd hefyd, efo anhwylder ar y stumog.

Rydw i ar hyn o bryd wedi gwirioni ar ddawnsio a bale ac yn ymarfer fy symudiadau yn ddiwyd bob min nos. Rydw i wedi gwneud gwisg ddawns tra chyfoes allan o bais i Mamsi, un o liw lafant wedi'i haddurno â les. Mae tâp wedi'i blethu drwy'r top a'i glymu uwchben y frest a ruban pinc yn goron ar y cwbl. Mi geisiais i addasu fy esgidiau tennis yn sliperi bale, ond heb lwyddiant. Mae fy nghoesau a 'mreichiau i, oedd wedi cyffio'n lân, bron â bod mor ystwyth ag oedden nhw. Un ymarferiad penigamp ydi eistedd ar y llawr, gafael yn y ddwy sawdl a chodi'r coesau i'r awyr. Rydw i'n gorfod eistedd ar glustog, neu fe fydd fy mhen-ôl druan i yn dioddef yn arw.

Mae pawb yma'n darllen llyfr o'r enw *Bore Digwmwl.* Roedd Mam yn meddwl ei fod yn arbennig o dda oherwydd ei fod yn ymdrin â nifer o broblemau pobl ifainc. Mi feddyliais innau, braidd yn eironig, 'Pam na chymerwch chi fwy o ddiddordeb yn eich rhai ifainc chi i ddechrau!'

Mae Mam, greda i, yn meddwl fod gan Margot a fi well perthynas â'n rhieni na neb yn y byd mawr crwn, ac nad oes yna'r un fam yn ymwneud mwy â bywydau'i phlant na hi. Meddwl am fy chwaer y mae hi, mae'n rhaid. Dydw i ddim yn credu fod Margot byth yn cael yr un problemau a'r un meddyliau â fi. Nid fy lle i ydi tynnu sylw Mam at y ffaith nad ydi un o'i merched yn ddim byd tebyg i'r hyn y mae hi'n ei ddychmygu. Byddai hynny'n ei drysu'n lân a fyddai ganddi mo'r syniad lleiaf beth i'w wneud yn wahanol. Mi hoffwn i ei harbed hi rhag y gofid hwnnw, yn arbennig gan fy mod i'n gwybod y byddai popeth yn aros yr un fath cyn belled ag yr ydw i'n y cwestiwn. Mae Mam yn synhwyro fod Margot yn ei charu lawer mwy nag yr ydw i ond yn meddwl mai mynd trwy ryw gyfnod yr ydw i.

Mae Margot yn llawer cleniach. Mae hi'n wahanol iawn i'r hyn oedd hi'n arfer bod. Dydi hi ddim hanner mor sbeitlyd rŵan ac mae hi'n datblygu'n ffrind go iawn. Dydi hi ddim yn meddwl amdana i fel plentyn bach islaw sylw bellach.

Mae'n beth od, ond rydw i'n gallu gweld fy hun weithiau fel mae eraill yn fy ngweld i. Rydw i'n cymryd golwg hamddenol ar yr eneth hon o'r enw 'Anne Frank' ac yn edrych drwy dudalennau ei bywyd fel pe bai'n ddieithryn.

Cyn i mi ddod yma, pan nad o'n i'n meddwl gymaint am bethau ag yr ydw i rŵan, ro'n i'n cael y teimlad o dro i dro nad o'n i'n perthyn i Mamsi, Pim a Margot ac mai ar y cyrion y byddwn i am byth. Weithiau mi fyddwn yn mynd o gwmpas am fisoedd yn cymryd arnaf mai plentyn amddifad o'n i. Yna mi fyddwn i'n fy ngheryddu fy hun am chwarae'r truan a minnau, o ddifri, wedi bod mor ffodus bob amser. Wedi hynny, mi fyddwn yn fy ngorfodi fy hun i fod yn gyfeillgar am sbel. Bob bore pan fyddwn i'n clywed sŵn traed ar y grisiau, ro'n i'n gobeithio mai Mam oedd yno'n dod i ddweud bore da. Mi fyddwn yn ei chyfarch yn wresog gan fy mod i'n gwirioneddol ddyheu am wên gariadus ganddi. Ond yna byddai'n arthio arna i am wneud rhyw sylw neu'i gilydd ac i ffwrdd â fi i'r ysgol yn teimlo wedi digalonni'n llwyr. Ar y ffordd adref, mi fyddwn i'n gwneud esgusodion drosti gan ddweud wrtha i fy hun fod ganddi lu o bryderon. Mi fyddwn yn cyrraedd adref mewn hwyliau da, yn siarad pymtheg y dwsin, nes i ddigwyddiadau'r bore eu hailadrodd eu hunain a minnau'n gadael yr ystafell, fy mag ysgol yn fy llaw a golwg ddwys ar fy wyneb. Weithiau mi fyddwn i'n penderfynu aros yn ddig, ond roedd gen i gymaint i siarad amdano ar ôl dod o'r ysgol fel fy mod i'n anghofio'r adduned ac ar dân am i Mam roi'r gorau i beth bynnag yr oedd hi'n ei wneud a rhoi clust barod i'm holl anturiaethau. Yna deuai'r amser unwaith yn rhagor pan na fyddwn i'n gwrando mwyach am sŵn traed ar y grisiau, gan deimlo'n unig a chrio i'm gobennydd bob nos.

Roedd popeth wedi gwaethygu'n fawr yma. Ond roeddet ti eisoes yn gwybod hynny. Rŵan mae Duw wedi anfon rhywun i'm helpu i: Peter. Rydw i'n byseddu'r tlws am fy ngwddw, yn ei gusanu ac yn meddwl, 'Beth ydi'r ots gen i amdanyn nhw! Fy eiddo i ydi Petel a does neb yn gwybod!' Wrth sylweddoli hynny, rydw i'n gallu codi uwchlaw pob sylw annymunol. Pwy yma fyddai'n credu fod cymaint yn digwydd ym meddwl geneth yn ei harddegau?

Dydd Sadwrn, Ionawr 15, 1944

Fy anwylaf Kitty,

Does yna fawr o bwrpas dal ymlaen i ddisgrifio ein holl gwerylon a'n dadleuon i'r manylyn lleiaf. Mae'n ddigon dweud ein bod ni wedi rhannu amryw o bethau fel cig, saim ac olew ac yn ffrio ein tatws ein hunain. Yn ddiweddar rydan ni wedi bod yn bwyta ychydig rhagor o fara rhyg oherwydd ein bod ni'n awchu gymaint am y cinio nos erbyn pedwar o'r gloch fel mai prin y gallwn ni reoli'r rwmblan yn ein stumogau.

Mae pen blwydd Mam yn agosáu'n gyflym. Cafodd siwgwr ychwanegol gan Mr Kugler ac achosodd hynny genfigen ar ran y ddau van Daan, gan na chafodd Mrs van D. ddim ar ei phen blwydd hi. Ond beth ydi diben dy ddiflasu di â geiriau cas, sgyrsiau maleisus a dagrau a thithau'n gwybod eu bod yn peri mwy o ddiflastod byth i ni?

Mae Mam wedi mynegi dymuniad, nad ydi o'n debygol o gael ei wireddu'n y dyfodol agos: i beidio â gweld wyneb Mr van Daan am bythefnos gyfan. Tybed a ydi pawb sy'n rhannu tŷ yn eu cael eu hunain yn ffraeo â'u cyd-breswylwyr yn hwyr neu'n hwyrach? Ynteu ai ni sydd wedi digwydd bod yn anlwcus? Amser bwyd, pan fydd Dussel yn ei helpu ei hun i chwarter y jwg grefi hanner llawn ac yn gadael y gweddill ohonom heb ein siâr, rydw i'n colli fy archwaeth ac yn teimlo awydd neidio ar fy nhraed, ei daro oddi ar ei gadair a'i daflu allan drwy'r drws.

Ydi'r rhan fwyaf o bobl mor grintachlyd a hunanol? Rydw i wedi cael golwg gliriach ar y natur ddynol ers i mi ddod yma, ac mae hynny'n beth da, ond rydw i wedi cael digon ar hyn o bryd. Mae Peter yn dweud yr un peth.

Mae'r rhyfel yn dal ymlaen ar waethaf ein cwerylon a'n dyhead am ryddid ac awyr iach, felly fe ddylem geisio gwneud y gorau o'n harhosiad yma.

Rydw i'n pregethu, ond rydw i'n credu hefyd y bydda i'n siŵr o droi'n hen fursen grebachlyd os bydda i yma lawer rhagor. A'r cyfan ydw i ei eisiau o ddifri ydi cael bod yn ferch ifanc go iawn!

Dy Anne

Nos Fercher, Ionawr 19, 1944

F'annwyl Kitty,

Wn i ddim (y fi eto!) beth sydd wedi digwydd, ond alla i ddim peidio sylwi fel yr ydw i wedi newid er pan ge's i'r freuddwyd. Gyda llaw, mi fûm i'n breuddwydio am Peter eto neithiwr a theimlo'i lygaid yn treiddio i'm llygaid i unwaith yn rhagor, ond doedd y freuddwyd honno ddim mor fyw nac mor hyfryd â'r un ddiwethaf.

Fe wyddost fy mod i'n arfer bod yn genfigennus o berthynas Margot â Dad. Er nad oes yna arlliw o'r cenfigen hwnnw ar ôl bellach, rydw i'n dal i gael fy mrifo pan fydd nerfau Dad yn gwneud iddo ymddwyn yn afresymol tuag ata i. Yna mi fydda i'n meddwl, 'Alla i mo'ch beio chi am fod yr hyn ydach chi. Er eich bod chi'n sôn cymaint am feddyliau plant a phobl ifanc, wyddoch chi mo'r peth cyntaf amdanyn nhw!' Rydw i'n dyheu am fwy na serch Dad, mwy na'i gofleidio a'i gusanu. On'd ydi o'n beth ofnadwy fy mod i wedi ymgolli cymaint ynof fi fy hun? Oni ddylwn i, sydd eisiau bod yn dda a charedig, faddau iddyn nhw'n gyntaf? Rydw i'n maddau i Mam hefyd, ond bob tro y bydd hi'n gwneud sylw gwawdlyd neu'n chwerthin am fy mhen i, mae ceisio fy rheoli fy hun yn gymaint ag y galla i ei wneud.

Mi wn i fy mod i ymhell o fod yr hyn ddylwn i; fydda i byth?

Anne Frank

O.N. Roedd Dad yn holi ydw i wedi sôn wrthot ti am y deisen. Ar ei phen blwydd, cafodd Mam deisen goffi go iawn, o safon cyn y rhyfel, o'r swyddfa. Roedd y diwrnod yn un dymunol iawn! Ond ar y munud does yna ddim lle yn fy mhen i bethau o'r fath.

Dydd Sadwrn, Ionawr 22, 1944

F'annwyl Kitty,

Elli di ddweud wrtha i pam mae pobl yn mynd i'r fath eithafion i guddio eu gwir deimladau? Neu pam yr ydw i'n ymddwyn mor wahanol pan fydda i yng nghwmni pobl eraill? Pam y mae gan bobl gyn lleied o ffydd yn ei gilydd? Mi wn i fod yna reswm am hynny, ond mi fydda i'n meddwl weithiau ei fod o'n beth ofnadwy na elli di byth ymddiried yn neb, hyd yn oed y rhai agosaf atat ti.

Mae'n ymddangos fel pe bawn i wedi tyfu i fyny ers y noson y ce's i'r freuddwyd, fel pe bawn i'n fwy annibynnol. Fe fyddi di'n rhyfeddu pan ddweda i fod hyd yn oed fy agwedd i tuag at y ddau van Daan wedi newid. Rydw i wedi rhoi'r gorau i ystyried yr holl ddadleuon a thrafodaethau o safbwynt unllygeidiog fy nheulu. Beth sydd wedi achosi'r fath newid sylfaenol? Wel, sylweddoli'n sydyn wnes i, ti'n gweld, pe bai Mam wedi bod yn wahanol, yn fami go iawn, y gallai'n perthynas ni fod wedi datblygu'n hollol, hollol wahanol. Mae'n wir nad ydi Mrs van Daan yn gymeriad dymunol o bell ffordd, ond rydw i'n credu y gellid bod wedi osgoi hanner y dadleuon pe bai Mam heb fod mor anodd delio â hi bob tro y byddai rhyw bwnc tringar yn codi. Mae gan Mrs van Daan un rhinwedd, fodd bynnag: mae'n bosibl siarad efo hi. Efallai ei bod hi'n hunanol, crintachlyd a dichellgar, ond mae'n barod iawn i ildio, ond i ti beidio â'i chythruddo a pheri iddi ymddwyn yn afresymol. Er nad ydi'r dacteg yma'n gweithio bob tro, dim ond i ti fod yn amyneddgar, mae modd dal ati i weld pa mor bell y gelli di fynd.

Fe allai'r holl wrthdaro ynglŷn â'n magwraeth ni, sbwylio plant, y bwyd - popeth, pob un dim - fod wedi troi allan yn wahanol pe baen ni wedi bod yn agored a chyfeillgar yn hytrach na gweld y gwaethaf bob amser.

Mi wn i'n iawn beth wyt ti'n mynd i'w ddweud, Kitty. 'Ond, Anne, ai dy eiriau di ydi'r rhain? Ti, sydd wedi gorfod dygymod â chymaint o eiriau angharedig ganddyn nhw, i fyny grisiau? Ti, sy'n ymwybodol o'r holl anghyfiawnder?'

Ac eto, fy ngeiriau i ydyn nhw. Rydw i eisiau edrych o'r newydd ar bethau a ffurfio fy marn fy hun ac nid dynwared fy rhieni yn unig, fel yn y ddihareb 'Lle crafa'r iâr y piga'r cyw'. Rydw i eisiau edrych eilwaith ar y ddau van Daan a phenderfynu drosof fy hun beth sy'n wir a beth y gwnaed môr a mynydd ohono. Os ca i fy siomi, mi alla i wastad ochri efo Dad a Mam. Os na cha i fy siomi, mi alla i geisio newid eu hagwedd. Os na fydd hynny'n gweithio, bydd yn rhaid i mi lynu wrth fy marn fy hun. Rydw i am ddal ar bob cyfle i siarad yn agored â Mrs van D. am ein gwahaniaethau barn a pheidio â phetruso - er cael yr enw o fod yn hollwybodus - rhag cynnig fy marn ddiduedd. Ddweda i ddim byd yn erbyn fy nheulu fy hun, er nad ydi hynny'n golygu na wna i eu hamddiffyn os bydd rhywun arall yn lladd arnyn nhw. Rhywbeth yn perthyn i'r gorffennol fydd fy nghlebran i o heddiw ymlaen.

Hyd yma ro'n i'n gwbl argyhoeddedig mai'r ddau van Daan oedd i'w beio am y cwerylon, ond rŵan rydw i'n sicr fod cymaint o fai arnon ni. Er ein bod ni'n iawn cyn belled ag yr oedd y pwnc dan sylw'n y cwestiwn, dylai pobl ddeallus (fel ni!) ddangos mwy o grebwyll wrth ddelio â phobl eraill.

Rydw i'n gobeithio fod gen i o leiaf beth o'r crebwyll hwnnw, ac y gwna i'r defnydd gorau ohono pan ddaw'r cyfle.

Dy Anne

Dydd Llun, Ionawr 24, 1944

F'annwyl Kitty,

Mae rhywbeth rhyfedd iawn wedi digwydd imi. (A dweud y gwir, nid 'digwydd' ydi'r gair cywir.)

Cyn i mi ddod yma, bob tro y byddai rhywun yn sôn am ryw, gartref neu yn yr ysgol, roedden nhw un ai'n swil neu'n ffiaidd. Roedd unrhyw air oedd i wneud â rhyw yn cael ei adrodd mewn sibrydion, a'r rhai anwybodus yn destun chwerthin. Roedd hynny'n fy nharo i'n od, ac ro'n i'n pendroni'n aml pam yr oedd pobl yn ymddwyn mor gyfrinachol neu wrthun pan fydden nhw'n trafod y pwnc. Ond gan nad oedd modd i mi newid dim, ro'n i'n dweud cyn lleied ag oedd bosibl neu'n holi rhai o'm ffrindiau.

Wedi i mi ddysgu cryn lawer, fe ddywedodd Mam wrtha i un diwrnod, 'Anne, gad imi roi cyngor doeth iti. Paid byth â thrafod hyn efo bechgyn ac os gwnân nhw grybwyll y peth paid â'u hateb nhw.'

Rydw i'n dal i gofio fy union ateb i. 'Na, wna i ddim siŵr. Y fath syniad!' A dyna ddiwedd y mater.

Pan ddaethom yma gyntaf, fe ddywedodd Dad amryw o bethau wrtha i y byddai'n well gen i fod wedi eu clywed gan Mam, ac mi ddysgais y gweddill o lyfrau ac o wrando ar sgyrsiau pobl.

Fu Peter van Daan erioed mor blagus ynglŷn â hyn â'r bechgyn yn yr ysgol. Efallai unwaith neu ddwy, ar y dechrau, er nad oedd o'n ceisio fy nghael i siarad am y peth. Fe ddywedodd Mrs van Daan unwaith nad oedd hi erioed wedi trafod y materion hyn efo Peter, na'i gŵr chwaith, cyn belled ag y gwyddai hi. Yn ôl pob golwg, doedd ganddi ddim syniad faint oedd Peter yn ei wybod hyd yn oed na ble'r oedd o'n cael ei wybodaeth.

Ddoe, pan oedd Margot, Peter a fi'n plicio tatws, rywfodd neu'i gilydd fe ddechreuon ni sôn am Boche. 'Rydan ni'n dal heb fod yn siŵr pa un ai bachgen ynteu geneth ydi Boche,' meddwn i.

'Wrth gwrs ein bod ni,' atebodd Peter. 'Cwrcyn ydi Boche.'

Mi ddechreuais i chwerthin. 'Cwrcyn sy'n disgwyl, dyna beth ydi gwyrth!'

Chwerthin wnaeth Peter a Margot hefyd. Rhyw fis neu ddau'n ôl, fe ddywedodd Peter wrth Margot a fi y byddai Boche yn siŵr o gael cathod bach cyn bo hir gan fod ei bol hi'n chwyddo'n gyflym. Fodd bynnag, llwyth o esgyrn wedi eu dwyn oedd wedi peri i Boche fagu bol. Doedd yna ddim cathod bach yn tyfu y tu mewn iddi, heb sôn am fod ar fin cael eu geni.

Roedd Peter yn teimlo'r angen i'w amddiffyn ei hun. 'Tyd efo fi. Mi gei di weld drosot dy hun. Ro'n i'n chwarae o gwmpas efo'r gath un diwrnod ac mi allwn i weld i sicrwydd mai cwrcyn ydi o.'

Gan na allwn i ffrwyno fy chwilfrydedd, dyna fynd i'w ganlyn i'r warws. Doedd Boche, fodd bynnag, ddim yn barod i dderbyn ymwelwyr a doedd dim golwg ohono. Fe arhoson ni am sbel ond roedd hi'n dechrau oeri ac fe ddychwelon ni i fyny grisiau.

Yn ddiweddarach y prynhawn hwnnw mi glywais Peter yn mynd i lawr y grisiau am yr eildro. Mi lwyddais i fagu digon o ddewrder i gerdded drwy'r tŷ distaw ar fy mhen fy hun nes cyrraedd y warws. Roedd Boche ar y bwrdd pacio, yn chwarae efo Peter, oedd yn paratoi i'w roi ar y glorian i'w bwyso.

'Helô, wyt ti am gael golwg arno fo?' Heb unrhyw ragymadrodd, dyna Peter yn codi'r gath, yn ei droi ar ei gefn, gafael yn ddeheuig yn ei ben a'i bawennau a dechrau ar y wers. 'Dyma'r organ genhedlu wrywaidd, ychydig o flew strae ydi rhain, a dyna'i ben-ôl.'

Fe drodd y gath drosodd a sefyll yn ei sanau bach gwynion.

Pe bai unrhyw fachgen arall wedi dangos yr 'organ genhedlu wrywaidd' i mi, fyddwn i byth wedi edrych arno wedyn. Ond aeth Peter ymlaen i sôn yn gwbl naturiol am bwnc sydd, fel rheol, yn un lletchwith iawn. A doedd ganddo'r un bwriad cudd chwaith. Erbyn iddo orffen, ro'n i wedi ymlacio cymaint fel fy mod innau'n dechrau ymddwyn yn naturiol hefyd. Fe fuon ni'n chwarae efo Boche, yn mwynhau ein hunain, sgwrsio peth, ac yna cerdded linc-di-lonc drwy'r warws eang tuag at y drws.

'Oeddet ti yno pan gafodd Mouschi ei ddoctora?'

'O'n, siŵr. Dydi o'n cymryd fawr o dro. Maen nhw'n rhoi anesthetig i'r gath, wrth gwrs.'

'Ydyn nhw'n tynnu rhywbeth allan?'

'Na, mae'r milfeddyg yn gwneud toriad bach, dyna i gyd. Does yna ddim i'w weld ar y tu allan.'

Bu'n rhaid i mi fagu plwc i ofyn y cwestiwn nesaf gan nad oedd hwnnw'n un mor 'naturiol' ag yr o'n i wedi'i obeithio. 'Peter, mae'r gair Almaeneg *Geschlechtseil* yn golygu "organ genhedlu", on'd ydi? Ond mae gan y rhai gwrywaidd a benywaidd enwau gwahanol.'

'Rydw i'n gwybod hynny.'

'Fagina ydi'r un fenywaidd, ond wn i ddim beth ydi enw'r un gwrywaidd.'

'Mm.'

'O, wel,' meddwn i. 'Sut mae disgwyl i ni wybod y geiriau yma? Dod ar eu traws nhw ar ddamwain mae rhywun y rhan amla.'

'Pam aros? Mi ofynna i i Dad a Mam. Maen nhw'n gwybod mwy na fi ac wedi cael mwy o brofiad.'

Roedden ni eisoes ar y grisiau ac mi rois i'r gorau i siarad.

O, do, fe ddigwyddodd, o ddifri. Fyddwn i byth wedi gallu trafod hyn efo'r un eneth mewn ffordd mor naturiol. Rydw i'n sicr hefyd nad dyna oedd Mam yn ei olygu wrth fy rhybuddio i ynglŷn â bechgyn.

Er hynny, do'n i ddim yn fi fy hun am weddill y diwrnod. Wrth feddwl yn ôl, ro'n i'n gweld y sgwrs yn un ddigon od. Ond rydw i wedi dysgu un peth, o leiaf: mae yna bobl ifanc, hyd yn oed o'r rhyw arall, sy'n gallu trafod pethau fel hyn yn naturiol a di-lol.

Ydi Peter yn mynd i ofyn llond gwlad o gwestiynau i'w rieni? Ydi o, mewn difri, yr hyn oedd o'n ymddangos ddoe?

O, be wn i?!!

Dy Anne

Dydd Iau, Ionawr 27, 1944

F'annwyl Kitty,

Yn ystod yr wythnosau diwethaf rydw i wedi magu diddordeb mawr mewn achau a siartiau llinach teuluoedd brenhinol. Rydw i wedi dod i'r casgliad, unwaith yr wyt ti wedi dechrau dy ymchwil, fod yn rhaid i ti ddal ymlaen i gloddio'n ddyfnach a dyfnach i'r gorffennol, a bod hynny'n dy arwain di i ddarganfod pethau mwy diddorol fyth.

Er fy mod i'n arbennig o ddiwyd efo 'ngwersi ac yn gallu dilyn Gwasanaeth Cartref y BBC yn eitha da, rydw i'n dal i dreulio nifer helaeth o'm Suliau yn trefnu ac yn bwrw golwg dros fy nghasgliad o sêr y ffilmiau, sydd wedi tyfu'n sylweddol.

Mae Mr Kugler yn fy mhlesio i'n arw drwy ddod â chopi o'r cylchgrawn *Sinema a Theatr* i mi bob dydd Llun. Mae aelodau llai bydol ein tylwyth yn cyfeirio'n aml at hyn fel gwastraff arian, ac eto'n methu peidio â rhyfeddu at fy ngallu i restru'r actorion mewn unrhyw ffilm a hynny'n fanwl gywir, hyd yn oed wedi cyfnod o flwyddyn. Ar ddydd Sadwrn bydd Bep, sy'n mynd i'r sinema'n aml efo'i chariad ar ei diwrnod rhydd, yn dweud enw'r ffilm y maen nhw'n mynd i'w gweld wrtha i, ac mi fydda innau wedyn yn dechrau paldaruo enwau'r prif actorion a beth sydd gan yr adolygwyr i'w ddweud amdani. Sylw Mamsi'n ddiweddar oedd na fydd gofyn i mi fynd i'r sinema'n y dyfodol gan fy mod i'n gyfarwydd â'r holl storïau, y sêr a'r adolygiadau.

Pa bryd bynnag y bydda i'n hwylio i mewn efo steil gwallt newydd, mi alla i weld yr anghymeradwyaeth ar eu hwynebau, ac mi alla i fod yn siŵr y bydd rhywun yn gofyn pa un o sêr y ffilmiau yr ydw i'n ceisio'i dynwared. Mae'r ateb mai fy nghreadigaeth i ydi hi yn cael derbyniad amheus. Am y gwallt, fydd hwnnw byth yn dal yn ei le am fwy na hanner awr. Erbyn hynny rydw i wedi cael cymaint o lond bol ar eu sylwadau nhw fel fy mod i'n rhuthro i'r toiled ac yn adfer fy ngwallt i'w lanastr arferol o gyrls.

Dy Anne

Dydd Gwener, Ionawr 28, 1944

F'annwyl Kitty,

Ro'n i'n meddwl y bore 'ma tybed wyt ti wedi teimlo fel buwch weithiau, yn gorfod cnoi yr un hen newyddion drosodd a throsodd nes alaru cymaint ar yr arlwy undonog fel dy fod ti'n dylyfu gên ac yn dyheu'n ddistaw bach i Anne ddod o hyd i rywbeth newydd o dro i dro.

Mae'n ddrwg gen i. Mi wn i dy fod ti'n cael hyn mor ddiflas â dŵr pwll, ond meddylia gymaint yr ydw i wedi diflasu ar glywed yr un hen bethau. Os nad ydi'r sgwrs amser bwyd yn ymwneud â gwleidyddiaeth neu ymborth maethlon, mae Mam neu Mrs van D. yn adrodd storïau am eu plentyndod am y milfed tro, neu Dussel yn mynd ymlaen ac ymlaen am geffylau rasio hardd, wardrob helaeth ei Charlotte, cychod rhwyfo sy'n gollwng dŵr, bechgyn sy'n gallu nofio cyn bod yn bedair oed, gwayw'n y cyhyrau a chleifion ofnus. Y canlyniad ydi hyn: pa bryd bynnag y bydd un ohonom yn agor ei geg mae'r saith arall yn gallu gorffen ei stori. Rydan ni'n gyfarwydd ag ergyd pob jôc cyn ei chyrraedd, fel mai'r sawl sy'n ei dweud ydi'r unig un sy'n chwerthin. Mae amrywiol ddynion llefrith, groseriaid a bwtsieriaid y cyn-wragedd tŷ un ai wedi cael eu canmol i'r cymylau neu eu tynnu'n ddarnau gymaint o weithiau nes eu bod, yn ein dychymyg, mor hen â Methiwsela. Does yna ddim gobaith yn y byd i unrhyw beth newydd na gwahanol gael ei drafod yn y Rhandy.

Er hynny, byddai'n bosibl dygymod â hyn i gyd oni bai fod y rhai mewn oed wedi mynd i'r arfer o ailadrodd storïau Mr Kleiman, Jan neu Miep gan ychwanegu eu manylion eu hunain atyn nhw bob tro, fel fy mod i'n gorfod pinsio fy mraich o dan y bwrdd yn aml i'm hatal fy hun rhag rhoi'r storïwr eiddgar ar y trywydd iawn. Ddylai plant bach, fel Anne, byth, byth gywiro rhai hŷn, dim ots faint o gamgymeriadau maen nhw'n eu gwneud na pha mor aml y byddan nhw'n rhoi rhaff i'w dychymyg.

Mae Jan a Mr Kleiman wrth eu boddau'n sôn am y rhai sydd wedi ymuno â'r mudiad cudd neu wedi mynd i guddio; maen nhw'n gwybod ein bod ni'n awyddus i glywed am eraill yn ein sefyllfa ni a'n bod ni'n rhannu gofid y rhai sydd wedi eu restio yn ogystal â llawenydd y carcharion a ryddhawyd.

Mae ymuno â'r mudiad neu fynd i guddio wedi dod mor gyffredin â'r bibell a sliperi traddodiadol oedd yn aros gŵr y tŷ wedi diwrnod hir o waith. Mae yna sawl mudiad gwrthsafiad, fel Yr Iseldiroedd Rhydd, sy'n ffugio cardiau adnabod, yn rhoi benthyg arian i'r rhai sydd mewn cuddfan, yn trefnu mannau cuddio ac yn canfod gwaith i'r Cristnogion ifanc sy'n ymuno â'r mudiad. Mae'n rhyfeddol faint mae'r bobl hael ac anhunanol yma'n ei wneud, gan beryglu eu bywydau eu hunain er mwyn helpu ac arbed eraill.

Yr enghraifft orau o hyn ydi'n cynorthwywyr ni, sydd wedi llwyddo i'n helpu i ddod trwyddi cyn belled ac sy'n mynd i ddod â ni'n ddiogel i'r lan, gyda lwc, oherwydd fel arall fe gânt eu hunain yn rhannu ffawd y rhai y maen nhw'n ceisio eu harbed. Er ein bod ni, o reidrwydd, yn faich arnyn nhw, does yr un ohonyn nhw wedi yngan gair na chwyno ein bod yn ormod o drafferth. Maen nhw'n dod i fyny'r grisiau bob dydd, yn siarad â'r dynion am fusnes a gwleidyddiaeth, â'r merched am fwyd ac anawsterau amser rhyfel ac â'r plant am lyfrau a phapurau newydd. Maen nhw'n edrych yn siriol, yn dod â blodau ac anrhegion ar ben blwydd a gwyliau a bob amser yn barod i wneud yr hyn sydd yn eu gallu droston ni. Dyna rywbeth na ddylem ni byth ei anghofio; tra mae eraill yn arddangos arwriaeth mewn brwydr neu yn erbyn yr Almaenwyr, mae ein cynorthwywyr ni'n profi eu harwriaeth hwy bob dydd drwy gyfrwng eu sirioldeb a'u ffyddlondeb.

Mae'r storïau rhyfeddaf yn mynd o gwmpas, ac eto mae'r mwyafrif ohonyn nhw'n wir. Er enghraifft, dywedodd Mr Kleiman yr wythnos hon fod gêm bêl-droed wedi ei chynnal yn nhalaith Gelderland; un tîm cyfan yn cynnwys rhai oedd wedi ymuno â'r mudiad cudd, a'r llall yn cynnwys un ar ddeg o'r Heddlu Milwrol. Yn Hilversum, mae cardiau cofrestru newydd wedi cael eu rhannu allan. Er mwyn i'r holl bobl sydd yn cuddio gael eu dognau (mae'n rhaid i rywun ddangos y cerdyn hwn er mwyn cael ei lyfr dogni, neu dalu 60 *guilder* y llyfr), gofynnodd y cofrestrydd i bawb oedd yn cuddio'n yr ardal honno ddod i nôl eu cardiau ar amser penodedig, er mwyn gallu casglu'r dogfennau wrth fwrdd ar wahân.

Er hynny, mae'n rhaid bod yn ofalus nad ydi campau o'r fath yn cyrraedd clustiau'r Almaenwyr.

Dy Anne

Dydd Sul, Ionawr 30, 1944

Fy anwylaf Kitty,

Mae Sul arall wedi dod heibio; dydw i ddim yn malio cymaint am hynny ag yr o'n i ar y dechrau, er bod y Suliau'n ddigon diflas.

Dydw i ddim wedi bod yn y warws hyd yn hyn, ond efallai yr a' i cyn bo hir. Neithiwr mi es i lawr grisiau yn y tywyllwch ar ben fy hun bach. Ro'n i wedi bod yno efo Dad ychydig nosweithiau ynghynt. Mi sefais ar ben y grisiau tra oedd awyrennau'r Almaen yn hedfan yn ôl ac ymlaen, ac mi wyddwn fy mod ar fy mhen fy hun, na allwn i ddibynnu ar y lleill am gefnogaeth. Diflannodd fy ofn. Mi edrychais i fyny i'r awyr ac ymddiried yn Nuw.

Rydw i'n teimlo angen angerddol am gael bod ar fy mhen fy hun. Mae Dad wedi sylwi nad ydw i yn fi fy hun ond alla i ddim dweud wrtho beth sy'n fy mlino i. Y cyfan ydw i eisiau'i wneud ydi sgrechian 'Gadewch i mi fod. Rhowch lonydd i mi!'

Pwy ŵyr, efallai y daw'r diwrnod pan fydda i'n cael fy ngadael ar fy mhen fy hun yn amlach nag y byddwn i'n ei ddymuno!

Anne Frank

Dydd Iau, Chwefror 3, 1944

F'annwyl Kitty,

Mae twymyn cyrch ymosod yn cynyddu'n ddyddiol drwy'r wlad i gyd. Pe bait ti yma, rydw i'n siŵr y byddet ti'n dotio at yr holl baratoadau fel yr ydw i, er y byddet ti'n debygol o chwerthin am ein pennau ni am wneud y fath ffwdan. Pwy ŵyr, efallai mai ofer fydd y cyfan!

Mae'r papurau'n llawn o newyddion am yr ymosodiad ac yn gyrru pawb yn orffwyll â datganiadau fel: 'Os bydd i'r Prydeinwyr lanio yn yr Iseldiroedd, fe wnaiff yr Almaenwyr bopeth o fewn eu gallu i amddiffyn y wlad, hyd yn oed ei boddi os bydd raid.' Mae mapiau o'r Iseldiroedd wedi eu cyhoeddi a'r mannau sydd fwyaf tebygol o gael eu gorlifo wedi eu marcio arnyn nhw. Gan fod rhannau helaeth o Amsterdam wedi eu nodi, ein cwestiwn cyntaf oedd beth ddylen ni ei wneud petai'r dŵr yn y strydoedd yn codi hyd at ein canol. Cafwyd ymateb amrywiol i'r cwestiwn dyrys hwnnw:

'Fe fydd yn amhosibl cerdded na reidio beic, felly bydd yn rhaid i ni rydio'r dŵr.'

'Paid â siarad yn wirion. Fe fydd yn rhaid i ni geisio nofio. Fe allwn i gyd wisgo ein siwtiau a'n capiau ymdrochi a nofio o dan y dŵr gymaint ag sy'n bosibl, fel na all neb weld mai Iddewon ydan ni.'

'Lol i gyd! Mi alla i ddychmygu'r merched yn nofio a'r llygod mawr yn brathu eu coesau!' (Dyn ddywedodd hynny, wrth gwrs; gawn ni weld pwy fydd yn sgrechian fwyaf!)

'Fydd dim modd i ni adael y tŷ hyd yn oed. Mae'r warws mor ansad fel ei fod o'n siŵr o ddymchwel o dan bwysau'r dŵr.'

'O ddifri rŵan, fe ddylen ni geisio cael cwch.'

'Pam trafferthu? Mae gen i well syniad. Fe all pob un ohonom gymryd blwch pacio o'r atig a rhwyfo efo llwy bren.'

'Rydw i'n mynd i gerdded ar fachau coed. Ro'n i'n arfer bod yn giamstar ar hynny pan o'n i'n ifanc.'

'Fydd dim rhaid i Jan Gies wneud hynny. Fe all gario'i wraig ar ei gefn, ac wedyn fe fydd Miep ar fachau coed.'

Felly mae gen ti ryw syniad erbyn hyn o beth sy'n mynd ymlaen, on'd oes, Kit? Mae'r cellwair hwn yn ddigon difyr, ond bydd y realiti yn profi'n wahanol. Roedd yr ail gwestiwn ynglŷn â'r ymosodiad yn siŵr o godi: beth ddylen ni ei wneud pe bai'r Almaenwyr yn symud pawb allan o Amsterdam?

'Gadael y ddinas efo'r lleill. Ceisio newid ein golwg gymaint ag y gallwn ni.'

'Beth bynnag sy'n digwydd, fiw i ni fynd allan! Aros yn ein hunfan, dyna'r peth gorau i'w wneud! Fe all yr Almaenwyr yn hawdd yrru holl boblogaeth yr Iseldiroedd i'w hangau yn yr Almaen.'

'Aros yma wnawn ni, wrth gwrs. Dyma'r lle diogelaf. Fe geisiwn ni berswadio Kleiman a'i deulu i ddod i fyw aton ni. Fe gawn ni afael rywfodd ar sachaid o naddion coed, fel y gallwn ni gysgu ar y llawr. Beth am ofyn i Miep a Kleiman ddod â rhai blancedi, rhag ofn. Ac fe wnawn ni archebu grawnfwyd ychwanegol at y tri deg kilo sydd ganddon ni eisoes. Fe all Jan geisio dod o hyd i ragor o ffa. Ar hyn o bryd, mae ganddon ni tua tri deg kilo o ffa a phum kilo o bys mân. A pheidiwch ag anghofio'r hanner cant o duniau llysiau.'

'Beth am y gweddill, Mam? Rhowch y cyfri diweddaraf i ni.'

'Deg tun o bysgod, deugain can o lefrith, deg kilo o bowdr llefrith, tair potel o olew, pedwar llestr o fenyn, pedair jar o gig, dwy jar fawr o fefus, dwy jar o fafon, ugain jar o domatos, pum kilo o flawd ceirch, pedwar kilo o reis. A dyna'r cyfan.'

Mae'r cyflenwad bwyd yn para'n eitha da. Ond rydan ni'n gorfod bwydo gweithwyr y swyddfa hefyd ac mae hynny'n golygu tynnu allan o'n stôr bob wythnos, felly mae'n ymddangos yn fwy nag yr ydi o mewn gwirionedd. Mae ganddon ni ddigon o lo a choed tân, canhwyllau hefyd.

'Beth am i ni i gyd wneud bagiau bach i'w cuddio y tu mewn i'n dillad fel y gallwn ni fynd â'n harian efo ni os bydd gofyn i ni adael?'

'Fe allwn ni wneud rhestrau o'r pethau pwysicaf rhag ofn i ni orfod dianc ar frys, a phacio ein sachau teithio ymlaen llaw.'

'Pan ddaw'r amser, fe rown ni ddau i wylio, un yn yr atig ffrynt a'r llall yn y cefn.'

'Rhoswch funud, beth ydi diben casglu'r holl fwyd os na fydd yna ddŵr na nwy na thrydan?'

'Fe fydd yn rhaid i ni goginio ar y stof goed, hidlo'r dŵr a'i ferwi. Fe ddylen ni lanhau rhai o'r jariau mawr a'u llenwi â dŵr. Fe allwn ni hefyd storio dŵr yn y tegelli sy'n cael eu defnyddio i ganio, ac yn y twbyn golchi.'

'Mae ganddon ni hefyd dros gan kilo o datws gaeaf yn y stordy perlysiau.'

Dyna'r cyfan yr ydw i'n ei glywed drwy gydol y dydd. Ymosodiad, ymosodiad, dim byd ond ymosodiad. Dadleuon ynglŷn â newyn, marwolaeth, bomiau, diffoddwyr tân, bagiau cysgu, cardiau adnabod Iddewig, nwyon gwenwynig ac ymlaen, ac ymlaen. Prin bod hynny'n galonogol.

Mae'r sgwrs sy'n dilyn rhwng Jan ac aelodau'r Rhandy yn enghraifft dda o rybuddion diflewyn ar dafod y garfan wrywaidd.

Y Rhandy: 'Ofni yr ydan ni y bydd yr Almaenwyr yn mynd â'r holl boblogaeth i'w canlyn pan fyddan nhw'n encilio.'

Jan: 'Mae hynny'n amhosibl. Does ganddyn nhw ddim digon o drenau.'

Y Rhandy: 'Trenau? Dwyt ti erioed yn meddwl y bydden nhw'n rhoi dinasyddion cyffredin ar drenau? Yn sicr ddim. Byddai'n rhaid i bawb ei cherdded hi.' (Neu, yn ôl Dussel, *per pedes apstolorum.*)

Jan: 'Alla i ddim credu hynny. Rydach chi wastad yn edrych ar yr ochr dywyll. Pa reswm fyddai ganddyn nhw dros grynhoi'r holl ddinasyddion a mynd â nhw i'w canlyn?'

Y Rhandy: 'Wyt ti ddim yn cofio Goebbels yn dweud os bydd raid i'r Almaenwyr gilio, y byddan nhw'n cau'r drysau ar yr holl diriogaethau sydd dan oresgyniad yn glep ar eu holau?'

Jan: 'Maen nhw wedi dweud cymaint o bethau.'

Y Rhandy: 'Wyt ti'n meddwl fod yr Almaenwyr yn rhy fonheddig a dyngarol i wneud hynny? Eu rhesymeg nhw ydi: os ydan ni'n mynd dan y don fe lusgwn ni bawb arall sy yn ein gafael i lawr efo ni.'

Jan: 'Dwedwch chi be fynnwch chi, dydw i ddim yn credu hynny.'

Y Rhandy: 'Yr un hen stori bob amser. Does yna neb am weld y perygl nes ei fod o'n rhythu yn eu hwynebau.'

Jan: 'Ond wyddoch chi ddim byd yn bendant. Dim ond dyfalu yr ydach chi.'

Y Rhandy: 'Oherwydd ein bod ni eisoes wedi bod drwy'r cyfan ein hunain. Yn yr Almaen i ddechrau ac wedyn yma. A be feddyli di sy'n digwydd yn Rwsia?'

Jan: 'A gadael yr Iddewon allan ohoni, dydw i ddim yn credu fod neb yn gwybod beth sy'n mynd ymlaen yn Rwsia. Mae'n debyg fod y Prydeinwyr a'r Rwsiaid yn gorliwio pethau i bwrpas propaganda, yn union fel yr Almaenwyr.'

Y Rhandy: 'Choelia i fawr. Mae'r BBC wedi dweud y gwir bob amser. A hyd yn oed os ydi'r newyddion wedi'u gorliwio fymryn, mae'r ffeithiau'n ddigon drwg fel maen nhw. Elli di ddim gwadu'r ffaith fod miliynau o ddinasyddion heddychlon yng Ngwlad Pwyl a Rwsia wedi cael eu llofruddio neu eu gwenwyno â nwy.'

Rydw i am dy arbed di rhag enghreifftiau pellach. Rydw i'n ddigyffro iawn ac yn anwybyddu'r holl ffwdan. Rydw i wedi cyrraedd y pwynt pan nad ydw i'n malio fawr ddim pa un ai byw ai marw wna i. Fe fydd y byd yn dal i droi hebdda i, a does dim alla i ei wneud i newid yr amgylchiadau p'un bynnag. Mi adawa i i bethau gymryd eu cwrs gan ganolbwyntio ar astudio a gobeithio y bydd popeth yn iawn yn y diwedd.

Dy Anne

Dydd Mawrth, Chwefror 8, 1944

Annwyl Kitty,

Alla i ddim dweud wrthot ti sut yr ydw i'n teimlo. Un munud rydw i'n dyheu am heddwch a llonyddwch, a'r munud nesaf am dipyn o hwyl. Rydan ni wedi anghofio sut i chwerthin - hynny ydi, chwerthin cymaint nes dy fod ti'n methu rhoi'r gorau iddi.

Y bore 'ma mi ges i bwl o biffian, fel yr oedden ni'n arfer ei gael yn yr ysgol. Roedd Margot a fi'n piffian chwerthin, fel unrhyw ddwy yn eu harddegau.

Neithiwr bu helynt arall efo Mam. Roedd Margot wrthi'n lapio'i blanced wlân amdani pan neidiodd yn sydyn allan o'r gwely ac archwilio'r flanced yn ofalus. A be feddyli di oedd yno? Pìn! Roedd Mam wedi clytio'r flanced ac wedi anghofio'i dynnu allan. Ysgydwodd Dad ei ben yn awgrymog gan gyfeirio at ddiofalwch

Mam. Yn fuan wedyn, daeth Mam i mewn o'r toiled ac meddwn i, dim ond i'w herian, '*Du bist doch eine echte Rabenmutter*'. ('O, rydach chi'n fam greulon.')

Wrth gwrs, fe ofynnodd i mi pam yr o'n wedi dweud hynny, ac fe sonion ni wrthi am y pìn yr oedd hi wedi ei adael yn y flanced. Ar unwaith, dyna hi'n cymryd arni ei hedrychiad mwyaf ffroenuchel a dweud, 'Mi wyt ti'n un dda i siarad. Pan wyt ti'n gwnïo, mae'r llawr i gyd wedi'i orchuddio â phinnau. Ac edrych, rwyt ti wedi gadael y taclau trin ewinedd o gwmpas eto. Fyddi di byth yn cadw rheini chwaith!'

Mi ddywedais i nad o'n i wedi eu defnyddio, ac fe gefnogodd Margot fi, gan mai hi oedd yr un euog.

Aeth Mam ymlaen i sôn pa mor lanestog o'n i nes i mi gael llond bol a dweud, braidd yn swta, 'Nid fi oedd yr un ddwedodd eich bod chi'n ddiofal, hyd yn oed. Rydw i bob amser yn cael fy meio am gamgymeriadau pobl eraill!'

Tawodd Mam. Lai na munud yn ddiweddarach ro'n i'n gorfod rhoi cusan nos da iddi. Efallai nad oedd y digwyddiad yn un pwysig, ond mae popeth yn mynd ar fy nerfau i ar hyn o bryd.

Anne Mary Frank

Dydd Sadwrn, Chwefror 12, 1944

F'annwyl Kitty,

Mae'r haul yn disgleirio, yr awyr yn las dwfn, mae yna awel fendigedig ac rydw i'n dyheu - yn dyheu'n wirioneddol - am bopeth; sgwrs, rhyddid, ffrindiau, bod ar fy mhen fy hun. Rydw i'n dyheu ... am gael crio! Rydw i'n teimlo fel pe bawn i ar fin ffrwydro. Mi wn i y byddai crio o help, ond alla i ddim. Rydw i'n anniddig, yn crwydro o un ystafell i'r llall, yn ffroeni'r crac yn ffrâm y ffenestr, yn teimlo fy nghalon yn curo fel pe bai'n dweud, 'Bodlona fy nyheadau bellach ...'

Rydw i'n credu fod y gwanwyn y tu mewn i mi. Rydw i'n teimlo cyffro'r gwanwyn, yn ei deimlo yn fy holl gorff a'm henaid. Mae'n rhaid i mi fy ngorfodi fy hun i ymddwyn yn naturiol. Rydw i mewn stad o ddryswch llwyr, heb wybod beth i'w ddarllen, beth i'w ysgrifennu, beth i'w wneud. Y cyfan wn i ydi fy mod i'n dyheu am rywbeth ...

Dy Anne

Dydd Llun, Chwefror 14, 1944

F'annwyl Kitty,

Rydw i wedi profi sawl newid ers y Sadwrn. Dyma beth ddigwyddodd: ro'n i'n dyheu am rywbeth (ac yn dal i ddyheu), ond ... mae rhan fechan, un fechan iawn, o'r broblem wedi ei datrys.

Bore Sul mi sylwais, er mawr lawenydd i mi (waeth i mi fod yn onest ddim) fod Peter yn edrych arna i drwy'r amser. Nid yn y ffordd arferol. Wn i ddim, alla i ddim egluro, ond yn sydyn mi ge's i'r teimlad nad oedd o gymaint mewn cariad efo Margot ag yr o'n wedi tybio. Mi wnes ymdrech drwy gydol y dydd i beidio edrych gormod arno, oherwydd bob tro y byddwn i'n gwneud, ro'n i'n ei ddal o'n edrych arna i ac yna - wel, roedd hynny'n rhoi teimlad bendigedig i mi, ond teimlad na ddylwn i ei gael yn rhy aml.

Nos Sul roedd pawb ond Pim a fi wedi tyrru o gwmpas y radio, i wrando 'Cerddoriaeth Anfarwol Meistri'r Almaen'. Roedd Dussel yn dal ymlaen i drin a throi'r nobiau, ac roedd hynny'n cythruddo Peter, a'r lleill hefyd. Wedi iddo lwyddo i'w ffrwyno ei hun am hanner awr, gofynnodd Peter braidd yn bigog i Dussel roi'r gorau i ffidlan efo'r radio. Atebodd Dussel yn ei dôn fwyaf trahaus, '*Ich mach' das schon*!' (Mi wna i mewn munud). Gwylltiodd Peter a gwneud sylw haerllug. Cafodd gefnogaeth Mr van Daan, a bu'n rhaid i Dussel ildio. A dyna'r diwedd.

Er nad oedd y rheswm dros yr anghydfod yn arbennig o bwysig ynddo'i hun, mae Peter wedi teimlo i'r byw yn ôl pob golwg, oherwydd y bore 'ma, pan o'n i'n chwilio drwy'r bocs llyfrau yn yr atig, fe ddaeth i fyny ata i a dechrau dweud beth oedd wedi digwydd. Wyddwn i ddim am y peth, ond fe sylweddolodd Peter yn fuan fod ganddo glust barod a dechreuodd dwymo iddi.

'Wel, fel hyn mae hi,' meddai. 'Fydda i byth yn siarad fawr, gan fy mod i'n gwybod ymlaen llaw y bydd fy nhafod i'n mynd yn glymau i gyd. Rydw i'n dechrau cagio a gwrido ac yn troi a throsi'r geiriau gymaint fel bod yn rhaid i mi roi'r gorau iddi gan na alla i ddod o hyd i'r geiriau iawn. Dyna ddigwyddodd ddoe. Ro'n i wedi bwriadu dweud rhywbeth hollol wahanol, ond unwaith y dechreuais i ro'n i wedi cymysgu'n llwyr. Mae hynny'n brofiad dychrynllyd. Roedd gen i un arferiad drwg, ac mi fyddai'n dda gen i weithiau petai hwnnw'n dal gen i: pan fyddwn i wedi gwylltio efo rhywun, mi fyddwn i'n ei ddyrnu yn hytrach na dadlau efo fo. Mi wn i nad ydi hynny'n ateb dim, a dyna pam yr ydw i'n dy edmygu di. Dwyt ti byth ar goll am eiriau; rwyt ti'n dweud beth bynnag sydd ar dy feddwl di a dwyt ti ddim yn swil o gwbwl.'

'O, mi wyt ti'n gwneud camgymeriad mawr,' meddwn i. 'Mae'r rhan fwyaf o'r hyn yr ydw i'n ei ddweud yn wahanol iawn i'r hyn o'n i wedi bwriadu'i ddweud. Rydw i'n siarad gormod hefyd ac yn parablu ymlaen yn ddiderfyn, ac mae hynny lawn cyn waethed.'

'Efallai, ond mae gen ti'r fantais nad oes neb yn sylwi dy fod ti'n teimlo'n chwithig. Dwyt ti ddim yn gwrido na mynd yn dipiau.'

Allwn i ddim peidio gwenu'n slei bach wrth glywed hynny. Fodd bynnag, gan fy mod i eisiau iddo ddal ymlaen i siarad amdano'i hun, dyna fygu'r chwerthin, eistedd ar glustog ar y llawr, lapio fy mreichiau am fy mhengliniau a rhoi fy holl sylw iddo.

Rydw i tu hwnt o falch fod yna un arall yn y Rhandy sy'n mynd mor gynddeiriog â fi. Roedd Peter, yn ôl pob golwg, yn teimlo rhyddhad o allu beirniadu Dussel heb ofni y byddwn i'n prepian. Amdana i, ro'n innau'n falch hefyd, oherwydd fy mod i'n synhwyro teimlad cywir o gyfeillgarwch, nad ydw i'n cofio'i gael efo neb ond y merched yr o'n i'n ffrindiau efo nhw.

Dy Anne

Dydd Mawrth, Chwefror 15, 1944

Cafodd yr anghydfod pitw efo Dussel sawl sgil-effaith, a does ganddo ond fo'i hun i'w feio am hynny. Daeth Dussel i mewn i weld Mam nos Lun a'i hysbysu'n fuddugoliaethus fod Peter wedi gofyn iddo'r bore hwnnw oedd o wedi cysgu'n iawn, ac yna wedi ychwanegu fod yn ddrwg iawn ganddo am yr hyn ddigwyddodd nos Sul - nad oedd wedi meddwl dim drwg. Roedd Dussel, meddai, wedi ei sicrhau nad oedd wedi cymryd hynny at ei galon. Felly roedd popeth yn iawn unwaith eto. Gan Mam y clywais i hyn, ac ro'n i'n rhyfeddu'n ddistaw bach fod Peter, oedd mor ddig efo Dussel, wedi llyfu'r llwch ar waethaf ei holl honiadau i'r gwrthwyneb.

Allwn i ddim ymatal rhag taclo Peter, ac fe atebodd yntau ar unwaith fod Dussel yn rhaffu celwyddau. Fe ddylet ti fod wedi gweld wyneb Peter. Biti na fyddai gen i gamera. Roedd dicter, cynddaredd, petruster, cynnwrf a llawer mwy yn gwibio ar draws ei wyneb, un ar ôl y llall.

Y noson honno rhoddodd Mr van Daan a Peter bryd o dafod i Dussel. Ond mae'n rhaid nad oedd pethau cynddrwg â hynny, gan fod apwyntiad deintyddol arall wedi ei drefnu ar gyfer Peter heddiw.

Mewn gwirionedd, doedden nhw byth eisiau torri gair â'i gilydd eto.

Dydd Mercher, Chwefror 16, 1944

Doedd Peter a fi ddim wedi cael cyfle i siarad drwy'r dydd, ar wahân i ychydig o eiriau dibwys. Roedd hi'n rhy oer i fynd i fyny i'r atig a ph'un bynnag roedd Margot yn cael ei phen blwydd. Daeth Peter i weld yr anrhegion am hanner awr wedi deuddeg a bu'n loetran o gwmpas yn sgwrsio yn hirach nag oedd raid, rhywbeth na fyddai byth wedi'i wneud fel arfer. Ond mi ge's i fy nghyfle yn ystod y prynhawn. Gan fy mod i'n teimlo fel sbwylio Margot ar ei phen blwydd, i ffwrdd â fi i nôl y coffi, ac yna'r tatws. Pan gyrhaeddais i ystafell Peter, fe symudodd ei bapurau oddi ar y grisiau ar unwaith, ac mi ofynnais innau a ddylwn gau drws llawr yr atig.

'Ia,' meddai, 'gwna di hynny. Rho gnoc pan fyddi di'n barod i ddod i lawr ac mi agora i o iti.'

Wedi i mi ddiolch iddo, mi es i fyny'r grisiau a threulio deng munud o leiaf yn chwilio'n y gasgen am y tatws lleiaf. Fe ddechreuodd fy nghefn i frifo, ac roedd yr atig yn oer. Yn naturiol, wnes i ddim trafferthu cnocio, dim ond agor y drws llawr fy hun. Ond fe gododd ar ei draed yn ewyllysgar a chymryd y badell o 'nwylo i.

'Mi wnes i 'ngorau ond allwn i ddim dod o hyd i rai llai.'

'Wnest ti edrych yn y gasgen fawr?'

'Do, rydw i wedi bod drwyddyn nhw i gyd.'

Erbyn hynny ro'n i ar waelod y grisiau, ac fe ddechreuodd Peter archwilio'r tatws yn y badell. 'O, mae'r rhain i'r dim,' meddai, gan ychwanegu wrth i mi gymryd y badell oddi arno, 'Llongyfarchiadau!'

Roedd ei edrychiad wrth iddo ddweud hynny mor wresog a thyner fel fy mod i'n teimlo fy nghorff yn cynhesu drwyddo. Mi allwn ddweud ei fod eisiau fy mhlesio i, ond gan na allai wneud anerchiad hir, clodforus roedd yn rhaid iddo ddweud y cyfan â'i lygaid. Ro'n i'n ei ddeall, O! mor dda, ac ro'n i'n wirioneddol ddiolchgar. Mae cofio'r geiriau a'r edrychiad hwnnw'n dal i roi pleser a llawenydd i mi!

Pan ddychwelais i lawr grisiau, dywedodd Mam ei bod angen rhagor o datws, at swper y tro yma, ac mi gynigiais innau fynd i fyny'r eildro. Wedi i mi gyrraedd ystafell Peter, dyna ymddiheuro unwaith eto am aflonyddu arno. Fel yr o'n i'n dringo'r grisiau, daeth i sefyll rhwng y grisiau a'r wal, gafael yn fy mraich a cheisio fy rhwystro i.

'Mi a' i,' meddai. 'Mae'n rhaid i mi fynd i fyny p'un bynnag.'

Mi atebais innau nad oedd angen hynny, gan nad oedd gofyn i mi chwilio am y rhai bach yn unig y tro yma. Wedi'i ddarbwyllo, gollyngodd fy mraich. Ond fe agorodd y drws llawr i mi pan o'n i ar fy ffordd yn ôl a chymryd y badell oddi arna i unwaith eto. Wrth i mi groesi am y drws, dyna fi'n gofyn, 'Ar be wyt ti'n gweithio?'

'Ffrangeg,' oedd yr ateb.

Mi ofynnais a gawn i gip ar y wers. Wedi i mi olchi fy nwylo mi eisteddais gyferbyn â Peter, ar y difán.

Ar ôl i mi egluro peth o'r Ffrangeg iddo, fe ddechreuon ni sgwrsio. Fe ddywedodd wrtha i ei fod eisiau mynd i India'r Dwyrain wedi'r rhyfel a byw ar blanhigfa rwber. Bu'n sôn am ei fywyd gartref, y farchnad ddu, a'r ffaith ei fod yn teimlo'n gwbl ddiwerth. Mi ddywedais innau fod ganddo, mae'n amlwg, ymdeimlad mawr o israddoldeb. Bu'n sôn am y rhyfel, gan ddweud fod Rwsia a Phrydain yn siŵr o ryfela yn erbyn ei gilydd, ac yn sôn am yr Iddewon hefyd. Byddai bywyd wedi bod yn llawer haws, meddai, pe bai'n Gristion neu pe bai'n gallu dod yn Gristion wedi'r rhyfel. Mi ofynnais a oedd o eisiau cael ei fedyddio, ond nid dyna oedd o'n ei olygu chwaith. Dywedodd na allai byth deimlo fel Cristion, ond roedd am wneud yn siŵr wedi i'r rhyfel ddod i ben na fyddai neb yn gwybod mai Iddew oedd o. Rhoddodd hynny ysgytwad fach i mi. Mae'n biti mawr fod yna arlliw o anonestrwydd yn dal i lynu wrtho.

Meddai Peter, 'Yr Iddewon oedd y bobl etholedig a dyna fyddan nhw, am byth!'

Ac meddwn i, 'Gobeithio y cân' nhw eu hethol i rywbeth gwell, am unwaith!'

Ond fe aethon ni ymlaen i sgwrsio'n braf, am Dad, am bwyso a mesur y natur ddynol a phob math o bethau, cymaint fel na alla i eu cofio i gyd.

Mi adewais i am chwarter i bump, gan fod Bep wedi cyrraedd.

Y noson honno dywedodd rywbeth arall wnaeth argraff arna i. Sôn yr oedden ni am y llun o un o sêr y ffilmiau yr o'n i wedi'i roi iddo rywdro ac sydd wedi bod i fyny'n ei ystafell ers o leiaf flwyddyn a hanner. Mi gynigiais i roi ychydig rhagor o luniau iddo gan ei fod mor hoff ohono.

'Na,' meddai, 'mae'n well gen i gadw'r un sydd gen i. Rydw i'n edrych arno bob dydd, ac mae'r bobl sydd ynddo fo wedi dod yn ffrindiau imi.'

Rydw i'n deall rŵan pam mae Peter bob amser yn gafael mor dynn yn Mouschi. Mae'n amlwg ei fod yntau angen sylw a maldod. Mi anghofiais sôn iddo ddweud hyn hefyd, 'Na, does arna i ddim ofn, ond pan fydda i'n meddwl am fy niffygion i fy hun, ond rydw i'n ceisio gwneud rhywbeth ynglŷn â hynny.'

Mae gan Peter ymdeimlad dychrynllyd o israddoldeb. Er enghraifft, mae bob amser yn meddwl ei fod mor dwp a ninnau mor alluog. Pan fydda i'n ei helpu efo'r Ffrangeg, mae'n diolch i mi ganwaith drosodd. Rydw i'n mynd i ddweud wrtho un o'r dyddiau 'ma, 'O, rho'r gorau iddi. Rwyt ti'n llawer gwell mewn Saesneg a daearyddiaeth!'

Anne Frank

Dydd Iau, Chwefror 17, 1944

Annwyl Kitty,

Ro'n i i fyny grisiau'r bore 'ma, gan fy mod i wedi addo i Mrs van D. y byddwn i'n darllen rhai o'm storïau iddi. Mi ddechreuais i efo 'Breuddwyd Efa', oedd yn ei phlesio'n fawr. Yna mi ddarllenais i ychydig rannau o'r stori 'Y Rhandy Dirgel'. Roedd hi'n ei dyblau'n chwerthin. Bu Peter hefyd yn gwrando am sbel (y rhan olaf yn unig) ac fe ofynnodd a fyddwn i'n fodlon mynd i'w ystafell rywdro i ddarllen rhagor. Mi benderfynais y byddai'n rhaid i mi fanteisio ar y cyfle yn y fan a'r lle, felly dyna estyn am fy llyfr ysgrifennu a gofyn iddo ddarllen y rhan lle mae Cady a Hans yn trafod Duw. Alla i ddim dweud o ddifri sut effaith gafodd hynny arno. Fe ddywedodd rywbeth nad ydw i'n ei gofio'n iawn, nid i ganmol, ond am y syniad. Mi ddywedais innau fy mod i am iddo weld nad pethau smala'n unig y bydda i'n eu hysgrifennu. Nodio wnaeth o, ac mi adewais i'r ystafell. Oes yna ragor i ddod, tybed? Gawn ni weld!

Dy Anne Frank

Dydd Gwener, Chwefror 18, 1944

Fy anwylaf Kitty,

Bob tro y bydda i'n mynd i fyny grisiau, rydw i'n gobeithio y bydda i'n ei weld 'o'. Rŵan fod gen i rywbeth i edrych ymlaen ato, mae fy mywyd i yma wedi gwella'n fawr.

O leiaf mae gwrthrych fy nghyfeillgarwch i yma bob amser a does dim rhaid i mi ofni cystadleuaeth (ar wahân i Margot). Dydw i ddim am i ti feddwl fy mod i mewn cariad, achos dydw i ddim, ond mae gen i'r teimlad fod rhywbeth hyfryd yn mynd i ddatblygu rhwng Peter a fi, rhyw fath o gyfeillgarwch ac ymddiriedaeth yn ein gilydd. Rydw i'n mynd i'w weld bob cyfle ga i, ac mae pethau'n wahanol iawn i'r hyn oedden nhw, pan nad oedd o'n gwybod beth i'w wneud ohona i na beth i'w ddweud wrtha i. I'r gwrthwyneb, mae'n dal ymlaen i siarad pan fydda i ar fy ffordd allan o'r ystafell. Mae Mam yn anfodlon i mi fynd i fyny grisiau. Mae hi'n dweud bob tro fy mod i'n aflonyddu ar Peter ac y dylwn i adael llonydd iddo. Ydi hi ddim yn sylweddoli, mewn difri, fod gen i rywfaint o synnwyr cyffredin? Mae'n edrych yn od arna i bob tro y bydda i'n mynd i ystafell Peter. Wedi i mi ddod oddi yno, mae'n mynnu gofyn lle'r ydw i wedi bod. Mae'r peth yn hunllef ac rydw i'n dechrau ei chasáu hi!

Dy Anne M. Frank

Dydd Sadwrn, Chwefror 19, 1944

F'annwyl Kitty,

Mae'n Sadwrn unwaith eto, ac mae hynny'n siarad drosto'i hun. Roedd pobman yn dawel y bore 'ma. Mi dreuliais i bron i awr yn helpu i fyny grisiau, ond che's i ddim ond ychydig eiriau brysiog efo 'fo' wrth fynd heibio.

Pan aeth pawb i fyny grisiau am hanner awr wedi dau i ddarllen neu i gael cyntun, mi gymerais i fy mlanced a phopeth, a mynd i eistedd wrth y ddesg yn y swyddfa breifat i ddarllen neu ysgrifennu. Ond cyn hir aeth pethau'n drech na fi. Rhoddais fy mhen yn fy nwylo a beichio crio. Roedd y dagrau'n llifo i lawr fy ngruddiau, ac ro'n i'n teimlo'n sobor o ddigalon. O, na fyddai 'o' wedi dod yno i 'nghysuro i.

Roedd hi wedi pedwar arna i'n mynd yn ôl i fyny grisiau. Am bump o'r gloch, i ffwrdd â fi i nôl rhywfaint o datws, yn y gobaith y bydden ni'n cyfarfod, ond tra o'n i'n tacluso fy ngwallt yn y toiled roedd o wedi mynd i'r warws i weld Boche.

Ro'n i ar fy ffordd i fyny i helpu Mrs van D. pan deimlais i'r dagrau'n procio unwaith eto. Dyna ruthro'n ôl i'r tŷ bach, gan gipio drych bach wrth fynd heibio. Mi fûm i'n eistedd ar y toiled, yn fy nillad, ymhell wedi i'r crio beidio, y dagrau'n gadael sbotiau tywyll ar goch fy ffedog, ac ro'n i'n teimlo'n hollol druenus.

Dyma beth oedd yn mynd trwy fy meddwl i: 'O, alla i byth gyrraedd at Peter fel hyn. Pwy ŵyr, efallai nad ydi o'n fy hoffi i hyd yn oed ac nad oes arno angen ymddiried yn neb. Efallai ei fod yn ddi-hid ohona i ac nad ydi o'n meddwl amdana i ond ar ddamwain. Mi fydda i ar fy mhen fy hun unwaith eto, heb neb i ymddiried ynddo a heb Peter, heb obaith, cysur na dim i edrych ymlaen ato. O, pe bawn i ond yn gallu gorffwyso 'mhen ar ei ysgwydd a pheidio â theimlo mor ofnadwy o unig a gwrthodedig! Pwy ŵyr, efallai nad ydi o'n malio dim amdana i a'i fod yn edrych ar y lleill yr un mor dyner. Efallai mai dim ond dychmygu wnes i fod y tynerwch hwnnw wedi'i fwriadu'n arbennig i mi. O, Peter, pe gallet ti ond fy ngweld neu fy nghlywed i. Os mai dyna'r gwir, mae'n fwy nag y galla i ei oddef.'

Ychydig yn ddiweddarach ro'n i'n teimlo'n obeithiol ac yn llawn disgwyliadau unwaith eto, er bod y dagrau'n dal i lifo - ar y tu mewn.

Dy Anne M. Frank

Dydd Sul, Chwefror 20, 1944

Mae'r hyn sy'n digwydd yn nhai pobl eraill yn ystod gweddill yr wythnos yn digwydd yma yn y Rhandy ar y Sul. Tra mae pobl eraill yn gwisgo'u dillad gorau ac yn mynd am dro yn yr haul, rydan ni'n sgwrio, sgubo a golchi dillad.

Wyth o'r gloch. Er bod yn well gan y gweddill ohonom gysgu ymlaen, bydd Dussel yn codi am wyth. Mae'n mynd i'r toiled, yna i lawr y grisiau, yn ôl wedyn, ac yna i'r toiled lle mae'n treulio awr gyfan yn ei ymgeleddu ei hun.

Hanner awr wedi naw. Mae'r ddwy stof yn cael eu cynnau, y llenni blacowt yn cael eu tynnu i lawr, a Mr van Daan yn anelu am y toiled. Un o'm harteithiau pennaf i ar fore Sul ydi gorfod gorwedd yn y gwely ac edrych ar gefn Dussel tra mae o'n gweddïo. Mi wn i ei fod yn swnio'n od, ond mae Dussel ar weddi'n olygfa erchyll. Nid ei fod yn crio nac yn mynd yn ordeimladwy, ddim o gwbl, ond mae yn treulio chwarter awr - chwarter awr gyfan - yn siglo o flaenau'i draed i'w sodlau. Yn ôl a blaen, ymlaen ac yn ôl, yn ddiderfyn. Os nad ydw i'n cau fy llygaid yn dynn, rydw i'n cael y bendro.

Chwarter wedi deg. Mae'r teulu van Daan yn chwibanu; mae'r toiled yn rhydd. Yn nhrigfan y teulu Frank, mae'r wynebau cysglyd cyntaf yn dechrau ymddangos heibio i'r gobennydd. Yna mae popeth yn digwydd, yn gyflym, gyflym, gyflym. Mae Margot a fi'n golchi'r dillad ar yn ail. Gan ei bod yn bur oer i lawr grisiau, fe fyddwn ni'n gwisgo trowsusau a sgarffiau pen. Yn y cyfamser, mae Dad yn brysur yn y toiled. Am un ar ddeg, daw tro Margot neu fi, a dyna ni i gyd yn lân.

Hanner awr wedi un ar ddeg. Brecwast. A' i ddim ar ôl hynny gan fod yma ddigon o sôn am fwyd heb i mi ddechrau arni hefyd.

Chwarter wedi hanner dydd. Mae pob un ohonom yn mynd i'w ffordd ei hun. Mae Dad, yn ei oferôl, yn mynd ar ei bedwar ac yn brwsio'r carped mor egnïol fel bod yr ystafell o'r golwg dan gwmwl o lwch. Mae Dussel yn gwneud y gwlâu (yn gwbl ddi-lun, wrth gwrs), bob amser yn chwibanu'r un concerto i'r ffidil gan Beethoven wrth fynd o gwmpas ei waith. Gellir clywed Mam yn symud o gwmpas yr atig wrth iddi hongian y golch i fyny. Mae Mr van Daan yn gwisgo'i het ac yn diflannu i'r parthau isaf, yn cael ei ddilyn fel arfer gan Peter a Mouschi. Mae Mrs van D. yn gwisgo ffedog laes, siaced wlân ddu ac esgidiau rwber, yn lapio sgarff wlân goch drwchus am ei phen, yn cipio bwndel o ddillad budron a gydag amnaid fach golchwraig broffesiynol, yn anelu i lawr y grisiau. Mae Margot a fi yn golchi'r llestri ac yn tacluso'r ystafell.

Dydd Mercher, Chwefror 23, 1944

F'annwyl Kitty,

Mae'r tywydd wedi bod yn fendigedig ddoe a heddiw ac rydw i wedi sirioli cryn dipyn. Mae fy ngwaith ysgrifennu, y peth gorau sydd gen i, yn dod yn ei flaen yn dda. Rydw i'n mynd i'r atig bob bore bron i gael gwared ag awyr sur yr ystafell fyw o'm hysgyfaint. Pan gyrhaeddais yno bore heddiw roedd Peter wrthi'n brysur yn glanhau'r lle. Fe orffennodd cyn pen dim a chroesi i'r lle ro'n i'n eistedd yn fy hoff lecyn ar y llawr. Edrychodd y ddau ohonom allan ar yr awyr las, y goeden gastanwydden foel yn pefrio gan wlith, y gwylanod a'r adar eraill yn fflachio drwy'r awyr fel arian byw, ac roedden ni wedi ein gwefreiddio a'n swyno gymaint fel nad oedden ni'n gallu yngan gair. Roedd Peter yn sefyll, ei ben yn pwyso yn erbyn un o'r distiau trwchus, a minnau'n eistedd; y ddau ohonom yn anadlu'n ddwfn wrth edrych allan ac yn teimlo na ddylid chwalu'r hud â geiriau. Felly y buon ni am ysbaid hir, a phan ddaeth yr amser iddo fynd i dorri coed, mi wyddwn ei fod yn fachgen o'r siort orau. Dringodd Peter yr ysgol i'r groglofft, ac mi ddilynais innau. Yn ystod y chwarter awr y bu'n torri'r coed, ddywedodd yr un ohonon ni air. Ro'n i'n ei wylio o'r lle yr o'n i'n sefyll, ac roedd yn amlwg ei fod yn gwneud ei orau glas i dorri'r coed y ffordd iawn ac i arddangos ei nerth. Ond ro'n i hefyd yn edrych drwy'r ffenestr agored gan adael i'm llygaid grwydro dros ran helaeth o Amsterdam, dros y toeau ac ymlaen hyd at y gorwel, rhimyn o las mor olau fel ei fod bron yn anweledig.

'Cyhyd ag y bydd hyn yn bod,' meddyliwn, 'yr heulwen a'r awyr ddigwmwl hon, a chyhyd ag y bydda i yma i'w mwynhau, sut y galla i fod yn drist?'

Y feddyginiaeth orau i'r rhai sy'n ofnus, unig neu'n anhapus ydi mynd allan, i rywle lle y gallan nhw fod ar eu pennau eu hunain, yn un â'r awyr, natur a Duw. Oherwydd bryd hynny, a bryd hynny'n unig, y gall rhywun deimlo fod popeth fel y dylai fod a Duw am i bobl fod yn hapus yng nghanol prydferthwch a symledd natur.

Cyhyd ag y pery hyn, a dylai hynny fod am byth, mi wn i y bydd cysur i bob galar, beth bynnag fo'r amgylchiadau. Rydw i'n credu'n gydwybodol y gall natur ddwyn cysur i bawb sy'n dioddef.

O, pwy ŵyr, efallai y galla i cyn bo hir rannu'r teimlad aruthrol hwn o lawenydd â rhywun sy'n teimlo yr un fath â fi.

Dy Anne

O.N. Meddyliau: I Peter.

Rydan ni wedi gweld colli cymaint yma, cymaint o bethau, a hynny dros gyfnod mor hir. Rydw i'r un mor ymwybodol o hynny ag wyt ti. Nid cyfeirio yr ydw i at y pethau allanol, gan nad ydan ni'n brin o'r rheini. Na, sôn yr ydw i am y pethau mewnol. Fel ti, mi fydda i'n hiraethu am ryddid ac awyr iach, ond rydw i'n credu ein bod ni wedi derbyn iawn helaeth am y golled honno. Iawn mewnol, dyna ydw i'n ei olygu.

Y bore 'ma, pan o'n i'n eistedd wrth y ffenestr yn syllu'n hir a dwys allan ar Dduw a natur, ro'n i'n hapus, yn wirioneddol hapus. Peter, cyhyd ag y bo pobl yn teimlo'r math yna o hapusrwydd oddi mewn, llawenydd natur, iechyd a llawer mwy, fe allan nhw bob amser ailfeddiannu'r hapusrwydd hwnnw.

Cyfoeth, bri, gellir colli'r cyfan. Ond ni ellir ond pylu'r hapusrwydd sy'n y galon dros dro. Bydd yno bob amser, tra byddi di byw, i dy wneud di'n hapus eto.

Bob tro y byddi di'n teimlo'n unig neu'n ddigalon, rho gynnig ar fynd i'r groglofft ar ddiwrnod braf ac edrych allan. Nid ar y tai a'r toeau, ond ar yr awyr. Cyhyd ag y gelli di syllu'n ddiofn ar yr awyr fe fyddi'n gwybod dy fod ti'n bur oddi mewn ac y doi di o hyd i hapusrwydd unwaith eto.

Dydd Sul, Chwefror 27, 1944

Fy anwylaf Kitty

Dydw i'n gwneud fawr ddim o fore gwyn tan nos ond meddwl am Peter. Rydw i'n ei weld o flaen fy llygaid wrth syrthio i gysgu, yn breuddwydio amdano ac yn deffro i'w gael yn dal i syllu arna i.

Mae gen i deimlad cryf nad ydi Peter a fi mor wahanol ag yr ydan ni'n ymddangos ar yr wyneb, ac mi eglura i pam: does gan Peter na fi fam go iawn. Mae un Peter yn rhy arwynebol, yn hoff o fflyrtio a dydi hi'n cymryd fawr o sylw o'r hyn sy'n mynd ymlaen yn ei feddwl. Er bod fy un i yn cymryd diddordeb gweithredol yn fy mywyd i, does ganddi na doethineb, tynerwch na dealltwriaeth famol.

Mae Peter a fi'n ceisio ymgodymu â'n teimladau mwyaf cyfrin. Rydan ni'n dal yn ansicr ohonom ein hunain ac yn rhy fregus, yn emosiynol, i gael ein trin mor arw. Bob tro y digwydd hynny, rydw i un ai eisiau rhedeg allan neu guddio fy nheimladau. Yn lle hynny, mi fydda i'n clepian y sosbenni a'r padelli, yn tasgu dŵr ac yn gwneud andros o sŵn, fel bod pawb yn dyheu i mi fod filltiroedd i ffwrdd. Ymateb Peter ydi cau arno'i hun, dweud fawr ddim, eistedd yn dawel a phensynnu, gan guddio'i wir natur yn ofalus drwy'r amser.

Ond sut a phryd y gwnawn ni gyrraedd at ein gilydd?

Wn i ddim am ba hyd y galla i ddal i gadw'r dyhead hwn o dan reolaeth.

Dy Anne M. Frank

Dydd Llun, Chwefror 28, 1944

Fy anwylaf Kitty,

Mae hyn fel hunllef sy'n mynd ymlaen ymhell wedi i mi ddeffro. Rydw i'n ei weld bron bob awr o'r dydd ac eto alla i ddim bod efo fo. Fiw i mi adael i'r lleill sylwi, ac rydw i'n gorfod cymryd arnaf fod yn siriol er bod fy nghalon i'n brifo.

Mae Peter Schiff a Peter van Daan wedi toddi'n un Peter, sy'n dda a charedig, un yr ydw i'n dyheu'n enbyd amdano. Mae Mam yn blagus, Dad yn annwyl, sy'n ei wneud yn fwy plagus hyd yn oed, a Margot yn waeth fyth gan ei bod yn manteisio ar fy wyneb hawddgar i'm hawlio iddi ei hun, pan nad ydw i eisiau dim ond llonydd.

Aeth Peter i fyny i'r groglofft i wneud rhywfaint o waith coed yn hytrach na dod ata i i'r atig. Roedd fel pe bai talp ar ôl talp o'm gwroldeb i'n diflannu i ganlyn pob crafiad a churiad ac ro'n i'n fwy digalon fyth. Yn y pellter, roedd cloch yn canu 'Bydd bur dy galon, pur dy feddwl!' Rydw i'n ordeimladwy, mi wn i hynny. Rydw i'n wangalon a gwirion, mi wn i hynny hefyd.

O, helpa fi!

Dy Anne M. Frank

Dydd Mercher, Mawrth 1, 1944

F'annwyl Kitty,

Mae fy mhroblemau personol i wedi cael eu gwthio i'r cefndir oherwydd ... lladrad. Rydw i'n dy ddiflasu di efo'r holl sôn am dorri i mewn, ond beth arall alla i ei wneud pan mae lladron yn cael cymaint o bleser wrth anrhydeddu Gies a'i Gwmni â'u presenoldeb? Mae'r digwyddiad hwn yn llawer mwy cymhleth na'r un a ddigwyddodd yn ystod Gorffennaf 1943.

Am hanner awr wedi saith neithiwr roedd Mr van Daan yn anelu, yn ôl ei arfer, am swyddfa Mr Kugler pan sylwodd fod y drws gwydr a drws y swyddfa yn agored. Roedd wedi synnu, ond pan aeth yn ei flaen cafodd fwy o syndod fyth o weld fod drysau'r alcof yn agored hefyd a bod llanastr dychrynllyd yn y swyddfa ffrynt. 'Mae yna ladrad wedi bod,' dyna oedd yn fflachio drwy'i feddwl. Ond er mwyn gwneud yn siŵr, aeth i lawr at y drws ffrynt, archwilio'r clo, a chael fod popeth yn iawn. 'Mae'n rhaid fod Bep a Peter wedi bod yn esgeulus iawn heno,' meddyliodd. Arhosodd yn swyddfa Mr Kugler am sbel. Yna diffoddodd y lamp ac aeth i fyny'r grisiau heb boeni'n ormodol ynglŷn â'r drysau agored a'r swyddfa lanestog.

Yn gynnar y bore 'ma curodd Peter ar ein drws ni i ddweud fod y drws ffrynt yn llydan agored a bod y taflunydd a chas dogfennau newydd Mr Kugler wedi diflannu o'r cwpwrdd. Cafodd Peter orchymyn i gloi'r drws. Roedden ni'n bryderus tu hwnt pan soniodd Mr van Daan am yr hyn roedd wedi ei ganfod neithiwr.

Yr unig eglurhad ydi fod gan y lleidr gopi o'r allwedd, gan nad oedd unrhyw arwydd fod grym wedi ei ddefnyddio. Mae'n rhaid ei fod wedi sleifio i mewn yn gynnar fin nos, cau'r drws ar ei ôl, cuddio pan glywodd Mr van Daan, dianc efo'i ysbail wedi i Mr van Daan fynd i fyny'r grisiau a gadael y drws yn agored yn ei frys.

Gan bwy y gallai'r allwedd fod? Pam na fu i'r lleidr fynd i'r warws? Ai un o weithwyr ein warws ni oedd y lleidr, ac a fydd iddo ein bradychu, rŵan ei fod wedi clywed Mr van Daan a'i weld hyd yn oed?

Mae'n ddigon i godi gwallt pen rhywun, gan na wyddon ni a fydd y lleidr yn penderfynu ymweld â ni eto. Neu a fu yn ddychryn gymaint pan glywodd rywun arall yn yr adeilad fel y bydd yn cadw'i bellter?

Dy Anne

O.N. Byddem wrth ein boddau pe gallet ti ddod o hyd i dditectif medrus i ni. Mae yna un amod, wrth gwrs: rhaid gallu dibynnu arno i beidio datgelu gwybodaeth am rai mewn cuddfan.

Dydd Iau, Mawrth 2, 1944

F'annwyl Kitty,

Roedd Margot a fi i fyny yn yr atig heddiw. Er na alla i fwynhau bod yno efo hi fel y gallwn i yng nghwmni Peter (neu rywun arall) mi wn i ei bod hi'n teimlo yr un fath â fi ynglŷn â'r rhan fwyaf o bethau.

Pan oedden ni'n golchi'r llestri, dechreuodd Bep ddweud wrth Mam a Mrs van Daan ei bod hi'n teimlo'n sobor o ddigalon ar brydiau. A pha help gafodd hi gan y ddwy? Y cyfan wnaeth y fam annoeth sydd ganddon ni oedd gyrru pethau o ddrwg i waeth. Wyddost ti beth oedd ei chyngor hi? Y dylai Bep feddwl am yr holl bobl eraill sy'n dioddef! Sut y gall meddwl am drueni pobl eraill helpu os wyt ti'n teimlo'n y gwaelodion dy hun? Pan ddywedais i hynny eu hymateb nhw oedd y dylwn i gadw allan o sgyrsiau o'r fath.

Mae pobl mewn oed y fath ffyliaid! Dydyn nhw ddim fel pe baen nhw'n deall fod gan Peter, Margot, Bep a fi i gyd yr un teimladau. Yr unig beth sy'n helpu ydi cariad mam neu gyfaill agos, cytûn. Ond ŵyr ein dwy fam ni mo'r peth cyntaf amdanom! Efallai fod Mrs van Daan yn deall ychydig mwy na Mam. O, mi fyddai'n dda gen i pe bawn i wedi gallu dweud rhywbeth wrth Bep druan, rhywbeth y gwn i o brofiad fyddai o help iddi. Ond daeth Dad rhyngom, a 'ngwthio i o'r neilltu. Maen nhw i gyd mor ddiddeall!

Mi fûm i'n sôn wrth Margot hefyd mor ddymunol y gallai pethau fod yma pe bai Dad a Mam heb fod mor blagus. Fe allen ni drefnu nosweithiau pan gâi pawb gyfle i ddweud eu barn ar ryw bwnc neu'i gilydd. Ond rydan ni wedi bod drwy hynny i gyd eisoes. Mae'n amhosibl i mi ddweud dim yma. Mae Mr van Daan yn troi'n ymosodol a Mam yn gwawdio ac yn methu dweud dim mewn llais naturiol. Dydi Dad ddim yn teimlo fel cymryd rhan, mwy na Dussel, ac mae Mrs van D. dan y lach mor aml fel nad ydi hi'n gwneud dim ond eistedd yno, ei hwyneb yn goch, prin yn abl i wrthsefyll mwyach. A beth amdanon ni? Does ganddon ni ddim hawl i'n barn! Wel, wel, on'd ydyn nhw'n flaengar! Dim hawl i farn! Fe elli di ddweud wrth rywun am gau ei geg ond elli di mo'i rwystro rhag bod â barn. Elli di ddim gwahardd rhywun rhag bod â barn, pa mor ifanc bynnag ydi o neu hi! Cariad cywir a ffyddlondeb, dyna'n unig fyddai'n helpu Bep, Margot, Peter a fi, a dydyn nhw ddim i'w cael yma. A does neb, yn arbennig y ffyliaid hollwybodus sydd i'w cael yma, yn abl i'n deall ni, gan ein bod ni'n llawer mwy sensitif ac yn llawer mwy aeddfed ein meddyliau nag y gall yr un ohonyn nhw fyth ei sylweddoli!

Cariad, beth ydi cariad? Dydw i ddim yn credu y gellir ei ddisgrifio mewn geiriau. Cariad ydi deall rhywun, malio am rywun, rhannu ei lawenydd a'i ofidiau. Mae hyn, ymhen amser, yn cynnwys cariad cnawdol. Rwyt ti wedi rhannu, wedi rhoi ac wedi derbyn, pa un a wyt ti'n briod ai peidio, pa un a wyt ti'n cael plentyn ai peidio. Dydi colli diweirdeb ddim yn bwysig cyhyd â dy fod ti'n gwybod y bydd gen ti, tra byddi di byw, rywun wrth dy ochr sy'n dy ddeall di, ac nad oes raid ei rannu â neb arall!

Dy Anne M. Frank

Ar hyn o bryd, mae Mam yn pigo arna i eto; mae hi'n amlwg yn genfigennus oherwydd fy mod i'n dweud mwy wrth Mrs van Daan nag wrthi hi. Beth ydi'r ots gen i!

Mi lwyddais i gael gafael ar Peter yn ystod y prynhawn ac fe fuon ni'n sgwrsio am o leiaf dri chwarter awr. Roedd yn amlwg eisiau dweud rhywbeth amdano'i hun, ond yn cael hynny'n anodd. Fe gymerodd amser hir iddo gael y geiriau allan. Wyddwn i ddim beth i'w wneud, aros ynteu gadael, ond ro'n i gymaint o eisiau ei helpu! Mi soniais wrtho am Bep a'r ddwy fam anystyriol. Dywedodd yntau fod ei rieni'n ffraeo'n barhaus, am wleidyddiaeth a sigareti a phob math o bethau. Fel yr ydw i wedi dweud wrthot ti o'r blaen, mae Peter yn swil iawn, ond nid yn rhy swil i gyfaddef y byddai'n berffaith hapus pe na bai'n gweld ei rieni am flwyddyn neu ddwy. 'Dydi 'Nhad ddim mor glên â'i olwg,' meddai. 'Ond mae Mam yn hollol iawn ar fater y sigareti.'

Mi soniais i am fy mam hefyd. Roedd Peter yn barod iawn i amddiffyn Dad, gan ddweud ei fod yn 'un o'r goreuon'.

Heno, pan o'n i wrthi'n cadw fy ffedog ar ôl golchi'r llestri, galwodd Peter arna i a gofyn i mi beidio sôn wrth neb i lawr grisiau fod ei rieni wedi cael ffrae arall ac yn gwrthod siarad â'i gilydd. Mi addewais innau, er fy mod eisoes wedi dweud wrth Margot. Ond rydw i'n siŵr na fydd hi'n prepian.

'O, na, Peter,' meddwn i, 'does dim rhaid i ti boeni. Rydw i wedi dysgu peidio clebran, a fydda i byth yn ailadrodd yr hyn wyt ti'n ei ddweud wrtha i.'

Roedd o'n falch o glywed hynny. Mi ddywedais hefyd ein bod ni'n glebrwyr di-ail, gan ychwanegu, 'Mae Margot yn hollol iawn wrth ddweud nad ydw i'n onest, achos er cymaint yr ydw i eisiau rhoi'r gorau i hel clecs does yna ddim ydw i'n ei fwynhau'n fwy na thrafod Mr Dussel.'

'Mae'n beth da dy fod ti'n cyfaddef hynny,' meddai, dan wrido. Bu ond y dim i'w deyrnged ddidwyll beri i minnau swilio hefyd.

Yna fe fuon ni'n siarad rhagor am drigolion y Rhandy. Roedd Peter wedi synnu clywed nad ydan ni'n rhy hoff o'i rieni. 'Peter,' meddwn i, 'mi wyddost fy mod i'n ceisio bod mor onest ag sydd bosib, felly pam na ddylwn i ddweud wrthot ti ein bod ni'n gallu gweld eu gwendidau nhw hefyd?'

Ac meddwn i wedyn, 'Peter, mi hoffwn i dy helpu di, o ddifri. Wnei di adael i mi wneud hynny? Rwyt ti mewn lle anodd, ac mi wn i fod hynny'n tarfu arnat ti er nad wyt ti'n sôn dim am y peth.'

'O, mae dy help di'n dderbyniol bob amser!'

'Efallai y byddai'n well i ti gael gair efo Dad. Fe elli di ddweud unrhyw beth wrtho fo, a does dim perygl iddo ailadrodd dim.'

'Mi wn i hynny. Mae dy dad yn ffrind da.'

'Rwyt ti'n hoff iawn ohono fo, on'd wyt ti?'

Nodiodd Peter, ac meddwn i, 'Mae yntau'n hoff ohonot ti hefyd!'

Fe edrychodd i fyny'n sydyn a gwrido. Roedd gweld cymaint yr oedd yr ychydig eiriau hyn wedi'i blesio yn cyffwrdd fy nghalon i.

'Wyt ti'n meddwl hynny?' gofynnodd.

'Ydw,' meddwn i. 'Fe elli di ddweud oddi wrth ambell sylw bach mae o'n ei wneud bob hyn a hyn.'

Yna, daeth Mr van Daan i mewn i draethu. Mae Peter yn 'un o'r goreuon', yn union fel Dad!

Dy Anne M. Frank

Dydd Gwener, Mawrth 3, 1944

Fy anwylaf Kitty,

Pan syllais i fflam y gannwyll heno, ro'n i'n teimlo'n hapus ac yn dawel fy meddwl. Mae fel pe bai Nain yn y gannwyll, a Nain hefyd sy'n gwylio drosta i, yn fy amddiffyn i ac yn gwneud i mi deimlo'n hapus unwaith eto. Ond ... mae yna rywun arall sy'n rheoli fy hwyliau i gyd a'r un hwnnw ydi ... Peter. Bu'n rhaid i mi nôl tatws i'r atig heddiw. Tra o'n i'n sefyll ar y grisiau efo 'mhadell lawn, gofynnodd Peter, 'Be wyt ti wedi bod yn ei wneud ers amser cinio?'

Mi eisteddais ar y grisiau, ac fe ddechreuon ni sgwrsio. Roedd hi'n chwarter wedi pump (awr yn ddiweddarach) ar y tatws yn cyrraedd y gegin. Soniodd Peter yr un gair yn rhagor am ei rieni; siarad am lyfrau a'r gorffennol y buon ni. O, mae'n syllu arna i efo'r fath gynhesrwydd yn ei lygaid; dydw i ddim yn credu y cymer fawr i mi syrthio mewn cariad efo fo.

Cyfeiriodd Peter at hynny heno. Wedi i mi blicio'r tatws, dyna fynd i fyny i'w ystafell. Wrth i mi sylwi pa mor boeth oedd hi yno, meddwn i, 'Fe all rhywun ddweud beth ydi'r tymheredd wrth edrych ar Margot a fi. Rydan ni'n troi'n wyn pan mae hi'n oer ac yn goch pan mae hi'n boeth.'

'Mewn cariad?' gofynnodd.

'Pam y dylwn i fod mewn cariad?' Ateb digon gwirion (neu gwestiwn, o ran hynny).

'Pam lai?' meddai, ac yna roedd hi'n amser swper.

Beth oedd o'n ei olygu wrth ofyn y cwestiwn hwnnw? Heddiw mi lwyddais i ofyn iddo, o'r diwedd, a ydi fy nghlebran i'n tarfu arno. Y cyfan ddywedodd o oedd, 'O, mae hynny'n iawn gen i!' Wn i ddim i ba raddau yr oedd swildod yn lliwio'i ateb.

Kitty, rydw i'n swnio fel rhywun sydd mewn cariad ac yn methu sôn am ddim ond ei hanwylyd. Ac mae Peter yn gariad. A wna i lwyddo i ddweud hynny wrtho byth? Dim ond os ydi o'n meddwl fy mod innau'n gariad, ond rydw i'r math o gymeriad y mae gofyn ei drin â chyllell a fforc, mi wn i hynny'n rhy dda. Ac mae'n well ganddo yntau gael llonydd, felly wn i ddim faint mae o'n ei feddwl ohona i. P'un bynnag, rydan ni'n dechrau dod i adnabod ein gilydd ychydig yn well. Mi fyddai'n dda gen i pe baen ni wedi mentro dweud rhagor. Ond pwy ŵyr, efallai y daw'r cyfle hwnnw'n gynt nag yr ydw i'n ei feddwl! Unwaith neu ddwywaith y diwrnod mae'n ciledrych yn ddeallgar arna i, minnau'n wincio'n ôl, a'r ddau ohonom yn hapus. Mae dweud ei fod yn hapus yn swnio'n beth ynfyd, ac eto rydw i'n teimlo'n sicr ei fod o'n meddwl yr un fath â fi.

Dy Anne M. Frank

Dydd Sadwrn, Mawrth 4, 1944

Annwyl Kitty,

Dyma'r Sadwrn cyntaf ers misoedd sydd heb fod yn syrffedus, marwaidd a diflas. Ac mae hynny oherwydd neb llai na Peter. Y bore 'ma, fel yr o'n i ar fy ffordd i'r atig i roi fy ffedog i sychu, gofynnodd Dad o'n i eisiau aros i ymarfer fy Ffrangeg, ac mi ddwedais innau fy mod i. Fe siaradon ni Ffrangeg â'n gilydd am sbel ac mi eglurais i rywbeth i Peter, ac yna fe fuon ni'n gweithio ar ein Saesneg. Darllenodd Dad yn uchel o Dickens ac ro'n i yn fy seithfed nef, gan fy mod i'n eistedd yng nghadair Dad, yn agos at Peter.

Mi es i lawr grisiau am chwarter i un ar ddeg. Pan ddychwelais i am hanner awr wedi un ar ddeg roedd Peter yn aros amdana i ar y grisiau. Fe fuon ni'n siarad tan chwarter i un. Bob tro y bydda i'n gadael yr ystafell, ar ôl pryd o fwyd er enghraifft, a Peter yn cael cyfle heb i neb arall glywed, mae'n dweud, 'Hwyl, Anne, wela i di nes ymlaen.'

O, rydw i mor hapus! Ys gwn i ydi Peter yn mynd i syrthio mewn cariad efo fi wedi'r cyfan? P'un bynnag, mae'n fachgen clên, a does gen ti ddim syniad peth mor braf ydi cael siarad efo fo!

Mae Mrs van Daan yn ddigon bodlon i mi siarad efo Peter, ond heddiw gofynnodd yn chwareus, 'Alla i'ch trystio chi'ch dau i fyny yna?'

'Wrth gwrs,' protestiais innau. 'Mae gofyn hynna'n sarhad arna i!'

O fore hyd hwyr, rydw i'n edrych ymlaen at weld Peter.

Dy Anne M. Frank

O.N. Cyn i mi anghofio, roedd popeth dan flanced o eira neithiwr. Mae wedi meirioli erbyn hyn a does yna fawr ddim yn weddill.

Dydd Llun, Mawrth 6, 1944

F'annwyl Kitty,

Byth er pan soniodd Peter wrtha i am ei rieni, rydw i wedi teimlo rywfaint o gyfrifoldeb tuag ato - wyt ti ddim yn gweld hynny'n beth ryfedd? Mae fel pe bai eu cwerylon yn gymaint o fusnes i mi ag ydyn nhw i Peter, ac eto fiw i mi sôn am y peth eto rhag ofn i hynny wneud iddo deimlo'n annifyr. Fyddwn i ddim eisiau ymyrryd am bris yn y byd.

Mi alla i ddweud wrth edrych ar Peter ei fod yn myfyrio yr un mor ddwys â fi. Ro'n i o 'ngho'n lân neithiwr pan ddywedodd Mrs van D. yn wawdlyd, 'Y meddyliwr!' Gwridodd Peter ac edrych yn anghyfforddus, a bu ond y dim i mi â cholli fy limpin.

Pam na allan nhw gau eu cegau? Does gen ti ddim syniad beth ydi gorfod sefyll ar y cyrion a gweld pa mor unig ydi o, heb allu gwneud dim. O'm rhoi fy hun yn ei le, mi alla i ddychmygu fel mae'r cwerylon a'r cusanau sy'n dilyn yn ei wneud yn ddigalon weithiau. A chariad hefyd. Peter druan, mae arno gymaint o angen cael ei garu!

Pan ddywedodd Peter nad oedd o angen ffrindiau, roedd hynny'n swnio mor oeraidd i 'nghlustiau i. O, mae'n gwneud camgymeriad mawr! Dydw i ddim yn credu ei fod yn meddwl hynny, o ddifri. Mae'n dal gafael ar ei wrywdod, ei unigrwydd a'i ddifrawder honedig er mwyn dal ati i chwarae'i ran, fel na fydd raid iddo byth, byth ddangos ei deimladau. Peter druan, am ba hyd y gall gynnal hynny? Onid oes perygl iddo ffrwydro o ganlyniad i'r fath ymdrech oruwchddynol?

O, Peter, pe bawn i ond yn gallu dy helpu di, pe bait ti ond yn gadael i mi helpu! Efo'n gilydd, fe allen ni gael gwared â'r unigrwydd, d'un di a f'un innau!

Rydw i wedi bod yn meddwl cryn lawer, ond heb ddweud fawr.

Pan fydda i'n ei weld, rydw i'n hapus, ac yn hapusach fyth os ydi'r haul yn gwenu pan fyddwn ni efo'n gilydd. Mi olchais fy ngwallt ddoe, ac oherwydd fy mod i'n gwybod ei fod am y pared â fi ro'n i'n drystiog iawn. Doedd gen i mo'r help; tawela, dwysa'n y byd y bydda i'n teimlo, mwya'n y byd o sŵn fydda i'n ei wneud! Pwy fydd y cyntaf i ddarganfod yr hollt yn fy nghragen i a thorri drwodd?

Diolch byth nad merch sydd gan y ddau van Daan. Allai fy nghoncwest i fyth fod yn gymaint o her, mor hardd ac mor hyfryd efo rhywun o'r un rhyw!

Dy Anne M. Frank

O.N. Mi wyddost fy mod i'n onest efo ti bob amser, felly rydw i'n credu y dylwn i ddweud fy mod i'n byw o un cyfarfyddiad i'r llall. Rydw i'n dal i obeithio y bydda i'n darganfod ei fod yntau'n ysu am gael fy ngweld i, ac mi fydda i'n gwirioni'n lân wrth sylwi ar ei ymdrechion bach swil. Rydw i'n credu y byddai'n hoffi gallu mynegi ei deimladau yr un mor rhwydd â fi; dydi o fawr feddwl mai ei anallu i wneud hynny sy'n apelio fwyaf ata i.

Dydd Mawrth, Mawrth 7, 1944

F'annwyl Kitty,

Wrth edrych yn ôl ar fy mywyd yn ystod 1942, mae'r cyfan yn ymddangos mor afreal. Roedd yr Anne Frank fu'n mwynhau'r bywyd nefolaidd hwnnw yn wahanol iawn i'r un sydd wedi magu doethineb rhwng y muriau hyn. Oedd, roedd o yn nefolaidd. Edmygwyr ar bob cornel stryd, ugain a rhagor o ffrindiau, ffefryn y rhan fwyaf o'r athrawon, wedi fy sbwylio'n rhemp gan Dad a Mam, bagiau'n llawn melysion, digonedd o arian poced. Beth mwy allai neb ei ofyn?

Mae'n debyg dy fod ti'n methu deall sut y gallwn i swyno'r holl bobl. Am fy mod i'n 'ddeniadol' meddai Peter, ond mae mwy iddo na hynny. Roedd fy atebion craff, fy sylwadau ffraeth, fy wyneb dengar, fy meddwl beirniadol yn difyrru a diddanu'r athrawon. Dyna'r cyfan o'n i: fflyrt ddychrynllyd, yn bryfoclyd a llawn hwyl. Roedd gen i rai manteision, oedd yn fy ngwneud i'n ffefryn gan bawb. Ro'n i'n weithgar, gonest a hael. Fyddwn i byth wedi gwrthod neb oedd am gael cip ar f'atebion i, ro'n i'n barod iawn i rannu fy melysion, a do'n i ddim yn ffroenuchel.

Oni fyddai'r holl edmygedd hwnnw wedi fy ngwneud i'n or-hyderus mewn amser? Mae'n beth da fy mod i, pan o'n i ar fy uchelfannau, wedi cael fy mwrw'n sydyn i'r ddaear. Fe gymerodd flwyddyn a rhagor i mi geisio ymdopi heb edmygedd.

Sut oedden nhw'n meddwl amdana i yn yr ysgol? Fel clown y dosbarth, ceiliog pen y domen, byth mewn hwyliau drwg, byth yn fabi mam. Pa ryfedd fod pawb eisiau seiclo i'r ysgol efo fi ac yn awyddus i 'mhlesio i?

Rydw i'n edrych yn ôl ar yr Anne Frank honno fel geneth ddymunol, llawn hwyl, ond un arwynebol, nad oes a wnelo hi ddim â fi. Beth ddywedodd Peter amdana i? 'Bob tro y byddwn i'n dy weld di, roedd yna griw o enethod o dy gwmpas di, a dau fachgen o leiaf. Roeddet ti wastad yn chwerthin, bob amser yn ganolbwynt y sylw!' Roedd o'n iawn.

Beth sy'n weddill o'r Anne Frank honno? O, dydw i ddim wedi anghofio sut mae chwerthin na rhoi ateb parod. Rydw i cystal, os nad gwell, am ddweud y drefn wrth rywun, ac rydw i'n dal i allu fflyrtio a bod yn ddigri, pan ydw i eisiau bod ...

Ond dydi pethau ddim mor syml â hynny. Mi hoffwn i fyw'r bywyd ymddangosiadol hapus a diofal hwnnw am noson, ychydig ddyddiau, wythnos. Ond ar ddiwedd yr wythnos honno mi fyddwn i wedi ymlâdd, ac yn ddiolchgar i unrhyw un fyddai'n barod i drafod rhywbeth o sylwedd. Rydw i eisiau ffrindiau, nid edmygwyr, pobl sy'n fy mharchu i oherwydd fy nghymeriad a'm gweithredoedd, nid oherwydd fy ngwên deg. Mi wn i'n dda y byddai'r cylch o'm cwmpas yn llawer llai, ond beth ydi'r ots am hynny cyn belled â'u bod nhw'n ddiffuant?

Er gwaethaf popeth, do'n i ddim yn gyfan gwbl hapus yn 1942. Ro'n i'n teimlo'n aml fel pe bawn i wedi cael fy ngwrthod, ond fyddwn i'n meddwl fawr am y peth, gan fy mod i ar drot gydol y dydd. Ro'n i'n gwneud ati i'm mwynhau fy hun gymaint ag oedd modd, gan geisio, yn ymwybodol neu'n anymwybodol, lenwi'r gwacter â chellwair.

Wrth edrych yn ôl, rydw i'n sylweddoli fod y cyfnod hwnnw wedi dod i ben a bod y dyddiau ysgol dibryder, diofal wedi diflannu am byth. Dydw i ddim hyd yn oed yn gweld eu colli. Alla i ddim lolian fel y byddwn i gan fod y dwyster sy'n rhan o'm natur i yno bob amser.

Rydw i'n gweld fy mywyd hyd at Galan 1944 fel pe bawn i'n edrych drwy chwyddwydr pwerus. Pan o'n i gartref, roedd fy mywyd i'n llawn heulwen. Yna, ym mis Gorffennaf 1942, newidiodd popeth dros nos. Allwn i ddim dygymod â'r cwerylon a'r cyhuddiadau. Ro'n i wedi cael fy mwrw oddi ar fy echel, a'r unig ffordd y gallwn i f'amddiffyn fy hun oedd drwy ateb yn ôl.

Daeth hanner cyntaf 1943 â chyfnodau o grio ac unigrwydd. Ro'n i'n graddol sylweddoli fy niffygion a'm gwendidau, sydd mor niferus, ac yn ymddangos yn fwy niferus fyth bryd hynny. Ro'n i'n llenwi'r dydd â mân siarad, yn ceisio cael Pim i glosio ata i, ac yn methu. Gadawodd hynny fi ar fy mhen fy hun i wynebu'r dasg anodd o geisio fy ngwella fy hun er mwyn rhoi taw ar y cerydd a'r dannod oedd yn fy ngwneud i mor ddychrynllyd o ddigalon.

Roedd ail hanner y flwyddyn ychydig yn well. Ro'n i bellach yn fy arddegau, ac yn cael fy nhrin fel merch ifanc yn hytrach na phlentyn. Mi ddechreuais feddwl am bethau ac ysgrifennu storïau, gan ddod i'r casgliad o'r diwedd nad oedd gan y lleill bellach ddim i'w wneud â fi ac nad oedd ganddyn nhw'r hawl i 'ngwthio i'n ôl a blaen fel pendil cloc. Ro'n i eisiau fy ngwella fy hun yn fy ffordd fy hun. Roedd sylweddoli y gallwn i ymdopi'n llwyr heb fy mam yn brifo, ond roedd gwybod na allwn i byth ymddiried fy nghyfrinachau i Dad yn effeithio mwy fyth arna i. Dim ond ynof fi fy hun y gallwn i ymddiried mwyach.

Wedi'r Calan digwyddodd yr ail newid mawr pan wnes i, drwy fy mreuddwyd, ddarganfod fy nyhead am ... ffrind; nid geneth, ond bachgen. A darganfod hefyd hapusrwydd mewnol oddi tan y sirioldeb arwynebol. O dro i dro, ro'n i'n dawel. Rŵan rydw i'n byw i Peter yn unig, gan fod beth bynnag sy'n mynd i ddigwydd i mi yn y dyfodol yn dibynnu i raddau helaeth arno fo!

Rydw i'n gorwedd yn fy ngwely'r nos, wedi cloi fy ngweddi â'r geiriau '*Ich danke dir für all das Gute und Liebe und Schöne*' - Diolch iti, Dduw, am bopeth sy'n dda ac annwyl a hardd - ac yn chwyddo o lawenydd. Rydw i'n meddwl am fynd i guddio, fy iechyd, fy holl fodolaeth fel '*das Gute*'; '*das Liebe*' fel fy mherthynas i a Peter (sy'n dal mor newydd a bregus fel na feiddiwn ni ei rhoi mewn geiriau), y dyfodol, hapusrwydd a chariad a '*das Schöne*' fel y byd, natur a harddwch aruthrol popeth, yr holl ysblander hwnnw.

Ar adegau o'r fath, mi fydda i'n meddwl, nid am yr holl drallod-ion, ond am yr harddwch sy'n parhau. Dyna un gwahaniaeth mawr rhwng Mam a fi. Ei chyngor hi yn wyneb iselder ydi: 'Meddyliwch am yr holl ddioddef sy'n y byd a diolchwch nad ydach chi'n rhan ohono.' Fy nghyngor i ydi: 'Ewch allan i'r wlad, a mwynhewch yr haul a'r cyfan sydd gan natur i'w gynnig. Ewch allan a cheisiwch ailafael yn yr hapusrwydd sydd o'ch mewn; meddyliwch am yr holl harddwch sydd ynoch ac ym mhopeth o'ch cwmpas a byddwch hapus.'

Wela i ddim sut y gall cyngor Mam fod yn iawn, oherwydd sut y dylet ti ymddwyn os wyt ti'n rhan o'r dioddefaint hwnnw? Fe fyddet ti ar goll yn llwyr. Ond ar y llaw arall, mae yna rywfaint o harddwch yn weddill ym mhob adfyd. Dim ond i ti chwilio amdano, fe ddoi di o hyd i fwy a mwy o hapusrwydd ac adfer dy gydbwysedd. Gall y sawl sy'n hapus wneud eraill yn hapus; ni fydd i'r un sydd ganddo ffydd a gwroldeb fyth suddo mewn trueni!

Dy Anne M. Frank

Dydd Mercher, Mawrth 8, 1944

Mae Margot a fi wedi bod yn ysgrifennu llythyrau at ein gilydd, dim ond o ran hwyl, wrth gwrs.

Anne: Mae'n beth od, ond mae'n cymryd hydoedd i mi gofio beth ddigwyddodd y noson cynt. Rydw i newydd gofio fod Mr Dussel yn chwyrnu'n uchel neithiwr. (Mae hi rŵan yn chwarter i dri brynhawn Mercher a Dussel yn chwyrnu unwaith eto a dyna pam, wrth gwrs, y gwnaeth hynny fflachio drwy fy meddwl i.) Pan fu'n rhaid i mi ddefnyddio'r pot, mi es ati'n fwriadol i wneud mwy o sŵn er mwyn ceisio rhoi taw ar y chwyrnu.

Margot: Pa un ydi'r gorau, y chwyrnu ynteu'r ymladd am anadl?

Anne: Y chwyrnu, gan fod hwnnw'n peidio pan fydda i'n gwneud sŵn, heb ddeffro'r un dan sylw.

Rydw i am gyfaddef un peth i ti, annwyl Kitty, nad ydw i wedi sôn amdano wrth Margot, a hynny ydi fy mod i'n breuddwydio llawer iawn am Peter. Echnos mi freuddwydiais fy mod i'n sglefrio, yma yn ein hystafell fyw ni, efo'r bachgen bach hwnnw o lawr sglefrio'r Apollo. Roedd yno efo'i chwaer, yr eneth-efo'r-ffrog-las-a'r-coesau-priciau. Wedi i mi fy nghyflwyno fy hun, gan orwneud pethau braidd, mi ofynnais ei enw a chael allan mai Peter oedd o. Mi fûm i'n meddwl yn fy mreuddwyd tybed sawl Peter yr ydw i'n eu hadnabod!

Yna mi freuddwydiais ein bod yn sefyll yn ystafell Peter, yn wynebu ein gilydd wrth ymyl y grisiau. Mi ddywedais i rywbeth wrtho; rhoddodd gusan i mi, gan ddweud nad oedd o'n fy ngharu i gymaint â hynny ac na ddylwn i fflyrtio. Meddwn i mewn llais taer ac ymbilgar, 'Dydw i ddim yn fflyrtio, Peter!'

Wedi i mi ddeffro, ro'n i'n falch nad oedd Peter wedi dweud hynny wedi'r cyfan.

Neithiwr mi freuddwydiais eto ein bod ni'n cusanu'n gilydd, ond roedd gruddiau Peter yn siom i mi. Doedden nhw ddim mor feddal ag yr oedden nhw'n ymddangos, ond yn fwy fel rhai Dad - bochau dyn sydd eisoes yn eillio.

Dydd Gwener, Mawrth 10, 1944

Fy anwylaf Kitty,

Mae'r ddihareb 'Anhap ni ddaw ei hunan' yn addas iawn heddiw. Newydd ddweud hynny mae Peter. Gad i mi sôn wrthot ti am yr holl bethau erchyll sydd wedi digwydd ac sy'n dal i'n bygwth ni.

Yn gyntaf, mae Miep yn sâl, o ganlyniad i briodas Henk ac Aagje ddoe. Cafodd oerfel yn y Westerkerk, lle'r oedd y gwasanaeth yn cael ei gynnal. Yn ail, mae Mr Kleiman wedi bod adref er pan ddechreuodd ei stumog waedu'r tro diwethaf a Bep wedi'i gadael i ofalu am y swyddfa ar ei phen ei hun. Yn drydydd, mae'r heddlu wedi restio dyn (nad ydw i am ei enwi yma). Mae'n beth dychrynllyd, nid yn unig i'r dyn, ond i ninnau hefyd gan mai fo oedd yn ymorol am datws, menyn a jam inni. Mae gan Mr M. bump o blant o dan dair ar ddeg oed ac un arall ar y ffordd.

Neithiwr cawsom fraw arall: roedden ni ar ganol swper pan gurodd rhywun yn ddirybudd ar y wal drws nesaf. Roedden ni'n nerfus a di-hwyl am weddill y min nos.

Yn ddiweddar dydw i ddim wedi bod yn yr hwyl i gofnodi'r hyn sy'n digwydd yma. Rydw i wedi ymgolli mwy ynof i fy hun. Paid â 'nghamddeall i, rydw i'n gofidio'n arw ynglŷn â'r hyn sydd wedi digwydd i Mr M. druan, ond mae arna i ofn nad oes yna fawr o le iddo yn fy nyddiadur i.

Ro'n i yn ystafell Peter o hanner awr wedi pedwar tan chwarter wedi pump ddydd Mawrth, dydd Mercher a dydd Iau. Fe fuon ni'n gweithio ar ein Ffrangeg ac yn sgwrsio am bob math o bethau. Mi fydda i'n edrych ymlaen yn eiddgar at yr awr gwta honno ond mae meddwl fod Peter yr un mor falch o fy ngweld i yn rhoi mwy fyth o foddhad i mi.

Dy Anne M. Frank

Dydd Sadwrn, Mawrth 11, 1944

F'annwyl Kitty,

Alla i'n fy myw eistedd yn llonydd yn ddiweddar. Rydw i'n crwydro i fyny ac i lawr y grisiau ac yn fy ôl wedyn. Rydw i'n hoffi siarad efo Peter, ond mae arna i ofn bod yn niwsans. Mae o wedi sôn rywfaint wrtha i am y gorffennol, am ei rieni ac amdano'i hun, ond dydi hynny ddim yn ddigon, ac mi fydda i'n meddwl bob pum munud pam tybed yr ydw yn ysu am ragor. Roedd Peter yn arfer fy nghael i'n rêl poendod, ac ro'n innau'n rhannu'r un teimlad. Rydw i wedi newid fy meddwl, ond beth amdano fo? Rydw i'n credu ei fod yntau wedi newid ei feddwl, ond dydi hynny ddim yn golygu o reidrwydd fod yn rhaid i ni ddod yn ffrindiau mynwesol, er y byddai, cyn belled ag yr ydw i'n y cwestiwn, yn gwneud ein hamser ni yma yn haws ei oddef. Ond adawa i ddim i hyn darfu arna i. Rydw i'n treulio digon o amser yn meddwl amdano heb dy gynhyrfu dithau hefyd, dim ond am fy mod i mor ddigalon!

Dydd Sul, Mawrth 12, 1944

F'annwyl Kitty,

Mae pethau'n mynd yn fwy gwallgof yma fel mae'r dyddiau'n mynd heibio. Dydi Peter ddim wedi edrych arna i ers ddoe. Mae'n ymddwyn fel pe bai'n flin efo fi. Rydw i'n gwneud fy ngorau i beidio rhedeg ar ei ôl ac i siarad cyn lleied ag sydd bosibl, ond mae hynny'n anodd! Beth sy'n peri iddo fy nghadw i o hyd braich un munud a rhuthro'n ôl ata i'r munud nesaf? Efallai mai dychmygu yr ydw i fod pethau'n waeth nag ydyn nhw. Efallai ei fod o'n oriog, fel fi, ac efallai y bydd popeth yn iawn fory!

Y peth anoddaf o'r cwbwl ydi ceisio ymddangos yn normal pan ydw i'n teimlo mor drist a thruenus. Rydw i'n gorfod siarad, helpu o gwmpas y tŷ, eistedd efo'r lleill ac, yn waeth fyth, bod yn siriol! Rydw i'n gweld eisiau bod allan yn fwy na dim, cael rhywle lle gallwn i fod ar fy mhen fy hun cyhyd ag y mynnwn i! Rydw i'n meddwl fy mod i'n cawlio popeth, Kitty, ond rydw i mewn stad o ddryswch llwyr: ar y naill law yn dyheu amdano nes teimlo'n hanner gwallgof ac yn methu dioddef bod yn yr un ystafell heb edrych arno; ar y llaw arall yn gofyn i mi fy hun pam y dylai fod mor bwysig imi a pham na alla i ymdawelu unwaith eto!

Ddydd a nos, yn ystod pob awr effro, dydw i'n gwneud dim ond gofyn i mi fy hun, 'Wyt ti wedi rhoi digon o gyfle iddo fod ar ei ben ei hun? Wyt ti wedi treulio gormod o amser i fyny grisiau? Wyt ti'n siarad gormod am bynciau dwys nad ydi Peter eto'n barod i'w trafod? Efallai nad ydi o'n dy hoffi di hyd yn oed. Ai wedi dychmygu'r cyfan wyt ti? Ond os felly, pam y dywedodd o gymaint amdano'i hun wrthot ti? Ydi o'n difaru gwneud hynny?' A llawer iawn mwy.

Ro'n i wedi blino cymaint brynhawn ddoe oherwydd yr holl newyddion trist o'r tu allan nes i mi orwedd ar y difán i gael cyntun. Y cyfan o'n i ei eisiau oedd cael cysgu a pheidio â gorfod meddwl. Mi gysgais i tan bedwar, ac yna fe fu'n rhaid i mi fynd i'r ystafell fyw.

Ro'n i'n ei chael hi'n anodd iawn ateb holl gwestiynau Mam a llunio esgus i egluro'r cyntun i Dad. Haeru wnes i fod gen i gur yn fy mhen, ac nid celwydd mo hynny, gan fod gen i gur ... y tu mewn!

Byddai pobl gyffredin, merched cyffredin yn eu harddegau fel fi, yn credu fod yr holl hunandosturi yn fy ngwneud i'n hurt bost. Ia, dyna ydi o. Rydw i'n agor fy nghalon i ti, ond rydw i mor ddigywilydd, siriol a hyderus ag sy'n bosibl weddill yr amser er mwyn osgoi cwestiynau a chadw rhag mynd ar fy nerfau i fy hun.

Mae Margot yn garedig iawn a byddai'n hoffi i mi ymddiried ynddi, ond alla i ddim dweud popeth wrthi. Mae hi'n fy nghymryd i'n rhy ddifrifol, yn rhy ddifrifol o lawer, yn treulio oriau yn meddwl am ei chwaer hanner pan, yn syllu'n ddyfal arna i bob tro y bydda i'n agor fy ngheg ac yn meddwl, 'Ai actio mae hi ynteu ydi hi o ddifri?'

Y rheswm am hynny ydi ein bod efo'n gilydd o hyd. Dydw i ddim eisiau'r un y byddwn i'n ymddiried fy nghyfrinachau iddo neu iddi o 'nghwmpas i drwy'r amser.

Pa bryd y galla i ddatrys fy nghawdel meddyliau? Pa bryd y do i o hyd i'r tawelwch mewnol unwaith eto?

Dy Anne

Dydd Mawrth, Mawrth 14, 1944

F'annwyl Kitty,

Efallai y byddai'n ddifyr i ti (ond nid i mi) gael clywed beth yr ydan ni am ei fwyta heddiw. Gan fod y wraig lanhau yn gweithio i lawr grisiau, rydw i'n eistedd ar hyn o bryd wrth fwrdd y teulu van Daan, sydd wedi'i orchuddio ag oelcloth, yn dal hances boced a phersawr (a brynwyd cyn i ni ddod yma) wedi'i daenu drosti yn erbyn fy nhrwyn a 'ngheg. Mae'n siŵr nad oes gen ti mo'r syniad lleiaf am beth yr ydw i'n sôn, felly gad i mi 'ddechrau yn y dechreuad'. Gan fod y bobl oedd yn gofalu am docynnau bwyd inni wedi cael eu restio does ganddon ni ond ein llyfrau dogni'r farchnad ddu - dim cwponau, na saim nac olew. Gan fod Miep a Mr Kleiman yn sâl unwaith eto, mae'n amhosibl i Bep wneud y siopa. Mae'r bwyd yn druenus, a ninnau hefyd. O yfory ymlaen, fydd ganddon ni'r un tamaid o saim, menyn na margarîn. Gan na allwn ni bellach fwyta tatws wedi'u ffrio i frecwast (i arbed bara) rydan ni'n cael uwd yn eu lle, a gan fod Mrs van D. yn credu ein bod ni'n llwgu, rydan ni wedi prynu rhagor o lefrith hufennog. Roedd y cinio heddiw yn cynnwys tatws stwnsh a chêl wedi'i biclo. A dyna egluro pwrpas yr hances boced. Chredi di ddim gymaint mae cêl sydd wedi'i gadw am ychydig o flynyddoedd yn drewi! Mae'r arogl yn y gegin yn gymysgfa o eirin wedi pydru, wyau drwg a dŵr pwll. Ych a fi, mae meddwl am orfod bwyta'r fath sothach yn gwneud i mi fod eisiau taflu i fyny! Ar ben hynny, mae'r tatws wedi cael yr haint rhyfeddaf fel bod un fwcedaid o bob dwy o'r *pommes de terre* yn diweddu'i hoes drwy gael ei llosgi yn y stof. Rydan ni wedi bod yn difyrru ein hunain drwy geisio dyfalu beth ydi'r haint ac wedi dod i'r casgliad eu bod yn dioddef o ganser, y frech wen neu'r frech goch. O, na, dydi bod mewn cuddfan yn ystod pedwaredd flwyddyn y rhyfel ddim yn hwyl. O na fyddai'r holl lanast erchyll drosodd!

A dweud y gwir, fyddai fawr o ots gen i am y bwyd petai bywyd yma'n fwy dymunol mewn ffyrdd eraill. Ond dyna'r aflwydd: mae'r byw undonog yn dechrau gwneud pawb yn biwis. Dyma farn y rhai mewn oed ar y sefyllfa bresennol (does gan blant ddim hawl i'w barn, ac rydw i'n glynu wrth y rheolau am unwaith):

Mrs van Daan: 'Rydw i wedi rhoi'r gorau i chwennych bod yn frenhines y gegin ers peth amser. Ond mae eistedd o gwmpas yn gwneud dim yn beth diflas, felly yn ôl â fi i goginio. Er hynny, alla i ddim peidio â chwyno; mae'n amhosibl coginio heb olew ac mae'r holl arogleuon ffiaidd yn troi ar fy stumog i. A beth ydw i'n ei gael yn dâl am fy ymdrechion? Anniolchgarwch a sylwadau anghwrtais. Fi ydi'r ddafad ddu bob amser; fi sy'n cael y bai am bob dim. Ar ben hynny, rydw i o'r farn nad ydi'r rhyfel yn datblygu fawr ddim. Yr Almaenwyr fydd yn ennill yn y diwedd. Mae meddwl ein bod ni'n mynd i lwgu yn codi arswyd arna i, a phan ydw i mewn hwyliau drwg mi fydda i'n arthio ar bawb sydd o fewn cyrraedd.'

Mr van Daan: 'Rydw i'n smocio a smocio a smocio. Bryd hynny, dydi'r bwyd, y sefyllfa wleidyddol a hwyliau drwg Kerli ddim yn ymddangos cyn waethed. Mae Kerli'n gariad. Pan na fydd gen i ddim i'w smocio, rydw i'n teimlo'n sâl, yn dyheu am gig, mae bywyd yn annioddefol, dim byd yn plesio ac mae ffrae wyllt yn siŵr o ddilyn. Mae'r Kerli 'ma sydd gen i yn rêl hulpan.'

Mrs Frank: 'Er nad ydi bwyd mor bwysig â hynny, mi hoffwn i gael tafell o fara rhyg rŵan, gan fy mod i mor llwglyd. Pe bawn i'n Mrs van Daan, mi fyddwn i wedi rhoi stop ar smocio Mr van Daan ers talwm iawn. Ond rydw i wir angen sigarét ar y munud gan fod fy mhen i'n chwyrlïo. Mae'r ddau van Daan yn erchyll; mae'r Prydeinwyr yn gwneud sawl camgymeriad, ond mae'r rhyfel yn datblygu. Mi ddylwn gau fy ngheg a diolch nad ydw i yng Ngwlad Pwyl.'

Mr Frank: 'Mae pob dim yn iawn a does arna i angen dim. Ymbwyllwch, mae ganddon ni ddigonedd o amser. Rhowch fy nhatws imi ac mi fydda i'n ddistaw. Rhowch beth o'm siâr i o'r neilltu ar gyfer Bep. Mae'r sefyllfa wleidyddol yn gwella. Rydw i tu hwnt o optimistaidd.'

Mr Dussel: 'Mae'n rhaid i mi gwblhau'r dasg yr ydw i wedi'i gosod i mi fy hun, rhaid i bopeth gael ei orffen ar amser. Mae'r sefyllfa wleidyddol yn argoeli'n "da", mae'n "dibosibl" y bydd i ni gael ein dal. Fi, fi, fi ... !'

Dy Anne

Dydd Mercher, Mawrth 16, 1944

F'annwyl Kitty,

Whiw! Gollyngdod o'r digalondid a'r anobaith am rai mundau! Y cyfan yr ydw i wedi'i glywed heddiw ydi; 'Os bydd i hyn-a-hyn ddigwydd, rydan ni mewn helynt, ac os bydd i hwn-a-hwn gael ei daro'n sâl fe fyddwn ni wedi'n gadael i ofalu amdanom ein hunain, ac os ...'

Wel, fe wyddost y gweddill. O leia rydw i'n cymryd yn ganiataol dy fod ti'n ddigon cyfarwydd â thrigolion y Rhandy i allu dyfalu rhediad y sgwrs.

Y rheswm dros yr holl 'os' ydi fod Mr Kugler wedi cael ei alw i wneud wythnos o ddyletswydd gwaith, Bep wedi cael y ffliw ac yn ôl pob tebyg yn gorfod aros gartref fory, Miep heb ddod ati ei hun ar ôl y ffliw, a stumog Mr Kleiman wedi gwaedu cymaint nes iddo fynd yn anymwybodol. Dyna beth ydi stori wae!

Rydan ni'n credu y dylai Mr Kugler fynd ar ei union at feddyg dibynadwy i gael tystysgrif feddygol i'w chyflwyno yn y Neuadd Ddinesig yn Hilversum. Mae gweithwyr y warws yn cael diwrnod rhydd fory ac mae hynny'n golygu y bydd Bep ar ei phen ei hun yn y swyddfa. Os (dyna un 'os' arall) bydd raid i Bep aros gartref, bydd y drws yn aros ar glo a ninnau'n gorfod bod cyn ddistawed â llygod fel na fydd i Gwmni Keg y drws nesaf ein clywed ni. Am un o'r gloch fe ddaw Jan yma am hanner awr, fel pe bai'n geidwad sŵ, i weld fod yr eneidiau truain gwrthodedig yn iawn.

Brynhawn heddiw, am y tro cyntaf ers hydoedd, rhoddodd Jan beth o hanes y byd mawr o'r tu allan inni. Fe ddylet ti fod wedi gweld yr wyth ohonom yn gylch o'i gwmpas; roedd yn union fel darlun: 'Wrth Lin Nain'.

Bu'n diddanu ei gynulleidfa ddiolchgar drwy sôn am - beth arall? - bwyd. Mae Mrs P., ffrind Miep, wedi bod yn paratoi ei brydau. Echdoe cafodd foron a phys, ddoe yr hyn oedd dros ben, heddiw mae hi'n paratoi merbys a fory yn bwriadu gwneud stiw efo gweddill y moron.

Fe fuon ni'n holi Jan ynglŷn â meddyg Miep.

'Meddyg?' meddai Jan. 'Pa feddyg? Mi ffoniais i yno'r bore 'ma a'r ysgrifenyddes atebodd. Pan ofynnais i am bresgripisiwn at y ffliw fe ddywedodd wrtha i y gallwn i alw i'w nôl rhwng wyth a naw o'r gloch bore fory. Os ydi rhywun wedi cael dôs trwm o'r ffliw, fe ddaw'r meddyg ei hun at y ffôn a dweud, "Rhowch eich tafod allan a dweud 'Aah.' O, ia, mi alla i ddweud fod eich gwddw chi'n llidiog. Mi ysgrifenna i bresgripsiwn i chi ac fe gewch chithau alw'n y fferyllfa. Dydd da." A dyna'r cwbwl. Dyna beth ydi gwaith hawdd, diagnosis dros y ffôn. Ond ddylwn i ddim beio'r meddygon. Wedi'r cyfan, does gan rywun ond dwy law, ac mae yna lawer gormod o gleifion a rhy ychydig o feddygon ar hyn o bryd.'

Er hynny, allen ni ddim peidio chwerthin wrth glywed Jan yn sôn am yr alwad ffôn. Mi alla i ddychmygu sut mae ystafell aros meddyg yn edrych y dyddiau hyn. Nid ar y cleifion tlotaf y mae meddygon yn troi eu trwynau bellach, ond ar y rhai sydd â mân anhwylderau: 'Hei, beth ydach chi'n ei wneud yma? Ewch i ben draw'r ciw; y cleifion go iawn sy'n cael y flaenoriaeth!'

Dy Anne

Dydd Iau, Mawrth 16, 1944

F'annwyl Kitty,

Mae'r tywydd yn fendigedig, yn hardd tu hwnt i eiriau. Rydw i am fynd i fyny i'r atig toc.

Mi wn i erbyn hyn pam fy mod i gymaint mwy aflonydd na Peter. Mae ganddo ei ystafell ei hun, lle y gall weithio, breuddwydio, meddwl a chysgu. Rydw i'n cael fy ngwthio o un gornel i'r llall byth a beunydd. Fydda i byth ar fy mhen fy hun yn yr ystafell yr ydw i'n ei rhannu â Dussel, er cymaint yr ydw i'n dyheu am hynny. Dyna reswm arall pam fy mod i'n chwilio am loches yn yr atig. Pan fydda i yno, neu efo ti, rydw i'n gallu bod yn fi fy hun, am ysbaid o leiaf. Ond dydw i ddim eisiau tuchan a chwyno. I'r gwrthwyneb, rydw i eisiau bod yn ddewr!

Diolch byth nad ydi'r lleill yn gwybod dim am fy nheimladau dyfnaf i, er fy mod i'n pellhau oddi wrth Mam bob dydd ac yn mynd yn fwy dirmygus ohoni, yn llai serchus tuag at Dad ac yn fwy anfodlon rhannu'r un o'm meddyliau â Margot. Rydw i'n cau arnaf fy hun fel cranc. Yn fwy na dim, mae'n rhaid i mi ddal ati i ymddangos yn hyderus. Dydw i ddim am i neb wybod am y frwydr gyson y tu mewn i mi - y frwydr rhwng dyhead a rheswm. Hyd yma, rheswm sydd wedi ennill y frwydr bob tro, ond a fydd fy emosiynau i'n cael y llaw uchaf? Rydw i'n ofni hynny weithiau, ond yn amlach na pheidio yn gobeithio mai dyna fydd yn digwydd!

O, mae hi mor anodd ymatal rhag sôn am y pethau hyn wrth Peter, ond mi wn i fod yn rhaid i mi adael iddo fo ddechrau; mae hi mor anodd ymddwyn yn ystod y dydd fel pe na byddai'r hyn y bu i mi ei ddweud a'i wneud yn fy mreuddwydion erioed wedi digwydd! Ydi, Kitty, mae Anne yn wallgof, ond rydw i'n byw mewn cyfnod gwallgof ac o dan amgylchiadau mwy gwallgof fyth.

Y peth brafia ydi gallu rhoi fy meddyliau a 'nheimladau ar bapur; heb hynny, mi fyddwn i'n mygu'n gorn. Tybed beth mae Peter yn ei feddwl o hyn i gyd? Rydw i'n dal i obeithio y galla i eu trafod nhw efo fo ryw ddiwrnod. Mae'n rhaid ei fod wedi dod o hyd i rywfaint o'r Anne fewnol, gan na allai yn ei fyw garu'r Anne allanol y mae o wedi ei hadnabod cyn belled. Sut y gallai un fel Peter, sy'n caru heddwch a thawelwch, oddef fy mynd a dod trystiog i? Ai Peter fydd y cyntaf, a'r unig un, i weld beth sydd o dan fy nghragen galed i? Faint o amser gymer hynny? Oes yna ddim rhyw hen ddywediad sy'n dweud fod cariad yn deillio o dosturi neu bod y ddau'n mynd law yn llaw? Onid dyna sy'n digwydd yma hefyd? Oherwydd rydw i'n aml yn pitïo Peter gymaint ag yr ydw i'n fy mhitïo fy hun!

Wn i ddim ble i ddechrau, na wn wir, felly sut y galla i ddisgwyl i Peter allu gwneud hynny ac yntau'n ei chael hi'n llawer anoddach siarad na fi? Pe bawn i ond yn gallu ysgrifennu ato, yna byddai o leiaf yn gwybod beth yr ydw i'n ceisio'i ddweud, gan ei bod mor anodd rhoi tafod i'r geiriau!

Dy Anne M. Frank

Dydd Gwener, Mawrth 17, 1944

Fy anwylaf ffrind,

Daeth popeth i'w le wedi'r cyfan; dolur gwddw oedd gan Bep, nid ffliw, ac fe gafodd Mr Kugler dystysgrif feddygol yn ei esgusodi rhag gorfod mynd ar ddyletswydd gwaith. Gollyngodd y Rhandy cyfan ochenaid fawr o ryddhad. Felly mae pob dim yn iawn yma unwaith eto, ond fod Margot a fi'n dechrau blino ar ein rhieni.

Paid â 'nghamddeall i. Rydw i'n dal i garu Dad gymaint ag erioed ac mae Margot yn caru Dad a Mam, ond pan wyt ti cyn hyned â ni rwyt ti eisiau gwneud rhai penderfyniadau drosot dy hun yn hytrach na bod o dan eu bawd nhw. Bob tro y bydda i'n mynd i fyny grisiau, maen nhw am wybod i beth, cha i ddim rhoi halen ar fy mwyd, mae Mam yn gofyn i mi am chwarter i wyth bob nos ydi hi ddim yn bryd i mi newid i 'nghoban, ac mae'n rhaid iddyn nhw roi sêl eu bendith ar bob llyfr y bydda i'n ei ddarllen. A bod yn onest, rhaid i mi gyfaddef eu bod nhw'n gadael i mi ddarllen popeth bron, ond mae Margot a fi wedi cael llond bol ar orfod gwrando ar eu sylwadau a'u cwestiynau nhw gydol y dydd.

Mae yna un peth arall sy'n eu digio nhw: dydw i ddim yn teimlo fel rhoi cusanau iddyn nhw fore, brynhawn a hwyr mwyach. Mae'r holl lysenwau ciwt yn ymddangos mor fursennaidd, a hoffter Dad o sôn am rechu a mynd i'r tŷ bach yn beth ffiaidd. Yn fyr, fyddai dim yn well gen i na gwneud heb eu cwmni am sbel, a dydyn nhw ddim yn deall hynny. Nid fod Margot a fi erioed wedi crybwyll dim o hyn wrthyn nhw. I beth, gan na fydden nhw'n deall p'un bynnag?

Meddai Margot neithiwr, 'Beth sy'n fy nghythruddo i ydi eu bod nhw'n gofyn oes gen ti gur yn dy ben neu'n teimlo'n sâl yr eiliad y byddi di'n rhoi dy ben yn dy ddwylo ac yn gollwng ochenaid neu ddwy.'

Roedd sylweddoli'n sydyn cyn lleied sy'n weddill o'r bywyd teuluol clòs a chytûn yr arferem ei gael gartref yn ergyd i'r ddwy ohonom. Mae hynny'n bennaf oherwydd fod popeth ar sgiw-whiff yma. Yr hyn ydw i'n ei olygu ydi ein bod ni'n cael ein trin fel plant yn allanol er ein bod ni, oddi mewn, yn llawer hŷn na genethod eraill o'r un oed. Er nad ydw i ond pedair ar ddeg oed, rydw i'n gwybod i'r dim beth rydw i ei eisiau, yn gwybod pwy sy'n iawn a phwy sy ddim, mae gen i fy marn, fy syniadau a'm hegwyddorion fy hun, ac er y gall hynny swnio'n od gan un yn ei harddegau, rydw i'n teimlo fy mod i'n fwy o unigolyn na phlentyn - rydw i'n teimlo fy mod i'n gwbl annibynnol. Mi wn i fy mod i'n well na Mam am ddadlau neu gynnal trafodaeth, rydw i'n gwybod fy mod i'n fwy gwrthrychol na hi a ddim yn gorliwio cymaint. Rydw i'n llawer taclusach a mwy deheuig, ac oherwydd hynny rydw i'n teimlo (fe all hyn beri i ti chwerthin) fy mod i'n rhagori arni mewn sawl modd. Er mwyn gallu caru rhywun, mae'n rhaid i mi ei edmygu a'i barchu, ond does gen i ddim edmygedd o Mam na pharch tuag ati!

Byddai popeth yn iawn petai Peter gen i, gan fy mod i'n ei edmygu ar sawl cyfrif. Mae o mor dda a galluog!

Dy Anne M. Frank

Dydd Sadwrn, Mawrth 18, 1944

F'annwyl Kitty,

Rydw i wedi dweud mwy wrthot ti amdana i fy hun a 'nheimladau nag yr ydw i wedi'i ddweud wrth yr un enaid byw, felly pam na ddylai hynny gynnwys rhyw?

Mae rhieni, a phobl yn gyffredinol, yn ymddwyn yn od iawn ynglŷn â rhyw. Yn hytrach na dweud popeth wrth eu meibion a'u merched pan maen nhw'n ddeuddeg oed, maen nhw'n eu hanfon allan o'r ystafell yr eiliad y bydd y pwnc yn codi ac yn gadael iddyn nhw ddarganfod popeth drostyn nhw eu hunain. Yn nes ymlaen, pan mae rhieni'n sylwi fod eu plant wedi cael eu gwybodaeth, ryw fodd neu'i gilydd, maen nhw'n cymryd yn ganiataol eu bod yn gwybod mwy (neu lai) nag y maen nhw mewn gwirionedd. Felly pam na wnân nhw geisio gwneud iawn am hynny drwy ofyn beth maen nhw yn ei wybod?

Maen tramgwydd pennaf y rhai mewn oed - er nad ydi hwnnw, yn fy marn i, fawr mwy na charreg fechan - ydi eu bod nhw'n ofni na fydd i'w plant ystyried priodas fel rhywbeth cysegredig a phur unwaith y maen nhw'n sylweddoli mai hen lol wirion ydi'r purdeb hwn gan amlaf. Dydw i ddim yn credu fod dim o'i le bod dyn yn dod â pheth profiad i briodas. Wedi'r cyfan, does a wnelo hynny ddim â'r briodas ei hun, yn nagoes?

Newydd droi fy un ar ddeg yr o'n i pan ge's i wybod am y misglwyf. Ond hyd yn oed wedyn, doedd gen i ddim syniad o ble'r oedd y gwaed yn dod na beth oedd ei bwrpas. Pan o'n i'n ddeuddeg a hanner, mi ddysgais beth yn rhagor gan Jacque, oedd yn fwy gwybodus na fi. Roedd fy ngreddf yn dweud wrtha i beth mae dyn a dynes yn ei wneud pan maen nhw ar eu pennau eu hunain; roedd o'n ymddangos yn syniad ynfyd ar y dechrau, ond pan ategodd Jacque hynny ro'n i'n ymfalchïo fy mod i wedi gallu ei ddatrys drosof i fy hun!

Jacque hefyd ddywedodd wrtha i nad ydi babanod yn dod allan o foliau eu mamau. Yn ei geiriau hi, 'Mae'r cynnyrch yn dod allan lle'r aeth y deunydd i mewn!' Fe gafodd Jacque a fi wybodaeth am yr hymen a nifer o fanylion eraill o lyfr ar addysg ryw. Mi wyddwn i hefyd y gelli di dy rwystro dy hun rhag cael plant, er ei fod yn dal yn ddirgelwch i mi sut yr oedd hynny'n gweithio y tu mewn i'r corff. Wedi i mi ddod yma, bu Dad yn sôn wrtha i am buteiniaid ac ati, ond a chymryd popeth at ei gilydd mae sawl cwestiwn yn aros heb ei ateb.

Os nad ydi mam yn dweud y cyfan wrth ei phlant, maen nhw'n ei glywed fesul tamaid, ac all hynny ddim bod yn iawn.

Er ei bod yn ddydd Sadwrn, dydw i ddim yn teimlo'n ddiflas! Mae hynny oherwydd i mi fod i fyny yn yr atig efo Peter. Mi eisteddais yno'n breuddwydio, fy llygaid ynghau, ac roedd popeth yn fendigedig.

Dy Anne M. Frank

Dydd Sul, Mawrth 19, 1994

F'annwyl Kitty,

Roedd ddoe'n ddiwrnod pwysig iawn i mi. Ar ôl cinio roedd popeth fel arfer. Wedi i mi roi'r tatws i ferwi am bump o'r gloch, gofynnodd Mam i mi fynd â phwdin gwaed i Peter. Ro'n i'n gyndyn ar y dechrau, ond mynd wnes i. Gwrthododd dderbyn y pwdin gwaed, ac mi ge's i'r teimlad ofnadwy mai'r ddadl gawson ni ynglŷn â diffyg ymddiriedaeth oedd yn gyfrifol am hynny. Allwn i ddim godde'r peth eiliad yn hwy a daeth dagrau i'm llygaid i. Heb air ymhellach, dyna ddychwelyd y plataid i Mam a mynd i eistedd ar y toiled i feichio crio. Yn ddiweddarach mi benderfynais drafod pethau efo Peter. Cyn swper roedd y pedwar ohonom yn ei helpu i wneud croesair, a doedd fiw i mi ddweud dim. Ond fel yr oedden ni'n eistedd i fwyta, dyna fi'n sibrwd wrtho, 'Wyt ti'n mynd i ymarfer dy law-fer heno, Peter?'

'Na,' oedd yr ateb.

'Mi hoffwn i gael gair efo chdi yn nes ymlaen felly.'

Cytunodd yntau.

Ar ôl clirio'r llestri, dyna fynd i'w ystafell a gofyn iddo ai oherwydd ein ffrae ddiwethaf y bu iddo wrthod y pwdin gwaed. Yn ffodus, nid dyna'r rheswm; dim ond meddwl roedd o ei bod yn anghwrtais ymddangos yn rhy eiddgar. Roedd fy wyneb cyn goched â chrib ceiliog oherwydd y gwres mawr i lawr grisiau. Felly wedi mynd â dŵr i lawr i Margot, yn ôl â fi i fyny i gael rhywfaint o awyr iach. Er mwyn cadw wyneb, mi fûm i'n sefyll am sbel wrth ffenestr y teulu van Daan cyn mynd i ystafell Peter. Roedd o'n sefyll i'r chwith o'r ffenestr agored, felly mi groesais i i'r dde. Roedd hi'n llawer haws siarad wrth ffenestr agored yn y gwyll nag yng ngolau dydd, ac rydw i'n meddwl fod Peter yn teimlo yr un fath. Fe ddywedon ni gymaint wrth ein gilydd, gymaint fel nad oes modd i mi ailadrodd y cyfan. Roedd yn deimlad mor dda; dyna'r noson fwyaf bendigedig i mi erioed ei chael yn y Rhandy. Mi ro i ddisgrifiad byr i ti o'r pynciau amrywiol y buon ni'n eu trafod.

Fe ddechreuon ni drwy sôn am y cwerylon a'r ffaith fy mod i'n eu gweld mewn goleuni gwahanol iawn erbyn hyn, ac yna am y dieithrwch rhyngom a'n rhieni. Mi ddywedais i wrtho am Mam a Dad a Margot a mi fy hun. Rywdro'n ystod hynny, dyna fo'n gofyn, 'Rydach chi wastad yn rhoi cusan nos da i'ch gilydd, yn dydach?'

'Un gusan? Dwsinau ohonyn nhw. Ond dwyt ti ddim, yn nag wyt?'

'Na, dydw i erioed wedi cusanu neb o ddifri.'

'Ddim ar dy ben blwydd hyd yn oed?'

'Do, ar fy mhen blwydd.'

Roedd y ddau ohonom yn cytuno na allwn ni ymddiried yn ein rhieni. Mae rhieni Peter, meddai, yn caru ei gilydd yn fawr ac yn dyheu am iddo ymddiried ynddyn nhw, ond dydi o ddim yn dymuno gwneud hynny. Fe fuon ni'n siarad am bopeth dan haul, am ffydd, teimladau a ni ein hunain. Fel yr ydw i'n wylo'n hidl yn fy ngwely ac yntau'n mynd i fyny i'r atig a rhegi. Fel y mae Margot a fi ond newydd ddechrau dod i adnabod ein gilydd ac eto'n gyndyn o rannu cyfrinachau, gan ein bod efo'n gilydd drwy'r amser. O, Kitty, roedd o'n bopeth yr o'n i wedi'i ddychmygu.

Yna fu fuon ni'n sôn am y flwyddyn 1942, ac mor wahanol oedden ni bryd hynny; mor wahanol fel nad ydan ni ddim hyd yn oed yn gallu adnabod ein hunain fel yr oedden ni. Fel yr oedden ni'n methu goddef ein gilydd ar y dechrau; Peter yn meddwl fy mod i'n bla, a minnau wedi dod i'r casgliad mewn byr o dro nad oedd dim arbennig ynddo fo. Fel yr o'n i'n methu deall ar y pryd pam nad oedd o'n fflyrtio efo fi, ond yn falch erbyn hyn. Fe soniodd hefyd fel y byddai'n arfer encilio'n aml i'w ystafell. Mi ddywedais i nad ydi fy afiaith a'm sŵn i a'i ddistawrwydd yntau ond dwy ochr i'r un geiniog, fy mod innau'n hoffi heddwch a thawelwch ond nad oes gen i ddim sy'n perthyn i mi'n unig, heblaw fy nyddiadur, y byddai pawb yn hoffi gweld fy nghefn i, gan ddechrau efo Dussel, ac nad ydw i eisiau bod yng nghwmni fy rhieni drwy'r amser. Fu fuon ni'n trafod mor falch ydi Peter fod gan fy rhieni i blant ac mor falch ydw i ei fod o yma. Fel yr ydw i bellach yn deall ei angen i encilio, a'i berthynas â'i rieni a chymaint yr hoffwn i allu ei helpu pan mae'r ddau yn cweryla.

'Ond rwyt ti o help i mi bob amser!' meddai.

'Sut hynny?' meddwn i, mewn syndod mawr.

'Wrth fod mor siriol.'

Dyna'r peth cleniaf ddywedodd o drwy gydol y min nos. Fe ddywedodd hefyd nad oedd yn malio i mi ddod i'w ystafell fel y byddwn ar un adeg; ei fod yn hoffi hynny, o ddifri. Mi ddywedais innau fod enwau anwes Dad a Mam yn ddiystyr ac nad ydi ambell gusan bob hyn a hyn yn arwain o angenrheidrwydd at ymddiriedaeth. Fe fuon ni'n sôn hefyd am wneud pethau ar ein liwt ein hunain, y dyddiadur, unigrwydd, y gwahaniaeth rhwng yr hunan allanol a'r hunan mewnol, fy nghragen i, ac felly ymlaen.

Roedd hi'n noson ryfeddol. Mae'n rhaid ei fod wedi dechrau fy ngharu i fel ffrind, ac mae hynny'n ddigon ar hyn o bryd. Alla i ddim dweud pa mor ddiolchgar a hapus ydw i. Rhaid i mi ymddiheuro, Kitty, gan nad ydi fy arddull i fyny i'r safon arferol heddiw. Dydw i ddim ond wedi taro i lawr beth bynnag oedd yn dod i'm meddwl i!

Mae gen i'r teimlad fod Peter a fi yn rhannu cyfrinach. Bob tro y bydd o'n edrych arna i efo'r llygaid yna, y wên a'r winc, mae fel petai golau'n cael ei gynnau y tu mewn i mi. Rydw i'n gobeithio y pery pethau fel hyn ac y cawn ni lawer, lawer rhagor o oriau hapus efo'n gilydd.

Dy Anne ddiolchgar a hapus

Dydd Llun, Mawrth 20, 1944

F'annwyl Kitty,

Y bore 'ma gofynnodd Peter i mi fynd i fyny i'w ystafell eto ryw fin nos. Dweud wnaeth o na fyddwn i'n aflonyddu arno, bod lle i ddau yn ei ystafell. Dywedais innau na allwn fynd i'w weld bob min nos, gan na fyddai fy rhieni yn hoffi'r syniad, ond roedd Peter yn credu na ddylwn i adael i hynny fy mhoeni i. Felly dyna fi'n dweud wrtho yr hoffwn i fynd yno ryw nos Sadwrn ac y byddwn i'n falch pe bai'n gadael i mi wybod pan oedd y lleuad i'w gweld.

'Wrth gwrs,' meddai, 'efallai y gallwn ni fynd i lawr grisiau ac edrych ar y lleuad o'r fan honno.' Mi wnes i gytuno; does arna i ddim gymaint â hynny o ofn lladron.

Yn y cyfamser, mae cysgod wedi syrthio dros fy hapusrwydd i. Roedd gen i'r teimlad ers tro byd fod Margot yn hoff o Peter. Wn i ddim pa mor hoff, ond mae'r holl sefyllfa'n annymunol iawn. Bob tro y bydda i'n mynd i weld Peter, rydw i'n ei brifo hi, yn anfwriadol. Yn rhyfedd iawn, prin mae hi'n dangos hynny. Mi wn i y byddwn i'n berwi o genfigen, ond dim ond dweud mae Margot na ddylwn i ei phitïo hi.

'Rydw i'n meddwl ei fod o'n drueni dy fod ti wedi cael dy adael allan ohoni,' meddwn i.

'Rydw i wedi hen arfer â hynny,' atebodd, braidd yn chwerw.

Fiw i mi ddweud wrth Peter. Yn nes ymlaen, efallai, ond mae gofyn i ni'n dau drafod cymaint o bethau eraill cyn hynny.

Rhoddodd Mam slap i mi neithiwr, ac ro'n i'n ei haeddu. Rhaid i mi beidio gwneud gormod o'm difaterwch a'm dirmyg ohoni. Rhaid i mi geisio bod yn gyfeillgar unwaith eto a chadw fy sylwadau i mi fy hun!

Dydi Pim hyd yn oed ddim mor glên ag oedd o. Mae wedi bod yn ceisio osgoi fy nhrin i fel plentyn, ond mae'n llawer rhy oeraidd erbyn hyn. Gawn ni weld beth ddaw o hynny! Mae wedi fy rhybuddio i na fydd unrhyw hyfforddiant ychwanegol ar gael i mi wedi'r rhyfel os na wna i fy algebra. Er y gallwn i aros i weld, mi hoffwn i ddechrau eto, ond i mi gael llyfr newydd.

Dyna ddigon am y tro. Dydw i'n gwneud dim ond syllu ar Peter ac rydw i'n orlawn o hapusrwydd!

Dy Anne M. Frank

Prawf o ddaioni Margot. Derbyniais hwn heddiw, Mawrth 29, 1944:

Anne, do'n i ddim yn hollol onest pan ddywedais i ddoe nad o'n i'n genfigennus ohonot ti. Dyma'r sefyllfa: dydw i ddim yn genfigennus ohonot ti na Peter. Pitïo yr ydw i nad oes gen i neb i rannu fy meddyliau a 'nheimladau, nac yn debygol o gael neb yn y dyfodol agos. Ond dyna pam yr ydw i'n dymuno, o waelod calon, y bydd i'r ddau ohonoch chi allu ymddiried yn eich gilydd. Rwyt ti wedi gweld colli cymaint o bethau yma, pethau mae pobl eraill yn eu cymryd yn ganiataol.

Ar y llaw arall, rydw i'n siŵr na fyddwn i byth wedi cyrraedd cyn belled efo Peter, oherwydd rydw i'n credu y byddai'n rhaid i mi allu teimlo'n agos iawn at rywun cyn y gallwn i rannu fy meddyliau. Byddai'n rhaid i mi deimlo ei fod yn fy neall i tu chwith allan, heb i mi orfod dweud llawer. Oherwydd hyn, byddai'n rhaid iddo fod yn rhywun mwy deallus na fi, a dydi hynny ddim yn wir am Peter. Ond mi alla i ddeall pam yr wyt ti'n teimlo'n agos ato fo.

Felly does dim angen i ti boenydio dy hun am dy fod ti'n credu dy fod ti'n cymryd rhywbeth yr oedd gen i hawl arno; allai dim fod ymhellach o'r gwir. Mae gan Peter a chdi bopeth i'w ennill o'ch cyfeillgarwch.

Fy ateb i:

F'annwyl Margot,

Roedd dy lythyr di y tu hwnt o garedig, ond dydw i ddim yn teimlo'n gwbl hapus ynglŷn â'r sefyllfa, a dydw i ddim yn credu y bydda i byth.

Ar hyn o bryd, does yna mo'r ymddiriedaeth yr wyt ti'n ei feddwl rhwng Peter a fi. Ond pan mae dau yn sefyll wrth ffenestr agored yn y gwyll, fe allan nhw ddweud mwy wrth ei gilydd nag y gallan nhw yng ngolau llachar yr haul. Mae hi hefyd yn haws sibrwd dy deimladau na'u cyhoeddi o bennau'r tai. Rydw i'n meddwl dy fod ti wedi dechrau teimlo ryw fath o gariad chwaer tuag at Peter a dy fod ti'r un mor awyddus â fi i'w helpu. Efallai y bydd modd i ti wneud hynny ryw ddiwrnod, er nad dyna'r math o ymddiriedaeth sydd ganddon ni mewn golwg.

Rydw i'n credu fod yn rhaid i ymddiriedaeth ddod o'r naill ochr a'r llall; rydw i'n credu hefyd mai dyna'r rheswm pam nad ydi Dad a fi wedi gallu dod mor agos â hynny. Ond soniwn ni ddim rhagor am y peth. Os oes yna rywbeth pellach yr hoffet ti ei drafod, anfon air ata i, gan ei bod yn haws i mi ddweud fy meddwl ar bapur nag ydi hi wyneb-yn-wyneb. Wyddost ti ddim gymaint yr ydw i'n dy edmygu di, ac rydw i'n gobeithio y bydd i rywfaint o dy ddaioni di a Dad ddylanwadu arna i, oherwydd, yn hynny o beth, rydach chi'ch dau yn debyg iawn.

Dy Anne

Dydd Mercher, Mawrth 22, 1944

F'annwyl Kitty,

Dyma'r llythyr dderbyniais i gan Margot neithiwr:

Annwyl Anne,

Ar ôl darllen dy lythyr di ddoe, mae gen i'r teimlad annifyr fod dy gydwybod yn dy boeni di bob tro y byddi di'n mynd i ystafell Peter i weithio neu siarad; does dim rhaid wrth hynny. Mi wn i yn fy nghalon fod yna rywun sy'n haeddu fy ymddiriedaeth (fel yr ydw i'n haeddu ei un o) ac allwn i ddim goddef Peter yn ei le.

Fodd bynnag, fel yr oeddet ti'n dweud yn dy lythyr, rydw i'n meddwl am Peter fel math o frawd ... brawd iau; mae'r naill ohonom wedi bod yn ceisio darganfod sut mae'r llall yn teimlo ac efallai y bydd i serch brawd a chwaer ddatblygu'n y dyfodol, efallai ddim, ond rydan ni ymhell o gyrraedd y stad honno ar hyn o bryd. Felly does dim angen i ti fy mhitïo i. Rŵan dy fod ti wedi dod o hyd i gwmnïaeth, ceisia'i fwynhau gymaint ag sy'n bosibl.

Yn y cyfamser, mae pethau'n mynd yn fwy a mwy bendigedig yma. Rydw i'n meddwl, Kitty, fod gobaith i gariad go iawn ddatblygu yn y Rhandy. Doedd yr holl gellwair ynglŷn â phriodi Peter pe baen ni yma'n ddigon hir ddim mor wirion wedi'r cyfan. Nid fy mod i'n bwriadu ei briodi, cofia. Wn i ddim hyd yn oed sut un fydd o ar ôl tyfu i fyny. Wn i ddim chwaith a fyddwn ni'n caru'n gilydd ddigon i allu priodi.

Rydw i'n siŵr erbyn hyn fod Peter yn fy ngharu i hefyd, ond wn i ddim ym mha ffordd. Ydi o'n meddwl amdana i fel ffrind da yn unig; ydw i'n apelio ato fo fel geneth ynteu fel chwaer? Ro'n i tu hwnt o hapus pan ddywedodd fy mod i o help iddo pan fydd ei rieni'n cweryla; roedd hynny'n un cam tuag at wneud i mi gredu yn ei gyfeillgarwch. Mi ofynnais iddo ddoe beth fyddai'n ei wneud petai deuddeg Anne yma, i gyd yn picio draw i'w weld. Ei ateb oedd: 'Pe baen nhw i gyd fel ti, fyddai hynny ddim mor ddrwg.' Mae'n groesawus tu hwnt, ac rydw i'n credu o ddifri ei fod o'n falch o 'ngweld i. Yn y cyfamser, mae wedi bod yn gweithio'n galed ar ei Ffrangeg, hyd yn oed yn astudio yn ei wely tan chwarter wedi deg y nos.

O, pan fydda i'n meddwl am nos Sadwrn, ein geiriau, ein lleisiau ni, rydw i'n teimlo'n fodlon efo mi fy hun am y tro cyntaf erioed. Yr hyn yr ydw i'n ei olygu ydi y byddwn i'n dweud yn union yr un pethau ac na fyddwn i, yn wahanol i arfer, eisiau newid dim. Mae Peter mor olygus, pan mae'n gwenu neu'n eistedd yn llonydd yn syllu i'r gwagle. Mae mor annwyl a da a golygus. Rydw i'n credu mai'r hyn roddodd y syndod mwyaf iddo oedd darganfod nad yr Anne arwynebol, fydol mohona i, ond breuddwydiwr, fel yntau, efo llawn cymaint o ofidiau!

Neithiwr ar ôl clirio'r llestri, ro'n i'n siŵr y byddai'n gofyn i mi fynd i fyny grisiau. Ond ddigwyddodd dim, ac i ffwrdd â fi. Daeth i lawr i ddweud wrth Dussel ei bod yn bryd gwrando ar y radio a bu'n loetran o gwmpas y toiled am sbel, ond gan fod Dussel yn cymryd gormod o amser, aeth yn ei ôl i fyny grisiau. Bu'n cerdded yn ôl a blaen yn ei ystafell ac aeth i'w wely'n gynnar.

Ro'n i mor anniddig drwy gydol y min nos fel bod yn rhaid i mi fynd i'r toiled sawl tro i dasgu dŵr oer ar fy wyneb. Mi fûm i'n darllen ychydig, yn pensynnu rhagor, gwylio'r cloc ac aros, aros, aros, gan wrando ar sŵn ei draed drwy'r amser. Mi es i'r gwely'n gynnar, wedi ymlâdd.

Heno bydd yn rhaid i mi gael bàth, a fory?

Mae fory mor bell i ffwrdd!

Dy Anne M. Frank

Fy ateb i:

F'annwyl Margot,

Rydw i'n meddwl mai'r peth gorau ydi aros i weld beth ddaw. Bydd yn rhaid i Peter a minnau ddod i benderfyniad yn fuan; un ai dal ymlaen fel yr oedden ni neu wneud rhywbeth gwahanol. Wn i ddim sut y bydd hi; alla i ddim gweld ymhellach na blaen fy nhrwyn.

Ond rydw i'n hollol sicr o un peth; os daw Peter a fi yn ffrindiau, rydw i am ddweud wrtho dy fod tithau'n hoff iawn ohono ac yn barod i'w helpu pan fydd arno dy angen di. Fyddet ti ddim am i mi ddweud hynny, mae'n siŵr, ond waeth gen i; wn i ddim be mae Peter yn ei feddwl ohonot ti, ond mi ofynna i iddo pan ddaw'r amser. Yn bendant, dydi o ddim byd drwg - i'r gwrthwyneb! Mae croeso i ti ymuno â ni yn yr atig, neu ble bynnag y byddwn ni. Fyddi di ddim yn tarfu arnon ni, oherwydd mae ganddon ni gytundeb di-eiriau i sgwrsio fin nos yn unig, pan mae hi'n dywyll.

Cwyd dy galon! Rydw i'n gwneud fy ngorau, er nad ydi hynny'n hawdd bob amser. Fe all dy gyfle di ddod yn gynt nag wyt ti'n ei feddwl.

Dy Anne

Dydd Iau, Mawrth 23, 1944

F'annwyl Kitty,

Mae pethau'n ôl i'r arferol yma fwy neu lai. Mae'n dynion cwponau dogni ni wedi cael eu rhyddhau o'r carchar, drwy drugaredd!

Daeth Miep yn ôl i'w gwaith ddoe, ond heddiw tro ei gŵr ydi swatio'n ei wely efo oerfel a thwymyn, arwyddion arferol y ffliw. Mae Bep yn well, er ei bod yn dal i besychu, a bydd yn rhaid i Mr Kleiman aros gartref am amser hir.

Ddoe cwympodd awyren gerllaw. Llwyddodd y criw i neidio allan ac agor eu parasiwtiau mewn pryd. Disgynnodd yr awyren ar ysgol, ond yn ffodus doedd dim plant yno ar y pryd. Achosodd dân bychan a chafodd dau eu lladd. Wrth i'r awyrenwyr ddisgyn, roedd yr Almaenwyr yn eu rhidyllu â bwledi. Roedd rhai o drigolion Amsterdam yn berwi o gynddaredd wrth weld y fath weithred warthus. Roeddem ninnau - y merched, hynny ydi - wedi dychryn allan o'n crwyn. Rydw i'n casáu sŵn saethu.

A rŵan, peth o fy hanes i.

Ro'n i efo Peter ddoe a rywfodd, wn i ddim sut, fe ddechreuon ni siarad am ryw. Ro'n i wedi penderfynu ers talwm y byddwn i'n gofyn rhai pethau iddo. Mae'n gwybod popeth; roedd wedi rhyfeddu pan ddywedais i fod gwybodaeth Margot a fi braidd yn brin. Mi fûm i'n sôn llawer am Margot a fi a Dad a Mam a dweud nad ydw i wedi meiddio gofyn dim iddyn nhw'n ddiweddar. Cynigiodd Peter fy ngoleuo i ar y mater ac mi dderbyniais innau'n ddiolchgar. Disgrifiodd sut mae dulliau atal cenhedlu yn gweithio, ac mi ofynnais innau'n feiddgar iawn sut mae bechgyn yn gwybod eu bod nhw wedi tyfu i fyny. Addawodd y byddai'n dweud wrtha i heno, wedi iddo gael amser i feddwl am y peth. Mi wnes i sôn wrtho fo beth oedd wedi digwydd i Jacque, a dweud nad oedd gan enethod obaith eu hamddiffyn eu hunain yn erbyn bechgyn cryfion. 'Wel, does dim rhaid i ti fy ofni i,' meddai.

Pan ddychwelais i'r min nos, fe eglurodd i mi sut mae pethau efo bechgyn. Er fy mod i'n teimlo braidd yn swil, roedd hi'n hynod o braf gallu trafod y peth. Doedd Peter na fi erioed wedi dychmygu y gallen ni siarad mor agored am y fath faterion personol, efo na bachgen na geneth. Rydw i'n credu fy mod i'n gwybod y cyfan erbyn hyn. Fe ddywedodd lawer wrtha i am ddulliau atal cenhedlu, yr hyn mae o'n ei alw'n *Präservativmitteln* yn yr Almaeneg.

Y noson honno bu Margot a fi yn trafod Bram a Trees, ei ffrindiau, yn y toiled.

Mi ge's i sioc gas bore heddiw pan alwodd Peter fi i fyny grisiau ar ôl brecwast. 'Rwyt ti wedi chwarae hen dric budur arna i,' meddai. 'Mi glywais i chdi a Margot yn siarad yn y toiled neithiwr. Eisiau cael allan faint oedd Peter yn ei wybod oeddat ti, yntê, er mwyn i chi gael hwyl am fy mhen i!'

Ro'n i wedi fy syfrdanu! Mi wnes i bopeth allwn i i geisio'i argyhoeddi; ro'n i'n gallu deall sut oedd o'n teimlo, ond doedd y peth ddim yn wir o gwbl!

'O, na, Peter,' meddwn i. 'Fyddwn i byth mor dan din. Ro'n i wedi addo i ti na fyddwn i'n ailadrodd dim wyt ti'n ei ddweud wrtha i, a wna i ddim chwaith. Cymryd arna fod o ddifri ac yna mynd ati'n fwriadol i ymddwyn mor ffiaidd ... Na, Peter, nid dyna fy syniad i o hwyl. Fyddai hynny ddim yn deg. Wnes i ddim sôn gair, ar fy ngwir. Wnei di mo 'nghredu i?'

Er iddo fy sicrhau ei fod yn fy nghredu i, rydw i'n meddwl y bydd yn rhaid i ni drafod hyn rywdro eto. Dydw i wedi gwneud dim drwy'r dydd ond poeni am y peth. Diolch byth ei fod wedi dweud beth oedd ar ei feddwl, a hynny heb flewyn ar ei dafod. Meddylia, beth pe bai wedi mynd o gwmpas yn meddwl y gallwn i fod mor fileinig â hynny. Mae o mor annwyl!

Mi fydd yn rhaid i mi ddweud popeth wrtho o hyn ymlaen!

Dy Anne

Dydd Gwener, Mawrth 24, 1944

Annwyl Kitty,

Mi fydda i'n mynd i fyny i ystafell Peter ar ôl swper yn aml y dyddiau hyn i anadlu awyr iach y min nos. Rwyt ti'n gallu cael at sgwrs gall yn gynt yn y tywyllwch na phan mae'r haul yn cosi dy wyneb di.

Rydw i'n glyd a chysurus yno, yn eistedd ar gadair wrth ei ochr ac yn edrych allan. Pan fydda i'n diflannu i'w ystafell, mae'r ddau van Daan a Dussel yn gwneud y sylwadau gwirionaf. '*Annes zweite Heimat*,' medden nhw - 'Ail gartref Anne' - neu, 'Ydi o'n beth gweddus i fonheddwr dderbyn merched ifanc i'w ystafell yn y tywyllwch?' Mae Peter yn cadw'i ben yn rhyfeddol wrth ymateb i'r hyn maen nhw'n ei ystyried yn sylwadau ffraeth. Gyda llaw, mae Mam yn berwi o chwilfrydedd hefyd a bron â marw eisiau gofyn am beth yr ydan ni'n siarad, ond ei bod hi'n ofni'n ddistaw bach y byddwn i'n gwrthod ei hateb. Mae Peter yn dweud fod y rhai mewn oed yn genfigennus oherwydd ein bod ni'n ifanc ac na ddylem gymryd ein tarfu gan eu sylwadau atgas.

Weithiau daw Peter i lawr grisiau i alw amdana i, ond mae hynny'n lletchwith hefyd gan ei fod, ar waethaf pob rhagofal, yn gwrido at ei glustiau ac yn methu'n lân â chael y geiriau allan. Rydw i'n falch nad ydw i'n gwrido; mae'n rhaid ei fod yn beth annymunol tu hwnt.

Ar ben hynny, mae'r ffaith fod Margot yn gorfod eistedd i lawr grisiau ar ei phen ei hun bach tra fy mod i i fyny grisiau yn mwynhau cwmni Peter, yn fy mhoeni i. Ond beth alla i ei wneud ynglŷn â hynny? Rydw i'n ddigon bodlon iddi ddod aton ni, ond hi fyddai'n teimlo allan ohoni, yn eistedd yno fel olwyn sbâr.

Rydw i wedi gorfod gwrando ar sylwadau dirifedi ynglŷn â'n cyfeillgarwch annisgwyl ni. Alla i ddim dweud wrthot ti pa mor aml mae'r sgwrs yn ystod prydau bwyd yn cynnwys cyfeiriad at briodas yn y Rhandy, petai'r rhyfel yn para am bum mlynedd arall. Ydan ni'n cymryd unrhyw sylw o fân siarad rhieni? Go brin, gan ei fod mor wirion. Ydi fy rhieni i wedi anghofio iddyn nhw fod yn ifanc unwaith? Ydyn, yn ôl pob golwg. Sut bynnag, maen nhw'n chwerthin am ein pennau ni pan ydan ni o ddifrif ac yn hollol ddifrifol pan fyddwn ni'n cellwair.

Wn i ddim beth sy'n mynd i ddigwydd nesaf. Efallai yr awn ni'n brin o rywbeth i'w ddweud. Ond os aiff pethau ymlaen fel hyn, fe allwn ni, ymhen amser, fod efo'n gilydd heb orfod siarad. Petai ei rieni ond yn rhoi'r gorau i ymddwyn mor od. Y rheswm am hynny, mae'n debyg, ydi nad ydyn nhw'n hoffi fy ngweld i mor aml; yn sicr, fydd Peter a fi byth yn dweud wrthyn nhw am beth yr ydan ni'n siarad. Dychmyga beth fyddai eu hymateb pe baen nhw'n gwybod ein bod ni'n trafod pethau mor bersonol!

Mi hoffwn i ofyn i Peter ydi o'n gwybod sut mae genethod yn edrych, i lawr yn y fan yna. Dydw i ddim yn credu fod bechgyn mor gymhleth â genethod. Mae'n ddigon hawdd gweld sut mae bechgyn yn edrych oddi wrth ffotograffau neu luniau o ddynion noeth, ond mae genethod yn wahanol. Mewn genethod, mae'r organau rhywiol, neu beth bynnag maen nhw'n cael eu galw, wedi eu cuddio rhwng eu coesau. Go brin fod Peter erioed wedi gweld yr un ferch mor agos â hynny. A dweud y gwir, dydw innau ddim chwaith. Mae bechgyn yn llawer haws. Sut ar wyneb daear y byddwn i'n mynd ati i ddisgrifio rhannau dirgel merch? Mi allwn i ddweud oddi wrth ei sgwrs nad ydi o'n gwybod yn union sut mae'r cyfan yn ffitio i'w gilydd. Roedd o'n sôn am y '*Muttermund*' - y groth - ond mae honno o'r golwg y tu mewn. Mae'r cyfan wedi ei drefnu'n daclus ynom ni enethod. Wnes i ddim sylweddoli nes fy mod i'n un ar ddeg neu ddeuddeg oed fod yna ail set o labia ar y tu mewn, gan nad oes modd eu gweld. Yn rhyfeddach fyth, ro'n i'n meddwl fod pi pi yn dod allan o'r clitoris. Mi ofynnais i Mam unwaith beth oedd y lwmpyn bach, ac fe atebodd na wyddai hi ddim. Mae hi'n un dda am ffugio anwybodaeth pan mae hynny'n gyfleus!

Ond i ddod yn ôl at y pwnc. Sut ar y ddaear y gall rhywun egluro sut mae'r cyfan yn edrych heb fodelau? Ga i roi cynnig arni p'un bynnag? Iawn, ffwrdd â ni!

Pan wyt ti'n sefyll i fyny, y cyfan elli di ei weld o'r blaen ydi blew. Rhwng dy goesau mae yna ddau ddarn meddal fel clustog, sydd hefyd wedi eu gorchuddio â blew, ac sy'n gwasgu ar ei gilydd fel na elli di weld beth sydd y tu mewn. Maen nhw'n gwahanu wrth i ti eistedd, ac maen nhw'n goch iawn ac yn ofnadwy o gnawdol ar y tu mewn. Yn y rhan uchaf, rhwng y labia allanol, mae yna ddarn bach o groen sydd, erbyn meddwl, yn edrych fel math o chwysigen. Dyna'r clitoris. Wedyn rwyt ti'n dod at y labia mewnol, sydd hefyd yn gwasgu ar ei gilydd i ffurfio math o rych. Pan maen nhw'n agor, fe elli di weld crugyn bach o gnawd, dim mwy na phen fy mawd i. Mae ychydig o fân dyllau yn y rhan uchaf, a dyna lle mae'r pi pi yn dod allan. Mae'r rhan isaf yn ymddangos fel croen yn unig, ac eto dyna lle mae'r fagina. Prin y gelli di ddod o hyd iddi, oherwydd bod y plygiadau croen yn cuddio'r agoriad. Mae'r twll mor fach fel na alla i prin ddychmygu sut y gall dyn fynd i mewn yno, heb sôn am sut y gall babi ddod allan. Mae'n ddigon anodd cael dy fys i mewn. Dyna'r cyfan sydd yna, ac eto mae'n chwarae rhan mor bwysig!

Dy Anne M. Frank

Dydd Sadwrn, Mawrth 25, 1944

F'annwyl Kitty,

Dydi rhywun byth yn sylweddoli faint mae o neu hi wedi newid nes bod hynny wedi digwydd. Rydw i wedi newid yn llwyr; mae popeth o 'nghwmpas i'n wahanol: barn, syniadau, fy holl agwedd i. Does yna ddim yr un fath, yn fewnol nac allanol.

Ac mi alla i ddweud i sicrwydd, gan fod hynny'n wir, fy mod i wedi newid er gwell. Rydw i'n cofio dweud wrthot ti unwaith ei bod yn anodd i mi, wedi blynyddoedd o gael fy addoli, ddygymod â realaeth galed rhai mewn oed a'u cerydd. Ond ar Mam a Dad mae'r bai mwyaf am hynny. Gartref roedden nhw am i mi fwynhau bywyd, ac roedd hynny o'r gorau, ond ar ôl dod yma ddylen nhw ddim fod wedi fy annog i gytuno efo nhw a dangos eu hochr 'hwy' yn unig o'r holl gwerylon a'r clebran. Fe gymerodd amser hir i mi ddarganfod fod y sgôr yn gyfartal. Mi wn i erbyn hyn fod yna sawl camgymeriad wedi cael ei wneud yma, gan hen ac ifanc fel ei gilydd. Camgymeriad mwyaf Dad a Mam wrth ddelio â'r teulu van Daan ydi nad ydyn nhw byth yn ddiffuant a chyfeillgar (mae'n siŵr y byddai gofyn ffugio'r cyfeillgarwch hwnnw). Yn fwy na dim, rydw i eisiau cadw'r heddwch a pheidio na ffraeo na hel straeon. Er nad ydi hynny'n anodd efo Dad a Margot, mae Mam yn fwy o broblem, a dyna pam yr ydw i'n falch ei bod hi'n troi arna i weithiau. Mae modd ennill Mr van Daan drosodd drwy gytuno, gwrando'n ddistaw, peidio â dweud fawr ac yn fwy na dim ... ymateb i'w gellwair ac i ambell jôc wirion drwy ddweud jôc yr un cyn wirioned. Mae modd dwyn perswâd ar Mrs van Daan drwy siarad yn agored a chyfaddef dy gamgymeriad. Mae hithau'n ddigon parod i addef ei chamgymeriadau, ac mae ganddi stôr helaeth ohonyn nhw. Mi wn i'n burion nad ydi hi'n meddwl mor ddrwg ohona i ag yr oedd hi ar y dechrau. Ac mae hynny oherwydd fy mod i'n onest ac yn dweud beth bynnag sydd ar fy meddwl i, heb flewyn ar dafod. Rydw i eisiau bod yn onest; mae rhywun yn elwa ar hynny ac yn teimlo'n well ynddo'i hun.

Ddoe roedd Mrs van D. yn sôn am y reis yr ydan ni wedi ei roi i Mr Kleiman. 'Y cwbl ydan ni'n ei wneud ydi rhoi, rhoi, rhoi. Ond mae'r amser yn dod pan mae digon yn ddigon. Fe allai Mr Kleiman gael gafael ar ei reis ei hun pe bai ond yn mynd i'r drafferth. Pam ddylen ni rannu'r cyfan sydd ganddon ni? Rydan ni ei angen lawn cymaint.'

'Na, Mrs van Daan,' meddwn i. 'Dydw i ddim yn cytuno. Mae'n siŵr y gallai Mr Kleiman gael gafael ar ychydig o reis, ond mae'n gas ganddo orfod poeni ynglŷn â hynny. Nid ein lle ni ydi beirniadu'r bobl sy'n ein helpu ni. Fe ddylen ni roi beth bynnag maen nhw ei angen iddyn nhw os gallwn ni ei fforddio. Wnaiff un plataid o reis yr wythnos yn llai ddim cymaint â hynny o wahaniaeth; fe allwn ni wastad fwyta ffa.'

Doedd Mrs van D. ddim yn gweld pethau yn yr un golau â fi, ond dywedodd ei bod, er yn anghytuno, yn barod i ildio, ac roedd hynny'n fater cwbl wahanol.

Wel, rydw i wedi dweud digon. Weithiau rydw i'n gwybod lle'r ydw i ac weithiau mae gen i fy amheuon, ond mi gyrhaedda i'r lle yr ydw i eisiau bod yn y diwedd! Rydw i'n gwybod y gwna i! Yn arbennig rŵan fod gen i gymorth, gan fod Peter yn fy helpu i drwy sawl cyfnod anodd a dyddiau glawog!

Wn i ddim faint mae o'n fy ngharu i nac os yr awn ni byth cyn belled â chusanu; p'un bynnag, dydw i ddim eisiau gwthio'r cwch i'r dŵr! Mi wnes i ddweud wrth Dad fy mod i'n mynd i weld Peter yn aml a gofyn a oedd o'n hapus ar hynny. Wrth gwrs ei fod o!

Erbyn hyn mae'n llawer haws i mi sôn wrth Peter am bethau y byddwn i, fel rheol, yn eu cadw i mi fy hun; dweud, er enghraifft, fy mod i eisiau ysgrifennu storïau yn nes ymlaen, ac os na alla i fod yn awdur, cael gwneud hynny yn ychwanegol at fy ngwaith a pheidio â'i esgeuluso byth.

Does gen i fawr o arian nac eiddo bydol, dydw i ddim yn brydferth, deallus na galluog, ond rydw i'n hapus, ac yn bwriadu aros felly! Mi ge's i fy ngeni'n hapus, rydw i'n hoff o bobl, mae gen i natur hyderus, ac mi hoffwn i weld pawb arall yn hapus hefyd.

Dy ffrind ffyddlon, Anne M. Frank

Mae diwrnod gwag, waeth pa mor glir,
Yr un mor dywyll â'r nos hir.

(Mi ysgrifennais i'r cwpled hwn ychydig wythnosau'n ôl a dydi o ddim yn wir bellach, ond rydw i wedi ei gynnwys oherwydd bod fy ngherddi i mor brin.)

Dydd Llun, Mawrth 27, 1944

F'annwyl Kitty,

Fe ddylai o leiaf un bennod faith o'n hanes yma'n y guddfan ymdrin â gwleidyddiaeth, ond rydw i wedi bod yn osgoi hynny oherwydd fod gen i gyn lleied o ddiddordeb yn y pwnc. Heddiw, fodd bynnag, rydw i am neilltuo llythyr cyfan i wleidyddiaeth.

Mae'n amlwg fod yna sawl barn wahanol ar y pwnc, ac mae'n ddigon naturiol ei fod yn cael ei drafod yn aml adeg rhyfel, ond ... mae dadlau cymaint ynglŷn â gwleidyddiaeth yn beth hollol ynfyd! Mae croeso iddyn nhw chwerthin, rhegi, betio, cwyno ac unrhyw beth arall. Rhyngddyn nhw a'u cawl am hynny, ond dydi dadlau ddim ond yn gwneud pethau'n waeth. Mae'r bobl sy'n ymweld â ni yn dod â llawer o newyddion i'w canlyn sy'n cael eu profi'n gelwyddau'n ddiweddarach: hyd yma, fodd bynnag, dydi'r radio erioed wedi dweud yr un celwydd. Mae tymer wleidyddol Jan, Miep, Mr Kleiman, Bep a Mr Kugler yn codi ac yn gostwng, er bod Jan yn fwy cyson ei farn na'r lleill.

Yma yn y Rhandy, mae'r dymer wleidyddol yr un o hyd. Yn gyfeiliant i'r dadleuon diddiwedd ynglŷn â'r ymosodiad, y cyrchoedd awyr, yr areithiau ac felly ymlaen, ceir ebychiadau dirifedi fel 'Dibosibl! *Um Gottes Willen* - O, er mwyn y nefoedd - Os mai rŵan maen nhw'n dechrau, am ba hyd fydd hyn yn para! Mae'n mynd yn ardderchog, *gut*, gwych!'

Mae'r optimistiaid a'r pesimistiaid - heb sôn am y realwyr - yn lleisio barn ag egni diflino, ac fel efo popeth arall yn credu'n sicr fod ganddyn nhw fonopoli ar y gwir. Mae'r ffaith fod gan ei chymar y fath ffydd eithriadol yn y Prydeinwyr yn cythruddo un foneddiges arbennig, ac mae un gŵr arbennig yn ymosod ar ei wraig oherwydd ei sylwadau cellweirus a difrïol ynglŷn â'i genedl annwyl!

Felly mae pethau o'r bore bach hyd yr hwyr; y peth rhyfeddaf ydi nad ydyn nhw byth yn blino. Rydw i wedi darganfod tric ac mae'r effaith yn anhygoel, yn union fel pigo rhywun â phìn a'i wylio'n neidio. Fel hyn mae'n gweithio: rydw i'n dechrau sôn am wleidyddiaeth. Y cyfan sydd ei angen ydi un cwestiwn, gair neu frawddeg, a chyn i ti allu llyncu dy boer mae'r holl deulu wrthi!

Fel petai 'Newyddion *Wehrmacht*' yr Almaen a BBC Lloegr ddim yn ddigon, maen nhw rŵan wedi ychwanegu bwletinau arbennig ar y cyrchoedd awyr. Mewn gair, ardderchog. Ochr arall y geiniog ydi fod y Llu Awyr Prydeinig yn gweithredu rownd y cloc. Ddim yn annhebyg i beiriant propaganda'r Almaen, sy'n troi celwyddau allan bedair awr ar hugain y dydd!

Felly mae'r radio'n cael ei rhoi ymlaen bob bore am wyth o'r gloch (os nad yn gynharach) ac yn cael sylw bob awr tan naw neu ddeg neu hyd oed un ar ddeg o'r gloch y nos. Dyma'r prawf gorau eto fod gan y rhai mewn oed nid yn unig amynedd di-ben-draw ond bod eu hymennydd wedi troi'n slwtsh (rhai ohonyn nhw, hynny ydi, gan nad ydw i eisiau bwrw sen ar neb). Dylai un darllediad, dau ar y mwyaf, fod yn ddigon i bara am ddiwrnod cyfan. Ond na, mae'r hen ffyliaid hyn ... na hidia, rydw i eisoes wedi dweud y cyfan! Mae *Music While You Work*, y darllediad mewn Iseldireg o Loegr, Frank Phillips neu'r Frenhines Wilhelmina, pob un yn cael ei dro a chlust barod. Os nad ydi'r rhai mewn oed yn bwyta neu'n cysgu, maen nhw'n un clwstwr o gwmpas y radio yn trafod bwyta, cysgu a gwleidyddiaeth. Whiw! Mae'n dechrau mynd yn syrffed ac mae ceisio fy arbed fy hun rhag i minnau droi'n hen wrach ddiflas yn gymaint ag y galla i ei wneud!

Er, efo'r holl hen bobl o'm cwmpas, efallai na fyddai hynny'n syniad mor ddrwg!

Dyma un eithriad gwych; araith gan ein hannwyl Winston Churchill.

Naw o'r gloch fin nos Sul. Mae'r tebot, o dan ei orchudd, ar y bwrdd, a'r gwesteion yn dod i mewn i'r ystafell. Mae Dussel yn eistedd i'r chwith o'r radio, Mr van D. o'i blaen a Peter wrth ei ochr. Mae Mam yn eistedd y nesaf at Mr van D. a Mrs van D. y tu ôl iddyn nhw. Mae Margot a fi yn y rhes ôl a Pim wrth y bwrdd. Rydw i'n sylweddoli nad ydi hyn yn ddisgrifiad clir iawn o'n trefn eistedd, ond 'ta waeth. Mae'r dynion yn smocio, llygaid Peter yn cau oherwydd y straen o wrando, Mama yn ei *néglígé* llaes, tywyll, Mrs van D. yn crynu oherwydd yr awyrennau, sy'n anwybyddu'r araith ac yn hedfan ymlaen yn ddi-hid i gyfeiriad Essen, Dad yn slochian ei de, a Margot a fi wedi ein huno'n gariadus gan fod Mouschi wedi mynnu cysgu ar draws gliniau'r ddwy ohonom. Mae gwallt Margot mewn cyrlwyr ac mae fy nghoban i yn rhy fychan, rhy dynn a rhy gwta. Mae'r cyfan yn edrych mor gartrefol, clyd a heddychlon, ac mae hynny'n wir am unwaith. Eto rydw i'n disgwyl diwedd yr araith gydag arswyd. Maen nhw'n ddiamynedd, yn ysu am gael dechrau dadl arall! Pst, pst, fel cath yn denu llygoden o'i thwll, maen nhw'n herio'i gilydd i gweryla ac anghytuno.

Dy Anne

Dydd Mawrth, Mawrth 28, 1944

Fy anwylaf Kitty,

Er cymaint y byddwn i'n hoffi ysgrifennu rhagor am wleidyddiaeth, mae gen i sawl newydd arall i'w adrodd heddiw. Yn gyntaf, mae Mam i bob pwrpas wedi fy ngwahardd i rhag mynd i fyny at Peter, gan fod Mrs van Daan yn genfigennus, meddai hi. Yn ail, mae Peter wedi gwahodd Margot i ymuno â ni i fyny grisiau. Wn i ddim ydi o'n meddwl hynny o ddifri ynteu'n ei ddweud o ran cwrteisi'n unig. Yn drydydd, mi ofynnais i Dad oedd o'n meddwl y dylwn i gymryd unrhyw sylw o genfigen Mrs van Daan ac fe ddywedodd yntau nad oedd raid i mi.

Beth ddylwn i ei wneud rŵan? Mae Mam yn ddig, yn erbyn i mi fynd i fyny at Peter, ac am i mi ddychwelyd i wneud fy ngwaith cartref yn yr ystafell yr ydw i'n ei rhannu â Dussel. Efallai ei bod hithau'n genfigennus hefyd. Dydi Dad ddim yn gwarafun yr ychydig oriau hynny i ni ac mae'n falch ein bod yn cyd-dynnu mor dda. Mae

Margot yn hoffi Peter hefyd, ond yn teimlo na all tri drafod yr un pethau â dau.

Ar ben hyn, mae Mam yn meddwl fod Peter mewn cariad efo fi. Mi fyddai'n dda gen i petai hynny'n wir. Yna fe fydden ni'n gyfartal, ac fe fyddai'n llawer haws i ni ddod i adnabod ein gilydd. Mae hi'n haeru hefyd ei fod yn edrych arna i drwy'r amser. Wel, mi fyddwn ni'n wincio ar ein gilydd o dro i dro, debyg. Ond does gen i mo'r help ei fod yn edmygu'r pantiau bach yn fy mochau, yn nagoes?

Rydw i mewn sefyllfa anodd iawn. Mae Mam yn fy erbyn i a minnau'n ei herbyn hi. Mae Dad yn troi llygad dall ar y frwydr dawel rhwng Mam a fi. Mae Mam yn ddigalon oherwydd ei bod yn dal i fy ngharu i, ond dydw i ddim yn ddigalon o gwbl, gan nad ydi hi'n golygu dim i mi bellach.

O ran Peter ... dydw i ddim eisiau rhoi'r gorau iddo. Mae mor annwyl ac rydw i'n ei edmygu gymaint. Fe allen ni'n dau gael perthynas ddelfrydol, felly pam mae'r hen bobl yn gwthio'u trwynau i'n busnes ni unwaith eto? Yn ffodus, gan fy mod i wedi hen arfer cuddio fy nheimladau, rydw i'n llwyddo i beidio â dangos fy mod i wedi gwirioni amdano. Ydi o'n mynd i ddweud rhywbeth, byth? Ydw i'n mynd i gael teimlo'i rudd yn erbyn f'un i, fel y bu i mi deimlo grudd Petel yn fy mreuddwyd? O, Peter a Petel, rydach chi'r un, a'r unig un! Dydyn nhw ddim yn ein deall ni; fydden nhw byth yn gallu amgyffred ein bod ni'n ddigon bodlon ar gael eistedd efo'n gilydd heb ddweud gair. Does ganddyn nhw ddim syniad beth sy'n ein tynnu ni at ein gilydd! O, pryd y bydd i ni oresgyn yr holl anawsterau hyn? Ac eto, mae'n dda o beth ein bod ni'n gorfod eu trechu, gan fod hynny'n gwneud diwedd y daith gymaint harddach. Pan fydd Peter yn gorffwyso ei ben ar ei freichiau ac yn cau ei lygaid, mae'n dal yn blentyn; pan mae'n chwarae efo Mouschi neu'n sôn amdani, mae'n gariadus; pan fydd yn cario'r tatws neu unrhyw faich trwm, mae'n gryf; pan fydd yn gwylio'r tanio neu'n cerdded drwy'r tŷ tywyll i chwilio am ladron, mae'n ddewr; a phan mae o'n lletchwith a thrwsgl, yn annwyl tu hwnt. Mae'n llawer gwell gen i gael Peter i egluro rhywbeth i mi na fy mod i'n gorfod ei ddysgu o. Mi fyddai'n dda gen i pe bai'n rhagori arna i ym mhopeth bron!

Beth ydi'r ots ganddon ni am y ddwy fam? O, petai ond yn dweud rhywbeth.

Mae Dad yn dweud o hyd fy mod i'n meddwl fy hun, ond dydi hynny ddim yn wir, dim ond balch ydw i! Does yna fawr neb wedi dweud wrtha i fy mod i'n dlws, ar wahân i fachgen yn yr ysgol ddywedodd fy mod i'n edrych yn giwt pan fyddwn i'n gwenu. Ddoe fe dalodd Peter deyrnged go iawn i mi, ac mi ro i syniad bras i ti o gynnwys y sgwrs, dim ond o ran hwyl.

Mae Peter yn dweud wrtha i'n aml, 'Gwena, Anne!' Ro'n i'n meddwl fod hynny'n beth od, ac mi ofynnais iddo ddoe, 'Pam wyt ti'n gofyn i mi wenu o hyd?'

'Pan wyt ti'n gwenu mae gen ti bantiau bach yn dy fochau. Sut wyt ti'n gwneud hynny?'

'Mi ge's i fy ngeni efo nhw. Mae yna un yn fy ngên i hefyd. Dyna'r unig beth o werth sydd gen i.'

'Na, na, dydi hynny ddim yn wir.'

'Ydi, mae o. Mi wn i nad ydw i'n dlws. Dydw i erioed wedi bod a fydda i byth!'

'Dydw i ddim yn cytuno. Rydw i'n meddwl dy fod ti'n dlws.'

'Nag ydw ddim.'

'Os ydw i'n dweud dy fod ti, mi fydd yn rhaid i ti dderbyn fy ngair i.'

Wedyn wrth gwrs mi ddywedais i'r un peth amdano fo.

Dy Anne M. Frank

Dydd Mercher, Mawrth 29, 1944

F'annwyl Kitty,

Dywedodd Mr Bolkestein, Gweinidog y Cabinet, yn ystod y darllediad mewn Iseldireg o Lundain neithiwr, y bydd casgliad yn cael ei wneud o ddyddiaduron a llythyrau sy'n ymwneud â'r rhyfel wedi iddo ddod i ben. Roedd pawb, wrth gwrs, yn ysu am gael eu dwylo ar fy nyddiadur i. Dychmyga'r cynnwrf pe bawn i'n cyhoeddi nofel am y Rhandy Dirgel. Byddai'r teitl ei hun yn gwneud i bobl ei chamgymryd am nofel dditectif.

Ond, o ddifri, byddai'n ddifyr i bobl gael gwybod, ddeng mlynedd wedi'r rhyfel, sut yr oedden ni'n byw, beth oedden ni'n ei fwyta, ac am beth yr oedd Iddewon mewn cuddfan yn sgwrsio. Er fy mod i wedi dweud llawer iawn wrthot ti am ein bywydau ni yma, ychydig iawn wyt ti'n ei wybod amdanon ni mewn gwirionedd. Mor ofnus ydi'r merched yn ystod y cyrchoedd awyr; y Sul diwethaf, er enghraifft, pan ollyngodd 350 o awyrennau Prydeinig hanner miliwn kilo o fomiau ar IJmuiden fel bod y tai'n crynu fel dail yn y gwynt. Neu sawl haint sy'n ymledu yma.

Wyddost ti ddim am y pethau hynny, a byddai gofyn i mi ddal ati i ysgrifennu drwy'r dydd er mwyn disgrifio popeth yn fanwl. Mae pobl yn gorfod ciwio i brynu llysiau a phob math o nwyddau; all meddygon ddim ymweld â'u cleifion, gan fod eu ceir a'u beiciau yn cael eu dwyn yr eiliad y byddan nhw'n troi eu cefnau; mae ysbeilio a lladrata mor gyffredin fel dy fod ti'n gofyn i ti dy hun beth sydd wedi digwydd i'r Iseldirwyr i achosi'r holl ddwylo blewog. Mae plant bach, rhwng wyth ac un ar ddeg oed, yn torri ffenestri cartrefi pobl ac yn dwyn popeth o fewn eu cyrraedd. Fiw i bobl adael eu tai, hyd yn oed am bum munud, gan eu bod yn debygol o ganfod wedi dychwelyd fod eu holl eiddo wedi diflannu. Bob dydd mae'r papurau'n llawn hysbysebion yn cynnig gwobrwyon am ddychwelyd nwyddau sydd wedi eu dwyn, teipiaduron, rygiau Persiaidd, clociau trydan, defnyddiau ac ati. Mae'r clociau trydan ar gorneli strydoedd yn cael eu datgysylltu a ffonau cyhoeddus yn cael eu tynnu'n ddarnau, hyd at y wifren olaf.

All morâl ymysg yr Iseldirwyr ddim bod yn dda. Mae pawb yn newynog; ar wahân i'r coffi *erstaz*, prin bod dogn bwyd wythnos yn para deuddydd. Mae'r cyrch ymosod mor hir yn dod, y dynion yn cael eu hanfon i'r Almaen, y plant yn sâl neu'n hanner llwgu, pawb yn gwisgo dillad carpiog ac esgidiau treuliedig. Mae gwadn newydd yn costio 7.50 *guilder* ar y farchnad ddu. P'un bynnag, ychydig o gryddion sy'n barod i wneud y gwaith. Os ydyn nhw'n cytuno, mae'n rhaid i ti aros bedwar mis am dy esgidiau, ac fe allan nhw'n hawdd fod wedi diflannu yn y cyfamser.

Mae un peth da wedi deillio o hyn: fel mae'r bwyd yn gwaethygu a'r mesurau'n mynd yn llymach, mae'r gweithredoedd o ddifrod yn erbyn yr awdurdodau yn cynyddu. Mae'r bwrdd dogni, yr heddlu, y swyddogion - i gyd un ai'n helpu eu cyd-ddinasyddion neu'n achwyn arnyn nhw ac yn eu hanfon i'r carchar. Yn ffodus, canran fechan yn unig o'r Iseldirwyr sydd ar yr ochr anghywir.

Dy Anne

Dydd Gwener, Mawrth 31, 1944

F'annwyl Kitty,

Meddylia, mae'n dal yn eithaf oer, ac eto mae'r rhan fwyaf o bobl wedi bod heb lo ers bron i fis. Ofnadwy, yntê? Mae yna deimlad cyffredinol o optimistiaeth ynglŷn â'r Ffrynt Rwsiaidd, gan fod hwnnw'n mynd o nerth i nerth! Fydda i ddim yn sôn yn aml am y sefyllfa wleidyddol, ond mae'n rhaid i mi ddweud wrthot ti lle mae'r Rwsiaid ar hyn o bryd. Maen nhw wedi cyrraedd ffin Gwlad Pwyl a'r Afon Prut yn Rwmania. Maen nhw'n agosáu at Odessa ac wedi amgylchynu Ternopol. Bob nos rydan ni'n disgwyl cyhoeddiad pellach gan Stalin.

Mae'n rhaid bod dinas Moscow yn rwmblan a chrynu drwy gydol

y dydd, gan eu bod nhw'n tanio'r holl saliwtiau. Efallai nad oes ganddyn nhw unrhyw ffordd arall o fynegi eu llawenydd neu eu bod nhw'n hoffi cogio fod y frwydr gerllaw, wn i ddim!

Mae milwyr yr Almaen wedi meddiannu Hwngari ac mae hi ar ben ar y miliwn o Iddewon sy'n dal i fyw yno.

Does yna ddim byd arbennig yn digwydd yma. Roedd Mr van Daan yn cael ei ben blwydd heddiw. Cafodd ddau becyn o faco, un dogn o goffi yr oedd ei wraig wedi llwyddo i'w gadw, pwnsh lemwn gan Mr Kugler, sardinau gan Miep, eau de cologne ganddon ni, blodau tiwlip a lelog ac, yn olaf ond nid lleiaf, teisen fafon, braidd yn soeglyd oherwydd safon isel y blawd a phrinder ymenyn, ond yn flasus er hynny.

Mae'r holl siarad ynglŷn â Peter a fi wedi tawelu rywfaint. Mae'n dod i alw amdana i heno. Chwarae teg iddo, yntê, gan fod yn gas ganddo wneud hynny! Rydan ni'n ffrindiau da, yn treulio llawer o amser efo'n gilydd ac yn trafod pob dim dan haul. Mor braf ydi peidio â gorfod ymatal pan fydd pwnc sensitif dan sylw, fel y byddwn i efo bechgyn eraill. Er enghraifft, roedden ni'n sôn am waed ac arweiniodd hynny, rywfodd, at y misglwyf ac ati. Mae Peter yn credu ein bod ni'r genethod yn eithaf gwydn i allu gwrthsefyll y colli gwaed. Pam hynny, tybed?

Mae fy mywyd i yma wedi gwella, gwella'n fawr. Dydi Duw ddim wedi troi ei gefn arna i, a wnaiff O byth.

Dy Anne M. Frank

Dydd Sadwrn, Ebrill 1, 1944

Fy anwylaf Kitty,

Ac eto mae popeth yn dal i fod mor anodd. Rwyt ti'n gwybod beth ydw i'n ei feddwl, on'd wyt ti? Rydw i'n dyheu gymaint am iddo fy nghusanu i, ond mae'r gusan honno mor hir yn dod. Ydi o'n dal i feddwl amdana i fel ffrind? Ai dyna'r cyfan ydw i?

Rwyt ti a minnau'n gwybod fy mod i'n gymeriad cryf, yn gallu ysgwyddo'r rhan fwyaf o'r beichiau ar fy mhen fy hun. Dydw i erioed wedi arfer rhannu fy mhryderon â neb, erioed wedi glynu wrth fam, ond mi rown i'r byd am gael gorffwyso fy mhen ar ei ysgwydd ac eistedd yno'n dawel.

Alla i'n fy myw anghofio'r freuddwyd honno am rudd Peter, pan oedd popeth mor dda! Ydi o ddim yn dyheu am hynny hefyd? Ydi o'n rhy swil i ddweud ei fod o'n fy ngharu i? Pam mae arno gymaint o angen fy nghwmni i? O, pam nad ydi o'n dweud rhywbeth?

Mae'n rhaid i mi roi'r gorau iddi, mae'n rhaid i mi ymdawelu. Rydw i am geisio bod yn ddewr unwaith eto, ac ond i mi fod yn amyneddgar fe ddaw pethau i drefn. Ond - a dyma'r peth gwaethaf - mae'n ymddangos fel pe bawn i'n rhedeg ar ei ôl. *Fi* ydi'r un sy'n gorfod mynd i fyny grisiau bob tro; fydd o byth yn dod ata i. Ond mae hynny oherwydd trefn yr ystafelloedd, ac mae o'n deall pa mor anodd ydi pethau. O, rydw i'n siŵr ei fod yn deall mwy nag yr ydw i'n ei feddwl.

Dy Anne M. Frank

Dydd Llun, Ebrill 3, 1944

Fy anwylaf Kitty,

Yn wahanol i'r arfer, rydw i am roi disgrifiad manwl i ti o'r sefyllfa fwyd, gan fod hynny wedi dod yn fater anodd a phwysig, nid yn unig yma'n y Rhandy, ond drwy'r Iseldiroedd i gyd, Ewrop gyfan a thu hwnt hyd yn oed.

Yn ystod yr un mis ar hugain, rydan ni wedi bod drwy sawl 'cylchdro bwyd' - fe fyddi di'n deall beth mae hynny'n ei olygu mewn munud. Cyfnod ydi 'cylchdro bwyd' pan nad oes ganddon ni ond un math o fwyd neu un math o lysieuyn i'w fwyta. Ar un adeg y cyfan oedden ni'n ei fwyta oedd ysgall y meirch. Ysgall y meirch tywodlyd, ysgall di-dywod, ysgall a thatws stwnsh, caserol ysgall. Wedi hynny sbinais, yn cael ei ddilyn gan salsiffi, colrabi, cucumerau, tomatos, bresych picl, ac ymlaen, ac ymlaen.

Dydi gorfod bwyta rhywbeth fel bresych picl bob dydd i ginio a swper fawr o sbort, ond pan wyt ti ddigon o eisiau bwyd, fe wnei di lawer o bethau. Ar hyn o bryd, fodd bynnag, rydan ni'n mynd drwy'r cyfnod mwyaf pleserus hyd yn hyn, gan nad oes llysiau ar gael!

Mae'r fwydlen wythnosol ar gyfer cinio yn cynnwys ffa Ffrengig, cawl pys, tatws a thwmplenni, pelenni tatws a, thrwy ras Duw, dail maip a moron wedi pydru, ac yna'n ôl i'r ffa Ffrengig. Oherwydd y prinder bara rydan ni'n bwyta tatws i bob pryd, gan ddechrau amser brecwast, er ein bod ni'n ffrio ychydig arnyn nhw bryd hynny. I wneud cawl fe fyddwn ni'n defnyddio ffa Ffrengig, ffa pinto, tatws a phacedi o gawl llysiau, cawl cyw a chawl ffa. Mae ffa Ffrengig ym mhopeth, yn cynnwys y bara.

I swper bob min nos rydan ni'n cael tatws a grefi o fath a - diolch byth ei fod yn dal ganddon ni - salad betys. Rhaid i mi ddweud rhagor wrthot ti am y twmplenni. Rydan ni'n eu gwneud nhw efo'r blawd eilradd sy'n cael ei ganiatáu gan y llywodraeth, dŵr a burum.

Maen nhw mor wydn a gludiog fel dy fod ti'n teimlo fel bod gen ti gerrig yn dy stumog - o, wel!

Yr uchafbwynt ydi'r dafell wythnosol o selsig iau a'r jam ar ein bara sych. Ond rydan ni'n dal yn fyw, ac mae'r cyfan yn dal i flasu'n dda gan amlaf!

Dy Anne M. Frank

Dydd Mercher, Ebrill 5, 1944

Fy anwylaf Kitty,

Ers peth amser bellach, wyddwn i ddim pam yr o'n i'n trafferthu gwneud unrhyw waith ysgol. Roedd diwedd y rhyfel yn ymddangos mor bell i ffwrdd, mor afreal, fel stori dylwyth teg. Os na fydd y rhyfel drosodd erbyn mis Medi, a' i ddim i'r ysgol, gan nad oes arna i eisiau bod ddwy flynedd ar ei hôl hi.

Roedd Peter yn llenwi fy nyddiau, fy meddyliau, fy mreuddwydion, dim byd ond Peter, hyd at nos Sadwrn, pan o'n i'n teimlo'n hollol druenus; o, roedd hi'n ofnadwy arna i. Mi lwyddais i ddal y dagrau'n ôl pan o'n i efo Peter a chwerthin yn afreolus efo'r teulu van Daan wrth yfed pwnsh lemwn. Ro'n i'n siriol a chynhyrfus, ond y munud yr o'n i ar fy mhen fy hun, mi wyddwn fy mod i'n mynd i feichio crio. Mi lithrais i'r llawr yn fy nghoban a dechrau drwy ddweud fy mhader, yn daer iawn. Yna tynnu fy mhengliniau at fy ngên, rhoi fy mhen i orffwyso ar fy mreichiau a chrio, yno yn fy nghwman ar y llawr noeth. Daeth ochenaid fawr â fi'n ôl i'r ddaear ac mi geisiais fygu'r dagrau, gan nad o'n i am i neb fy nghlywed i'r drws nesaf. Yna mi geisiais fy rheoli fy hun, drwy ddweud drosodd a throsodd, 'Rhaid i mi, rhaid i mi, rhaid i mi ...' Yn anystwyth o eistedd mewn ystum mor annaturiol, mi ddisgynnais yn erbyn ochr y gwely, gan ddal ati i frwydro. Roedd hi bron yn hanner awr wedi deg arna i'n dringo'n ôl i'r gwely. Roedd y cyfan drosodd!

A rŵan mae'r cyfan drosodd o ddifri. Rydw i wedi sylweddoli o'r diwedd fod yn rhaid i mi wneud fy ngwaith ysgol i osgoi bod yn anwybodus, er mwyn llwyddo'n y byd a bod yn newyddiadures, oherwydd dyna ydw i eisiau bod! Rydw i'n gwybod fy mod i'n gallu ysgrifennu. Mae rhai o'm storïau i'n dda, fy nisgrifiadau i o'r Rhandy Dirgel yn ddigri, y rhan fwyaf o'm dyddiadur i'n fyw a thanbaid, ond ... rhaid aros i weld a oes gen i dalent ai peidio.

O'r storïau tylwyth teg, 'Breuddwyd Efa' ydi'r un orau, a'r peth rhyfedd ydi nad oes gen i'r syniad lleiaf o ble daeth hi. Mae rhannau o 'Bywyd Cady' yn dda hefyd, ond fel cyfanwaith does yna ddim byd arbennig ynddi. Fi ydi'r beirniad gorau a'r llymaf ar fy ngwaith fy hun. Mi wn i beth sy'n dda a beth sydd ddim. Os nad wyt ti'n ysgrifennu dy hun, elli di ddim dychmygu peth mor fendigedig ydi hynny; ro'n i'n arfer cwyno am nad oedd gen i'r ddawn i arlunio, ond rŵan rydw i uwchben fy nigon am fy mod i o leiaf yn gallu ysgrifennu. Ac os nad oes gen i'r ddawn i ysgrifennu llyfrau neu erthyglau papur newydd, mi alla i wastad ysgrifennu er fy mwyn fy hun. Ond rydw i eisiau cyflawni mwy na hynny. Alla i ddim dychmygu gorfod byw fel Mam, Mrs van Daan a'r holl wragedd sy'n mynd o gwmpas eu gwaith ac yna'n cael eu hanghofio. Rydw i angen rhywbeth heblaw gŵr a phlant i ymroi iddo! Dydw i ddim eisiau byw bywyd dibwrpas fel y rhan fwyaf o bobl. Rydw i eisiau bod yn ddefnyddiol a rhoi mwynhad i bawb, hyd yn oed y rhai nad ydw i erioed wedi eu cyfarfod. Rydw i eisiau dal i fyw hyd yn oed wedi i mi farw! A dyna pam yr ydw i mor ddiolchgar i Dduw am roi'r ddawn hon i mi, un fydd yn fy helpu i ddatblygu ac i fynegi'r cyfan sydd y tu mewn i mi!

Wrth ysgrifennu rydw i'n gallu cael gwared â'm holl bryderon. Mae'r gofidiau'n diflannu, a'r nerth yn llifo'n ôl. Ond, ac mae hwnnw'n ond mawr, a fydda i rywdro'n gallu ysgrifennu rhywbeth o werth, a fydda i'n sylweddoli fy mreuddwyd o fod yn newyddiadures neu'n awdur?

Rydw i'n gobeithio hynny, yn gobeithio o waelod calon, oherwydd mae'r ysgrifennu'n caniatáu i mi gofnodi popeth, fy holl feddyliau, delfrydau a ffantasïau.

Dydw i ddim wedi gweithio ar 'Bywyd Cady' ers hydoedd. Er fy mod i'n gwybod i'r dim beth sy'n digwydd nesaf alla i'n fy myw gael gafael arni. Efallai na fydda i'n ei gorffen byth, ac mai'r fasged sbwriel neu'r stof fydd ei diwedd hi. Mae hwnnw'n syniad erchyll, ond rydw i'n meddwl wedyn, 'Yn bedair ar ddeg oed ac efo cyn lleied o brofiad, sut y gelli di ysgrifennu am athroniaeth?'

Felly ymlaen ac i fyny â fi, yn llawn gobaith newydd. Mae pethau'n siŵr o ddisgyn i'w lle, gan fy mod i'n benderfynol o ysgrifennu!

Dy Anne M. Frank

Dydd Iau, Ebrill 6, 1944

F'annwyl Kitty,

Gan dy fod ti wedi gofyn i mi beth ydi fy hobïau a 'niddordebau hoffwn i roi ateb iti, ond mae'n rhaid i mi dy rybuddio di fod gen i lawer iawn ohonyn nhw, felly paid â dychryn!

Yn gyntaf oll: ysgrifennu, ond fydda i ddim yn meddwl am hynny fel hobi.

Rhif dau: achau. Mi fydda i'n chwilio drwy bob papur newydd, llyfr a thaflenni, unrhyw beth y galla i ddod o hyd iddo, am achau teuluoedd brenhinol Ffrainc, Yr Almaen, Sbaen, Lloegr, Awstria, Rwsia, Norwy a'r Iseldiroedd. Rydw i wedi cael llwyddiant rhyfeddol efo amryw ohonyn nhw, gan fy mod i ers peth amser bellach wedi bod yn gwneud nodiadau wrth ddarllen cofiannau neu lyfrau hanes. Mi fydda i hyd yn oed yn copïo amryw o'r adrannau ar hanes.

Yn naturiol felly, hanes ydi rhif tri, ac mae Dad eisoes wedi prynu nifer helaeth o lyfrau imi. Prin y galla i aros am y diwrnod pan fydd modd i mi fynd i'r llyfrgell gyhoeddus a ffereta'r holl wybodaeth sydd arna i ei hangen.

Mytholeg Groeg a Rhufain ydi rhif pedwar. Mae gen i nifer o lyfrau ar y pwnc yma hefyd. Rydw i'n gallu rhestru'r Naw Awen a saith rhamant Zews ac mae enwau gwragedd Ercwlff, ac ati, i gyd ar fy nghof i.

Fy niddordebau eraill i ydi sêr y ffilmiau a lluniau teuluol. Rydw i wedi gwirioni'n lân ar lyfrau ac ar ddarllen. Rydw i'n hoffi hanes y celfyddydau'n fwy na dim, yn arbennig pan mae a wnelo â llenorion, beirdd ac arlunwyr; efallai y daw'r cerddorion rywdro eto. Mae'n gas gen i algebra, geometreg a rhifyddeg. Rydw i'n mwynhau'r holl bynciau eraill, ond hanes ydi'r ffefryn!

Dy Anne M. Frank

Dydd Mawrth, Ebrill 11, 1944

Fy anwylaf Kitty,

Mae fy mhen i'n troi, a wn i ddim lle i ddechrau. Dydd Iau (pan ysgrifennais i atat ti ddiwethaf) roedd popeth fel arfer. Fe fuon ni'n chwarae Monopoly brynhawn Gwener (Dydd Gwener y Groglith); brynhawn Sadwrn hefyd. Aeth y dyddiau heibio'n gyflym iawn. Tua dau o'r gloch brynhawn Sadwrn dechreuodd y tanio trwm - peiriannau saethu, yn ôl y dynion. Ar wahân i hynny, roedd popeth yn dawel.

Daeth Peter i 'ngweld i am hanner awr wedi pedwar brynhawn Sul, ar wahoddiad. Aethom i fyny i'r atig ffrynt am chwarter wedi pump, ac aros yno tan chwech. Roedd yna gyngerdd hyfryd o waith Mozart ar y radio rhwng chwech a hanner awr wedi saith; mi wnes i fwynhau'r *Kleine Nachtmusik* yn arbennig. Prin y galla i oddef gwrando yn y gegin, gan fod cerddoriaeth hyfryd yn fy nghyffroi i ddyfnderoedd fy enaid.

Nos Sul roedd Peter yn methu cael bàth oherwydd bod y twbyn i lawr yng nghegin y swyddfa, yn llawn golch. Aeth y ddau ohonom i'r atig ffrynt, ac er mwyn gallu eistedd yn fwy cyfforddus, mi es i â'r unig glustog y gallwn i ddod o hyd iddo yn fy ystafell i 'nghanlyn. Fe eisteddon ni ar un o'r blychau pacio. Gan fod y blwch a'r clustog yn gul iawn, roedden ni'n eistedd yn eithaf clòs ac yn pwyso yn erbyn dau flwch pacio arall. Roedd Mouschi yno efo ni, felly roedd ganddon ni rywun i'n gwarchod. Yn sydyn, am chwarter i naw, chwibanodd Mr van Daan a gofynnodd a oedd clustog Mr Dussel ganddon ni. Dyna ni'n neidio i fyny ac yn mynd i lawr grisiau efo'r clustog, y gath a Mr van Daan. Fe barodd y clustog hwnnw helynt mawr. Roedd Dussel yn ddig oherwydd fy mod i wedi mynd â'r clustog y mae o'n ei ddefnyddio fel gobennydd, ac yn ofni y byddai wedi ei orchuddio â chwain. Llwyddodd i droi'r tŷ cyfan yn ferw gwyllt oherwydd yr un clustog hwnnw. Er mwyn dial, sodrodd Peter a fi ddau frws caled yn ei wely, ond bu'n rhaid i ni eu tynnu allan pan benderfynodd Dussel, yn annisgwyl, fynd i eistedd yn ei ystafell. Fe gawson ni dipyn o hwyl ar gorn y perfformiad bach hwnnw.

Ond rhywbeth byr ei barhad oedd ein hwyl ni. Am hanner awr wedi naw curodd Peter yn ysgafn ar y drws a gofynnodd a fyddai Dad yn mynd i fyny i'w helpu efo brawddeg Saesneg anodd.

'Mae hynna'n swnio'n amheus,' meddwn i wrth Margot. 'Esgus, mae'n amlwg. Fe elli di ddweud oddi wrth sgwrs y dynion fod rhywun wedi torri i mewn!' Ro'n i'n iawn. Roedden nhw wrthi'n torri i mewn i'r warws yr eiliad honno. Roedd Dad, Mr van Daan a Peter i lawr grisiau mewn chwinciad. Arhosodd Mam, Margot, Mrs van Daan a fi i fyny grisiau. Mae ar bedair merch ofnus angen siarad, a dyna wnaethon ni nes i ni glywed clec i lawr grisiau. Wedi hynny roedd popeth yn dawel. Dechreuodd y cloc daro chwarter i ddeg. Roedden ni fel y galchen, ond fe lwyddon ni i aros yn dawel, er ein bod ni wedi dychryn yn arw. Ble'r oedd y dynion? Beth oedd y glec yna? Oedden nhw'n ymladd efo'r lladron? Roedden ni'n rhy ofnus i feddwl; y cyfan allen ni ei wneud oedd aros.

Deg o'r gloch, sŵn traed ar y grisiau. Daeth Dad i mewn, yn welw a nerfus, yn cael ei ddilyn gan Mr van Daan. 'Pob golau i ffwrdd, i fyny'r grisiau ar flaenau'ch traed, rydan ni'n disgwyl yr heddlu!'

Doedd yna ddim amser i deimlo'n ofnus. Wrth i'r golau gael ei ddiffodd dyna fi'n cythru am fy siaced, ac i fyny'r grisiau â ni.

'Be ddigwyddodd? Dwedwch wrthon ni!'

Ond doedd yno neb i ddweud; roedd y dynion wedi dychwelyd i lawr grisiau. Roedd hi'n ddeng munud wedi deg pan ddaeth y pedwar yn ôl. Arhosodd dau i wylio wrth y ffenestr agored yn ystafell Peter. Roedd y drws i'r landin wedi'i gloi, y cwpwrdd llyfrau wedi'i gau. Taenwyd siwmper dros y golau nos, ac yna fe gawsom ni wybod beth oedd wedi digwydd:

Roedd Peter ar y landin pan glywodd ddwy glec uchel. Aeth i lawr grisiau a gwelodd fod panel mawr yn eisiau yn hanner chwith drws y warws. Rhuthrodd i fyny'r grisiau i rybuddio'r 'Cartreflu', ac aeth y pedwar ohonyn nhw i lawr. Pan aethon nhw i mewn i'r warws, roedd y lladron wrth eu gwaith. Heb feddwl ddwywaith, dyna Mr van Daan yn gweiddi 'Heddlu!' Sŵn traed brysiog y tu allan; roedd y lladron wedi ffoi. Rhoddwyd y darn coed yn ôl yn y drws fel na fyddai'r heddlu'n sylwi ar y bwlch, ond y munud nesaf daeth cic sydyn o'r tu allan a'i fwrw i'r llawr. Roedd y dynion yn rhyfeddu at hyfdra'r lladron a Peter a Mr van Daan wedi cynddeiriogi'n llwyr. Trawodd Mr van Daan fwyell yn erbyn y llawr, yna roedd popeth yn dawel eto. Unwaith yn rhagor, ceisiwyd rhoi'r panel yn ôl, ac unwaith yn rhagor cafodd yr ymdrech ei rhwystro. Roedd cwpl y tu allan wedi dal fflachlamp wrth yr agoriad, gan oleuo'r warws cyfan. 'Be gyth ...' mwmiodd un o'r dynion, ond erbyn hyn roedd yr esgid ar y troed arall. Nid plismyn mohonyn nhw rŵan, ond lladron. Rhuthrodd y pedwar i fyny'r grisiau. Cipiodd Dussel a Mr van Daan lyfrau Dussel, agorodd Peter y drysau a'r ffenestri yn y gegin a'r swyddfa breifat a hyrddio'r ffôn i'r llawr, ac o'r diwedd glaniodd y pedwar yn ddiogel y tu ôl i'r cwpwrdd llyfrau.

DIWEDD RHAN UN

Yn ôl pob tebyg, roedd y cwpl efo'r fflachlamp wedi rhybuddio'r heddlu. Roedd hi'n nos Sul y Pasg. Drannoeth, Dydd Llun y Pasg, roedd y swyddfa yn mynd i fod ar gau, ac roedd hynny'n golygu na fyddai modd i ni symud o gwmpas tan fore dydd Mawrth. Meddylia, gorfod aros yn y fath arswyd am ddiwrnod a dwy noson! Fe eisteddon ni yno mewn tywyllwch dudew heb allu meddwl am ddim i'w wneud - yn ei hofn, roedd Mrs van D. wedi diffodd y lamp. Roedden ni'n siarad mewn sibrydion, a phob tro y clywid sŵn byddai rhywun yn dweud 'Shh, shh'.

Daeth yn hanner awr wedi deg, yna'n un ar ddeg. Dim smic. Daeth Dad a Mr van Daan i fyny atom ar yn ail. Yna, am chwarter wedi un ar ddeg, sŵn islaw. I fyny grisiau fe allet ti glywed pawb yn anadlu'n drwm. Ar wahân i hynny, doedd neb yn symud gewyn. Sŵn traed yn y tŷ, y swyddfa breifat, y gegin, ac yna ... ar y grisiau. Roedd pob un ohonom yn dal ei anadl, wyth calon yn curo'n gyflym. Sŵn traed ar y grisiau, yna'r cwpwrdd llyfrau'n cael ei ysgwyd. Mae'r eiliad honno'n amhosibl ei disgrifio.

'Mae hi ar ben arnon ni,' meddwn i, ac mi allwn ein gweld ni i gyd yn cael ein llusgo i ffwrdd gan y Gestapo yr union noson honno.

Y cwpwrdd llyfrau'n cael ei ysgwyd eto, ddwywaith. Yna fe glywsom sŵn can yn syrthio a'r sŵn traed yn cilio. Roedden ni allan o berygl, cyn belled! Aeth cryndod drwy gorff pob un ohonom, mi glywais sŵn dannedd yn clecian, ddywedodd neb air. Ac felly y buon ni tan hanner awr wedi un ar ddeg.

Doedd yna'r un smic pellach i'w glywed yn y tŷ ond roedd golau'n disgleirio ar y landin, yn union o flaen y cwpwrdd llyfrau. Efallai fod yr heddlu wedi amau rhywbeth. Neu efallai eu bod nhw wedi anghofio amdano. Oedd yna rywun yn mynd i ddychwelyd a'i ddiffodd? Cawsom hyd i'n tafodau unwaith eto. Doedd yna neb y tu mewn i'r adeilad bellach, ond efallai fod rhywun yn gwarchod y tu allan. Yna fe wnaethon ni dri pheth: ceisio dyfalu beth oedd yn digwydd, crynu gan ofn a mynd i'r toiled. Gan fod y bwcedi yn yr atig, y cyfan oedd ganddon ni oedd basged sbwriel fetel Peter. Mr van Daan aeth gyntaf, yna Dad, ond roedd Mam yn rhy swil. Daeth Dad â'r fasged i'r ystafell drws nesaf ac roedd Margot, Mrs van Daan a fi'n falch o gael gwneud defnydd ohoni. Ildiodd Mam o'r diwedd. Roedd yna alw mawr am bapur, ac yn ffodus roedd gen i beth yn fy mhoced.

Roedd y fasged sbwriel yn drewi, popeth yn digwydd mewn sibrydion, ac roedden ni wedi ymlâdd. Roedd hi'n hanner nos.

'Gorweddwch ar y llawr ac ewch i gysgu!' Rhoddwyd gobennydd a blanced yr un i Margot a fi. Gorweddodd Margot wrth ymyl y cwpwrdd bwyd, a gwnes innau fy ngwely rhwng coesau'r bwrdd. Doedd yr arogl ddim cynddrwg pan oedd rhywun yn gorwedd ar lawr, ond sleifiodd Mrs van Daan i nôl clorin a rhoddodd liain sychu llestri dros y pot fel rhagofal pellach.

Siarad, sibrydion, ofn, drewdod, rhechan a rhywun ar y pot byth a beunydd; ceisia di gysgu drwy hynny i gyd! Erbyn hanner awr wedi dau, fodd bynnag, ro'n i wedi blino cymaint nes i mi syrthio i gysgu a chlywais i ddim byd tan hanner awr wedi tri. Mi ge's i fy neffro pan orffwysodd Mrs van D. ei phen ar fy nhraed.

'Er mwyn y nefoedd, dowch â rhywbeth i mi ei wisgo!' meddwn i. Mi ge's i ryw fath o ddillad, ond paid â gofyn be: trowsus gwlân dros fy mhyjamas, siwmper goch a sgert ddu, sanau hir gwynion a sanau pen-glin yn dyllau i gyd.

Dychwelodd Mrs van D. i'w chadair, a gorweddodd Mr van D. ar lawr â'i ben ar fy nhraed. O hanner awr wedi tri ymlaen ro'n i ar goll yn fy meddyliau ac yn crynu gymaint fel na allai Mr van Daan gysgu. Ro'n i'n fy mharatoi fy hun ar gyfer dychweliad yr heddlu. Byddai'n rhaid i ni ddweud ein bod ni'n cuddio; pe baen nhw'n

Iseldirwyr da, fe fydden ni'n ddiogel, a phe baen nhw o blaid y Natsïaid fe allen ni geisio eu llwgrwobrwyo!

'Fe ddylen ni guddio'r radio!' ochneidiodd Mrs van D.

'O ia, yn y stof wrth gwrs,' atebodd Mr van D. 'Os don nhw o hyd i ni, waeth iddyn nhw ddod o hyd i'r radio hefyd.'

'Yna fe ddon nhw o hyd i ddyddiadur Anne yn ogystal,' ychwanegodd Dad.

'Llosgwch o,' awgrymodd y mwyaf ofnus yn ein plith.

Clywed hyn a chlywed yr heddlu'n ysgwyd y cwpwrdd llyfrau oedd yr adegau mwyaf brawychus o'r cyfan i mi. O, na, nid fy nyddiadur i. Os ydi'r dyddiadur yn mynd, rydw innau'n mynd hefyd! Diolch byth na ddywedodd Dad ragor am y peth.

Does yna ddim diben ailadrodd yr holl sgyrsiau; cafodd cymaint ei ddweud. Mi gysurais i Mrs van Daan, oedd wedi dychryn yn arw. Fe fuon ni'n sôn am ddianc, cael ein cwestiynu gan y Gestapo, ffonio Mr Kleiman a bod yn ddewr.

'Rhaid i ni ymddwyn fel milwyr, Mrs van Daan. Os ydi'n hamser ni wedi dod, wel, gadewch i ni sefyll dros deyrn a gwlad, dros ryddid, gwirionedd a chyfiawnder, fel maen nhw wastad yn dweud ar y radio. Yr unig ddrwg ydi y byddwn ni'n llusgo'r lleill i lawr i'n canlyn.'

Awr yn ddiweddarach newidiodd Mr van Daan le efo'i wraig unwaith eto a daeth Dad i eistedd wrth fy ymyl i. Bu'r dynion yn smocio un sigarét ar ôl y llall, clywyd ambell ochenaid ddofn bob hyn a hyn, talodd rhywun arall ymweliad â'r pot, ac yna dechreuodd yr un peth drosodd wedyn.

Pedwar o'r gloch, pump, hanner awr wedi pump. Mi es i eistedd efo Peter wrth y ffenestr, mor agos fel y gallai'r naill deimlo cryndod y llall, cyfnewid gair neu ddau o bryd i'w gilydd a gwrando'n astud. Tynnwyd y llenni blacowt i lawr y drws nesaf ac fe wnaethon nhw restr o bopeth yr oedden nhw am eu dweud wrth Mr Kleiman dros y ffôn. Roedden nhw'n bwriadu ei alw am saith a'i gael i anfon rhywun yma. Roedden nhw'n cymryd menter fawr, gan y gallai'r heddwas wrth y drws neu yn y warws eu clywed, ond roedd y posibilrwydd y byddai'r heddlu'n dychwelyd yn fwy o fenter fyth.

Rydw i'n amgáu'r rhestr, ond mi fyddai'n well i mi ei chopïo yma er mwyn gwneud pethau'n gliriach.

Lladrad: Heddlu yn yr adeilad, hyd at y cwpwrdd llyfrau, a ddim pellach.
Y lladron yn cael eu haflonyddu, yn torri drws y warws, yn dianc drwy'r ardd.
Y brif fynedfa ar glo; rhaid bod Kugler wedi gadael drwy'r ail ddrws.

Y teipiadur a'r peiriant cyfrif yn ddiogel yn y gist ddu yn y swyddfa breifat.
Golch Miep neu Bep yn y twbyn yn y gegin.
Dim ond gan Bep neu Kugler mae allwedd i'r ail ddrws; y clo wedi'i dorri efallai.
Ceisio rhybuddio Jan a chael yr allwedd, cael golwg o gwmpas y swyddfa; hefyd bwydo'r gath.

Aeth popeth yn ôl y disgwyl. Gwnaed yr alwad ffôn i Mr Kleiman, symudwyd y polion oddi ar y drysau, rhoddwyd y teipiadur yn ôl yn y gist. Yna eisteddodd pawb o gwmpas y bwrdd eto i aros am un ai Jan neu'r heddlu.

Roedd Peter wedi syrthio i gysgu a Mr van Daan a fi'n gorwedd ar y llawr pan glywsom sŵn traed trymion islaw. Mi godais yn dawel bach. 'Jan sydd 'na!'

'Na, na, yr heddlu!' meddai pawb arall.

Curodd rhywun ar y cwpwrdd llyfrau. Chwibanodd Miep. Roedd hynny'n ormod i Mrs van Daan a suddodd yn llipa i'w chadair, cyn wynned â'r galchen. Petai'r tensiwn wedi para funud yn rhagor, byddai wedi llewygu.

Pan ddaeth Jan a Miep i mewn roedd golygfa hyfryd yn eu hwynebu. Byddai'r bwrdd ei hun wedi bod yn werth tynnu ei lun: copi o'r cylchgrawn *Sinema a Theatr*, yn agored ar dudalen o ferched yn dawnsio ac wedi'i staenio â jam a'r pectin y buon ni'n ei gymryd i gael gwared â'r dolur rhydd, dau bot jam, hanner rholyn bara, chwarter rholyn bara, pectin, drych, crib, matsys, lludw, sigarennau, baco, llestr llwch, llyfrau, trôns, fflachlamp, crib Mrs van Daan, papur toiled ac yn y blaen.

Cafodd Jan a Miep eu croesawu â banllefau a dagrau wrth gwrs. Hoeliodd Jan ddarn o goed pin dros y bwlch yn y drws a gadawodd y ddau i hysbysu'r heddlu o'r torri i mewn. Roedd Miep wedi dod o hyd i nodyn o dan ddrws y warws oddi wrth Sleegers, y gwyliwr nos, oedd wedi sylwi ar y twll ac wedi cysylltu â'r heddlu. Roedd Jan yn bwriadu galw i weld Sleegers hefyd.

Felly roedd ganddon ni hanner awr i roi'r tŷ a ni ein hunain mewn trefn. Dydw i erioed wedi gweld y fath gyfnewidiad mewn hanner awr. Aeth Margot a fi â'r dillad gwlâu i lawr y grisiau, yna i ffwrdd â ni i'r toiled i lanhau dannedd, golchi dwylo a chribo gwalltiau. Wedi i mi dacluso rywfaint ar yr ystafell, mi ddychwelais i fyny grisiau. Roedd y bwrdd wedi cael ei glirio, felly dyna ymorol am ddŵr, gwneud te a choffi, berwi'r llefrith a gosod y bwrdd yn barod at ginio. Aeth Dad a Peter ati i wagio'r potiau-dros-dro a'u golchi â dŵr cynnes a chlorin. Roedd yr un mwyaf yn llawn i'r ymylon ac mor drwm fel mai prin y gallen nhw ei godi. I wneud pethau'n waeth, roedd o'n gollwng, a bu'n rhaid ei roi mewn bwced.

Daeth Jan yn ôl am un ar ddeg ac ymuno â ni wrth y bwrdd. O dipyn i beth dechreuodd pawb ymlacio. Dyma stori Jan:

Roedd Mr Sleegers yn cysgu, ond dywedodd ei wraig wrth Jan i'w gŵr ddarganfod y twll yn y drws pan oedd ar ei gylchdaith o gwmpas y camlesi. Galwodd am heddwas a bu'r ddau ohonyn nhw'n chwilio'r adeilad. Mae Mr Sleegers, yn rhinwedd ei swydd fel gwyliwr nos, yn cylchynu'r ardal bob nos ar ei feic, a'i ddau gi i'w ganlyn. Dywedodd ei wraig y byddai Sleegers yn galw i weld Mr Kugler ddydd Mawrth ac y câi wybod rhagor bryd hynny. Mae'n ymddangos nad oedd neb yn swyddfa'r heddlu'n gwybod dim am y torri i mewn, ond fe addawon nhw ddod draw ben bore dydd Mawrth i gael golwg o gwmpas.

Ar y ffordd yn ôl digwyddodd Jan daro ar Mr van Hoeven, y dyn sy'n gofalu am datws inni. Pan ddywedodd wrtho fod rhywun wedi torri i mewn yma, meddai Mr van Hoeven yn ddigyffro, 'Mi wn i hynny. Neithiwr pan oedd fy ngwraig a fi'n mynd heibio i'r adeilad, mi welais i fwlch yn y drws. Roedd y wraig am i ni gerdded ymlaen, ond mi oleuais i fflachlamp a sbecian i mewn. Mae'n siŵr mai dyna pryd y bu i'r lladron ddianc. Er mwyn chwarae'n saff, wnes i ddim ffonio'r heddlu. Ro'n i'n credu na fyddai hynny'n beth doeth dan yr amgylchiadau. Dydw i'n gwybod dim, ond mae gen i fy amheuon.' Diolchodd Jan iddo ac aeth ymlaen â'i siwrnai. Mae'n amlwg fod Mr van Hoeven yn amau ein bod ni yma, gan ei fod bob amser yn danfon y tatws rhwng hanner awr wedi hanner a hanner awr wedi un. Dyn o'r siort orau!

Roedd hi'n un o'r gloch erbyn i Jan adael ac roedden ni wedi clirio'r llestri. Aeth yr wyth ohonom i'n gwlâu. Dyna fi'n deffro am chwarter i dri a sylwi fod Dussel eisoes wedi codi. Yn grychlyd o ôl cwsg, mi ddigwyddais daro ar Peter yn y toiled, newydd ddod i lawr grisiau. Fe gytunon ni i gyfarfod yn y swyddfa. Wedi i mi dwtio rywfaint arna i fy hun, i lawr â fi.

'Wyt ti'n dal yn barod i fentro i'r atig ar ôl hyn i gyd?' gofynnodd Peter. Nodiais, cipio'r gobennydd, oedd wedi'i lapio mewn lliain, ac i fyny â ni efo'n gilydd. Roedd y tywydd yn fendigedig, ac er i seirenau'r cyrchoedd awyr ddechrau oernadu, fe arhoson ni yn ein hunfan. Rhoddodd Peter ei fraich amdana i, a rhoddais i fy mraich amdano yntau, ac yno y buon ni'n eistedd yn dawel tan bedwar o'r gloch, pan ddaeth Margot i ddweud fod y coffi'n barod.

Fe fwytaon ni'n bara, yfed ein lemonêd a chellwair (roedden ni'n gallu gwneud hynny o'r diwedd) ac aeth popeth ymlaen fel arfer. Fin nos mi ddiolchais i Peter oherwydd mai fo oedd wedi bod y dewraf ohonom i gyd.

Does yna'r un ohonon ni erioed wedi bod yn y fath berygl â'r un yr oedden ni ynddo'r noson honno. Roedd Duw yn wir yn gofalu amdanon ni. Meddylia - roedd yr heddlu wrth y cwpwrdd llyfrau, y golau ymlaen, ac eto doedd neb wedi darganfod ein cuddfan ni! 'Mae hi ar ben arnon ni', dyna beth o'n i wedi'i sibrwd ar y pryd, ond fe gawsom ein harbed unwaith eto. Pan ddaw'r ymosodiad a'r bomiau'n dechrau syrthio, pawb drosto'i hun fydd hi, ond y tro yma roedden ni'n pryderu ynghylch y Cristnogion da, diniwed sy'n ein helpu ni.

'Rydan ni wedi'n harbed, daliwch ymlaen i'n harbed ni!' Dyna'r cyfan allwn ni ei ddweud.

Mae'r digwyddiad hwn wedi dod â sawl newid yn ei sgil. O hyn ymlaen, bydd Dussel yn gwneud ei waith yn ystafell y toiled, a Peter yn archwilio'r tŷ rhwng hanner awr wedi wyth a hanner awr wedi naw. Chaiff Peter ddim agor ei ffenestr mwyach, gan fod un o weithwyr Keg wedi sylwi ei bod yn agored. Chawn ni ddim tynnu dŵr yn y toiled ar ôl hanner awr wedi naw y nos. Mae Mr Sleegers wedi ei gyflogi fel gwyliwr nos a heno mae saer, sy'n aelod o'r fyddin gudd, yn mynd i ffurfio baricêd allan o'r fframiau gwely gwynion a wnaed yn Frankfurt. Mae trafodaethau'n mynd ymlaen ym mhob-man drwy'r Rhandy. Cawsom ein ceryddu gan Mr Kugler am fod yn esgeulus. Dywedodd Jan hefyd na ddylem fynd i lawr grisiau ar unrhyw gyfrif. Bydd yn rhaid i ni gael allan rŵan a ydi Sleegers yn un i ymddiried ynddo, a fydd y cŵn yn cyfarth os clywan nhw symudiad y tu ôl i'r drws, sut i lunio'r baricêd, pob math o bethau.

Rydan ni wedi cael ein hatgoffa o'r ffaith mai Iddewon mewn cadwynau ydan ni, yn gaeth i un lle, heb hawliau o fath yn y byd ond â chant a mil o ddyletswyddau. Rhaid i ni'r Iddewon guddio ein teimladau; rhaid i ni fod yn ddewr a chadarn, dioddef anghysur heb gwyno, gwneud popeth sydd o fewn ein gallu ac ymddiried yn Nuw. Rhyw ddiwrnod bydd y rhyfel erchyll hwn drosodd. Fe ddaw'r amser pan fyddwn ni'n bobl unwaith eto ac nid Iddewon yn unig!

Pwy sydd wedi achosi'r loes hwn i ni? Pwy sydd wedi ein gwahanu ni'r Iddewon oddi wrth y gweddill? Pwy sydd wedi peri i ni ddioddef y fath artaith? Duw a'n gwnaeth yr hyn ydym, ond Duw hefyd fydd yn ein codi i fyny eto. Yn llygaid y byd, mae hi ar ben arnom, ond os bydd yna Iddewon yn weddill wedi'r holl ddioddefaint, caiff y genedl Iddewig ei dal i fyny fel esiampl i'r byd. Pwy ŵyr, efallai y bydd i'n crefydd ni ddysgu ystyr daioni i holl bobl y byd, ac mai dyna'r rheswm, yr unig reswm, pam yr ydan ni'n gorfod dioddef. Allwn ni byth fod yn Iseldirwyr yn unig, neu'n Saeson, neu beth bynnag, fe fyddwn ni bob amser yn Iddewon yn ogystal. Ac fe fydd yn rhaid i ni barhau'n Iddewon, ond dyna fyddwn ni eisiau bod.

Byddwn ddewr! Gadewch i ni gofio ein dyletswydd a'i gyflawni'n ddi-gŵyn. Fe fydd yna lwybr ymwared. Dydi Duw erioed wedi cefnu ar ein cenedl ni. Mae'r Iddewon wedi gorfod dioddef ar hyd yr oesau, wedi dal ati ar hyd yr oesau, ond mae'r canrifoedd o ddioddef wedi eu hatgyfnerthu. Bydd y gwan yn syrthio a'r cryf yn dod drwyddi heb ei orchfygu!

Y noson honno ro'n i'n credu o ddifri fy mod i'n mynd i farw. Ro'n i'n disgwyl yr heddlu ac yn barod i wynebu marwolaeth, yn barod fel milwr ar faes y gad. Mi fyddwn wedi rhoi fy mywyd yn llawen dros fy ngwlad. Ond rŵan, rŵan fy mod i wedi cael fy arbed, fy nymuniad pennaf ydi cael bod yn ddinesydd Iseldiraidd ar ôl y rhyfel. Rydw i'n caru'r Iseldirwyr, yn caru'r wlad, yn caru'r iaith, ac rydw i eisiau gweithio yma. A hyd yn oed os bydd raid i mi ysgrifennu at y Frenhines ei hun, wna i ddim ildio nes cyrraedd fy nod!

Rydw i'n mynd yn llai a llai dibynnol ar fy rhieni. Er mor ifanc ydw i, rydw i'n wynebu bywyd â mwy o wroldeb na Mam ac mae gen i well a chywirach synnwyr cyfiawnder. Rydw i'n gwybod beth ydw i ei eisiau, mae gen i nod, mae gen i farn, crefydd a chariad. Mi fydda i'n fodlon ond i mi gael bod yn fi fy hun. Mi wn i fod gen i, fel merch, gryfder mewnol a digonedd o wroldeb!

Os bydd i Dduw ganiatáu i mi fyw, rydw i'n benderfynol o gyflawni mwy nag a wnaeth Mam erioed. Mi wna i'n siŵr fod pawb yn fy nghlywed i, mi a' i allan i'r byd a gweithio dros ddynoliaeth!

Mi wn i bellach mai'r anghenion pennaf ydi dewrder a llawenydd.

Dy Anne M. Frank

Dydd Gwener, Ebrill 14, 1944

Annwyl Kitty,

Mae pawb yma'n dal ar bigau'r drain. Mae Pim bron wedi cyrraedd pen ei dennyn; Mrs van D. yn gorwedd yn ei gwely yn dioddef o annwyd, ac yn cwyno; Mr van D. yn gwelwi heb ei sigareti; Dussel, sydd wedi gorfod ildio llawer o'i gysuron, yn gweld bai ar bawb; ac ymlaen, ac ymlaen. Rydan ni wedi bod yn anlwcus yn ddiweddar. Mae'r toiled yn gollwng, a'r tap wedi sticio. Diolch i'r holl gysylltiadau sydd ganddon ni, fe gawn ni eu trwsio'n o fuan.

Rydw i'n ordeimladwy weithiau, fel y gwyddost ti, ond mae gen i reswm dros fod felly o dro i dro: pan fydd Peter a fi'n eistedd yn glòs ar flwch pacio caled yng nghanol y llanastr a'r llwch, ein breichiau am ein gilydd, Peter yn chwarae â chudyn o'm gwallt; pan mae'r adar yn trydar y tu allan, pan mae'r coed yn eu blagur, pan mae'r haul yn gwahodd a'r awyr mor las - o, dyna pryd y bydda i'n dyheu am gymaint o bethau!

Y cyfan ydw i'n ei weld o 'nghwmpas ydi wynebau blin ac anfodlon, y cyfan ydw i'n ei glywed ydi ocheneidiau a thuchan a chwynion. Fe fyddet ti'n meddwl fod ein sefyllfa ni yma wedi gwaethygu'n sydyn. Ond o ddifri, mae bywyd yr hyn wyt ti'n ei wneud ohono. Yma yn y Rhandy does yna neb yn trafferthu gosod esiampl dda. Fe ddylen ni i gyd geisio cael y gorau ar ein hwyliau drwg!

'O na bai hyn i gyd drosodd!' - dyna sydd i'w glywed bob dydd.

Mae gwaith, cariad, gobaith, egni
Yn fy helpu i ymdopi!

Rydw i'n credu o ddifri, Kitty, fod colled arna i heddiw, a wn i ddim pam. Mae'r hyn yr ydw i'n ei ysgrifennu'n gawdel, rydw i'n neidio o un peth i'r llall ac rydw i'n amau'n fawr weithiau a fydd gan unrhyw un byth ddiddordeb yn yr holl gybôl yma. Mae'n debyg y byddan nhw'n ei alw yn 'Cyffes Hwyaden Fach Hyll'. Go brin y bydd fy nyddiaduron i o ddefnydd i Mr Gerrit Bolkestein, y Gweinidog Addysg, neu Mr Pieter Gerbrandy, y Prif Weinidog, sydd ar hyn o bryd yn alltud yn Llundain.

Dy Anne M. Frank

Dydd Sadwrn, Ebrill 15, 1944

F'annwyl Kitty,

'Helynt ar ben helynt. Pryd y daw hyn i gyd i ben?' Fe elli di fentro dweud hynna eto. Dyfala beth sydd wedi digwydd rŵan. Fe anghofiodd Peter ddadfolltio drws y ffrynt. O ganlyniad i hynny, roedd Mr Kugler a gweithwyr y warws yn methu dod i mewn. Aeth Mr Kugler i'r cefn at ein cymdogion Keg, torri ffenestr cegin y swyddfa, a dringo i mewn drwyddi. Roedd ffenestri'r Rhandy yn agored, ac fe welodd gweithwyr Keg hynny hefyd. Beth sy'n mynd drwy eu meddyliau nhw tybed? A van Maaren? Mae Mr Kugler yn gandryll. Y ni'n ei gyhuddo o beidio gwneud dim i atgyfnerthu'r drysau, ac yna'n gwneud peth mor anghyfrifol! Mae Peter wedi cymryd ato'n arw. Dywedodd Mam, yn ystod un pryd bwyd, ei bod yn teimlo mwy o biti dros Peter na neb arall, a bu ond y dim iddo ddechrau crio. Rydan ni i gyd i'n beio, gan ein bod yn arfer gofyn iddo bob dydd a ydi o wedi cofio dadfolltio'r drws, yn arbennig Mr van Daan. Efallai y galla i fynd i'w gysuro yn nes ymlaen. Mi rown i unrhyw beth am allu ei helpu!

Dyma'r bwletin newyddion diweddaraf ar fywyd yn y Rhandy Dirgel yn ystod yr ychydig wythnosau diwethaf:

Wythnos i'r Sadwrn diwethaf, cafodd Boche ei daro'n sâl. Eisteddodd yn ei unfan a dechrau glafoerio. Gafaelodd Miep ynddo'r munud hwnnw, ei lapio mewn lliain, ei daro yn ei bag siopa, a mynd â fo i'r clinig anifeiliaid. Roedd rhywbeth o'i le ar ei goluddion, a rhoddodd y milfeddyg ffisig iddo. Llwyddodd Peter i roi'r ffisig iddo ychydig o weithiau, ond fu Boche fawr o dro cyn ei heglu hi ac roedd o allan ddydd a nos. Fetia i mai cwrsio'i gariad yr oedd o. Ond erbyn hyn mae ei drwyn wedi chwyddo ac mae'n mewian bob tro y bydd rhywun yn ei godi - mae'n siŵr fod rhywun wedi rhoi cweir iddo am geisio dwyn eu bwyd. Collodd Mouschi ei llais am rai dyddiau. Cyn gynted ag yr oedden ni wedi penderfynu y byddai'n rhaid mynd â hithau at y milfeddyg, fe ddechreuodd ddod ati ei hun.

Rydan ni'n gadael ffenestr yr atig yn gilagored bob nos ar hyn o bryd. Mae Peter a fi'n eistedd yno'n aml fin nos.

Cafodd ein toiled ei drwsio cyn pen dim, diolch i sment rwber a phaent olew. Rydan ni wedi cael tap newydd.

Yn ffodus, mae Mr Kleiman yn teimlo'n well. Mae'n mynd i weld arbenigwr yn fuan. Allwn ni ond gobeithio na fydd raid iddo gael llawndriniaeth ar ei stumog.

Rydan ni wedi cael wyth llyfr dogni'r mis hwn. Yn anffodus, bydd blawd ceirch neu rychion yn cymryd lle'r ffa am y pythefnos nesaf. Picalili ydi'r amheuthun diweddaraf. Os wyt ti'n anlwcus, y cyfan gei di ydi jar yn llawn ciwcymbr a saws mwstard.

Mae'n anodd cael gafael ar lysiau. Dim byd ond letys, letys a mwy o letys. Y cwbl ydan ni'n ei gael i bob pryd ydi tatws a grefi o fath.

Mae'r Rwsiaid wedi meddiannu mwy na hanner y Crimea. Dydi'r Prydeinwyr ddim wedi mynd ymhellach na Cassino. Fe fydd yn rhaid i ni ddibynnu ar Ffrynt y Gorllewin. Bu llawer o gyrchoedd awyr anghredadwy o drwm. Cafodd Swyddfa Gofrestru Genedigaethau, Marwolaethau a Phriodasau yn Yr Hâg ei bomio. Bydd pob un o'r Iseldirwyr yn cael cardiau adnabod newydd.

Dyna ddigon am heddiw.

Dy Anne M. Frank

Dydd Sul, Ebrill 16, 1944

Fy anwylaf Kitty,

Rydw i am i ti gofio dyddiad ddoe, gan ei fod yn ddiwrnod byth-gofiadwy i mi. Onid ydi'r diwrnod pan mae'n cael ei chusan gyntaf yn bwysig i unrhyw ferch? Wel, mae'r un mor bwysig i mi felly. Dydi'r troeon hynny pan gusanodd Bram fi ar fy moch dde neu Mr Woudstra ar fy llaw dde ddim yn cyfri. Sut y bu i mi gael y gusan hon mor ddirybudd? Mi ddweda i wrthot ti.

Am wyth o'r gloch neithiwr ro'n i'n eistedd ar y difán efo Peter a chyn pen dim roedd o wedi rhoi ei fraich amdana i. (Gan ei bod yn ddydd Sadwrn, doedd o ddim yn gwisgo'i oferôl.) 'Fydda ddim gwell i ni symud i fyny fymryn,' meddwn i, 'yn lle 'mod i'n taro 'mhen yn erbyn y cwpwrdd?'

Fe symudodd i fyny nes ei fod bron yn y gornel. Mi lithrais fy mraich o dan ei un o ac ar draws ei gefn, a rhoddodd yntau ei fraich am fy ysgwydd, fel ein bod ni wedi lapio am ein gilydd. Rydan ni wedi eistedd felly sawl tro, ond erioed mor glòs ag yr oedden ni neithiwr. Daliodd fi'n dynn, fy ochr chwith yn erbyn ei fynwes; roedd fy nghalon i eisoes wedi dechrau curo'n gyflymach, ond roedd mwy i ddod. Doedd Peter ddim yn fodlon nes bod fy mhen i'n gorffwyso ar ei ysgwydd a'i ben o'n gorffwyso ar f'un i. Pan eisteddais i fyny'n sydyn unwaith eto, ymhen rhyw bum munud, ni fu fawr o dro'n fy nhynnu'n ôl a rhoi fy mhen i orffwyso ar ei ysgwydd, fel cynt. O, roedd hynny mor fendigedig. Prin y gallwn i yngan gair gan gymaint fy llawenydd wrth iddo anwesu fy mraich a 'ngrudd, braidd yn drwsgl, a chwarae efo 'ngwallt. Y rhan fwyaf o'r amser roedd ein pennau'n cyffwrdd.

O, Kitty, alla i ddim disgrifio'r teimlad oedd yn llifo drwydda i. Ro'n i mor eithriadol o hapus, ac rydw i'n credu ei fod yntau hefyd.

Am hanner awr wedi wyth cododd y ddau ohonom ar ein traed. Gwisgodd Peter ei esgidiau canfas fel na fyddai'n gwneud sŵn ar ei daith nosweithiol o gwmpas yr adeilad. Ro'n i'n sefyll wrth ei ochr. Sut y digwyddais wneud y symudiad iawn, wn i ddim, ond cyn i ni fynd i lawr grisiau, rhoddodd gusan i mi, drwy fy ngwallt, ei hanner ar fy moch chwith a'r hanner arall ar fy nghlust. Mi ruthrais i lawr y grisiau heb edrych yn ôl, ac rydw i'n dyheu am heddiw.

Bore Sul, ychydig cyn un ar ddeg o'r gloch.

Dy Anne M. Frank

Dydd Llun, Ebrill 17, 1944

F'annwyl Kitty,

Wyt ti'n meddwl y byddai Dad a Mam yn fodlon i mi eistedd ar ddifán yn cusanu - fi, nad ydw i eto'n bymtheg oed, a bachgen dwy ar bymtheg a hanner? Mae'n amheus gen i, ond mae'n rhaid i mi ymddiried yn fy nghrebwyll fy hun yn hyn o beth. Mae cael gorwedd yn ei freichiau a breuddwydio yn gwneud i mi deimlo'n dawel a diogel, mae teimlo'i rudd yn erbyn f'un i mor wefreiddiol, mae'n beth mor fendigedig gwybod fod rhywun yn aros amdana i. Ond, ac mae yna ond, fydd Peter yn fodlon ei adael ar hynny? Dydw i ddim wedi anghofio'i addewid, ond ... bachgen ydi o!

Mi wn i fy mod i'n dechrau'n ifanc. Heb fod eto'n bymtheg oed ac eisoes mor annibynnol - mae hynny braidd yn anodd i bobl eraill ei ddeall. Rydw i'n eitha siŵr na fyddai Margot byth yn cusanu bachgen oni bai fod yna ryw sôn am ddyweddïad neu briodas. Does gan Peter a fi ddim cynlluniau o'r fath. Rydw i'n sicr hefyd na fu i Mam gyffwrdd â'r un dyn cyn iddi gyfarfod Dad. Beth fyddai fy ffrindiau neu Jacque yn ei ddweud pe baen nhw'n gwybod fy mod i wedi gorwedd ym mreichiau Peter, fy nghalon yn erbyn ei fynwes, fy mhen ar ei ysgwydd a'i wyneb yn cyffwrdd f'un i!

O, Anne, mae hynny'n gywilyddus! Ond o ddifri, dydw i ddim yn credu ei fod o'n beth cywilyddus o gwbl; rydan ni wedi'n cau i mewn yma, wedi'n torri i ffwrdd oddi wrth weddill y byd, yn bryderus ac yn ofnus, yn arbennig yn ddiweddar. Pam y dylen ni gadw ar wahân a ninnau'n caru'n gilydd? Pam na ddylen ni gusanu'n gilydd ar adeg fel hyn? Pam y dylen ni aros nes cyrraedd oed priodol? Pam y dylen ni ofyn caniatâd neb?

Rydw i wedi penderfynu edrych ar ôl fy muddiannau fy hun. Fyddai Peter byth eisiau fy mrifo i na fy ngwneud i'n ddigalon. Pam na ddylwn i ddilyn fy nghalon a'n gwneud ni'n dau'n hapus?

Eto mae gen i deimlad, Kitty, dy fod ti'n gallu synhwyro fy amheuaeth i. Mae'n rhaid mai fy onestrwydd i sy'n gwrthryfela yn erbyn gwneud rhywbeth ar y slei. Wyt ti'n meddwl ei bod yn ddyletswydd arna i ddweud wrth Dad beth sy'n mynd ymlaen? Wyt ti'n meddwl y dylen ni rannu'r gyfrinach â thrydydd person? Fe olygai hynny golli llawer o'r harddwch, ond a fyddai'n gwneud i mi deimlo'n well y tu mewn? Mi fydd gofyn i mi drafod hynny efo fo.

O, oes, mae gen i eto gymaint o bethau yr ydw i eisiau eu trafod efo fo, gan nad ydw i'n gweld diben mewn cofleidio'n unig. Fe fydd rhannu'n meddyliau â'n gilydd yn gofyn llawer iawn o ymddiriedaeth, ond fe fyddwn ni'n dau'n elwa ar hynny.

Dy Anne M. Frank

O.N. Roedden ni i fyny am chwech bore ddoe, oherwydd bod y teulu cyfan wedi clywed sŵn fel pe bai rhywun yn torri i mewn eto. Mae'n rhaid mai un o'n cymdogion ni oedd y dioddefwr y tro yma. Pan aethom i archwilio'r lle am saith o'r gloch, roedd ein drysau ni ar gau'n dynn, diolch i'r drefn!

Dydd Mawrth, Ebrill 18, 1944

F'annwyl Kitty,

Mae pob dim yn iawn yma. Neithiwr galwodd y saer eto i roi dalennau haearn dros baneli'r drws. Mae Dad newydd ddweud ei fod yn bendant yn disgwyl ymgyrchoedd ar raddfa eang yn Rwsia a'r Eidal, yn ogystal ag yn y Gorllewin, cyn Mai 20; hira'n y byd y mae'r rhyfel yn para, anodda'n y byd ydi hi i ni ddychmygu cael ein rhyddhau o'r fan yma.

Ddoe gallodd Peter a fi ymroi ati o'r diwedd i gael y sgwrs yr ydan ni wedi bod yn ei gohirio am y deg diwrnod diwethaf. Mi ddywedais i'r cyfan wrtho am enethod, heb betruso trafod y materion mwyaf personol. Roedd ei glywed yn dweud ei fod yn meddwl fod yr agoriad i gorff geneth yn cael ei adael allan o fwriad o ddarluniau yn fy ngoglais i braidd. Roedd o'n ei chael hi'n anodd credu fod yr agoriad i'w gael rhwng ei choesau. Daeth y noson i ben â chusan ar y cyd, yn agos i'r gwefusau. Mae'n deimlad bendigedig, ydi wir!

Efallai yr a' i â'r llyfr sy'n cynnwys fy hoff ddyfyniadau i fyny efo fi rywdro fel y gall Peter a fi drafod pethau'n ddyfnach. Dydw i ddim yn credu fod gorwedd ym mreichiau'n gilydd ddiwrnod ar ôl diwrnod yn ddigon, ac rydw i'n gobeithio ei fod yntau'n teimlo'r un fath.

Ar ôl y gaeaf mwyn rydan ni'n cael gwanwyn hyfryd. Mae Ebrill yn odidog, ddim rhy boeth a ddim rhy oer, efo cawodydd ysgafn o bryd i'w gilydd. Mae'n castanwydden ni wedi deilio ac mae yna ychydig o flodau bach i'w gweld yma ac acw.

Rhoddodd Bep drêt i ni ddydd Sadwrn drwy ddod â phedwar tusw o flodau i ni: tri thusw o gennin Pedr ac un tusw o sosin bach glas i mi. Mae Mr Kugler yn ymorol am fwy a mwy o bapurau newydd i ni.

Mae'n bryd i mi weithio ar fy algebra, Kitty. Hwyl.

Dy Anne M. Frank

Dydd Mercher, Ebrill 19, 1944

Fy Anwylaf Gariad,

(Dyna deitl ffilm a Dorit Kreysler, Ida Wüst a Harold Paulsen yn chwarae'r prif rannau ynddi!)

Beth allai fod yn fwy dymunol yn yr holl fyd nag eistedd wrth ffenestr agored, yn mwynhau natur, gwrando'r adar yn trydar, teimlo'r haul ar dy ruddiau a dal cariad o fachgen yn dy freichiau? Rydw i'n teimlo mor dawel a diogel efo'i fraich amdana i, yn gwybod ei fod yn agos ac eto heb orfod yngan gair; sut y gall hyn fod yn ddrwg pan mae'n gwneud cymaint o les i mi? O, na allen ni aros fel hyn am byth heb gael ein haflonyddu, hyd yn oed gan Mouschi.

Dy Anne M. Frank

Dydd Gwener, Ebrill 21, 1944

Fy anwylaf Kitty,

Roedd gen i ddolur gwddw ddoe a bu'n rhaid i mi aros yn y gwely, ond gan fy mod i wedi diflasu erbyn y prynhawn cyntaf a gan nad oedd gen i dymheredd uchel, mi godais heddiw. Mae'r dolur gwddw bron wedi diflannu.

Fel yr wyt ti eisoes wedi darganfod mae'n debyg, roedd ein Führer yn cael ei ben blwydd yn hanner cant a phump ddoe. Heddiw mae Ei Huchelder Brenhinol, y Dywysoges Elisabeth o Gaerefrog, yn cael ei phen blwydd yn ddeunaw. Dywedodd y BBC nad ydi hi eto wedi dod i'w hoed, er nad ydi hynny'n wir am blant teuluoedd brenhinol yn gyffredinol. Rydan ni wedi bod yn dyfalu pa dywysog fydd yr eneth brydferth hon yn ei briodi, ond allwn ni ddim meddwl am neb addas; efallai y gall ei chwaer, y Dywysoges Margaret Rose, briodi'r Tywysog Coronog Baudouin, Gwlad Belg.

Rydan ni wedi bod yn mynd o un trychineb i'r llall yma. Cyn gynted ag yr oedd y drysau allanol wedi cael eu hatgyfnerthu, daeth van Maaren i'r amlwg eto. Yn ôl pob tebyg, fo oedd yr un fu'n dwyn y blawd tatws, a rŵan mae'n ceisio rhoi'r bai ar Bep. Pa ryfedd fod y Rhandy'n ferw gwyllt unwaith yn rhagor. Mae Bep yn gandryll. Efallai y gwnaiff Mr Kugler gadw llygad barcud ar y cymeriad amheus hwn o hyn allan.

Roedd y prisiwr o Beethovenstraat yma'r bore 'ma. Cynigiodd 400 *guilder* i ni am ein cist; yn ein barn ni, mae'r cynigion eraill i gyd yn rhy isel hefyd.

Rydw i eisiau gofyn i'r cylchgrawn *Y Tywysog* wnân nhw dderbyn un o fy storïau tylwyth teg i, o dan ffugenw, wrth gwrs. Ond hyd yma mae pob un o fy storïau tylwyth teg i wedi bod yn rhy hir, felly dydw i ddim yn credu fod gen i fawr o obaith.

Tan tro nesa, cariad.

Dy Anne M. Frank

Dydd Mawrth, Ebrill 25, 1944

F'annwyl Kitty,

Dydi Dussel ddim wedi siarad gair efo Mr van Daan ers deg diwrnod, a'r cyfan oherwydd y rheolau diogelwch newydd oddi ar y torri i mewn. Roedd un ohonyn nhw yn ei wahardd rhag mynd i lawr grisiau fin nos. Mae Peter a Mr van Daan yn gwneud eu cylchdaith olaf am hanner awr wedi naw, a chaiff neb fynd i lawr grisiau wedi hynny. Chawn ni ddim tynnu dŵr yn y toiled rhwng wyth o'r gloch y nos ac wyth o'r gloch y bore o hyn ymlaen. Chawn ni ddim agor y ffenestri ond yn y bore'n unig pan fydd y golau wedi ei gynnau yn swyddfa Mr Kugler, na rhoi darn o goed yn eu herbyn i'w dal yn agored yn ystod y nos. Dyna pam mae Dussel wedi pwdu. Mae'n haeru fod Mr van Daan wedi gweiddi arno, ond does ganddo neb ond fo ei hun i'w feio. Mae'n dweud y byddai'n well ganddo fyw heb fwyd nag heb awyr iach, ac y bydd yn rhaid iddyn nhw feddwl am ffordd o gadw'r ffenestri ar agor.

'Mi fydd yn rhaid i mi drafod hyn efo Mr Kugler,' meddai wrtha i.

Mi ddywedais innau na fyddwn ni byth yn trafod materion o'r fath efo Mr Kugler, dim ond yn ein mysg ein hunain.

'Mae popeth yn digwydd y tu ôl i 'nghefn i. Mi fydd yn rhaid i mi gael gair efo'ch tad am hynny.'

Dydi o ddim i gael eistedd yn swyddfa Mr Kugler ar brynhawniau Sadwrn a Sul bellach chwaith, rhag ofn i oruchwyliwr Keg ei glywed pe bai'n digwydd bod y drws nesaf. Ond mynd yno ar ei union wnaeth Dussel p'un bynnag. Roedd Mr van Daan o'i go'n ulw, ac aeth Dad i lawr grisiau i gael gair efo Dussel. Fe wnaeth hwnnw ryw esgus tila, ond lwyddodd o ddim i daflu llwch i lygad Dad, hyd yn oed, y tro yma. Ar hyn o bryd mae Dad yn gwneud cyn lleied ag sy'n bosibl efo Dussel oherwydd i Dussel ei sarhau. Does yr un ohonon ni'n gwybod beth ddwedodd Dussel, ond mae'n rhaid ei fod yn rhywbeth annymunol iawn.

Ac i feddwl fod y creadur diflas yn cael ei ben blwydd yr wythnos nesaf. Sut y gelli di ddathlu dy ben blwydd pan wyt ti wedi llyncu mul, sut y gelli di dderbyn anrhegion gan bobl nad wyt ti'n fodlon siarad efo nhw hyd yn oed?

Mae Mr Voskuijl yn dirywio'n gyflym. Mae ei dymheredd wedi bod yn gant a phedwar ers deg diwrnod a rhagor. Dywedodd y meddyg ei fod mewn cyflwr gwael iawn; maen nhw'n credu fod y canser wedi ymledu i'w ysgyfaint. Druan â fo, fe hoffen ni allu ei helpu, ond Duw'n unig all ei helpu bellach.

Rydw i wedi ysgrifennu stori ddigri, 'Blurry yr Arloeswr', ac roedd hi'n llwyddiant mawr efo'r tri gwrandawr.

Mae'r annwyd yn dal arna i ac rydw i wedi ei roi i Margot, yn ogystal â Dad a Mam. Gobeithio na fydd i Peter ei gael. Roedd yn mynnu cael cusan, ac yn fy ngalw i ei El Dorado. Lle ydi hwnnw, nid person, yr hogyn gwirion! Ond mae o'n gariad p'un bynnag!

Dy Anne M. Frank

Dydd Iau, Ebrill 27, 1944

F'annwyl Kitty,

Roedd Mrs van Daan mewn hwyl ddrwg y bore 'ma. Doedd hi'n gwneud dim ond cwyno, am ei hannwyd i ddechrau, ac yna am y golled o fethu cael losin peswch a'r artaith o orfod chwythu ei thrwyn drwy'r amser. Wedyn fe ddechreuodd gwyno nad oedd yr haul yn tywynnu, yr ymosodiad heb ddechrau, nad oes ganddon ni hawl i edrych allan drwy'r ffenestri, ac ymlaen felly. Allen ni ddim peidio chwerthin am ei phen, ac mae'n rhaid nad oedd pethau cynddrwg â hynny, gan iddi ymuno â ni cyn pen dim.

Ein rysáit am datws *kugel*, wedi ei addasu oherwydd prinder nionod:

Rhowch datws wedi'u plicio drwy felin gig ac ychwanegwch ychydig o flawd eilradd sych (trwy garedigrwydd y llywodraeth) a halen. Irwch fowld neu ddysgl dal gwres gyda stearin neu baraffin a phobwch am ddwy awr a hanner.

Gweiner gyda stwnsh mefus pwdr. (Dim nionod ar gael. Nac olew i'r mowld a'r toes!)

Ar hyn o bryd rydw i'n darllen *Yr Ymherawdr Siarl V*, wedi'i ysgrifennu gan Athro ym Mhrifysgol Göttingen; mae wedi treulio deugain mlynedd yn paratoi'r llyfr. Fe gymerodd bum diwrnod i mi ddarllen hanner cant o dudalennau. Mae'n amhosibl i mi wneud mwy na hynny. Gan fod i'r llyfr 598 o dudalennau, fe elli di weithio allan faint o amser mae'n mynd i'w gymryd. Ac mae hynny heb gyfri'r ail gyfrol. Ond ... diddorol iawn!

Mae'r pethau sy'n rhaid i eneth ysgol eu gwneud yng nghwrs un diwrnod yn anhygoel! Cym' di fi, er enghraifft. Yn gyntaf, mi gyfieithais i ddarn o ryddiaith ar frwydr olaf Nelson o'r Iseldireg i'r Saesneg. Yna, mi ddarllenais ragor am Ryfel y Gogledd (1700-21) oedd yn cynnwys Pedr Fawr, Siarl X11, Awgwstws y Cadarn, Stanislaus Leczinsky, Mazeppa, von Görz, Brandenburg, Gorllewin Pomerania, Dwyrain Pomerania a Denmarc, yn ogystal â'r dyddiadau arferol. Wedyn, mi ge's fy hun ym Mrasil, lle bûm i'n darllen am faco Bahia, y cyflawnder o goffi, y miliwn a hanner o drigolion Rio de Janeiro, Pernambuco a Sao Paulo ac, yn olaf ond nid lleiaf, yr afon Amason. Yna am y Negroaid, y bobl felynddu, hil y Mestiso, epil y Sbaenwyr a'r Indiaid Americanaidd, y bobl wynion, cyfradd y rhai anllythrennog - dros 50% - a malaria. Gan fod gen i ychydig amser yn weddill, mi fûm i'n bwrw golwg trwy siart achau: Siôn yr Hen, William Louis, Ernest Casimir 1, Henry Casimir 1, i fyny hyd at Margriet Franciska fach (a aned yn Ottowa yn 1943).

Hanner dydd: ailgydio yn fy astudiaethau yn yr atig, a darllen am ddeoniaid, offeiriaid, gweinidogion, pabau a ... whiw, roedd hi'n un o'r gloch!

Am ddau o'r gloch roedd yr eneth druan (ho-ho!) yn ôl wrth ei gwaith. Mwncïod trwynau cul a llydan ddaeth nesaf. Kitty, dwed wrtha i'n sydyn, sawl bys troed sydd gan hipopotamws?

Yna daeth y Beibl, Arch Noa, Sem, Cham a Jaffeth. Wedi hynny, Siarl V. Yna, efo Peter, nofel Thackeray am y cyrnol, yn Saesneg. Prawf geirfa Ffrangeg ac yna cymhariaeth rhwng y Mississippi a'r Missouri!

Digon am heddiw. Ffarwél!

Dy Anne M. Frank

Dydd Gwener, Ebrill 28, 1944

F'annwyl Kitty,

Dydw i ddim wedi anghofio fy mreuddwyd am Peter Schiff (gweler dechrau Ionawr). Hyd yn oed rŵan rydw i'n dal i allu teimlo'i rudd yn erbyn f'un i, a'r ias ryfeddol honno oedd yn gwneud iawn am bopeth arall. Ro'n i wedi teimlo'r un ias efo Peter o dro i dro, ond erioed i'r fath raddau, tan neithiwr. Roedden ni'n eistedd ar y difán, fel arfer, ym mreichiau'n gilydd. Yn sydyn, llithrodd yr Anne gyffredin i ffwrdd a daeth yr ail Anne i gymryd ei lle. Yr ail Anne, nad ydi hi byth yn orhyderus na chwareus, nac eisiau dim ond caru a bod yn dyner.

Wrth i mi eistedd yno'n pwyso'n ei erbyn mi deimlais don o emosiwn yn chwalu drosta i. Rhuthrodd dagrau i'm llygaid; syrthiodd y rhai o'r llygad chwith ar ei oferôl, llifodd y rhai o'r llygad de i lawr fy nhrwyn a glanio wrth ochr y lleill. A sylwodd o? Roddodd o ddim arwydd o hynny. Oedd o'n teimlo yr un fath â fi? Ddwedodd o brin air. Oedd o'n sylweddoli fod ganddo ddwy Anne wrth ei ochr? Mae'r cwestiynau hyn yn aros heb eu hateb.

Mi godais am hanner awr wedi wyth a mynd i sefyll wrth y ffenestr, lle y byddwn ni'n ffarwelio bob amser. Ro'n i'n dal i grynu, yn dal yn Anne rhif dau. Daeth i fyny ata i, ac mi lapiais fy mreichiau am ei wddw a'i gusanu ar ei rudd chwith. Ro'n i ar fin cusanu'r rudd arall pan gyfarfu fy ngwefusau i â'i rai o, a gwasgu ar ei gilydd. Fe fuon ni'n cofleidio, drosodd a throsodd, heb fod eisiau rhoi'r gorau iddi byth!

Mae ar Peter angen tynerwch. Am y tro cyntaf yn ei fywyd mae wedi dod o hyd i eneth; am y tro cyntaf yn ei fywyd mae wedi sylweddoli fod gan y rhai mwyaf plagus hyd yn oed enaid a chalon, a'u bod yn gallu newid yn llwyr pan nad oes neb arall o gwmpas. Am y tro cyntaf yn ei fywyd mae wedi ei roi ei hun a'i gyfeillgarwch i un arall. Dydi o erioed wedi cael ffrind o'r blaen, bachgen na geneth. Rŵan rydan ni wedi dod o hyd i'n gilydd. O ran hynny, do'n i ddim yn ei adnabod yntau chwaith, erioed wedi cael rhywun y gallwn i ymddiried ynddo, a dyma'r canlyniad ...

Mae'r un hen gwestiwn yn dal i fy mhlagio i: 'Ydi hyn yn iawn?' Ydi hi'n iawn i mi ildio mor fuan, i mi fod mor nwydus, mor llawn o angerdd a chwant â Peter? Alla i, fel geneth, ganiatáu i mi fy hun fynd cyn belled?

Does yna ond un ateb posibl: 'Rydw i wedi dyheu gymaint ... ac am gymaint o amser. Rydw i mor unig, ac wedi dod o hyd i gysur o'r diwedd!'

Rydan ni'n ymddwyn yn naturiol yn ystod y boreau, a'r prynhawniau hefyd, ar y cyfan. Ond mae'r dyhead sy'n cael ei gadw dan reolaeth gydol y dydd, hapusrwydd a gwefr yr holl adegau a fu, yn codi i'r wyneb fin nos, ac allwn ni feddwl am ddim ond am ein gilydd. Bob nos, wedi'r gusan olaf, rydw i'n teimlo fel rhedeg i ffwrdd fel na fydd yn rhaid i mi edrych i'w lygaid byth eto. I ffwrdd, ymhell i'r tywyllwch ac ar fy mhen fy hun.

Ond beth sy'n fy aros i ar waelod y pedair gris ar ddeg? Golau llachar, cwestiynau a chwerthin. Rydw i'n gorfod ymddwyn yn naturiol a pheidio â dangos dim.

Mae fy nghalon i'n dal yn rhy feddal i mi allu dod dros sioc fel yr un ge's i neithiwr ar fyrder. Anaml y bydd yr Anne dyner i'w gweld, a dydi hi ddim am gymryd ei gwthio o'r neilltu mor fuan wedi iddi ymddangos. Mae Peter wedi cyrraedd rhan ohona i nad oes neb erioed wedi ei gyrraedd o'r blaen, ond yn fy mreuddwyd! Mae wedi fy meddiannu i a'm troi tu chwith allan. Onid oes ar bawb angen cyfnod tawel i geisio sadio ar ôl cyffro o'r fath? O, Peter, beth wyt ti wedi'i wneud imi? Beth wyt ti ei eisiau gen i?

I ble y bydd hyn yn arwain? O, rydw i'n deall Bep erbyn hyn. Rŵan fy mod i'n mynd drwyddi fy hun, rydw i'n deall ei hamheuon; pe bawn i'n hŷn a Peter eisiau fy mhriodi i, beth fyddai fy ateb i? Anne, bydd yn onest! Allet ti mo'i briodi. Ond mae mor anodd gollwng gafael. Hyd yma does gan Peter fawr o bersonoliaeth na grym ewyllys, gwroldeb na chadernid. Mae'n dal yn blentyn, yn ddim hŷn na fi'n emosiynol; y cyfan sydd arno'i eisiau ydi hapusrwydd a thawelwch meddwl. Ai dim ond pedair ar ddeg oed ydw i? Geneth ysgol wirion, a dim arall? Ydw i o ddifri mor ddibrofiad ym mhopeth? Mae gen i fwy o brofiad na'r mwyafrif; rydw i wedi profi rhywbeth nad oes prin neb o f'oed i erioed wedi'i brofi.

Mae arna i fy ofn fy hun, ofn fod fy nyhead i'n peri i mi ildio'n rhy fuan. Sut y gall pethau byth fynd yn iawn efo bechgyn eraill yn y dyfodol? O, mae'r frwydr barhaus rhwng y galon a'r meddwl mor galed. Mae amser a lle i'r naill a'r llall, ond sut y galla i fod yn siŵr fy mod i wedi dewis yr amser iawn?

Dy Anne M. Frank

Dydd Mawrth, Mai 2, 1944

F'annwyl Kitty,

Mi ofynnais i Peter nos Sadwrn oedd o'n credu y dylwn i ddweud wrth Dad am ein perthynas ni. Wedi i ni drafod y peth, dywedodd ei fod yn credu y dylwn i. Ro'n i'n falch; mae hyn yn profi ei fod yn fachgen call a theimladwy. Cyn gynted ag yr o'n i lawr grisiau, dyna fynd i nôl dŵr efo Dad. Pan oedden ni ar y grisiau, meddwn i, 'Dad, mae'n siŵr eich bod chi wedi casglu na fydd Peter a fi'n eistedd yn nau ben eitha'r ystafell pan fyddwn ni efo'n gilydd. Ydach chi'n meddwl fod hynny'n beth drwg?'

Oedodd Dad cyn ateb: 'Na, dydw i ddim yn credu ei fod o'n beth drwg. Ond mae gofyn bod yn ofalus, Anne, pan mae pobl yn byw mor glòs ag yr ydan ni yma.' Fe ddywedodd rywbeth arall i'r un perwyl, ac i fyny'r grisiau â ni.

Bore Sul galwodd arna i ac meddai, 'Anne, rydw i wedi bod yn meddwl rhagor am ein sgwrs ni ddoe.' (O, o, ro'n i'n dechrau crynu!) 'Dydi o ddim yn syniad mor dda, yma yn y Rhandy. Ro'n i dan yr argraff mai dim ond ffrindiau oeddach chi. Ydi Peter mewn cariad efo chdi?'

'Nag ydi siŵr,' meddwn i.

'Wel, mi wyddost fy mod i'n deall y ddau ohonoch chi. Ond ti ddylai fod yr un i ymatal. Paid â mynd i fyny grisiau mor aml, paid â'i annog fwy nag sydd raid. Mewn achosion fel hyn, y dyn sy'n arwain bob amser ac mae hi i fyny i'r eneth osod terfynau. Y tu allan, llẹ'r wyt ti'n rhydd, mae pethau'n wahanol iawn. Rwyt ti'n cyfarfod bechgyn a genethod eraill, yn gallu cymryd rhan mewn chwaraeon a phòb math o weithgareddau. Ond yma, os ydach chi ormod yng nghwmni'ch gilydd ac eisiau torri i ffwrdd, dydi hynny ddim yn bosibl. Rydach chi'n gweld eich gilydd bob awr o bob dydd - drwy'r amser, mewn gwirionedd. Bydd yn ofalus, Anne, a phaid â chymryd hyn ormod o ddifri!'

'Dydw i ddim, Dad, ond mae Peter yn fachgen iawn, dymunol hefyd!'

'Ydi, ond dydi o ddim yn gymeriad cryf. Mae'n hawdd iawn dylanwadu arno i wneud da, a drwg hefyd. Rydw i'n gobeithio, er ei fwyn o, mai'r daioni fydd yn cael y llaw uchaf, gan ei fod yn gymeriad da yn y bôn.'

Wedi i ni sgwrsio ychydig rhagor fe gytunon ni y byddai Dad yn cael gair efo Peter hefyd.

Brynhawn Sul pan oedden ni yn yr atig ffrynt, gofynnodd Peter, 'Wyt ti wedi cael gair efo dy dad eto, Anne?'

'Do,' meddwn i. 'Mi ddweda i'r cyfan wrthot ti. Dydi Dad ddim yn credu ei fod yn beth drwg, ond dweud oedd o, gan ein bod ni'n byw mor glòs yma, y gall hynny arwain i wrthdaro.'

'Rydan ni eisoes wedi cytuno i beidio â ffraeo, ac rydw i'n bwriadu cadw fy addewid.'

'Finna hefyd, Peter. Ond doedd Dad ddim yn sylweddoli ein bod ni o ddifri. Roedd o'n meddwl mai ffrindiau'n unig ydan ni. Wyt ti'n meddwl y gallwn ni ddal i fod yn ffrindiau?'

'Ydw, mi rydw i. Beth amdanat ti?'

'Finna hefyd. Mi ddwedais i wrth Dad fod gen i ffydd ynot ti. Ac mae gen i, Peter, gymaint o ffydd ag sydd gen i yn Dad. Ac rydw i'n credu dy fod ti'n deilwng o fy ymddiriedaeth i. Mi wyt ti, on'd wyt?'

'Rydw i'n gobeithio hynny.' (Roedd o'n swil iawn, ac yn gwrido.)

'Rydw i'n credu ynot ti, Peter, yn credu dy fod ti'n gymeriad da ac y byddi di'n llwyddo yn y byd.'

Fe fuon ni'n siarad am bethau eraill wedyn. Mewn sbel, dyna fi'n dweud, 'Os y down ni byth allan o'r fan yma, mi wn i na fyddi di'n meddwl rhagor amdana i.'

Cododd ei wrychyn. 'Dydi hynny ddim yn wir, Anne. O, na, adawa i ddim i ti hyd yn oed feddwl hynny ohona i!'

Y munud hwnnw galwodd rhywun arnon ni.

Dywedodd Peter wrtha i ddydd Llun fod Dad wedi cael sgwrs efo fo. 'Roedd dy Dad yn meddwl y gallai ein cyfeillgarwch ni ddatblygu'n gariad,' meddai. 'Ond mi ddwedais i wrtho y byddwn ni'n cadw'n hunain dan reolaeth.'

Mae Dad am i mi roi'r gorau i fynd i fyny grisiau mor aml fin nos, ond dydw i ddim eisiau gwneud hynny. Nid yn unig am fy mod i'n hoffi bod efo Peter, ond oherwydd i mi ddweud fy mod i'n ymddiried ynddo fo. Rydw i yn ymddiried ynddo fo, ac rydw i eisiau profi hynny iddo fo, ond alla i ddim os arhosa i lawr grisiau oherwydd diffyg ymddiriedaeth.

Na, rydw i'n mynd!

Yn y cyfamser, mae drama Dussel wedi dod i ben. Amser swper nos Sadwrn fe ymddiheurodd mewn Iseldireg hyfryd. Maddeuodd Mr van Daan iddo ar unwaith. Mae'n rhaid fod Dussel wedi bod wrthi drwy'r dydd yn ymarfer ei araith.

Aeth dydd Sul, diwrnod ei ben blwydd, heibio'n ddidramgwydd. Rhoddodd ein teulu ni botelaid o win da 1919 iddo, y teulu van Daan (yn barod bellach i roi eu hanrhegion) jar o bicalili a phaced o lafnau rasel. Cafodd jar o surop lemwn gan Mr Kugler (i wneud lemonêd), llyfr gan Miep, *Martin Bach*, a phlanhigyn gan Bep. Rhoddodd yntau anrheg o wy i bob un ohonon ni.

Dy Anne M. Frank

Dydd Mercher, Mai 3, 1944

F'annwyl Kitty,

Y newyddion wythnosol i ddechrau! Rydan ni'n cael gwyliau oddi wrth wleidyddiaeth. Does yna ddim, dim un dim, i'w adrodd. Rydw innau'n dechrau credu y daw'r cyrch ymosod. Wedi'r cyfan, allan nhw ddim gadael i'r Rwsiaid wneud y gwaith budr i gyd; fel mae'n digwydd, dydi'r Rwsiaid yn gwneud dim ar hyn o bryd chwaith.

Mae Mr Kleiman yn dod i'r swyddfa bob bore ar hyn o bryd. Cafodd set newydd o sbringiau ar gyfer difán Peter. Bydd yn rhaid i Peter fynd ati i'w ailglustogi. Yn naturiol, does arno ddim awydd gwneud hynny. Daeth Mr Kleiman â phowdr chwain ar gyfer y cathod hefyd.

Wnes i ddweud wrthot ti fod Boche wedi diflannu? Dydan ni ddim wedi gweld golwg ohoni ers dydd Iau diwethaf. Mae'n debyg ei bod eisoes yn nefoedd y cathod, tra bod rhywun sy'n caru anifeiliaid wedi gwneud pryd blasus ohoni! Efallai y bydd rhyw eneth sy'n gallu ei fforddio yn gwisgo cap wedi'i wneud o ffwr Boche. Mae Peter yn torri'i galon.

Rydan ni wedi bod yn cael cinio am hanner awr wedi un ar ddeg ar Sadyrnau ers pythefnos bellach; yn y boreau rydan ni'n gorfod bodloni ar gwpanaid o uwd. Dyna fydd y drefn bob dydd o yfory ymlaen; bydd hynny'n arbed un pryd i ni. Mae'n dal yn anodd cael gafael ar lysiau. Heddiw cawsom letys pwdr wedi'i ferwi. Letys, sbinais a letys wedi'i ferwi, dyna'r cyfan sydd i'w gael. Rho di datws wedi pydru ar ben hynny, a dyna i ti ginio digon da i frenin!

Do'n i ddim wedi cael fy misglwyf ers deufis a rhagor ond fe ddechreuodd o'r diwedd ddydd Sul diwethaf. Ar waetha'r llanastr a'r trafferth, rydw i'n falch nad ydi o wedi cefnu arna i.

Fel y gelli di ddychmygu mae'n siŵr, fe fyddwn ni'n dweud yn aml, mewn anobaith, 'Beth ydi pwrpas y rhyfel? Pam, o pam, na all pobl fyw'n heddychlon efo'i gilydd? Pam y mae'n rhaid i bopeth gael ei ddinistrio?'

Mae'r cwestiwn yn un digon rhesymol, ond hyd yma does yna neb wedi cynnig ateb boddhaol. Pam y mae Prydain yn cynhyrchu awyrennau mwy a bomiau trymach ac ar yr un pryd yn troi allan dai parod ar gyfer ailadeiladu? Pam y mae miliynau yn cael eu gwario ar y rhyfel bob dydd, pan nad oes yr un geiniog ar gael ar gyfer gwasanaethau meddygol, artistiaid a'r tlodion? Pam y mae'n rhaid i bobl lwgu a gormodedd o fwyd yn pydru mewn rhannau eraill o'r byd? O, pam y mae pobl mor ynfyd?

Dydw i ddim yn credu mai'r arweinwyr, y gwleidyddion a'r cyfalafwyr yn unig sy'n gyfrifol am y rhyfel. O na, mae'r dyn cyffredin yr un mor euog; oni bai am hynny, byddai'r cenhedloedd wedi gwrthryfela ers talwm! Mae yna ysfa ddinistriol mewn pobl, yr ysfa i chwythu bygythion, poenydio a lladd. A hyd nes bydd y cyfan o ddynoliaeth, heb eithriad, wedi'i weddnewid, bydd rhyfeloedd yn para a phopeth sydd wedi cael ei adeiladu'n ofalus, ei feithrin a'i warchod, yn cael ei dorri i lawr a'i ddinistrio, dim ond i ailddechrau unwaith yn rhagor!

Rydw i wedi bod yn y felan yn aml, ond erioed heb obaith. Rydw i'n edrych ar ein bywyd ni yma yn y guddfan fel antur ddiddorol, yn llawn perygl a rhamant, ac yn gweld pob diffyg fel ychwanegiad difyr at fy nyddiadur. Rydw i wedi penderfynu dilyn bywyd gwahanol i un genethod eraill, a bywyd gwahanol i un gwragedd tŷ cyffredin yn y dyfodol. Mae'r profiadau yr ydw i'n eu cael yma yn sylfaen da i fywyd diddorol, a dyna'r rheswm - yr unig reswm - pam y mae'n rhaid i mi weld ochr ddoniol y munudau mwyaf peryglus hyd yn oed.

Rydw i'n ifanc ac mae gen i amryw o rinweddau cudd. Rydw i'n ifanc a chadarn ac yn byw drwy antur fawr; rydw i yn ei chanol hi ac alla i ddim treulio'r diwrnod yn cwyno oherwydd ei bod yn amhosibl cael unrhyw hwyl! Rydw i wedi fy mendithio â sawl peth: hapusrwydd, natur hwyliog a chadernid. Bob dydd rydw i'n fy nheimlo fy hun yn aeddfedu'n emosiynol, yn teimlo fod rhyddid yn agosáu, rydw i'n teimlo harddwch natur a daioni'r rhai yr ydw i'n troi yn eu mysg. Mi fydda i'n meddwl bob dydd, on'd ydi hon yn antur ddifyr a diddorol! Pam, felly, y dylwn i anobeithio?

Dy Anne M. Frank

Dydd Gwener, Mai 5, 1944

Annwyl Kitty,

Dydi Dad ddim yn rhy hapus efo fi. Yn dilyn ein sgwrs ni ddydd Sul, roedd o'n meddwl y byddwn i'n rhoi'r gorau i fynd i fyny grisiau bob min nos. Dydi o ddim am weld dim o'r '*Knutscherei*', y snogio 'na'n mynd ymlaen. Mae'n gas gen i'r gair yna. Roedd trafod y peth yn ddigon drwg - pam y mae'n rhaid iddo wneud i mi deimlo'n ddrwg hefyd? Mi ga' i air efo fo heddiw. Rhoddodd Margot gyngor da i mi. Dyma beth fyddwn i'n hoffi ei ddweud, fwy neu lai:

Rydw i'n meddwl eich bod chi'n disgwyl eglurhad gen i, Dad, felly dyma fi'n rhoi un. Rydw i wedi'ch siomi chi. Roeddech chi'n disgwyl i mi ddangos mwy o reolaeth ac am i mi ymddwyn, mae'n siŵr, fel y dylai geneth bedair ar ddeg oed. Ond dyna lle'r ydach chi'n methu!

Oddi ar i ni fod yma, o Orffennaf 1942 hyd at ychydig wythnosau'n ôl, dydw i ddim wedi cael amser hawdd. Pe baech chi ond yn gwybod pa mor aml y byddwn i'n crio yn y nos, pa mor ddigalon ac unig o'n i'n teimlo, fe fyddech chi'n deall fy nyhead i am gael mynd i fyny grisiau! Rydw i wedi cyrraedd pwynt erbyn hyn pan nad oes arna i angen cefnogaeth Mam na neb arall. Ond ddigwyddodd hyn ddim dros nos. Rydw i wedi ymdrechu'n hir ac yn galed ac wedi colli llawer iawn o ddagrau er mwyn gallu bod mor annibynnol â hyn. Fe allwch chi chwerthin a gwrthod fy nghredu i, ond waeth gen i. Mi wn i fy mod i'n berson annibynnol, a dydw i ddim yn teimlo fod yn rhaid i mi roi cyfrif i chi am unrhyw weithred. Dydw i ddim ond yn dweud hyn oherwydd nad oes arna i eisiau i chi feddwl fy mod i'n gwneud pethau y tu ôl i'ch cefn chi. Ond does yna ond un person yr ydw i'n atebol iddo, a fi fy hun ydi honno.

Pan o'n i'n cael problemau, roedd pawb - ac mae hynny'n eich cynnwys chi - yn cau eu llygaid a'u clustiau, a doedd dim help i'w gael gan neb. I'r gwrthwyneb, y cyfan fyddwn i'n ei gael oedd cerydd am fod mor swnllyd. Ro'n i'n swnllyd yn unig er mwyn ceisio ymgadw rhag bod yn ddigalon drwy'r amser. Ro'n i'n orhyderus er mwyn ceisio ymgadw rhag gwrando ar y llais y tu mewn i mi. Rydw i wedi bod yn chwarae rhan am y deunaw mis diwethaf, drwy'r dydd, bob dydd. Dydw i erioed wedi cwyno na gadael i'r masg lithro, dim o'r fath beth, a rŵan ... rŵan mae'r frwydr drosodd. Rydw i wedi ennill! Rydw i'n annibynnol, gorff a meddwl. Does arna i ddim angen mam bellach, ac rydw i wedi dod allan o'r profiad yn gymeriad cryfach.

Rŵan fod hynny drosodd, rŵan fy mod i'n gwybod fod y frwydr wedi'i hennill, rydw i eisiau mynd fy ffordd fy hun a dilyn y llwybr sy'n addas i mi. Rhaid i chi beidio â meddwl amdana i fel plentyn pedair ar ddeg oed, oherwydd mae'r holl helbulon hyn wedi fy aeddfedu i. Fydda i ddim yn edifar. Rydw i am ymddwyn fel yr ydw i'n credu y dylwn i.

All yr un perswâd caredig fy rhwystro i rhag mynd i fyny grisiau. Fe fydd yn rhaid i chi un ai wahardd hynny neu ymddiried yna' i doed a ddelo. Ond yn fwy na dim, gadewch lonydd i mi!

Dy Anne M. Frank

Dydd Sadwrn, Mai 6, 1944

F'annwyl Kitty,

Cyn swper neithiwr mi rois i'r llythyr yr o'n i wedi ysgrifennu ym mhoced Dad. Roedd o wedi'i ddarllen ac, yn ôl Margot, wedi cynhyrfu'n arw am weddill y min nos. (Ro'n i i fyny grisiau yn golchi'r llestri!) Pim druan, mi ddylwn fod wedi meddwl beth fyddai effaith y fath epistol. Mae o mor deimladwy! Mi rybuddiais i Peter ar unwaith i beidio gofyn unrhyw gwestiwn na dweud dim rhagor.

Dydi Pim ddim wedi sôn gair wrtha i am y peth. Ydi o'n mynd i ddweud rhywbeth tybed?

Mae popeth yma'n ôl i'r arfer fwy neu lai. Prin y gallwn ni gredu'r hyn mae Jan, Mr Kugler a Mr Kleiman yn ei ddweud am y prisiau a'r bobl y tu allan; mae chwarter kilo o de yn costio 350.00 *guilder*, chwarter kilo o goffi 80.00 *guilder*, hanner kilo o fenyn 35.00 *guilder*, un wy 1.45 *guilder*. Mae pobl yn talu 14.00 *guilder* yr owns am faco Bwlgaria! Mae pawb yn prynu a gwerthu ar y farchnad ddu; mae gan bob bachgen o negesydd rywbeth i'w gynnig. Daeth y bachgen o'r becws ag edau frodio i ni - 0.9 *guilder* am un cengl pitw. Gall y dyn llefrith gael gafael ar lyfrau dogni ffug, mae'r trefnwr angladdau'n danfon caws. Mae ysbeilio, lladrata a lladd yn digwydd yn ddyddiol. Mae hyd yn oed yr heddlu a'r gwylwyr nos yn dal ar eu cyfle. Mae pawb eisiau llenwi eu stumogau gweigion, a gan fod y cyflogau wedi eu rhewi, mae pobl yn gorfod ymostwng i dwyll. Mae'r heddlu yn eu gwaith yn ceisio dod o hyd i'r nifer helaeth o enethod pymtheg, un ar bymtheg, dwy ar bymtheg oed a hŷn sy'n mynd ar goll bob dydd.

Rydw i eisiau mynd ati i geisio gorffen fy stori am Ellen, y dylwythen deg. Dim ond o ran hwyl, mi alla i ei rhoi hi i Dad ar ei ben blwydd, ynghyd â phob hawlfraint.

Wela i di toc! (Nid dyna'r ymadrodd cywir, o ddifri. Maen nhw'n cloi'r darlledriad Almaeneg o Loegr bob tro â '*Auf wiederhören*' - nes y bydd i ni siarad eto. Felly mae'n debyg y dylwn i ddweud, 'Nes y bydd i ni ysgrifennu eto.')

Dy Anne M. Frank

Bore Sul, Mai 7, 1944

F'annwyl Kitty,

Cafodd Dad a fi sgwrs hir brynhawn ddoe. Ro'n i'n crio'n hidl, ac roedd yntau'n crio hefyd. Wyddost ti beth ddwedodd o wrtha i, Kitty?

'Rydw i wedi derbyn llawer iawn o lythyrau yn ystod fy oes, ond does yna'r un wedi fy nghlwyfo i gymaint â hwn. Ti, Anne, sydd wedi cael cymaint o gariad gan dy rieni. Ti, a gen ti rieni sydd wedi bod yn barod i dy helpu di bob amser, wedi dy amddiffyn di bob tro, waeth beth fyddai'r amgylchiadau. Rwyt ti'n dweud nad oes gofyn i ti roi cyfrif i ni am dy weithredoedd! Rwyt ti'n teimlo dy fod ti wedi cael cam ac wedi cael dy adael ar dy ben dy hun. Na, Anne, rwyt ti wedi gwneud anghyfiawnder mawr â ni.

Efallai nad oeddet ti'n golygu hynny, ond dyna oedd yn y llythyr. Na, Anne, dydan *ni* wedi gwneud dim i deilyngu'r fath gerydd!'

O, rydw i wedi methu'n druenus. Dyma'r peth gwaethaf i mi ei wneud erioed. Mi ddefnyddiais fy nagrau er mwyn dangos fy hun, er mwyn ceisio ymddangos yn bwysig fel ei fod o'n fy mharchu i. Rydw i wedi cael fy siâr o ddigalondid yn sicr, ac mae popeth ddywedais i am Mam yn wir. Ond i gyhuddo Pim, sydd mor dda ac sydd wedi gwneud popeth i mi - na, roedd hynny'n rhy greulon o'r hanner.

Mae'n beth da fod rhywun wedi torri fy nghrib i o'r diwedd, wedi creithio fy malchder, oherwydd rydw i wedi bod yn rhy hunangyfiawn o lawer. Dydi popeth mae Meistres Anne yn ei wneud ddim i'w gymeradwyo, ddim o bell ffordd! Mae unrhyw un sy'n achosi'r fath loes i'r sawl y mae'n honni ei garu, a hynny'n fwriadol, yn ffiaidd, yr isaf o'r isel rai!

Yr hyn sy'n peri'r cywilydd mwyaf i mi ydi'r ffordd y mae Dad wedi maddau imi; fe ddywedodd ei fod am daflu'r llythyr i'r stof, ac mae'n ymddwyn mor glên tuag ata i rŵan, fel pe bai o yr un sydd wedi tramgwyddo. Wel, Anne, mae gen ti lawer iawn i'w ddysgu eto. Mae'n bryd i ti ddechrau arni, yn hytrach nag edrych i lawr ar bobl eraill a rhoi'r bai arnyn nhw bob tro!

Rydw i wedi profi llawer iawn o ofidiau, ond pwy sydd ddim yn fy oed i? Rydw i wedi bod yn chwarae rhan, er mai prin yr o'n i'n ymwybodol o hynny. Rydw i wedi teimlo'n unig, ond byth heb obaith! Ddim fel Dad, a redodd allan i'r stryd unwaith efo cyllell fel y gallai roi terfyn ar y cyfan. Dydw i erioed wedi mynd cyn belled â hynny.

Fe ddylwn fod â chywilydd mawr ohonof fy hun, ac mae gen i. Ni ddaw i neb ddoe yn ôl, ond o leiaf fe all rhywun ei rwystro rhag digwydd eto. Mi hoffwn i ddechrau o'r dechrau, a ddylai hynny ddim bod mor anodd, rŵan fod Peter gen i. Mi wn i y galla i lwyddo efo'i gefnogaeth o. Mi wn i y galla i! Dydw i ddim ar fy mhen fy hun mwyach. Mae Peter yn fy ngharu i, rydw i'n ei garu o, mae gen i fy llyfrau, fy ngwaith ysgrifennu, fy nyddiadur. Dydw i ddim mor hyll â hynny, nac mor dwp â hynny. Mae gen i natur siriol, ac rydw i eisiau datblygu cymeriad da!

O oeddat, Anne, roeddat ti'n gwybod yn iawn fod dy lythyr di'n greulon a chelwyddog. Ac i feddwl dy fod ti'n falch ohono! Mi gymera i Dad fel fy esiampl unwaith eto, ac rydw i *yn* mynd i ddiwygio.

Dy Anne M. Frank

Dydd Llun, Mai 8, 1944

F'annwyl Kitty,

Ydw i wedi dweud rhywbeth wrthot ti am ein teulu ni? Dydw i ddim yn credu fy mod i, felly dyma ddechrau arni. Cafodd Dad ei eni yn Frankfurt am Main. Roedd ei rieni yn gyfoethog iawn; Michael Frank yn berchennog banc ac yn filiwnydd, a rhieni Alice Stern yn flaenllaw a chefnog. Dyn a wnaeth ei ffordd ei hun yn y byd oedd Michael Frank, gan nad oedd ganddo fawr o arian ar y dechrau. Pan oedd o'n ifanc roedd Dad yn mwynhau bywyd moethus fel mab i ŵr da ei fyd. Partïon bob wythnos, dawnsfeydd, gwleddoedd, genethod prydferth, ciniawau, tŷ enfawr ac ati. Pan fu Taid farw, fe gollwyd y rhan fwyaf o'r arian, ac wedi'r Rhyfel Mawr a'r chwyddiant doedd yna ddim ar ôl. I fyny hyd at y rhyfel roedd yna amryw o berthnasau cyfoethog yn weddill. Felly cafodd Dad ei ddwyn i fyny yn y modd gorau, ac roedd o'n chwerthin ei hochr hi ddoe pan fu'n rhaid iddo grafu gwaelod y badell ffrio am y tro cyntaf mewn hanner cant a phump o flynyddoedd.

Er nad oedd teulu Mam mor gyfoethog, roedd ganddyn nhw ddigon o fodd, ac rydan ni wedi bod yn gwrando'n geg agored ar hanesion dawnsfeydd dethol, ciniawau a phartïon dyweddïo yn cynnwys 250 o wahoddedigion.

Go brin y gellid ein galw ni'n gyfoethog rŵan, ond rydw i'n seilio fy holl obeithion ar y cyfnod wedi'r rhyfel. Mi alla i dy sicrhau di nad ydw i'n ffafrio'r bywyd dosbarth canol cul fel Mam a Margot. Mi hoffwn i dreulio blwyddyn ym Mharis a Llundain yn dysgu'r ieithoedd ac yn astudio hanes celfyddyd. Cymhara di hynny â Margot, sydd eisiau bod yn fydwraig ym Mhalesteina. Rydw i'n dyheu am gael gweld gwisgoedd cain a chyfarfod pobl ddiddorol. Fel yr ydw i wedi sôn wrthot ti sawl tro o'r blaen, rydw i eisiau gweld y byd a gwneud pob math o bethau cyffrous. Fyddwn i ddim yn troi fy nhrwyn ar ychydig o arian chwaith!

Y bore 'ma bu Miep yn sôn am barti dyweddïad ei chyfnither, yr aeth iddo ddydd Sadwrn. Mae rhieni'r gyfnither yn gyfoethog, a rhieni ei darpar ŵr yn fwy cyfoethog fyth. Roedd disgrifiad Miep o'r bwyd yn tynnu dŵr i'n dannedd ni: cawl llysiau a phelenni cig, caws, rholiau bara yn cynnwys tafelli o gig, *hors d'oeuvres* yn cynnwys wyau a chig eidion rhost, rholiau caws, teisennau almon, gwin a sigarennau, ac fe allet ti fwyta hynny fynnet ti o bopeth.

Roedd Miep wedi yfed deg gwydraid o win ac wedi smocio tair sigarét - ai hon ydi'r un sy'n pregethu dirwest? Os yfodd Miep ddeg gwydraid, tybed sawl un aeth i lawr lôn goch ei gŵr? Roedd pawb yn y parti yn hanner meddw, wrth gwrs. Roedd yno hefyd ddau swyddog o'r Heddlu Troseddau, ac fe fuon nhw'n tynnu lluniau o'r cwpl. Fel y gweli di, mae Miep wastad yn meddwl amdanon ni, oherwydd fe wnaeth nodyn ar unwaith o'u henwau a'u cyfeiriadau rhag ofn y bydd arnom angen cysylltu ag Iseldirwyr didwyll petai rhywbeth yn digwydd.

Roedden ni i gyd yn glafoerio. Ni, nad oedden ni ond wedi cael dwy lwyaid o uwd i frecwast ac ar ein cythlwng; ni, nad ydan ni'n cael dim ond sbinais wedi hanner ei goginio (er mwyn y fitaminau) a thatws wedi pydru ddiwrnod ar ôl diwrnod; ni, sy'n ceisio llenwi ein stumogau gweigion â letys wedi'i ferwi, letys amrwd, sbinais, sbinais a mwy o sbinais. Efallai y gwnawn ni dyfu cyn gryfed â Popeye, er nad ydw i wedi gweld arwydd o hynny hyd yn hyn!

Pe bai Miep wedi mynd â ni i'w chanlyn, fyddai yna'r un rholyn bara'n weddill i'r gwahoddedigion eraill. Pe baen ni yno yn y parti, fe fydden ni wedi cipio popeth o fewn golwg, yn cynnwys y dodrefn. Cred di fi, roedden ni'n cythru am bob gair oedd yn dod o'i genau. Roedden ni'n tyrru o'i chwmpas fel pe na baen ni erioed yn ein bywydau wedi clywed am na bwyd blasus na phobl drwsiadus. A'r rhain ydi wyresau'r miliwnydd o fri. Rhyfedd o fyd!

Dy Anne M. Frank

Dydd Mawrth, Mai 9, 1944

F'annwyl Kitty,

Rydw i wedi gorffen fy stori am Ellen, y dylwythen deg. Rydw i wedi ei chopïo'n daclus ar bapur da, ei haddurno ag inc coch a gwnïo'r tudalennau efo'i gilydd. Mae'r cyfan yn edrych yn eithaf deniadol, ond wn i ddim ydi o'n ddigon o anrheg pen blwydd. Mae Margot a Mam wedi ysgrifennu cerddi.

Daeth Mr Kugler i fyny'r prynhawn 'ma i ddweud fod Mrs Broks, oedd yn arfer gweithio i'r cwmni, eisiau treulio dwyawr yn y swyddfa bob prynhawn o ddydd Llun ymlaen yn bwyta'i chinio ac yfed coffi. Meddylia! All gweithwyr y swyddfa ddim dod i fyny, fydd dim modd danfon y tatws, chaiff Bep mo'i chinio, chawn ni ddim mynd i'r toiled na symud o gwbl, heb sôn am sawl anhwylustod arall! Fe gynigion ni amrywiaeth o ffyrdd i gael ei gwared. Roedd Mr van Daan yn credu y byddai rhoi rhywbeth i'w gweithio yn ei choffi yn effeithiol.

'Na,' atebodd Mr Kleiman, 'peidiwch, da chi, neu chawn ni byth mohoni oddi ar y can!'

Bloeddiadau o chwerthin. 'Y can?' holodd Mrs van D. 'Be ydi hwnnw?' Cafodd eglurhad. 'Ydi hi'n iawn defnyddio'r gair yna?' gofynnodd yn hollol ddiniwed.

Meddai Bep dan chwerthin, 'Meddyliwch, pe baech chi'n siopa yn Bijenkorf ac yn holi'r ffordd i'r can. Fyddai ganddyn nhw mo'r syniad lleiaf am be fyddech chi'n sôn.'

Ar hyn o bryd mae Dussel yn eistedd ar y 'can', a benthyca'r ymadrodd, bob dydd am hanner awr wedi deuddeg i'r funud. Mi fûm i mor feiddgar y prynhawn 'ma â chymryd darn o bapur pinc ac ysgrifennu arno:

Amserlen tŷ bach Mr Dussel

Boreau o 7:15 tan 7:30 a.m.
Prynhawniau ar ôl 1 p.m.
Ar wahân i hynny, fel bo'r angen!

Mi hoeliais y papur ar ddrws gwyrdd y toiled tra oedd Dussel yn dal i mewn. Mi allwn i'n hawdd fod wedi ychwanegu, 'Caiff drwgweithredwyr eu carcharu!' Oherwydd mae'n bosibl cloi drws y toiled o'r tu mewn a'r tu allan.

Jôc ddiweddaraf Mr van Daan:

Yn dilyn gwers Feiblaidd ar Adda ac Efa, gofynnodd bachgen tair ar ddeg oed i'w dad, 'Dwedwch wrtha i, Dad, sut y ce's i fy ngeni?'

'Wel,' atebodd ei dad, 'fe dynnodd y storc di allan o'r cefnfor, dy roi di i lawr ar wely Mam a'i brathu'n galed yn ei choes. Roedd y briw yn gwaedu gymaint fel y bu'n rhaid iddi aros yn ei gwely am wythnos.'

Heb fod yn gwbl fodlon, aeth y bachgen at ei fam. 'Dwedwch wrtha i, Mam,' meddai, 'sut y cawsoch chi eich geni a sut y ce's i fy ngeni?'

Cafodd yr un stori'n union gan ei fam. Yn olaf, gan obeithio cael mwy o fanylion, aeth at ei daid. 'Dwedwch wrtha i, Taid,' meddai, 'sut y cawsoch chi eich geni a sut y cafodd eich merch ei geni?' Ac am y trydydd tro cafodd yr un stori'n union.

Y noson honno ysgrifennodd yn ei ddyddiadur: 'Wedi ymchwiliad manwl, rhaid i mi ddod i'r casgliad nad oes dim cyfathrach rywiol wedi bod yn ein teulu ni ers tair cenhedlaeth!'

Mae gen i waith i'w wneud eto; mae'n dri o'r gloch yn barod.

Dy Anne M. Frank

O.N. Gan fy mod i wedi crybwyll y wraig lanhau newydd, rydw i eisiau nodi ei bod yn briod, yn drigain oed ac yn drwm ei chlyw! Cyfleus iawn, o ystyried yr holl sŵn y gall wyth o bobl mewn cuddfan ei wneud.

O, Kit, mae'n dywydd mor fendigedig. Pe bawn i ond yn gallu mynd allan!

Dydd Mercher, Mai 10, 1944

F'annwyl Kitty,

Roedden ni'n eistedd yn yr atig brynhawn ddoe yn gweithio ar ein Ffrangeg ac yn sydyn mi glywais sŵn dŵr yn tasgu y tu ôl i mi. Mi ofynnais i Peter beth allai fod. Heb aros i ateb, rhuthrodd i fyny i'r groglofft - lleoliad y trychineb - a gwthiodd Mouschi, oedd yn cyrcydu wrth ymyl ei bocs soeglyd, yn ôl i'w lle priodol. Dilynwyd hyn â nadau a gwichiadau, ac yna dihangodd Mouschi, oedd wedi gorffen pi pi erbyn hynny, i lawr y grisiau. Yn ei hymchwil am rywbeth tebyg i'w bocs, roedd Mouschi wedi dod o hyd i bentwr o naddion coed, yn union lle mae crac yn y llawr. Roedd y dŵr wedi llifo ar unwaith o'r pwll i lawr i'r atig ac, yn anffodus, wedi glanio yn y gasgen datws ac wrth ei hymyl. Roedd y nenfwd yn dripian, a gan fod i lawr yr atig ei siâr o graciau, roedd dafnau melyn yn diferu drwyddo ac ar y bwrdd bwyd, rhwng pentwr o sanau a llyfrau.

Ro'n i'n fy nyblau'n chwerthin, roedd hi'n olygfa mor ddigri. Dyna lle'r oedd Mouschi yn swatio o dan gadair, Peter wedi ei arfogi â dŵr, powdwr cannu a chadach, a Mr van Daan yn ceisio tawelu pawb. Cafodd y llanastr ei glirio cyn pen dim, ond mae'n ffaith dra chyfarwydd fod pyllau cathod yn drewi'n ddychrynllyd. Roedd y tatws yn profi hynny'n rhy dda, a'r naddion coed yr oedd Dad wedi eu casglu mewn bwced a dod â nhw i lawr i'w llosgi.

Mouschi druan! Sut oeddet ti i wybod ei bod hi'n amhosibl cael mawn i'w roi yn dy focs di?

Anne

Dydd Iau, Mai 11, 1944

F'annwyl Kitty,

Drama fach newydd i wneud i ti chwerthin:

Roedd angen torri gwallt Peter, a'i fam oedd i wneud hynny, fel arfer. Am bum munud ar hugain wedi saith diflannodd Peter i'w ystafell, ond dychwelodd ar drawiad hanner awr wedi saith, wedi dadwisgo i lawr i'w drywsus nofio glas a phâr o esgidiau canfas.

'Ydach chi'n dod?' gofynnodd i'w fam.

'Ydw, mi fydda i i fyny mewn dau funud, ond alla i ddim dod o hyd i'r siswrn!'

Aeth Peter ati i'w helpu i chwilio, gan dyrchu o gwmpas yn y drôr lle mae'n cadw ei thaclau coluro. 'Paid â gwneud cymaint o lanast, Peter,' cwynodd.

Chlywais i ddim beth oedd ateb Peter, ond mae'n rhaid ei fod yn rhywbeth haerllug, gan i'w fam ei daro ar ei fraich. Trawodd Peter hi'n ôl a rhoddodd hithau ddyrnod iddo â'i holl egni. Tynnodd Peter ei fraich yn ôl gan ffugio arswyd. 'Dowch yn eich blaen, 'rhen wraig!'

Arhosodd Mrs van D. yn ei hunfan. Gafaelodd Peter ynddi gerfydd ei harddyrnau a'i llusgo o gwmpas yr ystafell. Er iddi chwerthin, crio, dwrdio a chicio, doedd dim yn tycio. Arweiniodd Peter ei garcharor cyn belled â'r grisiau sy'n arwain i'r atig, ac yna bu'n rhaid iddo ei gollwng yn rhydd. Daeth Mrs van D. yn ei hôl i'r ystafell a suddo i gadair gydag ochenaid ddofn.

'*Die Entführung der Mutter*, herwgipio Mam,' meddwn i, o ran hwyl.

'Ond fe ddaru o 'mrifo i.'

Mi es i gael golwg arni a rhoi dŵr oer ar ei garddyrnau cochion, chwilboeth. Roedd Peter yn dal i sefyll wrth y grisiau ac yn dechrau colli amynedd unwaith eto. Brasgamodd i mewn i'r ystafell a'i felt yn ei law, fel dofwr llewod. Arhosodd Mrs van D. wrth ei desg yn chwilota am ei chadach poced. 'Mi fydd raid i ti ymddiheuro gynta.'

'Iawn, rydw i'n ymddiheuro, am y rheswm syml y byddwn ni yma tan hanner nos os na wna i.'

Fe fu'n rhaid i Mrs van D. chwerthin er ei gwaethaf. Cododd ar ei thraed a chroesi at y drws, lle y teimlodd dan reidrwydd i roi eglurhad i ni. ('Ni' oedd Dad, Mam a fi; roedden ni wrthi'n golchi'r llestri.) 'Doedd o ddim fel hyn gartref,' meddai. 'Mi fyddwn i wedi'i ddyrnu mor galed nes ei fod o'n hedfan i lawr y grisiau(!). Dydi o erioed wedi bod mor haerllug. Nid dyma'r tro cyntaf iddo fo haeddu cweir iawn. Dyna sydd i'w gael o fagwraeth gyfoes, plant cyfoes. Fyddwn i byth wedi gafael yn fy mam fel yna. Oeddech chi'n trin eich mam fel yna, Mr Frank?' Roedd hi wedi cyffroi'n arw, yn cerdded yn ôl a blaen, gan ddweud beth bynnag oedd yn dod i'w meddwl, ac yn dal i loetran heb fynd i fyny grisiau. O'r diwedd, ymhen hir a hwyr, gadawodd yr ystafell.

Lai na phum munud yn ddiweddarach rhuthrodd yn ôl i lawr y grisiau, ei bochau'n llawn gwynt, a thaflu ei ffedog ar gadair. Pan ofynnais i oedd hi wedi gorffen, atebodd ei bod yn mynd i lawr grisiau. I lawr â hi fel corwynt, yn syth i freichiau ei Putti mae'n debyg.

Ddaeth hi ddim i fyny wedyn tan wyth o'r gloch, y tro yma efo'i gŵr. Llusgwyd Peter o'r atig. Cafodd ei geryddu a'i ddifrïo'n ddidrugaredd: cythraul bach anfoesgar, diogyn da i ddim, esiampl ddrwg, Anne hyn, Margot y llall, allwn i ddim clywed y gweddill.

Heddiw mae'n ymddangos fod popeth wedi tawelu unwaith eto.

Dy Anne M. Frank

O.N. Bu ein hannwyl Frenhines yn cyfarch ei phobl nos Fawrth a nos Fercher. Mae'n cymryd gwyliau er mwyn bod mewn iechyd ar gyfer ei dychweliad i'r Iseldiroedd. Defnyddiodd eiriau fel, 'gyda hyn, pan fydda i'n ôl yn yr Iseldiroedd', 'rhyddhad buan', 'arwriaeth' a 'beichiau trymion'.

Dilynwyd hyn gan anerchiad y Prif Weinidog Gerbrandy. Mae ganddo'r fath lais gwichlyd, fel un plentyn bach, nes peri i Mam ymateb yn reddfol ag 'Www'. Daeth clerigwr, oedd wedi benthyca'i lais oddi ar Mr Edel mae'n rhaid, â'r rhaglen i ben trwy ofyn i Dduw ofalu am yr Iddewon, y rhai sydd mewn gwersylloedd crynhoi a charchardai a phawb sy'n gweithio yn yr Almaen.

Dydd Iau, Mai 11, 1944

F'annwyl Kitty,

Gan fy mod i wedi gadael fy 'mocs trugareddau' - sy'n cynnwys fy ysgrifbin - i fyny grisiau a gan nad oes gen i hawl aflonyddu ar y rhai mewn oed yn ystod eu cyntun (tan hanner awr wedi dau) bydd yn rhaid i ti wneud y tro â llythyr wedi'i ysgrifennu â phensel.

Rydw i'n eithriadol o brysur ar hyn o bryd ac, er bod hynny'n swnio'n beth rhyfedd, yn methu'n lân â chael digon o amser i fynd drwy fy mhentwr gwaith. Wyt ti am i mi roi crynodeb i ti o'r hyn sydd gen i i'w wneud? Wel, mae'n rhaid i mi orffen darllen y gyfrol gyntaf o hanes Galileo Galilei erbyn fory, gan fod yn rhaid ei dychwelyd i'r llyfrgell. Mi ddechreuais arni ddoe ac rydw i wedi darllen 220 o dudalennau allan o 320, felly mi ddylwn allu dod i ben. Yr wythnos nesaf mae'n rhaid i mi ddarllen *Palestina ar y Groesffordd* a'r ail gyfrol ar Galilei. Ar ben hynny, mi orffennais i'r gyfrol gyntaf o hanes yr Ymerawdwr Siarl V ddoe, ac rydw i eto i roi trefn ar yr holl siartiau achau yr ydw i wedi eu casglu a'r nodiadau yr ydw i wedi eu gwneud arnyn nhw. Wedyn mae gen i dair tudalen o eiriau newydd wedi eu casglu o wahanol lyfrau, a bydd gofyn ysgrifennu'r cyfan i lawr, eu cofio a'u hadrodd yn uchel. Rhif pedwar: mae fy nghasgliad i o sêr y ffilmiau mewn anhrefn llwyr ac yn erfyn am gael ei dacluso, ond gan y byddai hynny'n cymryd dyddiau lawer a bod y Broffeswraig Anne, fel y dywedodd eisoes, dros ei phen a'i chlustiau mewn gwaith, fe fydd yn rhaid iddyn nhw oddef y llanastr am dipyn o amser eto. Yna mae Thesews, Oedipws, Pelews, Orffews, Jason a Hercwlff i gyd yn aros i gael eu datglymu, gan fod eu gweithredoedd amrywiol yn rhedeg yn groesymgroes drwy fy meddwl i fel edeuon amryliw mewn gwisg. Mae'n hen bryd i Myron a Phidias gael sylw hefyd, neu mi fydda i wedi anghofio'n llwyr sut maen nhw'n ffitio i'r darlun. Mae'r un peth yn wir, er enghraifft, am y Rhyfel Saith Mlynedd a'r Rhyfel Naw Mlynedd. Rydw i'n cymysgu pob dim i fyny ar hyn o bryd. Wel, be fedri di ei wneud efo cof fel f'un i! Dychmyga pa mor anghofus fydda i'n bedwar ugain!

O, ia, un peth arall. Y Beibl. Faint fydda i eto cyn cyrraedd stori Swsanna'n ymdrochi? A beth maen nhw'n ei olygu wrth euogrwydd Sodom a Gomorra? O, mae yna gymaint yn aros i'w ddarganfod a'i ddysgu. Ac yn y cyfamser, rydw i wedi gadael Charlotte y Palatin ar y clwt.

Fe elli di weld, Kitty, fy mod i'n llawn hyd at ffrwydro.

A rŵan at rywbeth arall. Rwyt ti'n gwybod ers talwm bellach mai fy nymuniad pennaf i ydi cael bod yn newyddiadures ac, yn ddiweddarach, yn awdures enwog. Rhaid aros i weld a fydd i'r gobeithion aruchel hyn (neu freuddwydion gwag!) ddod yn wir, ond dydw i ddim wedi bod yn brin o bynciau hyd yma. P'un bynnag, mi hoffwn i gyhoeddi llyfr o'r enw *Y Rhandy Dirgel* ar ôl y rhyfel. Amser a ddengys a wna i lwyddo, ond fe fydd fy nyddiadur i'n sylfaen da.

Rydw i hefyd angen gorffen 'Bywyd Cady'. Mae'r cynllun yn glir yn fy meddwl i. Wedi iddi gael gwellhad yn y sanatoriwm, mae Cady yn dychwelyd adref ac yn mynd ati i ysgrifennu at Hans. Mae'n 1941 a dydi hi fawr o dro cyn darganfod fod Hans yn gefnogol i'r Natsïaid, a gan fod tynged yr Iddewon a'i ffrind Marianne yn peri pryder mawr i Cady, mae'r ddau'n dechrau ymbellhau. Maen nhw'n cyfarfod ac yn ailgydio yn eu perthynas, ond yn gwahanu pan mae

Hans yn dod yn gyfeillgar â geneth arall. Mae Cady wedi cael ysgytwad, ac oherwydd ei bod eisiau swydd dda, mae'n astudio i fod yn nyrs. Wedi iddi raddio mae'n cael ei hannog gan ffrindiau ei thad i dderbyn swydd fel nyrs mewn sanatoriwm dicáu yn y Swistir. Yn ystod ei gwyliau cyntaf mae'n mynd at Lyn Como, lle mae hi'n digwydd taro ar Hans. Mae Hans yn dweud wrthi ei fod wedi priodi ei holynydd ddwy flynedd ynghynt, ond bod ei wraig wedi ei lladd ei hun mewn pwl o iselder. Rŵan ei fod wedi gweld ei Cady fach eto, mae'n sylweddoli gymaint y mae'n ei charu, ac yn gofyn iddi ei briodi, unwaith yn rhagor. Mae Cady yn gwrthod, er ei bod, er ei gwaethaf, yn ei garu gymaint ag erioed. Ond mae balchder yn ei dal yn ôl. Mae Hans yn gadael. Flynyddoedd yn ddiweddarach, daw Cady i wybod ei fod wedi gwneud ei ffordd i Loegr, lle mae'n brwydro yn erbyn salwch.

Yn saith ar hugain oed, mae Cady yn priodi gŵr cefnog o'r wlad, o'r enw Simon. Mae'n dod i'w garu, ond nid i'r graddau yr oedd hi'n caru Hans. Mae ganddi ddwy ferch a mab, Lilian, Judith a Nico. Mae hi a Simon yn hapus efo'i gilydd, ond mae Hans yno bob amser yng nghefn ei meddwl nes iddi freuddwydio amdano un noson a dweud ffarwél.

* * * * * *

Nid lol ddagreuol mo hyn: mae wedi ei seilio ar stori bywyd Dad.

Dy Anne M. Frank

Dydd Sadwrn, Mai 13, 1944

Fy anwylaf Kitty,

Ddoe roedd Dad yn cael ei ben blwydd a Dad a Mam yn dathlu pedair blynedd ar bymtheg o briodas. Diwrnod heb y wraig lanhau ... a'r haul yn disgleirio fel na fu ei debyg eleni. Mae'n castanwydden ni yn ei blodau. Mae wedi'i gorchuddio â dail ac yn harddach nag yr oedd hi'r llynedd hyd yn oed.

Cafodd Dad gyfrol o hanes Linnaeus gan Mr Kleiman, llyfr ar natur gan Mr Kugler, *Camlesi Amsterdam* gan Dussel, bocs anferth gan y teulu van Daan (wedi ei lapio a'i addurno mor brydferth fel y gallai fod yn waith proffesiynol), yn cynnwys tri wy, potelaid o gwrw, jar o iogwrt a thei gwyrdd. Roedd yn gwneud i'n potyn triagl ni ymddangos braidd yn dila. Roedd fy rhosynnau i'n arogli'n hyfryd o'u cymharu â blodau carnasiwn coch Miep a Bep. Cafodd ei ddifetha'n rhemp. Cyrhaeddodd hanner cant o fisgedi ffansi o fecws

Siemon, blasus tu hwnt! Cawsom ninnau ein tretio gan Dad; torth sinsir, cwrw i'r dynion a iogwrt i'r merched. Roedd popeth yn blasu'n fendigedig!

Dy Anne M. Frank

Dydd Mawrth, Mai 16, 1944

Fy anwylaf Kitty,

Am newid bach (gan nad ydan ni wedi cael un o'r rhain ers hydoedd) mi ro i adroddiad o drafodaeth gafodd Mr a Mrs van D. neithiwr:

Mrs van D.: 'Mae'r Almaenwyr wedi cael digon o amser i nerthu Mur yr Atlantig, ac maen nhw'n siŵr o wneud popeth o fewn eu gallu i gadw'r Prydeinwyr yn ôl. Mae'n rhyfeddol pa mor gryf ydi'r Almaenwyr!'

Mr van D.: 'O, ydi, rhyfeddol!'

Mrs van D.: 'Ydi, mae o!'

Mr van D.: 'Mor gryf fel eu bod nhw'n siŵr o ennill y rhyfel yn y diwedd, dyna wyt ti'n ei feddwl?'

Mrs van D.: 'Efallai. Dydw i ddim wedi cael fy argyhoeddi na wnân nhw ddim.'

Mr van D.: 'Wna i ddim trafferthu ateb hynna hyd yn oed.'

Mrs van D.: 'Ond rwyt ti wastad yn mynnu rhoi ateb. Rwyt ti'n trio cael y gorau arna i bob un tro.'

Mr van D.: 'Nag ydw ddim. Rydw i bob amser yn cadw fy atebion yn fyr ac i bwrpas.'

Mrs van D.: 'Ond mae gen ti ateb bob tro, ac mae'n rhaid i ti fod yn iawn bob tro! Anaml iawn, iawn mae dy broffwydoliaethau di'n dod yn wir, wyddost ti!'

Mr van D.: 'Maen nhw wedi dod yn wir cyn belled.'

Mrs van D.: 'O, nag ydyn. Fe ddeudist ti y byddai'r ymosodiad yn dechrau'r llynedd. Roedd y Ffiniaid i fod wedi cilio o'r rhyfel erbyn hyn, fe ddylai ymgyrch yr Eidal fod drosodd ers y gaeaf diwethaf, ac fe ddylai'r Rwsiaid fod wedi cipio Lemberg erbyn hyn. O na, dydw i'n rhoi dim coel ar dy broffwydoliaethau di.'

Mr van D. (yn neidio ar ei draed): 'Mae hi'n bryd i ti gau dy geg am unwaith. Mi ddangosa i i ti pwy sy'n iawn; fe gei di ddigon ar fy mhlagio i yn hwyr neu'n hwyrach. Alla i ddim godde dy hen gwyno di eiliad yn rhagor. Aros di, mi wna i i ti fwyta dy eiriau ryw ddiwrnod!' (Diwedd yr Act Gyntaf)

Wir i ti, allwn i ddim peidio piffian. Roedd hi'n galed ar Mam hefyd a bu'n rhaid i hyd yn oed Peter frathu'i wefusau i'w rwystro ei hun rhag chwerthin. O, mae'r bobl mewn oed 'ma'n rhai gwirion. Mae angen iddyn nhw ddysgu rhai pethau'n gyntaf cyn dechrau gwneud yr holl sylwadau cas am y genhedlaeth ifanc!

Rydan ni wedi bod yn gadael y ffenestri ar agor yn ystod y nos ers dydd Gwener.

Dy Anne M. Frank

Diddordebau teulu'r Rhandy
(Arolwg Trwyadl o Gyrsiau a Deunydd Darllen)

Mr van Daan. Dim cyrsiau; yn chwilota am sawl peth yng ngwyddoniadur a geiriadur Knaur; yn hoffi darllen storïau ditectif, llyfrau meddygol a storïau caru, cyffrous a chyffredin.

Mrs van Daan. Cwrs drwy'r post mewn Saesneg; yn hoffi darllen nofelau bywgraffyddol a mathau eraill o nofelau yn achlysurol.

Mr Frank. Yn dysgu Saesneg (Dickens) ac ychydig o Ladin; byth yn darllen nofelau, ond yn hoffi disgrifiadau difrif, a braidd yn ddiflas, o bobl a lleoedd.

Mrs Frank. Cwrs drwy'r post mewn Saesneg; yn darllen popeth ond storïau ditectif.

Mr Dussel. Yn dysgu Saesneg, Sbaeneg ac Iseldireg heb unrhyw ganlyniad amlwg; yn darllen popeth; yn dilyn barn y mwyafrif.

Peter van Daan. Yn dysgu Saesneg, Ffrangeg (cwrs drwy'r post), llaw-fer mewn Iseldireg, Saesneg ac Almaeneg, cwrs busnes drwy'r post mewn Saesneg, gwaith coed, economeg, ac weithiau mathemateg; yn darllen ond yn anaml, weithiau daearyddiaeth.

Margot Frank. Cyrsiau drwy'r post mewn Saesneg, Ffrangeg a Lladin, llaw-fer mewn Saesneg, Almaeneg ac Iseldireg, trigonometreg, geometreg plân a soled, mecaneg, ffiseg, cemeg, algebra, geometreg, llenyddiaeth Saesneg, llenyddiaeth Ffrangeg, llenyddiaeth Almaeneg, llenyddiaeth Iseldireg, cadw cyfrifon, daearyddiaeth, hanes cyfoes, bioleg, economeg; yn darllen popeth, ond yn ffafrio crefydd a meddygaeth.

Anne Frank. Llaw-fer mewn Ffrangeg, Saesneg, Almaeneg ac Iseldireg, geometreg, algebra, hanes, daearyddiaeth, hanes celfyddyd, mytholeg, bioleg, hanes y Beibl, llenyddiaeth Iseldireg; yn hoffi darllen bywgraffiadau, rhai diflas neu gyffrous, a llyfrau hanes (nofelau a llyfrau ysgafn weithiau).

Dydd Gwener, Mai 19, 1944

F'annwyl Kitty,

Ro'n i'n teimlo'n swp sâl ddoe; taflu i fyny (Anne, o bawb!), cur pen, poen bol a phob anhwylder arall y gelli di feddwl amdano. Rydw i'n teimlo'n well heddiw. Er fy mod i'n llwgu, rydw i'n credu y gwna i heb y ffa Ffrengig yr ydan ni'n eu cael i ginio.

Mae pethau'n mynd yn dda rhwng Peter a fi. Mae ar y bachgen druan fwy o angen tynerwch na fi hyd yn oed. Mae'n dal i wrido bob min nos wrth gael ei gusan nos da, ac yna'n erfyn am un arall. Ai dim ond dirprwy da i Boche ydw i? Dydi hynny'n poeni dim arna i. Mae Peter mor hapus rŵan ei fod yn gwybod fod rhywun yn ei garu.

Wedi fy nghoncwest lafurus, rydw i'n cadw o hyd braich, ond paid â meddwl bod fy nghariad i wedi oeri. Mae Peter yn annwyl, ond rydw i wedi cau'r drws ar fy hunan mewnol. Os ydi o am dorri'r clo byth eto, fe fydd yn rhaid iddo ddefnyddio trosol cryfach!

Dy Anne M. Frank

Dydd Sadwrn, Mai 20, 1944

F'annwyl Kitty,

Pan gyrhaeddais i lawr o'r atig neithiwr mi sylwais, yr eiliad i mi roi fy nhroed yn yr ystafell, fod y llestr oedd yn dal y blodau carnasiwn wedi dymchwel. Roedd Mam ar ei gliniau yn mopio a Margot yn pysgota fy mhapurau oddi ar y llawr. 'Be ddigwyddodd?' gofynnais yn llawn pryder, ond cyn iddyn nhw allu ateb, ro'n i wedi sylweddoli maint y difrod o'r man lle'r o'n i'n sefyll. Roedd fy ffeil achau i, fy llyfrau nodiadau, fy ngwerslyfrau, i gyd yn wlyb domen. Bu ond y dim i mi â chrio, ac ro'n i wedi cynhyrfu gymaint nes i mi ddechrau siarad yn Almaeneg. Alla i ddim cofio'r un gair, ond yn ôl Margot ro'n i wedi parablu rhywbeth am '*unübersehbarer Schaden, schrecklich, entsetzlich, nie zu ersetzen*' - colled ddifesur, ofnadwy, arswydus, anadferadwy - a llawer mwy. Torrodd Dad allan i chwerthin a Mam a Margot i'w ganlyn, ond ro'n i bron â chrio oherwydd bod fy holl waith yn ofer a'r nodiadau manwl wedi eu colli.

Wedi i mi edrych yn fanylach, fodd bynnag, doedd y 'golled ddifesur' ddim cynddrwg ag yr o'n i wedi ofni, diolch am hynny. I fyny yn yr atig, dyna fynd ati'n ofalus i dynnu'r tudalennau, oedd wedi glynu yn ei gilydd, yn rhydd a'u hongian ar y lein ddillad i sychu. Roedd hi'n olygfa mor ddigri fel na allwn i hyd yn oed ymatal rhag chwerthin. Maria de Medici wrth ochr Siarl V, Gwilym o Orange a Marie Antoinette!

'Mae hyn yn *Rassenschande*, yn sarhad ar burdeb hilol,' meddai Mr van Daan yn gellweirus.

Wedi i mi ymddiried fy mhapurau i ofal Peter, mi ddychwelais i lawr grisiau.

'Pa lyfrau sydd wedi'u difetha?' gofynnais i Margot, oedd wrthi'n edrych drwyddyn nhw.

'Algebra,' meddai Margot.

Yn anffodus, doedd fy llyfr algebra i ddim wedi'i ddinistrio'n llwyr. Mi fyddai'n dda gen i petai wedi syrthio i mewn i'r llestr blodau. Dydw i erioed wedi casáu'r un llyfr gymaint ag yr ydw i'n casáu hwn. Y tu mewn i'r clawr blaen mae enwau o leiaf ugain o enethod fu'n ei ddefnyddio o fy mlaen i. Mae'n hen, wedi melynu, yn llawn ysgrifen traed brain, geiriau wedi eu croesi allan a nodiadau adolygu. Y tro nesaf y bydda i mewn hwyl ddrygionus, rydw i am rwygo'r cythral peth yn ddarnau mân!

Dy Anne M. Frank

Dydd Llun, Mai 22, 1944

F'annwyl Kitty,

Ar Fai 20, collodd Dad ei fet a bu'n rhaid iddo roi pum potel o iogwrt i Mrs van Daan: dal i aros am y cyrch ymosod yr ydan ni. Mi alla i ddweud i sicrwydd fod y cyfan o Amsterdam, y cyfan o'r Iseldiroedd, a holl arfordir gorllewinol Ewrop, i lawr hyd at Sbaen, yn sôn am yr ymosodiad ddydd a nos, yn trafod, betio a ... gobeithio.

Mae'r ansicrwydd yn cyrraedd ei anterth; dydi pawb yr ydan ni'n eu hystyried yn Iseldirwyr 'da' ddim wedi cadw ffydd yn y Prydeinwyr, o bell ffordd; dydi pawb ddim yn credu fod ymgais y Saeson i daflu llwch i lygaid y gelyn yn symudiad strategol meistrolgar. O na, mae pobl eisiau gweithredoedd o'r diwedd - gweithredoedd mawr, arwrol.

Does yna neb yn gallu gweld ymhellach na'u trwynau, neb yn ystyried y ffaith fod y Prydeinwyr yn ymladd dros eu gwlad eu hunain a'u pobl eu hunain. Mae pawb yn meddwl mai dyletswydd Lloegr ydi achub yr Iseldiroedd, gynted ag y bo modd. Pa ddyled sydd ar y Saeson i ni? Beth mae'r Iseldirwyr wedi ei wneud i haeddu'r cymorth hael y maen nhw, mae'n amlwg, yn ei ddisgwyl? O na, mae'r Iseldirwyr yn camgymryd yn fawr. Does yna ddim mwy o fai ar y Saeson yn sicr, ar waethaf eu hymgais i gamarwain y gelyn, nag ar y gwledydd eraill, bach a mawr, sydd ar hyn o bryd ym meddiant yr Almaenwyr. Waeth heb â disgwyl i'r Prydeinwyr ymddiheuro; mae'n wir eu bod nhw'n cysgu yn ystod y blynyddoedd pan oedd yr Almaen yn ailarfogi, ond roedd y gwledydd eraill, yn arbennig y rhai sy'n ffinio ar yr Almaen, yn cysgu hefyd. Mae Lloegr a gweddill y byd wedi sylweddoli nad ydi claddu pen yn y tywod yn gweithio, a rŵan mae pob un ohonyn nhw, yn arbennig Lloegr, yn gorfod talu pris uchel oherwydd eu polisi cibddall.

Does yna'r un wlad yn mynd i aberthu ei dynion heb reswm, ac yn sicr er budd gwlad arall, a dydi Lloegr ddim yn eithriad. Fe ddaw'r ymosodiad, a gwaredigaeth a rhyddid hefyd ryw ddiwrnod; ond Lloegr, nid y tiriogaethau sydd wedi eu goresgyn, fydd yn pennu'r adeg.

Roedd yn ofid a siom fawr i ni glywed fod llawer o bobl wedi newid eu hagwedd tuag aton ni'r Iddewon. Cawsom ar ddeall fod gwrth-Semitiaeth wedi ei amlygu ei hun mewn cylchoedd lle byddai hynny y tu hwnt i amgyffred unwaith. Mae hyn wedi effeithio'n fawr iawn arnom i gyd. Mae'r rheswm dros y casineb hwn yn ddealladwy, efallai'n ddynol hyd yn oed, ond dydi hynny ddim yn ei gyfiawnhau. Yn ôl y Cristnogion, mae'r Iddewon yn datgelu eu cyfrinachau i'r Almaenwyr, yn bradychu'r rhai sy'n eu helpu ac yn achosi iddyn nhw orfod wynebu'r ffawd erchyll a'r cosbedigaethau y mae cymaint o bobl wedi eu dioddef eisoes. Mae hyn i gyd yn wir. Ond fel ym mhopeth arall, mae gofyn iddyn nhw ystyried y mater o'r ddwy ochr. A fyddai'r Cristnogion yn ymddwyn yn wahanol pe baen nhw yn ein lle ni? A allai unrhyw un, boed Iddew neu Gristion, aros yn fud yn wyneb y pwysau o du'r Almaenwyr? Fe ŵyr pawb fod hynny fwy neu lai'n amhosibl, felly pam maen nhw'n gofyn i'r Iddewon wneud yr amhosibl?

Mae'n cael ei ddweud yng nghylchoedd y mudiadau cudd na ddylid caniatáu i'r Iddewon Almaenig oedd wedi mewnfudo i'r Iseldiroedd cyn y rhyfel, ac sydd bellach wedi cael eu hanfon i Wlad Pwyl, ddychwelyd yma. Cawsant gynnig lloches yn yr Iseldiroedd, ond unwaith y bydd Hitler wedi mynd, fe ddylen nhw ddychwelyd i'r Almaen.

Pan wyt ti'n clywed hynny, rwyt ti'n dechrau meddwl pam yr ydan ni'n ymladd y rhyfel hir ac anodd hwn. Rydan ni wastad yn cael ein hatgoffa ein bod ni'n ymladd dros ryddid, gwirionedd a chyfiawnder! Er nad ydi'r rhyfel drosodd hyd yn oed, mae yna anghydfod eisoes, ac mae'r Iddewon yn cael eu hystyried fel bodau israddol. O, mae'n drist, yn drist iawn fod yr hen wireb yn cael ei chadarnhau am y canfed tro: 'Ei gyfrifoldeb ei hun ydi'r hyn a wna'r Cristion, ond mae'r hyn a wna un Iddew yn adlewyrchu ar yr holl Iddewon.'

A dweud y gwir, alla i ddim deall sut y gall yr Iseldirwyr, cenedl o bobl dda, gonest a chyfiawn, eistedd mewn barn arnon ni fel hyn. Arnon ni - y genedl fwyaf gorthrymedig, anffodus a thruenus yn y byd i gyd.

Does gen i ond un gobaith: mai peth dros dro ydi'r gwrth-Semitiaeth hwn, y bydd yr Iseldirwyr yn profi sut rai ydyn nhw, na fyddan nhw byth bythoedd yn gwyro a cholli eu synnwyr cyfiawnder, oherwydd mae hyn yn anghyfiawn!

Ac os byddan nhw'n gweithredu'r bygythiad dychrynllyd hwn, yna bydd yn rhaid i'r llond dwrn pitw o Iddewon fydd ar ôl yn yr Iseldiroedd adael. Bydd yn rhaid i ninnau ysgwyddo ein beichiau a symud ymlaen, i ffwrdd o'r wlad brydferth hon a'n derbyniodd mor groesawus unwaith, ond sydd bellach yn troi ei chefn arnon ni.

Rydw i'n caru'r Iseldiroedd. Ro'n i wedi gobeithio unwaith y gallai hon ddod yn famwlad i mi, gan fy mod i wedi colli f'un i, ac rydw i'n dal i obeithio hynny!

Dy Anne M. Frank

Dydd Iau, Mai 25, 1944

F'annwyl Kitty,

Mae Bep wedi dyweddïo! Dydi'r newydd hwn fawr o syndod, er nad oes yr un ohonom yn arbennig o falch. Efallai fod Bertus yn ŵr ifanc athletaidd, dymunol a diwyd, ond dydi Bep ddim yn ei garu, ac i mi mae hynny'n ddigon o reswm dros ei chynghori i beidio â'i briodi.

Mae Bep yn ceisio dod ymlaen yn y byd, a Bertus yn ei dal yn ôl; labrwr ydi o, heb ddiddordebau nac unrhyw uchelgais i'w wella ei hun, a dydw i ddim yn credu y bydd hynny'n gwneud Bep yn hapus. Rydw i'n gallu deall awydd Bep i roi terfyn ar yr ansicrwydd; roedd hi wedi penderfynu rhoi'r gorau iddo fis yn ôl, ond fe wnaeth hynny iddi deimlo'n fwy digalon fyth. Felly fe ysgrifennodd lythyr ato, a rŵan mae hi wedi dyweddïo.

Mae yna sawl rheswm dros y dyweddïad. Yn gyntaf, tad Bep, sy'n wael, ac yn hoff iawn o Bertus. Yn ail, hi ydi'r hynaf o ferched y teulu Voskuijl ac mae'i mam yn ei herian mai hen ferch fydd hi. Yn drydydd, mae hi newydd droi'n bedair ar hugain oed, ac mae hynny'n golygu llawer iawn i Bep.

Roedd Mam yn dweud y byddai'n well pe bai Bep wedi bodloni ar garwriaeth yn unig. Wn i ddim beth am hynny. Rydw i'n pitïo Bep ac yn gallu deall pa mor unig oedd hi'n teimlo. P'un bynnag, allan nhw ddim priodi tan ar ôl y rhyfel, gan fod Bertus yn cuddio, neu wedi ymuno â'r mudiad cudd o leiaf. Ar ben hynny, does ganddyn nhw'r un geiniog wrth gefn na dim math o gist briodas. Rhagolygon digon gwael sydd i Bep felly, er ein bod ni i gyd yn dymuno'r gorau iddi. Dydw i ond yn gobeithio y bydd Bertus yn gwella o dan ei dylanwad, neu y bydd Bep yn dod o hyd i ddyn arall, un sy'n gwybod sut i'w gwerthfawrogi hi!

Yr eiddot, Anne M. Frank

Yr un diwrnod

Mae rhywbeth newydd yn digwydd bob dydd. Cafodd Mr van Hoeven ei arestio'r bore 'ma. Roedd o wedi rhoi lloches i ddau Iddew yn ei gartref. Mae hon yn ergyd drom i ni, nid yn unig oherwydd bod yr Iddewon druain yn hofran ar fin y dibyn unwaith eto, ond hefyd oherwydd ei fod yn beth erchyll i Mr van Hoeven ei hun.

Mae'r byd wedi ei droi a'i ben i lawr. Mae'r bobl fwyaf parchus yn cael eu hanfon i wersylloedd crynhoi, carchardai a chelloedd unig, tra mae'r isaf o'r isel rai yn llywodraethu dros yr hen a'r ifanc, y tlawd a'r cyfoethog. Mae ambell un yn cael ei arestio am ddelio ar y farchnad ddu, un arall am roi lloches i Iddewon neu greaduriaid anffodus eraill. Os nad wyt ti'n Natsi, does gen ti ddim syniad beth sy'n mynd i ddigwydd i ti o un diwrnod i'r llall.

Rydan ni'n mynd i weld colli Mr van Hoeven yn fawr hefyd. All Bep ddim halio llwythi o datws yr holl ffordd yma, a ddylai hi ddim gorfod gwneud hynny, felly yr unig ddewis sydd ganddon ni ydi bwyta llai ohonyn nhw. Mi ddweda i wrthot ti beth sydd ganddon ni mewn golwg, ond dydi hynny'n sicr ddim yn mynd i wneud bywyd yn y Rhandy ronyn mwy dymunol. Mae Mam yn dweud y bydd gofyn i ni wneud heb frecwast, bwyta uwd a bara i ginio, tatws wedi eu ffrio i swper ac, os bydd modd, llysiau neu letys unwaith neu ddwywaith yr wythnos. Dyna'r cyfan sydd ar gael. Rydan ni'n mynd i fod ar ein cythlwng, ond mae unrhyw beth yn well na chael ein dal.

Dy Anne M. Frank

Dydd Gwener, Mai 26, 1944

Fy anwylaf Kitty,

O'r diwedd, o'r diwedd, mi alla i eistedd yn dawel wrth fy mwrdd yn wynebu'r ffenestr gil agored ac ysgrifennu atat ti, i ddweud popeth sydd ar fy meddwl i.

Dydw i ddim wedi teimlo mor druenus â hyn ers misoedd. Hyd

yn oed wedi'r torri i mewn do'n i ddim yn teimlo mor gyfan gwbl ddiysbryd, y tu mewn a'r tu allan. Ar y naill law, dyna'r newydd am Mr van Hoeven, sefyllfa'r Iddewon (sy'n cael ei drafod yn fanwl gan bawb yn y tŷ), y cyrch ymosod (sydd mor hir yn dod), y bwyd diflas, y tyndra, yr awyrgylch ddigalon, fy siom yn Peter. Ar y llaw arall, dyweddïad Bep, dyfodiad y Sulgwyn, y blodau, pen blwydd Mr Kugler, teisennau ffansi a storïau am y *cabarets*, ffilmiau a chyngherddau. Mae'r gwahaniaeth hwnnw, y gwahaniaeth enfawr, yno bob amser. Un diwrnod rydan ni'n chwerthin am ben yr ochr ddigri i fywyd mewn cuddfan; drannoeth (ac mae dyddiau o'r fath yn llu), rydan ni'n teimlo arswyd, ac mae'r ofn, y gwewyr meddwl a'r anobaith yn amlwg ar ein hwynebau.

Miep a Mr Kugler sy'n ysgwyddo'r beichiau trymaf ar ein rhan ni - Miep ym mhopeth y mae'n ei wneud a Mr Kugler oherwydd ei gyfrifoldeb dirfawr dros yr wyth ohonom, cyfrifoldeb sydd weithiau mor llethol fel mai prin y gall dorri gair oherwydd y tyndra a'r straen. Mae Mr Kleiman a Bep hefyd yn cymryd gofal da ohonon ni, ond maen nhw'n gallu anghofio am y Rhandy, petai ond am ychydig oriau neu gwpl o ddyddiau. Mae ganddyn nhw eu pryderon eu hunain, Mr Kleiman â'i iechyd a Bep â'i dyweddïad, nad ydi o'n ymddangos yn rhy addawol ar y munud. Ond mae ganddyn nhw hefyd eu tripiau, y cyfle i ymweld â ffrindiau, eu byw beunyddiol fel pobl gyffredin, fel bod y tyndra'n llacio weithiau, petai ond am gyfnod byr, tra nad oes dim i leddfu ein tyndra ni, nac wedi bod chwaith, ddim unwaith yn ystod y ddwy flynedd ers i ni fod yma. Am ba hyd eto y bydd yn rhaid i ni oddef y pwysau cynyddol llethol, annioddefol hwn?

Mae'r draeniau wedi cau unwaith eto. Allwn ni ddim rhedeg y dŵr, dim ond diferyn neu ddau; allwn ni ddim tynnu dŵr yn y toiled, felly mae'n rhaid defnyddio brws. Rydan ni wedi bod yn rhoi'r dŵr budr mewn llestr pridd mawr. Fe allwn ymdopi am heddiw, ond beth sy'n mynd i ddigwydd os na all y plymer wneud y gwaith ei hun? Dydi'r gwasanaeth carthffosiaeth ddim yn gallu dod tan ddydd Mawrth.

Anfonodd Miep deisen gyrens i ni a 'Sulgwyn Hapus' wedi ei ysgrifennu arni. Mae bron fel pe bai'n gwneud hwyl am ein pennau, gan fod cyflwr ein meddyliau ar hyn o bryd ymhell o fod yn 'hapus'.

Rydan ni i gyd wedi mynd yn fwy ofnus ar ôl yr hyn ddigwyddodd i van Hoeven. Unwaith yn rhagor mae'r 'shh' i'w glywed o bob cyfeiriad ac rydan ni'n gwneud popeth yn dawelach. Roedd yr heddlu wedi torri i mewn yno trwy rym; fe allan nhw'n hawdd wneud yr un peth yma hefyd! Beth wnawn ni pe baen ni ... na, ro i mo hynny mewn ysgrifen. Ond alla i ddim gwthio'r cwestiwn i gefn fy meddwl heddiw; i'r gwrthwyneb, mae holl arswyd y gorffennol yn fy wynebu i unwaith eto yn ei holl erchylltra.

Bu'n rhaid i mi fynd i lawr grisiau i'r toiled fy hun bach am wyth o'r gloch heno. Doedd yna neb i lawr yno, gan eu bod nhw i gyd yn gwrando ar y radio. Ro'n i eisiau bod yn ddewr, ond roedd hynny'n anodd. Rydw i bob amser yn teimlo'n ddiogelach i fyny grisiau nag yr ydw i'n y tŷ mawr, distaw. Pan fydda i ar fy mhen fy hun efo'r synau dirgel, aneglur uwchben a chanu'r cyrn o'r stryd, rydw i'n gorfod brysio a'm hatgoffa fy hun lle'r ydw i er mwyn ceisio atal y cryndod.

Mae Miep wedi bod yn ymddwyn yn llawer cleniach tuag atom wedi'r sgwrs gafodd efo Dad. Ond dydw i ddim wedi sôn wrthot ti am hynny eto. Daeth Miep i fyny un prynhawn yn goch at ei chlustiau a gofynnodd i Dad yn blwmp ac yn blaen a oedden ni'n credu eu bod nhw hefyd wedi eu heintio gan y gwrth-Semitiaeth presennol. Roedd Dad wedi ei syfrdanu ac aeth ati'n ddiymdroi i'w sicrhau nad oedd hynny'n wir, ond mae peth o amheuaeth Miep yn dal i lynu. Maen nhw'n gwneud mwy o negeseuon i ni ar hyn o bryd ac yn dangos mwy o ddiddordeb yn ein helbulon ni, er na ddylem yn sicr eu blino â'n gofidiau. O, maen nhw'n bobl mor dda a charedig!

Rydw i wedi bod yn gofyn i mi fy hun drosodd a throsodd a fyddai'n well pe baen ni heb fynd i guddio, pe baen ni bellach wedi marw ac yn rhydd o'r trallod hwn, yn arbennig er mwyn arbed y lleill rhag gorfod cario'r baich. Ond rydan ni i gyd yn gwaredu rhag meddwl hynny. Rydan ni'n dal i garu bywyd, dydan ni ddim wedi anghofio tynfa natur hyd yma, ac rydan ni'n dal i obeithio, gobeithio am ... bopeth.

Boed i rywbeth ddigwydd yn fuan; cyrch awyr hyd yn oed. All dim fod yn fwy llethol na'r pryder hwn. Boed i'r diwedd ddod, waeth pa mor greulon; o leiaf fe fyddwn ni'n gwybod wedyn a wnawn ni ennill buddugoliaeth neu golli'r dydd.

Dy Anne M. Frank

Dydd Mercher, Mai 31, 1944

F'annwyl Kitty,

Roedd hi'n rhy boeth i mi allu dal fy ysgrifbin ddydd Sadwrn, dydd Sul, dydd Llun a dydd Mawrth, a dyna pam na allwn i ysgrifennu atat ti. Roedd y draeniau wedi cau ddydd Gwener, wedi eu trwsio ddydd Sadwrn. Daeth Mrs Kleiman i'n gweld yn ystod y prynhawn a bu'n sôn llawer am Jopie. Mae hi a Jacque van Maarsen yn perthyn i'r un clwb hoci. Galwodd Bep heibio ddydd Sul i wneud yn siŵr nad oedd neb wedi torri i mewn ac arhosodd i frecwast. Dydd Llun (y Sulgwyn) gweithredodd Mr Gies fel gwyliwr y Rhandy, a dydd Mawrth cawsom ganiatâd i agor y ffenestri o'r diwedd. Anaml y byddwn ni'n cael penwythnos Sulgwyn mor hyfryd a chynnes. Er efallai fod 'poeth' yn ddisgrifiad mwy addas. Mae tywydd poeth yn erchyll yn y Rhandy. Er mwyn i ti gael syniad o'r cwynion niferus, mi ro i ddisgrifiad byr o'r dyddiau chwilboeth hyn i ti.

Dydd Sadwrn: 'Ardderchog, dyma beth ydi tywydd anhygoel,' meddai pawb yn y bore. 'Petai hi heb fod llawn mor boeth,' medden ni yn y prynhawn, pan fu'n rhaid cau'r ffenestri.

Dydd Sul: 'Mae'r gwres yn annioddefol, y menyn yn toddi, does yna'r un llecyn oer yn unman yn y tŷ, mae'r bara'n sychu, y llefrith yn suro, a chawn ni ddim agor y ffenestri. Rydan ni'r alltudion druain yn mygu tra mae pawb arall yn mwynhau eu Sulgwyn.' (Yn ôl Mrs van D.)

Dydd Llun: 'Mae fy nhraed i'n brifo, does gen i ddim byd ysgafn i'w wisgo, alla i ddim golchi'r llestri yn y fath wres!' Tuchan o fore gwyn tan nos. Annymunol tu hwnt.

Alla i ddim godde'r gwres. Rydw i'n falch fod y gwynt wedi codi heddiw, a bod yr haul yn dal i ddisgleirio.

Dy Anne M. Frank

Dydd Gwener, Mehefin 2, 1944

Annwyl Kitty,

'Os wyt ti'n mynd i'r atig dos ag ambarél efo ti, un mawr os yn bosib!' Mae hyn er mwyn dy amddiffyn di rhag 'cawodydd dan do'. Mae yna ddihareb Iseldiraidd: 'Ar dir sych, byw ac iach,' ond dydi honno mae'n amlwg ddim yn berthnasol i adeg rhyfel (gynnau!) a phobl mewn cuddfan (cath!). Mae Mouschi wedi dechrau mynd i'r arferiad o wneud ei busnes ar bapurau newydd neu rhwng y craciau yn estyll y llawr, felly mae ganddon ni reswm digonol dros ofni'r cawodydd, a'r drewdod yn fwy na dim. Mae gan y Moortje newydd yn y warws yr un broblem. Fe all unrhyw un sydd wedi cadw cath nad ydi hi wedi dysgu bod yn lân yn y tŷ ddychmygu'r arogleuon, heblaw'r pupur a'r teim, sy'n treiddio trwy'r adeilad.

Mae gen i hefyd feddyginiaeth newydd sbon ar gyfer ofn sŵn gynnau. Pan fydd sŵn y tanio'n chwyddo, dos at y grisiau coed agosaf. Rhed i fyny ac i lawr ychydig o weithiau, gan wneud yn siŵr dy fod ti'n baglu o leiaf unwaith. Oherwydd y crafiadau a thrwst y rhedeg a'r syrthio, elli di ddim clywed y tanio, heb sôn am boeni yn ei gylch. Mae'r awdur wedi gwneud defnydd o'r fformiwla cyfrin hwn, a hynny'n llwyddiannus iawn!

Dy Anne M. Frank

Dydd Llun, Mehefin 5, 1944

F'annwyl Kitty,

Problemau newydd yn y Rhandy. Ffrae rhwng Dussel a'r teulu Frank oherwydd rhaniad y menyn. Dussel yn ildio. Cyfeillgarwch mynwesol rhwng yr olaf a Mrs van Daan, fflyrtio, cusanau a gwenau bach cyfeillgar. Mae Dussel yn dechrau dyheu am gwmnïaeth fenywaidd.

Mae'r ddau van Daan yn methu gweld pam y dylen ni bobi teisen sinsir ar gyfer pen blwydd Mr Kugler a gwneud heb un ein hunain. Y cyfan yn bitw iawn. Hwyliau drwg i fyny grisiau. Mrs van D. yn dioddef o annwyd. Dussel wedi cael ei ddal efo tabledi burum, a ninnau heb ddim.

Mae'r Bumed Fyddin wedi cipio Rhufain. Chafodd y ddinas mo'i dinistrio na'i bomio. Propaganda ardderchog i Hitler.

Ychydig iawn o datws a llysiau. Un dorth wedi llwydo.

All Scharminkeltje (cath newydd y warws) ddim goddef pupur. Mae'n cysgu yn ei bocs ac yn gwneud ei busnes yn y naddion coed. Amhosibl ei chadw.

Tywydd drwg. Pas de Calais ac arfordir gorllewinol Ffrainc yn cael eu bomio'n barhaus.

Amhosibl gwerthu doleri. Llai o ddiddordeb fyth mewn aur. Mae'n cadw-mi-gei du ni bron yn wag. Ar beth yr ydan ni'n mynd i fyw y mis nesaf?

Dy Anne M. Frank

Dydd Mawrth, Mehefin 6, 1944

Fy anwylaf Kitty,

Cyhoeddodd y BBC am hanner dydd heddiw, a hynny'n gywir, '*This is D Day. This is the day.*' Mae'r cyrch ymosod wedi dechrau!

Ar y newyddion o Brydain am wyth o'r gloch y bore 'ma dywedwyd fod Calais, Boulogne, Le Havre a Cherbourg, yn ogystal â Pas de Calais (fel arfer) wedi cael eu bomio'n drwm. Ymhellach, fel mesur rhagofal i'r holl diriogaethau sydd dan oresgyniad, rhybuddiwyd pawb sy'n byw o fewn cylch o ugain milltir i'r arfordir i'w paratoi eu hunain ar gyfer y cyrchoedd awyr. Os yn bosibl, bydd y Prydeinwyr yn gollwng pamffledi awr ymlaen llaw.

Yn ôl y newyddion o'r Almaen, mae awyrfilwyr Prydain wedi glanio ar arfordir Ffrainc. Yn ôl y BBC, 'Mae badau glanio Prydain yn brwydro yn erbyn llynges yr Almaen.'

Y casgliad y daeth trigolion y Rhandy iddo wrth frecwesta am naw o'r gloch: glaniad prawf ydi hwn, fel yr un yn Dieppe ddwy flynedd yn ôl.

Darllediadau mewn Almaeneg, Iseldireg, Ffrangeg ac ieithoedd eraill am ddeg o'r gloch: Mae'r ymosodiad wedi dechrau! Felly dyma'r ymosodiad 'go iawn'. Darllediad mewn Almaeneg am un ar ddeg: araith gan y Pencadfridog Dwight Eisenhower.

Darllediad Saesneg y BBC am hanner dydd: '*This is D Day.*' Meddai'r Cadfridog Eisenhower wrth y Ffrancwyr: 'Bydd brwydro ffyrnig o hyn ymlaen, ond wedi hynny daw buddugoliaeth. 1944 yw blwyddyn y fuddugoliaeth gyflawn. Pob lwc!'

Darllediad Saesneg y BBC am un o'r gloch: mae 11,000 o awyrennau yn hedfan yn ôl a blaen neu'n aros wrth law i lanio milwyr a gollwng bomiau y tu ôl i linellau'r gelyn; mae 4,000 o fadau glanio a chychod bychain yn cyrraedd y traethau rhwng Cherbourg a Le Havre yn ddi-dor. Mae milwyr Lloegr a'r Amerig eisoes yn brwydro'n galed. Areithiau gan Gerbrandy, Prif Weinidog Gwlad Belg, y Brenin Haakon, Norwy, de Gaulle, Ffrainc, Brenin Lloegr ac, yn olaf ond nid lleiaf, Churchill.

Cyffro mawr yn y Rhandy! Ai dyma mewn gwirionedd ddechrau'r waredigaeth hirddisgwyliedig? Y waredigaeth yr ydan ni i gyd wedi sôn gymaint amdani, ond sy'n dal i ymddangos yn rhy ardderchog, yn ormod o stori dylwyth teg i gael ei gwireddu byth? A ddaw'r flwyddyn hon, 1944, â buddugoliaeth i ni? Wyddon ni ddim eto. Ond lle mae gobaith, mae bywyd. Mae'n ein llenwi ni â gwroldeb newydd ac yn ein gwneud ni'n gryf unwaith eto. Bydd yn rhaid i ni fod yn ddewr i allu goresgyn y llu ofnau, y caledi a'r dioddefaint sydd eto i ddod. Rŵan yn fwy nag erioed bydd yn rhaid i ni gadw'n dawel a chadarn, gwasgu ein dannedd yn dynn a ffrwyno ein teimladau! Gall Ffrainc, Rwsia, yr Eidal, a hyd yn oed yr Almaen leisio'u gwewyr, ond does ganddon ni mo'r hawl i hynny eto!

O, Kitty, y peth gorau ynglŷn â'r ymosodiad ydi'r teimlad yr ydw i'n ei gael fod cyfeillion ar eu ffordd. Mae'r Almaenwyr anfad wedi ein gorthrymu a'n bygwth ni gyhyd fel bod meddwl am gyfeillion a gwaredigaeth yn golygu popeth i ni! Nid problem yr Iddewon yn unig mohoni bellach, ond un yr Iseldiroedd a'r cyfan o Ewrop sydd dan oresgyniad. Mae Margot yn dweud efallai y galla i hyd yn oed fynd yn ôl i'r ysgol fis Medi neu fis Hydref.

Dy Anne M. Frank

O.N. Mi adawa i i ti wybod beth ydi'r newyddion diweddaraf!

Neithiwr a'r bore 'ma, cafodd dynion gwellt a rwber, oedd yn ffrwydro'r eiliad yr oedden nhw'n taro'r ddaear, eu gollwng o'r awyr y tu ôl i linellau'r Almaenwyr. Glaniodd nifer helaeth o awyrfilwyr hefyd, eu hwynebau wedi eu duo fel nad oedd modd eu gweld yn y tywyllwch. Gollyngwyd pum miliwn kilo o fomiau ar arfordir Ffrainc yn ystod y nos ac yna, am chwech o'r gloch y bore, glaniodd y bad cyntaf. Heddiw roedd 20,000 o awyrennau ar waith. Cafodd magnelfeydd arfordirol yr Almaenwyr eu dinistrio cyn y glaniad hyd yn oed; mae troedle bychan eisoes wedi'i ffurfio. Mae popeth yn mynd yn dda, ar waethaf y tywydd drwg. Mae'r milwyr a'r bobl yn un yn eu penderfyniad a'u gobaith.

Dydd Gwener, Mehefin 9, 1944

F'annwyl Kitty,

Newyddion ardderchog ynglŷn â'r ymosodiad! Mae'r Cynghreiriaid wedi cipio Bayeux, pentref ar arfordir Ffrainc, ac ar hyn o bryd yn ymladd am Caen. Maen nhw'n amlwg yn bwriadu ynysu'r penrhyn lle saif Cherbourg. Bob min nos mae'r gohebwyr rhyfel yn rhoi adroddiad ar anawsterau, gwroldeb a brwdfrydedd y fyddin. Maen nhw'n cyflawni'r campau mwyaf rhyfeddol er mwyn cael eu storïau. Bu ambell un o'r rhai a gafodd eu clwyfo, ac sydd bellach yn ôl yn Lloegr, yn siarad ar y radio hefyd. Ar waethaf y tywydd diflas, mae'r awyrennau'n hedfan yn ddiwyd yn ôl a blaen. Clywsom ar y BBC fod Churchill eisiau glanio efo'r milwyr ar ddydd D, ond llwyddodd Eisenhower a'r cadfridogion eraill i'w berswadio i beidio. Meddylia, y fath ddewrder mewn dyn o'i oed - mae'n rhaid ei fod yn ddeg a thrigain o leiaf!

Mae'r cyffro oedd yma wedi gostegu ryw gymaint; er hynny rydan ni i gyd yn gobeithio y bydd y rhyfel drosodd cyn diwedd y flwyddyn. Hen bryd hefyd! Mae swnian cyson Mrs van Daan yn annioddefol; rŵan na all ein gyrru ni'n wallgof drwy sôn am yr ymosodiad, mae hi'n cwyno ac yn tuchan drwy gydol y dydd oherwydd y tywydd drwg. Pe baen ni ond yn gallu ei throchi mewn bwcedaid o ddŵr oer a'i hongian i fyny yn y groglofft!

Mae pawb yn y Rhandy ac eithrio Mr van Daan a Peter wedi darllen y drioleg *Rhapsodi Hwngaraidd*, bywgraffiad y cyfansoddwr, yr arbenigwr ar y piano a'r plentyn disglair Franz Liszt. Mae'n ddiddorol iawn, er bod yna ormod o bwyslais ar ferched yn fy marn i. Yn ogystal â bod y pianydd mwyaf a'r enwocaf o'i gyfnod, Liszt hefyd oedd y merchetwr mwyaf, hyd yn oed yn ddeg a thrigain oed. Cafodd garwriaeth efo'r Iarlles Marie d'Agoult, y Dywysoges Carolyne Sayn-Wittgenstein, y ddawnswraig Lola Montez, y pianydd Agnes Kingworth, y pianydd Sophie Menter, y Dywysoges Olga Janina o Gricasia, y Farwnes Olga Meyendorff, yr actores Lilla rhywbeth neu'i gilydd ac ymlaen, ac ymlaen, yn ddiddiwedd. Mae'r rhannau o'r llyfr sy'n ymwneud â cherddoriaeth a'r celfyddydau eraill yn llawer mwy diddorol. Ymhlith y rhai y cyfeirir atyn nhw mae Schumann, Clara Wieck, Hector Berlioz, Johannes Brahms, Beethoven, Joachim, Richard Wagner, Hans von Bülow, Anton Rubinstein, Frédéric Chopin, Victor Hugo, Honoré de Balzac, Hiller, Hummel, Czerny, Rossini, Cherubini, Paganini, Mendelssohn, ac ati.

Roedd Liszt yn ŵr dymunol yn ôl pob golwg, yn un hael iawn a diymhongar, er ei fod yn eithriadol o falch. Roedd yn barod i helpu eraill, yn gosod celfyddyd uwchlaw popeth arall, y tu hwnt o hoff o frandi a merched, yn methu goddef gweld dagrau, yn fonheddwr, yn methu gwrthod cymwynas i neb, yn malio dim am arian ac yn ffafrio rhyddid, mewn crefydd a thrwy'r byd i gyd.

Dy Anne M. Frank

Dydd Mawrth, Mehefin 13, 1944

F'annwyl Kit,

Mae pen blwydd arall wedi mynd heibio, ac rydw i bellach yn bymtheg oed. Mi ge's i dipyn go lew o anrhegion: pum cyfrol Springer ar hanes celfyddyd, dillad isaf, dwy felt, hances boced, dwy jar o iogwrt, pot o jam, dwy deisen sinsir (rhai bychan), llyfr botaneg gan Dad a Mam, breichled aur gan Margot, albwm lloffion gan Mr a Mrs van Daan, pys pêr gan Dussel, melysion gan Miep, melysion a llyfrau ysgrifennu gan Bep, ac yn uchafbwynt i'r cyfan y llyfr *Maria Theresa* a thair tafell o gaws hufen gan Mr Kugler. Rhoddodd Peter dusw prydferth o rosyn y mynydd i mi; roedd y bachgen druan wedi ymdrechu'n galed i ddod o hyd i anrheg, ond heb fawr o lwyddiant.

Mae'r ymosodiad yn dal i fynd yn dda, ar waethaf y tywydd garw - curlaw, gwyntoedd cryfion a llanw uchel.

Ddoe ymwelodd Churchill, Smuts, Eisenhower ac Arnold â'r pentrefi yn Ffrainc y mae'r Prydeinwyr wedi eu cipio a'u rhyddhau. Roedd Churchill ar long dorpedos oedd yn sielio'r arfordir. Fel sawl dyn arall, mae'n ymddangos nad ydi o'n gwybod beth ydi ofn - nodwedd i'w chwennych!

O'n safle ni yma yn amddiffynfa'r Rhandy, mae'n anodd barnu sut mae'r Iseldirwyr yn teimlo. Yn ddiamau mae llawer o bobl yn falch fod y Prydeinwyr segur (!) wedi torchi eu llewys ac ymroi ati o'r diwedd. Dydi'r rhai sy'n dal i haeru nad ydyn nhw am gael eu meddiannu gan y Prydeinwyr ddim yn sylweddoli pa mor annheg ydi hynny. Yn fyr, fel hyn y maen nhw'n ymresymu: rhaid i Brydain ymladd, ymdrechu ac aberthu ei meibion er mwyn rhyddhau'r Iseldiroedd a'r gwledydd eraill sydd dan oresgyniad. Wedi hynny ni ddylai'r Prydeinwyr aros yn yr Iseldiroedd: fe ddylen nhw ymddiheuro'n wasaidd i'r holl wledydd a fu o dan oresgyniad, adfer India'r Dwyrain i'w gwir berchennog ac yna dychwelyd, yn llesg a thlawd, i Loegr. Am griw o ffyliaid! Ac eto, fel yr ydw i wedi dweud eisoes, mae nifer helaeth o Iseldirwyr yn eu plith. Beth fyddai wedi digwydd i'r Iseldiroedd a'i chymdogion petai Lloegr wedi manteisio ar y cyfle i arwyddo cytundeb heddwch â'r Almaen? Byddai'r Iseldiroedd o dan reolaeth yr Almaen, a dyna ben arni!

Mae'r holl Iseldirwyr sy'n dal i edrych i lawr eu trwynau ar y Prydeinwyr, yn gwawdio Lloegr a'i llywodraeth o hen begoriaid, yn galw'r Saeson yn llwfrgwn, ac eto'n casáu'r Almaenwyr, yn haeddu ysgytwad iawn. Efallai y byddai hynny'n rhoi trefn ar eu hymennydd dryslyd nhw!

Mae llawer o ddymuniadau, llawer o feddyliau a llawer o gyhuddiadau yn chwyrlïo o gwmpas yn fy mhen i. Dydw i ddim mor hunanol ag y mae amryw yn ei gredu; rydw i'n adnabod fy ngwendidau a'm diffygion yn well na neb arall, ond mae yna un gwahaniaeth mawr: rydw i hefyd yn gwybod fy mod i eisiau newid er gwell, fy mod i'n mynd i newid ac eisoes wedi newid yn fawr!

Mi fydda i'n gofyn i mi fy hun yn aml, pam y mae pawb yn dal i feddwl fy mod i mor ymwthgar ac yn gymaint o ben bach? Ydw i mor ffroenuchel â hynny? Ai fi ydi'r un haerllug, ynteu nhw? Mi wn i fod hyn yn swnio'n od, ond dydw i ddim am groesi'r frawddeg olaf allan, gan nad ydi hi mor ynfyd ag mae hi'n ymddangos. Fe ŵyr pawb fod fy nghyhuddwyr pennaf, Mrs van Daan a Dussel, yn gwbl anneallus ac, o'i roi yn blwmp ac yn blaen, yn hollol 'dwp'! All pobl dwp ddim dioddef gweld eraill yn llwyddo; yr enghreifftiau gorau o hyn ydi'r ddau dwpsyn, Mrs van Daan a Dussel. Mae Mrs van D. yn meddwl fy mod i'n dwp oherwydd nad ydw i'n dioddef o'r anhwylder hwnnw i'r un graddau â hi, mae hi'n credu fy mod i'n ymwthgar oherwydd ei bod hi'n fwy ymwthgar fyth, mae hi'n credu fod fy ffrogiau i yn rhy fyr oherwydd bod ei rhai hi yn fyrrach hyd yn oed, ac mae'n meddwl fy mod i'n ben bach oherwydd ei bod yn siarad cymaint ddwywaith â fi am bynciau nad ydi hi'n gwybod dim amdanyn nhw. Mae'r un peth yn wir am Dussel. Ond un o fy hoff ddywediadau i ydi 'Ni cheir mwg heb dân', ac rydw i'n barod iawn i gyfaddef fy mod i'n ben bach.

Fy mhroblem i ydi fy mod i'n fy nwrdio ac yn fy melltithio fy hun lawer mwy nag y mae pobl eraill yn ei wneud. Os bydd Mam yn ychwanegu ei chyngor hi, mae'r pentwr pregethau yn mynd mor drwchus fel fy mod i'n anobeithio gallu gweithio fy ffordd trwyddyn nhw byth. Yna mi fydda i'n ateb yn ôl ac yn dechrau gwrth-ddweud pawb nes y bydd byrdwn cyfarwydd Anne yn codi ei ben unwaith eto: 'Does yna neb yn fy neall i!'

Mae'r ymadrodd hwn yn rhan ohona i, ac er ei fod yn swnio mor eithafol, mae yna gnewyllyn o wirionedd ynddo fo. Weithiau rydw i wedi fy nghladdu mor ddwfn o dan yr hunanfeio fel fy mod i'n dyheu am air o gysur fel y galla i dyrchu fy ffordd allan unwaith eto. O na byddai gen i rywun a fyddai'n fy nghymryd i o ddifri. Gwaetha'r modd, er chwilio a chwilio dydw i ddim eto wedi dod o hyd i'r rhywun hwnnw.

Mi wn i mai meddwl am Peter yr wyt ti, yntê, Kit? Mae'n wir fod Peter yn fy ngharu i, nid fel cymar, ond fel ffrind. Er bod ei serch yn tyfu o ddiwrnod i ddiwrnod, mae yna ryw rym cyfrin yn ein dal ni'n dau yn ôl, a wn i ddim beth ydi o.

Mi fydda i'n meddwl weithiau fod fy nyhead mawr i amdano wedi ei or-wneud. Ond dydi hynny ddim yn wir, oherwydd os nad ydw i wedi cael cyfle i fynd i'w ystafell am ddeuddydd rydw i'n dyheu amdano mor daer ag erioed. Mae Peter yn annwyl a charedig, ac eto alla i ddim gwadu ei fod wedi fy siomi i mewn sawl ffordd. Dda gen i mo'i atgasedd o grefydd, ei sgwrs wrth y bwrdd bwyd ac amryw o bethau eraill o'r un natur. Er hynny, rydw i'n argyhoeddedig y gwnawn ni lynu wrth ein cytundeb i beidio â ffraeo byth. Mae Peter yn heddychlon, yn oddefgar ac yn hawdd iawn ei blesio. Mae'n gadael i mi ddweud llawer o bethau wrtho na fyddai byth yn eu derbyn gan ei fam. Mae'n ymdrechu'n galed i wneud iawn am ei gamweddau ac i'w gael ei hun i drefn. Ac eto, pam mae o'n cau arno'i hun ac yn gwrthod mynediad i mi? Mae Peter, wrth gwrs, yn llawer mwy tawedog na fi, ond mi wn i o brofiad (er fy mod i'n cael fy nghyhuddo'n wastad o wybod popeth mewn egwyddor, ond nid yn ymarferol) fod y rhai mwyaf tawedog, mewn amser, yn dyheu cymaint, os nad mwy, am rywun i ymddiried ynddo.

Mae Peter a fi wedi treulio ein blynyddoedd mwyaf myfyriol yn y Rhandy. Fe fyddwn ni'n trafod y dyfodol, y gorffennol a'r presennol yn aml, ond fel yr ydw i wedi dweud wrthot ti eisoes, rydw i'n dal i weld colli'r peth go iawn, ac eto rydw i'n gwybod ei fod ar gael!

Ai oherwydd nad ydw i wedi gallu rhoi fy nhrwyn allan am gyfnod mor hir yr ydw i wedi gwirioni ar natur? Rydw i'n cofio amser pan na fyddai awyr las odidog, trydar adar, golau leuad a blodau wedi dal fy sylw i'n hir. Mae hynny wedi newid ers pan ddois i yma. Un noson yn ystod gwyliau'r Sulgwyn, er enghraifft, pan oedd y tywydd mor boeth, mi wnes ymdrech i gadw fy llygaid yn agored tan hanner awr wedi un ar ddeg er mwyn cael golwg iawn ar y lleuad, ar fy mhen fy hun bach am unwaith. Gwaetha'r modd, bu'r aberth yn ofer gan fod y golau'n rhy lachar i mi allu mentro agor y ffenestr. Dro arall, rai misoedd yn ôl, ro'n i'n digwydd bod i fyny grisiau un noson pan oedd y ffenestr ar agor. Wnes i ddim gadael nes bod yn rhaid i mi ei chau. Ro'n i dan gyfaredd yr hwyrnos ddu, lawog, y gwynt a'r cymylau gwibiog; dyna'r tro cyntaf mewn blwyddyn a hanner i mi weld y nos wyneb yn wyneb. Wedi hynny roedd fy nyhead am gael ei gweld eto yn gryfach hyd yn oed na'm hofn i o ladron neu dŷ tywyll yn berwi o lygod. Mi es i lawr y grisiau ar fy mhen fy hun ac edrych allan drwy ffenestri'r gegin a'r swyddfa breifat. Mae llawer o bobl yn gweld harddwch natur, llawer yn cysgu allan o dro i dro o dan yr awyr serennog, a llawer o bobl mewn ysbytai a charchardai yn dyheu am y diwrnod pan fyddan nhw'n rhydd i fwynhau'r hyn sydd gan natur i'w gynnig. Ond ychydig sydd wedi eu hynysu fel ni, wedi eu rhwystro rhag mwynhau hyfrydwch natur, sydd ar gael i'r cyfoethog a'r tlawd fel ei gilydd.

Nid dychymyg yn unig mo hyn - mae edrych ar yr awyr, y cymylau, y lleuad a'r sêr yn gwneud i mi deimlo'n dawel a gobeithiol. Mae'n llawer gwell meddyginiaeth na falerian a bromid. Mae natur yn gwneud i mi deimlo'n ostyngedig ac yn barod i wynebu pob ergyd yn wrol!

Yn anffodus, ar wahân i rai adegau prin, rydw i'n gorfod edrych ar natur drwy lenni llychlyd wedi eu hoelio dros ffenestri budron ac mae hynny'n amharu ar y mwynhad. Natur ydi'r un peth na all dim gymryd ei le!

Un o'r llu cwestiynau sy'n fy mlino i'n aml ydi pam y mae merched wedi cael eu hystyried, ac yn dal i gael eu hystyried, yn eilradd i ddynion. Mae'n hawdd dweud ei fod yn annheg, ond dydi hynny ddim yn ddigon i mi; mi hoffwn i wybod beth sy'n gyfrifol am yr anghyfiawnder mawr hwn!

Yn ôl pob tebyg mae dynion, oherwydd eu cryfder corfforol, wedi bod yn rheoli merched o'r dechreuad; dynion sy'n ennill bywoliaeth, yn cenhedlu plant ac yn gwneud fel y mynnan nhw ... Mae'n beth dwl fod merched wedi dioddef hyn yn dawel tan yn ddiweddar iawn, gan ei fod yn gwreiddio'n ddyfnach o hyd. Yn ffodus, mae addysg, gwaith a datblygiad wedi agor llygaid merched. Maen nhw wedi cael hawliau cyfartal mewn sawl gwlad; mae llawer o bobl, merched yn bennaf, ond rhai dynion hefyd, yn sylweddoli bellach eu bod nhw ar fai'n goddef y sefyllfa gyhyd. Mae merched heddiw eisiau'r hawl i fod yn gwbl annibynnol!

Ond nid dyna'r cyfan. Parch tuag at ferched, rhaid cael hynny hefyd. A siarad yn gyffredinol, mae dynion yn uchel eu parch ym mhob rhan o'r byd, felly pam na ddylai merched gael eu siâr o'r clod? Mae milwyr a gwroniaid y rhyfel yn cael eu hanrhydeddu a'u coffáu, arloeswyr yn ennill anfarwoldeb, merthyron yn cael eu mawrygu, ond faint o bobl sy'n ystyried merched fel milwyr hefyd?

Yn y llyfr *Milwyr am Oes* fe wnaeth y ffaith fod merched yn dioddef mwy o boen, salwch a gofid, wrth eni plant yn unig, na'r un arwr rhyfel argraff fawr arna i. A beth ydi ei gwobr hi am ddioddef yr holl boen? Mae'n cael ei gwthio o'r neilltu pan fydd geni plant wedi anffurfio'i chorff, ei phlant yn ei gadael yn fuan, ei harddwch yn diflannu. Mae merched, sy'n ymdrechu ac yn dioddef er mwyn sicrhau parhad yr hil, yn gwneud milwyr gwytnach a dewrach na'r holl arwyr uchel eu cloch, yr ymladdwyr dros ryddid, efo'i gilydd!

Dydw i ddim yn bwriadu awgrymu y dylai merched roi'r gorau i gael plant; i'r gwrthwyneb, dyna drefn natur, ac felly y dylai pethau fod. Yr hyn yr ydw i'n ei gondemnio ydi'r holl gyfundrefn werthoedd a'r dynion nad ydyn nhw am gydnabod pa mor fawr, anodd, ond hardd yn y pen draw, ydi cyfraniad merched i gymdeithas.

Rydw i'n cytuno'n llwyr â Paul de Kruif, awdur y llyfr, pan mae'n dweud y bydd yn rhaid i ddynion ddysgu fod atal cenhedlu'n beth naturiol a chyffredin bellach yn y rhannau hynny o'r byd sy'n cael eu cyfri'n wareiddiedig. Mae'n hawdd i ddynion siarad - does dim rhaid iddyn nhw oddef y gwaeau sy'n dod i ran merched a fydd dim rhaid iddyn nhw wneud hynny byth.

Rydw i'n credu y bydd y syniad mai dyletswydd merch ydi geni plant yn newid yn ystod y ganrif nesaf ac ildio'i le i barch ac edmygedd o'r holl ferched sy'n dwyn eu beichiau heb rwgnach a heb lond gwlad o eiriau rhodresgar!

Dy Anne M. Frank

Dydd Gwener, Mehefin 16, 1944

F'annwyl Kitty,

Problemau newydd; mae Mrs van D. ym mhen ei thennyn. Mae'n sôn am gael bwled drwy'i phen, carchar, crogi a hunanladdiad. Mae'n genfigennus oherwydd bod Peter yn ymddiried ei gyfrinachau i mi ac nid iddi hi, wedi'i thramgwyddo am nad ydi Dussel yn ymateb yn ddigonol i'w fflyrtio ac yn ofni y bydd i'w gŵr afradu'r holl arian a gafwyd am y gôt ffwr ar faco. Mae'n ffraeo, melltithio, crio, ei phitïo ei hun, chwerthin ac yna'n dechrau ffraeo wedyn.

Beth ar wyneb daear all rhywun ei wneud â'r fath esiampl wirion, ddagreuol o ddynoliaeth? Does yna neb yn ei chymryd o ddifri, does ganddi ddim cryfder cymeriad, mae'n cwyno wrth bawb yn ddieithriad, ac fe ddylet ti weld fel mae hi'n cerdded o gwmpas: *von hinten Lyceum, von vorne Museum* - yn ymddwyn fel geneth ysgol, yn edrych fel slebog. Yn waeth fyth, mae hyn yn gwneud Peter yn haerllug, Mr van Daan yn biwis a Mam yn sinicaidd. Does yna fawr o drefn ar yr un ohonon ni! Un rheol yn unig sy'n rhaid i ti ei chofio: chwerthin am ben popeth a pheidio â thrafferthu efo neb arall! Mae hyn yn swnio'n hunanol, ond mewn gwirionedd dyma'r unig feddyginiaeth i rai sy'n dioddef o hunandosturi.

Mae disgwyl i Mr Kugler dreulio mis yn Alkmaar ar ddyletswydd gwaith gorfodol. Mae'n ceisio osgoi gwneud hynny drwy gael tystysgrif meddyg a llythyr oddi wrth Opekta. Mae Mr Kleiman yn gobeithio cael llawdriniaeth ar ei stumog cyn bo hir. Gan ddechrau am un ar ddeg neithiwr, cafodd pob ffôn preifat ei ddatgysylltu.

Dy Anne M. Frank

Dydd Gwener, Mehefin 23, 1944

F'annwyl Kitty,

Does yna ddim byd arbennig yn digwydd yma. Mae'r Prydeinwyr wedi dechrau ymosod o ddifri ar Cherbourg. Yn ôl Pim a Mr van Daan, rydan ni'n siŵr o gael ein rhyddhau cyn Hydref 10. Mae'r Rwsiaid yn cymryd rhan yn yr ymgyrch; fe ddechreuon nhw ymosod ddoe gerllaw Vitebsk, dair blynedd union i'r diwrnod y bu i'r Almaenwyr wneud cyrch ar Rwsia.

Mae Bep yn fwy digalon nag erioed. Does ganddon ni fawr o datws yn weddill; o hyn ymlaen rydan ni'n mynd i'w rhannu'n gyfartal, ac yna fe all pawb eu defnyddio fel y mynnan nhw. Mae

Miep yn cymryd wythnos o wyliau, gan ddechrau ddydd Llun. Chafodd meddygon Mr Kleiman hyd i ddim ar y pelydr-X. Mae'n cael ei rwygo rhwng dau ddewis, pa un ai cymryd y llawdriniaeth ynteu gadael i bethau gymryd eu cwrs.

Dy Anne M. Frank

Dydd Mawrth, Mehefin 27, 1944

Fy anwylaf Kitty,

Mae'r holl awyrgylch wedi newid, popeth yn mynd yn arbennig o dda. Syrthiodd Cherbourg, Vitebsk a Zhlobin heddiw. Maen nhw'n siŵr o fod wedi cipio llawer o ddynion ac ysbail. Cafodd pump o gadfridogion Almaenig eu lladd gerllaw Cherbourg a dau eu cymryd yn garcharorion. Rŵan fod ganddyn nhw harbwr, gall y Prydeinwyr ddod â beth fynnan nhw i'r lan. Mae'r cyfan o Benrhyn Cotentin wedi ei gipio dair wythnos yn unig wedi'r ymosodiad! Dyna beth ydi camp!

Yn ystod y tair wythnos ers Dydd D, does yna'r un diwrnod wedi bod heb law ac ystormydd, yma nac yn Ffrainc, ond dydi anlwc felly ddim wedi rhwystro'r Prydeinwyr a'r Americanwyr rhag arddangos eu grym. A'r fath rym! Wrth gwrs, mae'r Almaenwyr wedi lansio eu harf dial, ond go brin y bydd rhyw glecar bach fel hwnnw yn gadael fawr o'i ôl, ar wahân i fân ddifrod yn Lloegr a phenawdau bras ym mhapurau newydd y Crawtiaid. P'un bynnag, pan wnân nhw sylweddoli yng ngwlad y Crawtiaid fod y Bolsieficiaid yn agosáu, fe fyddan nhw'n crynu yn eu hesgidiau.

Mae holl ferched yr Almaen nad ydyn nhw'n gweithio'n y lluoedd arfog yn cael eu hanfon, ynghyd â'u plant, o'r ardaloedd glan môr i daleithiau Groningen, Ffrisia a Gelderland. Dywedodd Mussert, arweinydd y Blaid Genedlaethol Sosialaidd (Natsïaidd) yn yr Iseldiroedd, ei fod am listio os bydd yr ymosodiad yn cyrraedd yr Iseldiroedd. Ydi'r mochyn tew hwnnw'n bwriadu ymladd? Fe allai fod wedi gwneud hynny yn Rwsia ymhell cyn hyn. Gwrthododd y Ffindir gynnig heddwch beth amser yn ôl, a rŵan maen nhw wedi rhoi'r gorau i'r trafodaethau. Y ffyliaid gwirion, difaru wnân nhw!

Pa mor bell wyt ti'n meddwl fyddwn ni erbyn Gorffennaf 27?

Dy Anne M. Frank

Dydd Gwener, Mehefin 30, 1944

F'annwyl Kitty,

Bad weather from one at a stretch to the thirty June. On'd ydw i'n dweud hynna'n dda? O oes, mae gen i grap ar Saesneg; er mwyn profi hynny rydw i'n darllen *An Ideal Husband* efo help geiriadur! Mae'r rhyfel yn mynd yn hynod o dda: Bobruysk, Mogilev ac Orsha wedi syrthio, llawer o garcharorion.

Mae popeth yn iawn yma. Mae'r hwyliau'n gwella, ein prif optimistiaid yn fuddugoliaethus, y consurwyr van Daan yn gwneud i'r siwgr ddiflannu, Bep wedi newid steil ei gwallt, a Miep ar wythnos o wyliau. Dyna'r newyddion diweddaraf!

Rydw i wedi bod yn cael triniaeth erchyll ar un o'm dannedd blaen. Roedd yn ddychrynllyd o boenus, mor ddrwg fel bod Dussel yn meddwl fy mod i'n mynd i lewygu, a bu ond y dim i mi â gwneud. Cyn pen dim cafodd Mrs van D. ddannoedd hefyd!

Dy Anne M. Frank

O.N. Clywsom o Basel fod ein cefnder, Bernd, wedi bod yn chwarae rhan y tafarnwr yn *Minna von Barnhelm*. Mae Mam yn dweud fod ganddo 'dueddiadau artistig'.

Dydd Iau, Gorffennaf 6, 1944

F'annwyl Kitty,

Mae fy ngwaed i'n fferru pan mae Peter yn sôn am fod yn ddrwgweithredwr neu'n gamblwr yn y dyfodol; cellwair mae o, wrth gwrs, ond rydw i'n dal i deimlo fod arno ofn ei wendid ei hun. Sawl gwaith mae Margot a Peter wedi dweud wrtha i, 'Pe bawn i mor wrol a chadarn â ti, pe bai gen i dy benderfyniad a dy egni diflino di, mi allwn i ...!'

Ydi peidio â gadael i eraill ddylanwadu arna i yn gymaint rhinwedd mewn gwirionedd? Ydw i'n gwneud y peth iawn drwy ddilyn fy nghydwybod fy hun?

A bod yn onest, alla i ddim deall sut y gall unrhyw un ddweud 'Rydw i'n wan' a bodloni ar aros felly. Os ydi rhywun yn ymwybodol o'i wendid, pam nad ymladd yn ei erbyn a cheisio magu cymeriad? Eu hateb nhw bob tro ydi, 'Oherwydd ei bod yn haws peidio!' Mae hyn yn fy nigalonni i. Hawdd? Ydi hynny'n golygu fod bywyd o dwyll a segurdod yn hawdd hefyd? O na, all hynny ddim bod yn wir. All o ddim bod yn wir fod pobl yn cael eu temtio mor rhwydd gan hawddfyd ... ac arian. Rydw i wedi bod yn pendroni beth ddylai fy ateb i fod, sut y dylwn i gael Peter i gredu ynddo'i hun ac, yn fwy na dim, i'w newid ei hun er gwell. Wn i ddim ydw i ar y trywydd iawn ai peidio.

Rydw i wedi bod yn meddwl yn aml peth mor braf fyddai cael rhywun i ymddiried y cyfan i mi. Ond rŵan fy mod i wedi cyrraedd y pwynt hwnnw, rydw i'n sylweddoli peth mor anodd ydi rhoi dy hun yn esgidiau rhywun arall a dod o hyd i'r ateb *iawn*. Yn arbennig gan fod 'hawddfyd' ac 'arian' yn eiriau newydd a chwbl estron i mi.

Mae Peter yn dechrau mynd yn ddibynnol arna i a dydw i ddim yn dymuno hynny, ar gyfrif yn y byd. Mae'n ddigon anodd sefyll ar dy draed dy hun, ond pan wyt ti'n ceisio cadw'n driw i ti dy hun yn ogystal, mae'n anoddach fyth.

Rydw i wedi bod yn drifftio o gwmpas yn ddiamcan ers dyddiau, yn ceisio chwilio am wrthgyffur effeithiol i'r gair erchyll 'hawddfyd'. Sut y galla i argyhoeddi Peter y bydd hynny, er ei fod yn ymddangos yn beth hawdd a dymunol, yn ei lusgo i lawr i'r dyfnderoedd, lle na ddaw o hyd i na ffrindiau, cysur na harddwch, i lawr mor bell fel na fydd modd iddo godi i'r wyneb byth eto?

Rydan ni i gyd yn fyw, ond wyddon ni ddim pam nac i beth; rydan ni i gyd yn chwilio am hapusrwydd; rydan ni i gyd yn byw bywydau sy'n wahanol ac eto'r un fath. Rydan ni'n tri wedi cael magwraeth dda, mae ganddon ni gyfle i ddysgu a gwneud rhywbeth ohonom ein hunain. Mae ganddon ni nifer o resymau dros obeithio am hapusrwydd mawr, ond ... mae'n rhaid i ni ei ennill. Ac mae hwnnw'n rhywbeth nad oes modd ei gyflawni drwy gymryd y llwybr hawdd. Mae ennill hapusrwydd yn golygu gwneud daioni a gweithio, nid gamblo a diogi. Fe all segurdod *ymddangos* yn atyniadol, ond dim ond gwaith sy'n rhoi gwir fodlonrwydd.

Alla i ddim deall pobl nad ydyn nhw'n hoffi gweithio, ond nid dyna broblem Peter chwaith. Does ganddo'r un nod, ac mae'n credu hefyd ei fod yn rhy dwp ac israddol i allu cyflawni dim byth. Druan bach, dydi o erioed wedi cael y profiad o wneud rhywun arall yn hapus, ac mae arna i ofn na alla i ddysgu hynny iddo. Dydi o ddim yn grefyddol, mae'n gwawdio Iesu Grist ac yn cymryd enw Duw yn ofer, ac er nad ydw i'n uniongred mae ei weld mor unig, mor ddirmygus ac mor druenus yn fy mrifo i.

Fe ddylai pobl grefyddol deimlo'n falch, gan nad ydi pawb wedi'i fendithio â'r gallu i gredu mewn trefn uwch. Does dim rhaid ofni cosb dragwyddol hyd yn oed; mae'r syniad o burdan, nefoedd ac uffern yn rhy anodd i lawer ei ddeall, ac eto mae crefydd ei hun, unrhyw fath o grefydd, yn cadw rhywun ar y llwybr iawn. Nid ofn Duw mohono fo, ond glynu wrth dy egwyddorion dy hun ac ufuddhau i dy gydwybod dy hun. Mor dda a mawrfrydig y gallai pawb fod pe baen nhw, cyn mynd i gysgu'r nos, yn cofio popeth ddigwyddodd yn ystod y diwrnod ac yn pwyso a mesur y da a'r drwg. Fe fyddet ti'n mynd ati'n fwriadol wedyn i geisio gwneud yn well ar ddechrau pob dydd newydd ac, ymhen tipyn, fe fyddet ti'n siŵr o gyflawni llawer iawn. Mae'r cyngor hwn ar gael i bawb: mae'n rhad ac am ddim ac yn ddefnyddiol iawn. Fe fydd yn rhaid i'r rhai nad ydyn nhw'n gwybod ganfod drwy brofiad fod 'cydwybod tawel yn meithrin cadernid!'

Dy Anne M. Frank

Dydd Sadwrn, Gorffennaf 8, 1944

F'annwyl Kitty,

Bu Mr Broks, prif gynrychiolydd y busnes, yn Beverwijk a llwyddodd i gael gafael ar fefus yn yr arwerthiant cynnyrch. Cyrhaeddodd y mefus yma yn llwch ac yn dywod i gyd, ond yn niferus. Dim llai na phedwar ar hugain o gratiau rhwng gweithwyr y swyddfa a ni. Yr un noson, aethom ati i botelu chwe jar a pharatoi wyth pot o jam. Drannoeth dechreuodd Miep wneud jam i weithwyr y swyddfa.

Am hanner awr wedi deuddeg, y drws allan yn cael ei gloi, y cratiau'n cael eu llusgo i gegin y swyddfa, a Peter, Dad a Mr van Daan yn bustachu i fyny'r grisiau. Anne, dos i nôl dŵr poeth o'r gwresogydd; Margot, dos i nôl bwced; pawb at eu gwaith! Roedd gen i ryw deimlad od ym mhwll fy stumog wrth i mi gerdded i mewn i'r gegin orlawn. Miep, Bep, Mr Kleiman, Jan, Dad, Peter; mintai'r Rhandy a'r corfflu cyflenwi i gyd efo'i gilydd, a hynny ganol dydd! Y ffenestri a'r llenni'n agored, lleisiau uchel, clepian drysau - ro'n i'n crynu gan gyffro. 'Ydan ni mewn cuddfan o ddifri?' - dyna beth oedd yn fflachio drwy fy meddwl i. Mae'n siŵr mai profiad tebyg i hwn fyddai gallu mynd allan i'r byd unwaith eto. Roedd y badell yn llawn, felly i ffwrdd â fi ar ruthr i fyny grisiau, lle'r oedd gweddill y teulu'n eistedd o gwmpas y bwrdd yn tynnu'r coesynnau oddi ar y mefus. Dyna oedden nhw i fod i'w wneud o leiaf, ond roedd mwy yn mynd i'w cegau nag i'r bwced. Fe fydden nhw'n siŵr o fod angen bwced arall toc. Dychwelodd Peter i lawr grisiau, ac yna canodd cloch y drws ddwywaith. Gan adael y bwced lle'r oedd, rhuthrodd Peter i fyny'r grisiau a chau'r silffoedd llyfrau ar ei ôl. Eisteddodd pawb yno gan gicio'u sodlau'n ddiamynedd; roedd y mefus yn aros i gael eu golchi, ond roedd yn rhaid glynu wrth reol y tŷ: 'Dim rhedeg dŵr pan fydd dieithriaid i lawr grisiau rhag ofn iddyn nhw glywed y sŵn.'

Daeth Jan i fyny am un o'r gloch i ddweud mai'r postmon oedd yno. Prysurodd Peter i lawr y grisiau unwaith eto. Dring-dring ... cloch y drws, ar dy sawdl! Mi wrandawais i'n astud am sŵn traed, wrth y silffoedd llyfrau i ddechrau, ac yna ar ben y grisiau. O'r diwedd, pwysodd Peter a fi dros y canllaw a chlustfeinio fel dau leidr i wrando ar y synau islaw. Doedd yna'r un llais anghynefin i'w glywed. Aeth Peter i lawr ar flaenau ei draed a galw, 'Bep!' Unwaith yn rhagor: 'Bep!' Roedd y dwndwr yn y gegin yn boddi ei lais a rhedodd i lawr yno tra o'n i'n cadw gwyliadwriaeth nerfus uwchben.

'Dos i fyny ar unwaith, Peter, mae'r cyfrifydd yma, mae'n rhaid i ti adael!' Llais Mr Kleiman. Gan ocheneidio, dychwelodd Peter i fyny'r grisiau a chau'r cwpwrdd llyfrau.

Roedd hi'n hanner awr wedi un ar Mr Kugler yn dod i fyny. 'Yr argian fawr, does yna ddim yn y byd ond mefus. Dyna ge's i i frecwast, mae Jan yn eu cael i ginio, Kleiman yn eu bwyta rhwng prydau, Miep yn eu berwi, Bep yn tynnu'r coesynnau, ac mae'r arogl yn fy nilyn i bobman. Rydw i'n dod i fyny grisiau i ddianc oddi wrth yr holl gochni a beth ydw i'n ei weld? Pobl yn golchi mefus!'

Cafodd gweddill y mefus eu potelu. Y noson honno torrodd sêl dwy o'r poteli. Aeth Dad ati ar unwaith i'w troi'n jam. Bore trannoeth, chwythodd dau gaead arall; a'r prynhawn hwnnw, pedwar caead. Mr van Daan oedd wedi methu cael y poteli'n ddigon poeth pan oedd o'n eu diheintio, ac oherwydd hynny bu Dad wrthi'n gwneud jam bob min nos. Fe fuon ni'n bwyta uwd a mefus, llaeth enwyn a mefus, bara a mefus, mefus yn bwdin, mefus a siwgr, mefus a thywod. Dim byd ond mefus am ddau ddiwrnod, mefus, mefus, a rhagor o fefus, ac yna roedd ein stôr wedi'i ddisbyddu a'r gweddill mewn poteli, yn ddiogel o dan glo.

Dyna Margot yn galw arna i un diwrnod, 'Hei, Anne, mae Mrs van Hoeven wedi gadael i ni gael deg kilo o bys!'

'Chwarae teg iddi,' meddwn i. Ac roedd hynny'n wir, ond mae'n golygu cymaint o waith ... ych a fi!

Pan oedden ni i gyd wrth y bwrdd, cyhoeddodd Mam, 'Mi fydd yn rhaid i bawb ddiblisgo pys dydd Sadwrn.'

Ac yn wir i ti, ar ôl brecwast y bore 'ma ymddangosodd ein padell enamel fwyaf ni ar y bwrdd, wedi ei llenwi i'r ymylon â phys. Os wyt ti'n meddwl fod diblisgo pys yn waith diflas, fe ddylet ti roi cynnig ar dynnu leinin y codau. Dydw i ddim yn credu fod llawer o bobl yn sylweddoli pa mor feddal, blasus a chyfoethog mewn fitaminau ydi'r codau wedi i ti wneud hynny. Ond y fantais fwyaf ydi dy fod ti'n cael bron i deirgwaith yn fwy i'w fwyta nag o'r pys yn unig.

Mae plicio codau yn waith cysáct a manwl sy'n addas efallai i ddeintyddion pedantig neu arbenigwyr cysetlyd mewn perlysiau, ond yn hunllef i un ddiamynedd fel fi. Fe ddechreuon ni weithio am hanner awr wedi naw. Ro'n i ar fy nhraed tan hanner awr wedi deg, ar fy eistedd tan un ar ddeg, ac ar fy nhraed eto am hanner awr wedi un ar ddeg. Roedd fy nghlustiau i'n canu â'r byrdwn canlynol: torri'r coesyn, plicio'r codyn, tynnu'r llinyn, codyn i'r badell, torri'r coesyn, plicio'r codyn, tynnu'r llinyn, codyn i'r badell ac ymlaen ac ymlaen. Allwn i weld dim o flaen fy llygaid ond gwyrdd, gwyrdd, cynrhon, llinynnau, codau pwdr, gwyrdd, gwyrdd, a rhagor o wyrdd. Er mwyn ymladd y diflastod a chael rhywbeth i'w wneud, mi fûm i'n parablu drwy'r bore, gan ddweud beth bynnag oedd yn dod i'm meddwl a gwneud i bawb chwerthin. Roedd yr undonedd yn fy lladd i a phob llinyn yr o'n i'n ei dynnu yn fy ngwneud i'n fwy a mwy sicr nad ydw i byth, byth, eisiau bod yn wraig tŷ yn unig!

Fe gawsom frecwast o'r diwedd am hanner dydd, ond o hanner awr wedi deuddeg tan chwarter wedi un bu'n rhaid i ni blicio codau unwaith eto. Pan rois i'r gorau iddi, ro'n i'n teimlo'n reit sâl, a'r lleill hefyd. Mi fûm i'n slwmbran tan bedwar o'r gloch, wedi hurtio'n llwyr oherwydd y pys felltith.

Dy Anne M. Frank

Dydd Sadwrn, Gorffennaf 15, 1944

F'annwyl Kitty,

Cawsom lyfr o'r llyfrgell efo'r teitl heriol *Beth ydach chi'n ei feddwl o'r ferch ifanc gyfoes?* Mi hoffwn i drafod y pwnc hwnnw heddiw.

Mae'r awdur yn beirniadu 'ieuenctid heddiw' o'u corun i'w sawdl, er nad ydi hi'n eu bwrw nhw i gyd o'r neilltu fel 'achosion anobeithiol'. I'r gwrthwyneb, mae'n credu ei fod o fewn eu gallu i adeiladu byd ehangach, gwell a harddach, ond eu bod yn rhoi eu bryd ar bethau arwynebol, heb feddwl unwaith am wir harddwch.

Ro'n i'n cael teimlad cryf wrth ddarllen rhai rhannau fod yr awdur yn anelu'i beirniadaeth tuag ata i, a dyna pam yr ydw i eisiau dinoethi fy enaid am unwaith a'm hamddiffyn fy hun yn erbyn yr ymosodiad hwn.

Mae gen i un nodwedd arbennig sy'n siŵr o fod yn amlwg i unrhyw un sydd wedi bod yn fy nghwmni am sbel, sef fy adnabyddiaeth ohonof i fy hun. Rydw i'n gallu edrych arna i fy hun fel pe bawn i'n ddieithryn. Rydw i'n gallu sefyll gyferbyn â'r Anne-bob-dydd a gwylio'r hyn y mae hi'n ei wneud, yn dda ac yn ddrwg, heb fod yn rhagfarnllyd na gwneud esgusodion drosti. Fydd yr hunanymwybod hwn byth yn fy ngadael i, a phob tro y bydda i'n agor fy ngheg, mi fydda i'n meddwl, 'Fe ddylet ti fod wedi dewis dy eiriau'n well' neu 'Roedd hynna'n iawn'. Oherwydd fy mod i'n gweld cymaint o feiau arna i fy hun, rydw i'n dechrau sylweddoli gwirionedd dihareb Dad: 'Mae'n rhaid i bob plentyn ei feithrin ei hun'. Y cyfan all rhieni ei wneud ydi cynghori eu plant a'u rhoi ar y trywydd iawn. Yn y diwedd, mae pob un ohonom yn moldio'i gymeriad ei hun. Yn ychwanegol at hynny, rydw i'n wynebu bywyd â gwroldeb eithriadol. Rydw i'n teimlo mor gadarn ac abl i gario beichiau, mor ifanc a rhydd! Pan sylweddolais i hyn gyntaf, ro'n i'n falch, gan ei fod yn golygu y bydd yn haws i mi wrthsefyll y treialon sydd gan fywyd ar gyfer pob un ohonon ni.

Ond rydw i wedi sôn am hyn droeon. Rŵan mi hoffwn i ddod at y bennod 'Dydi Dad a Mam ddim yn fy neall i'. Mae Dad a Mam wedi fy nifetha i'n rhemp bob amser, wedi bod yn garedig wrtha i, wedi fy amddiffyn yn erbyn y ddau van Daan a gwneud popeth sy'n bosibl i rieni ei wneud. Ac eto ers amser hir rydw i wedi bod yn teimlo'n sobr o unig, ar y cyrion, wedi fy esgeuluso a'm camddeall. Fe wnaeth Dad bopeth a allai i geisio ffrwyno fy ysbryd gwrthryfelgar i, ond heb lwyddiant. Rydw i wedi fy ngwella fy hun drwy edrych yn fanwl ar fy ymddygiad a gweld beth yr o'n i'n ei wneud o'i le.

Pam na fu i Dad fy nghefnogi i yn fy ymdrech? Pam y bu iddo fethu pan geisiodd gynnig help llaw i mi? Yr ateb ydi: oherwydd iddo ddefnyddio'r dulliau anghywir. Roedd o'n fy nhrafod i bob amser fel pe bawn i'n blentyn yn mynd trwy gyfnod anodd. Mae hyn yn swnio'n ynfyd, gan mai Dad ydi'r unig un sydd wedi rhoi hyder i mi a'r unig un sydd wedi gwneud i mi deimlo fy mod i'n berson synhwyrol. Ond roedd wedi methu yn un peth: wedi methu sylweddoli fod yr ymdrech hon i orchfygu fy anawsterau'n bwysicach i mi na dim arall. Do'n i ddim eisiau clywed am 'broblemau nodweddiadol yr arddegau cynnar', 'merched eraill' neu 'mi wyt ti'n siŵr o dyfu allan ohono fo'. Do'n i ddim eisiau cael fy nhrafod fel pob-un-ferch-arall, ond fel Anne-yn-ôl-ei-haeddiant, a doedd Pim ddim yn deall hynny. P'un bynnag, alla i ddim ymddiried yn neb os nad ydyn nhw wedi dweud llawer amdanyn nhw eu hunain wrtha i, ac oherwydd na wn i fawr ddim am Pim, mae'n amhosibl i mi glosio ato. Mae Pim wastad yn ymddwyn fel y tad oedrannus a gafodd yr un cynyrfiadau byrhoedlog unwaith, ond nad ydi o bellach yn gallu ymateb i mi fel ffrind, er ymdrechu ei orau glas. Oherwydd hynny, dydw i erioed wedi rhannu fy agwedd tuag at fywyd na'r syniadau yr ydw i wedi myfyrio mor hir uwch eu pennau â neb ond fy nyddiadur ac unwaith,

unwaith yn unig, â Margot. Dydw i erioed wedi rhannu fy ngobeithion efo Dad. Rydw i wedi cuddio popeth sydd a wnelo â fi oddi wrtho, ac wedi ymbellhau'n fwriadol.

Allwn i ddim fod wedi gwneud dim arall. Rydw i wedi cymryd fy arwain yn gyfan gwbl gan fy nheimladau. Roedd hynny'n hunanol, ond mi wnes i'r hyn oedd orau er mwyn cael tawelwch meddwl. Mi fyddwn i'n colli hwnnw, a'r hunanhyder yr ydw i wedi ymdrechu mor galed i'w feithrin, pe bawn i'n rhoi fy hun yn agored i feirniadaeth a minnau ond hanner y ffordd drwyddi. Efallai fy mod i'n swnio'n galon-galed, ond alla i ddim derbyn beirniadaeth gan Pim chwaith, nid yn unig am na fydda i byth yn rhannu fy meddyliau dyfnaf efo fo, ond oherwydd fy mod i wedi ei wthio ymhellach fyth drwy fod yn biwis.

Mi fydda i'n meddwl yn aml: pam y mae Pim yn fy nghythruddo i gymaint weithiau? Prin y galla i oddef cael fy nysgu ganddo fo. Mae fel pe bai'n ei orfodi ei hun i ymddwyn yn gariadus tuag ata i. Rydw i eisiau iddo adael llonydd i mi, ac mi fyddai'n well gen i pe bai o'n fy anwybyddu i am sbel nes fy mod i'n teimlo'n fwy hyderus! Rydw i'n dal i deimlo'n euog oherwydd y llythyr annymunol y bûm i mor feiddgar â'i ysgrifennu ato pan o'n i wedi cynhyrfu gymaint. O, mor anodd ydi bod yn gryf a dewr ym mhopeth!

* * *

Er hynny, nid hon oedd fy siom fwyaf i. Na, rydw i'n meddwl llawer mwy am Peter nag yr ydw i am Dad. Mi wn i'n dda mai fy nghoncwest i oedd hi, nid un Peter. Ro'n i wedi creu delwedd ohono yn fy meddwl, ei ddarlunio fel bachgen tawel, annwyl, synhwyrus, mewn gwir angen cyfeillgarwch a chariad! Roedd arna i angen arllwys fy nghalon i fod dynol arall. Ro'n i eisiau ffrind a allai fy helpu i ddod o hyd i'm llwybr unwaith eto. Mi gyflawnais i'r dasg anodd, a'i dynnu, yn araf ond yn sicr, tuag ata i. Pan lwyddais i o'r diwedd i'w gael i fod yn ffrind i mi, datblygodd hynny ohono'i hun yn berthynas sydd, o edrych yn ôl, yn ymddangos yn beth gwarthus. Fe fuon ni'n trafod y pethau mwyaf personol, ond wnaethon ni ddim cyffwrdd â'r pethau oedd yn llenwi ac sy'n dal i lenwi fy nghalon i. Alla i wneud na phen na chynffon o Peter. Ai arwynebol ydi o? Neu efallai mai swildod sy'n ei ddal yn ôl, hyd yn oed efo fi. Ond a rhoi hynny i gyd o'r neilltu, mi wnes i un camgymeriad: defnyddio'r berthynas er mwyn closio ato, ac wrth wneud hynny, anwybyddu mathau eraill o gyfeillgarwch. Mae'n dyheu am gael ei garu, ac mi alla i weld ei fod yn fy hoffi i'n fwy bob dydd. Mae'r amser yr ydan ni'n ei gael efo'n gilydd yn bodloni Peter, ond yn gwneud i mi fod eisiau ailddechrau eto. Fydda i byth yn crybwyll y pynciau yr ydw i'n ysu am gael eu trafod yn agored. Mi orfodais i Peter i glosio ata i, heb iddo sylweddoli hynny, a rŵan mae o'n glynu fel gelen. Alla i'n fy myw feddwl am unrhyw ffordd effeithiol i'w gael i ollwng ei afael ac i sefyll ar ei draed ei hun. Mi sylweddolais i'n fuan na allai byth fod yn enaid cytûn, ac eto mi geisiais ei helpu i dorri allan o'i fyd cyfyng, ehangu ei orwelion a gwneud yn fawr o'i ieuenctid.

'Yn y bôn, mae'r ifanc yn fwy unig na'r hen.' Mi ddarllenais i hyn mewn rhyw lyfr neu'i gilydd ac mae wedi aros yn fy nghof. Cyn belled ag y galla i ddweud, mae'n wir. Ydi o'n wir felly fod y rhai mewn oed yn cael amser caletach yma na'r rhai ifanc? Nag ydi, yn bendant. Mae gan y rhai hŷn eu barn ar bopeth ac maen nhw'n siŵr ohonynt eu hunain a'u gweithredoedd. Mae hi ddwywaith yn galetach i ni'r bobl ifanc lynu wrth ein syniadau ni mewn cyfnod pan mae delfrydau'n cael eu dryllio a'u dinistrio, pan mae'r ochr waethaf i'r natur ddynol yn tra-arglwyddiaethu, pan mae pawb yn dechrau amau gwirionedd, cyfiawnder a Duw.

Yn sicr, dydi'r sawl sy'n haeru fod y rhai hŷn yn cael amser caletach yn y Rhandy ddim yn sylweddoli fod y problemau'n cael llawer mwy o effaith arnon ni. Rydan ni'n rhy ifanc o lawer i allu delio â'r problemau hyn, ond maen nhw'n dal i'w gwthio eu hunain arnom nes ein bod ni, o'r diwedd, yn gorfod meddwl am ateb, er bod yr atebion hynny gan amlaf yn chwalu'n chwilfriw wyneb yn wyneb â'r ffeithiau. Dyna'r peth anoddaf ar adegau fel hyn: mae delfrydau, breuddwydion a gobeithion eirias yn cynnau o'n mewn, dim ond i gael eu diffodd gan realiti greulon. Mae'n beth rhyfeddol nad ydw i wedi cefnu ar fy holl obeithion, gan eu bod nhw'n ymddangos mor afresymol ac anymarferol. Eto rydw i'n glynu wrthyn nhw oherwydd fy mod i'n dal i gredu, ar waethaf popeth, fod pobl yn wirioneddol dda yn y bôn.

Mae'n gwbl amhosibl i mi allu adeiladu fy mywyd ar sylfaen o ddryswch, dioddefaint a marwolaeth. Rydw i'n gweld y byd yn cael ei drawsnewid yn anialwch fesul tipyn, rydw i'n clywed y taranu agos sy'n mynd i'n dinistrio ninnau hefyd, ryw ddydd a ddaw, rydw i'n teimlo dioddefaint miliynau. Ac eto, pan fydda i'n edrych i fyny ar yr awyr, rydw i'n teimlo rywfodd y bydd popeth yn newid er gwell, y daw terfyn ar y creulondeb hwn hefyd, ac y bydd heddwch a thangnefedd yn dychwelyd i'r byd unwaith eto. Yn y cyfamser, mae'n rhaid i mi ddal gafael ar fy ngobeithion. Efallai y daw'r diwrnod pan fydd modd i mi eu gwireddu.

Dy Anne M. Frank

Dydd Gwener, Gorffennaf 21, 1944

F'annwyl Kitty,

Rydw i'n dechrau teimlo'n optimistaidd. Mae pethau'n mynd yn dda o'r diwedd! Ydyn wir, yn dda iawn! Newyddion ardderchog! Fe wnaed ymgais i ladd Hitler, nid gan y Comiwnyddion Iddewig na'r cyfalafwyr o Saeson y tro yma, ond gan gadfridog o Almaenwr o dras uchel sydd nid yn unig yn iarll, ond yn ifanc hefyd. Mae'r Führer yn ddyledus i 'Ragluniaeth fawr y nef' am ei arbed: dihangodd, yn anffodus, heb ddim ond ychydig o fân losgiadau a chrafiadau. Cafodd rhai o'r swyddogion a'r cadfridogion oedd yn ymyl eu lladd ac eraill eu clwyfo. Mae'r un oedd yn gyfrifol am y cynllwyn wedi cael ei saethu.

Dyma'r prawf gorau yr ydan ni wedi ei gael hyd yma fod llawer iawn o swyddogion a chadfridogion wedi cael llond bol ar y rhyfel ac y byddai'n dda ganddyn nhw weld Hitler yn suddo i bwll diwaelod, fel y gallan nhw sefydlu unbennaeth filitaraidd, cymodi â'r Cynghreiriaid, eu hailarfogi eu hunain ac, wedi cyfnod o rai degawdau, ddechrau rhyfel newydd. Efallai fod Rhagluniaeth yn aros ei chyfle'n fwriadol i gael gwared â Hitler, gan ei bod yn haws, ac yn rhatach, i'r Cynghreiriaid adael i'r Almaenwyr 'perffaith' ladd ei gilydd. Mae hynny'n golygu llai o waith i'r Rwsiaid a'r Prydeinwyr ac yn caniatáu iddyn nhw ddechrau ailadeiladu eu dinasoedd eu hunain gymaint â hynny'n gynt. Ond dydan ni ddim wedi cyrraedd y pwynt hwnnw hyd yn hyn, ac mi fyddai'n gas gen i flasu'r digwyddiad gogoneddus ymlaen llaw. Er hynny, mae'n siŵr dy fod ti wedi sylwi fy mod i'n dweud y gwir, yr holl wir a dim ond y gwir. Am unwaith, dydw i ddim yn paldaruo ymlaen am ddelfrydau aruchel.

Ar ben hynny, mae Hitler wedi bod mor garedig â dweud wrth ei bobl ffyddlon, addolgar fod yn rhaid i'r holl weithwyr militaraidd ufuddhau i'r Gestapo o heddiw ymlaen, a bod caniatâd i unrhyw filwr sy'n gwybod fod un o'i benaethiaid wedi cymryd rhan yn yr ymgais lwfr hon i ladd Hitler ei saethu yn y fan!

Dyna beth fydd llanast! Mae traed Joni bach yn ddolurus wedi'r ymdaith hir a'i brif swyddog yn rhoi pryd o dafod iddo. Mae Joni'n cythru am ei reiffl ac yn gweiddi, 'Ti, ti geisiodd ladd y Führer. Dyma dy dâl di!' Un ergyd, ac mae'r swyddog ffroenuchel a feiddiodd ei geryddu ar ei ffordd i fywyd tragwyddol (neu farwolaeth dragwyddol?). Ymhen amser, bydd y swyddog yn gwlychu'i drowsus bob tro y mae'n gweld milwr neu'n rhoi gorchymyn, oherwydd bod gan y milwyr fwy o ddweud na fo.

Wyt ti wedi gallu dilyn hyn i gyd, ynteu a ydw i wedi bod yn neidio gormod o un pwnc i'r llall unwaith eto? Does gen i mo'r help, mae meddwl am gael eistedd wrth fy nesg ysgol ym mis Hydref yn fy ngwneud i'n rhy hapus i fod yn rhesymol! O'r annwyl, a minnau newydd ddweud wrthot ti nad ydw i am flasu pethau ymlaen llaw. Maddau i mi, Kitty, dydyn nhw ddim yn fy ngalw i'n 'swp o wrth-ddweud' heb reswm!

Dy Anne M. Frank

Dydd Mawrth, Awst 1, 1944

F'annwyl Kitty,

'Swp o wrth-ddweud'. Dyna sut y gorffennais fy llythyr blaenorol a dyna ddechrau hwn. Wnei di ddweud wrtha i, os gweli'n dda, beth yn union ydi 'swp o wrth-ddweud'? Beth ydi ystyr 'gwrth-ddweud'? Fel cymaint o eiriau eraill, mae modd ei egluro mewn dwy ffordd: y gwrth-ddweud sy'n cael ei bennu o'r tu allan a'r un sy'n cael ei bennu o'r tu mewn. Mae'r cyntaf yn golygu gwrthod barn pobl eraill, gwybod yn well bob amser, cael y gair olaf; yn fyr, yr holl nodweddion annymunol sy'n perthyn i mi ac sy'n amlwg i bawb. Fy nghyfrinach i fy hun, a dirgelwch i bawb arall ydi'r ail.

Fel yr ydw i wedi dweud wrthot ti sawl tro, rydw i wedi cael fy rhwygo'n ddwy. Mae un ochr yn cynnwys fy sirioldeb afieithus, fy ysmaldod, fy llawenydd ac, yn fwy na dim, fy ngallu i werthfawrogi'r ochr ysgafn i bethau. Mae hynny'n golygu nad ydw i'n gweld dim o'i le mewn fflyrtio, cusanu, cofleidio, ac ambell jôc amheus. Mae'r ochr hon i mi fel arfer yn aros ei chyfle i ymosod ar y llall, sy'n llawer purach, dyfnach a harddach. Does yna neb yn adnabod yr ochr orau i Anne, a dyna pam nad ydi'r mwyafrif yn gallu fy ngoddef i. O, mi alla i fod yn glown penchwiban am brynhawn, ond wedi hynny mae pawb wedi cael digon arna i i bara mis. A dweud y gwir, rydw i'r hyn ydi ffilm ramantaidd i feddylwyr mawr - adloniant yn unig, egwyl o ddigrifwch, rhywbeth sy'n cael ei anghofio'n fuan: heb fod yn ddrwg, ond heb fod yn arbennig o dda chwaith. Mae'n gas i orfod dweud hyn wrthot ti, ond pam na ddylwn i gyfaddef a minnau'n gwybod ei fod yn wir? Mae'r ochr ysgafn, arwynebol i mi'n siŵr o achub y blaen ar yr ochr ddwysaf bob amser ac oherwydd hynny mae'n mynd i ennill y fuddugoliaeth bob tro. Elli di ddim dychmygu pa mor aml yr ydw i wedi ceisio cael gwared â'r Anne hon, nad ydi hi ond hanner yr un sy'n cael ei hadnabod fel Anne - ei gorchfygu, ei chuddio. Ond dydi hynny ddim yn gweithio, ac mi wn i pam.

Rydw i'n arswydo rhag i'r bobl sy'n gyfarwydd â'r Anne-bob-dydd ddarganfod fod yna ochr arall i mi, un sy'n well a harddach. Mae gen i ofn y gwnân nhw fy ngwawdio i, meddwl fy mod i'n chwerthinllyd a gordeimladwy a gwrthod fy nghymryd o ddifri. Rydw i wedi hen arfer â hynny, ond dim ond yr Anne 'ysgafngalon' sy'n gallu derbyn a dygymod; mae'r Anne 'ddwysach' yn rhy fregus. Os ydw i'n gorfodi'r Anne dda i'r golau hyd yn oed am chwarter awr, mae hi'n mynd i'w chragen yr eiliad y mae gofyn iddi ddweud rhywbeth, ac yn gadael i Anne rhif un wneud y siarad. Cyn i mi sylweddoli, mae hi wedi diflannu.

Oherwydd hynny dydi'r Anne ddymunol byth i'w gweld mewn cwmni. Dydi hi ddim wedi ymddangos unwaith, er mai hi sydd â'r llaw uchaf pan fydda i ar fy mhen fy hun. Mi wn i'n union sut yr hoffwn i fod, sut yr ydw i ... y tu mewn. Ond yn anffodus dim ond efo fi fy hun y galla i fod felly. Ac efallai mai dyna pam, na, rydw i'n sicr mai dyna'r rheswm pam yr ydw i'n fy ystyried fy hun yn hapus y tu mewn a phobl eraill yn credu fy mod i'n hapus y tu allan. Rydw i'n cael fy arwain gan yr Anne bur oddi mewn, ond ar yr wyneb dydw i'n ddim ond gafr fach chwareus yn tynnu wrth ei thennyn.

Fel yr ydw i wedi sôn eisoes, fydda i byth yn dweud yr hyn yr ydw i'n ei deimlo, a dyna pam yr ydw i wedi cael yr enw o fod yn un am y bechgyn, yn fflyrt, yn ben bach ac yn ddarllenwr straeon caru. Mae'r Anne hapus braf yn chwerthin, yn rhoi atebion gwamal, yn codi'i hysgwyddau'n ddifater ac yn cymryd arni nad ydi hi'n malio'r un botwm corn. Ond mae'r Anne dawel yn ymateb yn hollol wahanol. Os ydw i am fod yn gwbl onest, mae'n rhaid i mi gyfaddef fy mod i yn malio, fy mod i'n ymdrechu'n galed iawn i geisio fy ngwella fy hun, ond fy mod i wyneb yn wyneb â gelyn mwy pwerus bob amser.

Mae llais o'm mewn yn crio, 'Dyna ti, dyna beth sydd wedi dod ohonot ti. Rwyt ti wedi dy amgylchynu â syniadau negyddol, wynebau gofidus a dirmygus, pobl nad ydyn nhw'n dy hoffi di, a'r cyfan oherwydd nad wyt ti'n gwrando ar gyngor dy hanner gorau.' Cred di fi, mi hoffwn i wrando, ond dydi hynny ddim yn gweithio, oherwydd os ydw i'n dawel a dwys, mae pawb yn credu mai actio yr ydw i unwaith eto ac rydw i'n gorfod fy achub fy hun drwy gellwair, ac mae hynny heb sôn am fy nheulu fy hun, sy'n cymryd yn ganiataol fy mod i'n sâl, yn gwneud i mi lyncu tabledi at gur pen a nerfau, yn teimlo fy ngwar a 'nhalcen i weld a oes gwres arna i, yn holi ydw i'n rhwym ac yn fy nwrdio i am fod mewn hwyl ddrwg, nes fy mod i'n methu goddef rhagor, oherwydd pan mae pawb yn hofran uwch fy mhen i rydw i'n mynd yn flin, yna'n ddigalon, ac o'r diwedd yn troi fy nghalon y tu chwith, fel bod y rhan ddrwg ar y tu allan a'r rhan dda ar y tu mewn, ac yn dal ati i geisio canfod ffordd o fod yr hyn hoffwn i a'r hyn y gallwn i fod pe ... pe na bai neb arall yn y byd.

Dy Anne M. Frank

MAE DYDDIADUR ANNE YN GORFFEN YMA.

EPILOG

Rywbryd rhwng deg a hanner awr wedi deg y bore ar Awst 4, 1944, tynnodd car i fyny y tu allan i 263 Prinsengracht. Daeth nifer o ddynion allan ohono: Karl Josef Silberbauer, rhingyll gyda'r SS, yn ei lifrai milwrol, ac o leiaf dri aelod Iseldiraidd o'r Heddlu Cudd, yn eu dillad bob dydd ond yn cario arfau. Mae'n rhaid fod rhywun wedi rhoi gwybodaeth iddynt.

Arestiwyd yr wyth oedd yn cuddio yn y Rhandy, yn ogystal â dau o'u cynorthwywyr, Victor Kugler a Johannes Kleiman - ond nid Miep Gies ac Elisabeth (Bep) Voskuijl. Ysbeiliwyd y Rhandy ac aed â'r arian a phopeth o werth oddi yno.

Wedi'r arestiad, aed â Kugler a Kleiman i garchar yn Amsterdam. Ar Fedi 11, 1944, cawsant eu hanfon, heb hyd yn oed eu dwyn i brawf, i wersyll yn Amersfoort (Yr Iseldiroedd). Cafodd Kleiman ei ryddhau ar Fedi 19, 1944, oherwydd cyflwr ei iechyd. Arhosodd yn Amsterdam hyd at ei farw yn 1959.

Llwyddodd Kugler i ddianc ar Fawrth 28, 1945, pan òedd ef a'i gyd-garcharorion ar fin cael eu hanfon i'r Almaen fel gweithwyr gorfodol. Ymfudodd i Ganada yn 1955 a bu farw yn Toronto yn 1989.

Bu Elisabeth (Bep) Voskuijl Wijk farw yn Amsterdam yn 1984.

Mae Miep Santrouschitz Gies yn dal i fyw yn Amsterdam; bu Jan, ei gŵr, farw yn 1993.

Yn dilyn eu harestiad, aed ag wyth preswylydd y Rhandy i garchar yn Amsterdam i ddechrau ac yna fe'u trosglwyddwyd i Westerbork, gwersyll dros-dro i'r Iddewon yng ngogledd yr Iseldiroedd. Ar Fedi 3, 1944, cawsant eu hallgludo, yn y cludiad olaf i adael Westerbork, a chyraeddasant Auschwitz (Gwlad Pwyl) dridiau yn ddiweddarach.

Yn ôl tystiolaeth Otto Frank, cafodd Hermann van Pels (van Daan) ei wenwyno â nwy yn Auschwitz yn ystod mis Hydref neu fis Tachwedd 1944, ychydig cyn i'r siamberi nwy gael eu dymchwel.

Cafodd Auguste van Pels (Petronella van Daan) ei chludo o Auschwitz i Bergen-Belsen, oddi yno i Buchenwald, yna i Theresienstadt ar Ebrill 9, 1945, ac yn ôl pob golwg i wersyll crynhoi arall wedi hynny. Mae'n sicr na fu iddi oroesi, er nad yw dyddiad ei marwolaeth ar gael.

Gorfodwyd Peter van Pels (van Daan) i gymryd rhan yn 'ymdaith angau' Ionawr 16, 1945, o Auschwitz i Mauthausen (Awstria) lle bu farw ar Fai 5, 1945, dridiau cyn i'r gwersyll gael ei ryddhau.

Bu Fritz Pfeffer (Albert Dussel) farw ar Ragfyr 20, 1944, yng ngwersyll crynhoi Neuengamme, lle'r oedd wedi ei anfon un ai o Buchenwald neu Sachsenhausen.

Bu Edith Frank farw yn Auschwitz-Birkenau ar Ionawr 6, 1945, o newyn a lludded.

Cludwyd Margot ac Anne Frank o Auschwitz ddiwedd Hydref i Bergen-Belsen, gwersyll crynhoi gerllaw Hannover (Yr Almaen). Lladdodd yr haint teiffws a dorrodd allan yn ystod gaeaf 1944-1945, o ganlyniad i'r diffyg glanweithdra enbyd, rai miloedd o garcharorion, yn cynnwys Margot. Bu Anne farw ychydig ddyddiau'n ddiweddarach, un ai ddiwedd Chwefror neu ddechrau Mawrth. Yn ôl pob tebyg cafodd eu cyrff eu taflu i feddau torfol Bergen-Belsen. Cafodd y gwersyll ei ryddhau gan filwyr Prydeinig ar Ebrill 12, 1945.

Otto Frank oedd yr unig un o'r wyth i oroesi'r gwersylloedd crynhoi. Pan ryddhawyd Auschwitz gan filwyr Rwsiaidd, cafodd ei anfon yn ôl i Amsterdam ar Fehefin 3, 1945, ac arhosodd yno tan 1953, pan symudodd i Basel (Y Swistir) lle'r oedd ei chwaer a'i theulu, a'i frawd yn ddiweddarach, yn byw. Priododd Elfriede Geringer (Markovits gynt), yn wreiddiol o Vienna, oedd wedi goroesi Auschwitz ac wedi colli gŵr a mab yn Mauthausen. O hynny hyd at ei farw ar Awst 19, 1980, bu Otto Frank yn byw yn Birsfelden, y tu allan i Basel, lle'r ymroddodd i'r dasg o rannu neges dyddiadur ei ferch â phobl dros y byd i gyd.

Dyddiadau Allweddol: Teulu Frank

1925 12 Mai:	Priodas Otto ac Edith Frank.
1926 16 Chwefror:	Geni Margot yn Frankfurt.
1929 12 Mehefin:	Geni Anne yn Frankfurt.
1933:	Teulu Frank yn gadael Frankfurt.
1934:	Teulu Frank ynghyd yn Amsterdam. Teulu van Daan yn ymfudo i'r Iseldiroedd.
1935:	Anne yn mynychu ysgol Montessori. Nain Anne yn dod i Amsterdam.
1939 Medi:	Dechrau'r Ail Ryfel Byd.
1940 10 Mai:	Yr Almaen yn goresgyn yr Iseldiroedd a Gwlad Belg.
1940 1 Rhagfyr:	Otto Frank yn symud ei fusnes i 263, Prinsengracht, Amsterdam.
1941 19 Chwefror:	Cychwyn restio torfol ar Iddewon yn Amsterdam.
1941 8 Mai:	Otto'n trosglwyddo'i gwmni i Jan Gies.
1942 12 Mehefin:	Pen blwydd Anne yn 13 oed; cael y dyddiadur yn anrheg.
1942 6 Gorffennaf:	Teulu Frank yn cuddio yn y Rhandy Dirgel.
1942 13 Gorffennaf:	Teulu van Daan yn dod i'r Rhandy Dirgel.
1942 16 Tachwedd:	Albert Dussel yn dod i'r Rhandy Dirgel.
1943 16 Gorffennaf:	Lladron yn torri i mewn i'r warws islaw.
1944 9 Ebrill:	Lladron yn y warws eto.
1944 12 Mehefin:	Pen blwydd Anne yn 15 oed.
1944 21 Gorffennaf:	Anne yn ysgrifennu yn ei dyddiadur am y tro olaf.
1944 4 Awst:	Darganfod a restio'r teuluoedd yn y Rhandy Dirgel.
1944 8 Awst:	Anfon y teuluoedd i wersyll Westerbork.
1944 3 Medi:	Anfon y teuluoedd i wersyll crynhoi Auschwitz.
1944 Hydref:	Anfon Anne a Margot i Bergen-Belsen.
1945 6 Ionawr:	Marw Edith Frank yn Auschwitz-Birkenau.
1945 27 Ionawr:	Rhyddhau Auschwitz-Birkenau: Otto Frank yn rhydd.
1945 Mawrth:	Marw Anne a Margot yn Bergen-Belsen.
1945 15 Ebrill:	Rhyddhau Bergen-Belsen gan y Cynghreiriaid.
1945 3 Mehefin:	Otto'n dychwelyd i Amsterdam.
1947:	Cyhoeddi *Dyddiadur Anne Frank*.

Dyddiadau Allweddol: Ewrop

1925:	Cyhoeddi llyfr Hitler, *Mein Kampf*.
1930:	Diweithdra uchel yn yr Almaen.
1932:	Plaid y Natsïaid â'r nifer fwyaf o aelodau yn senedd yr Almaen.
1933:	Hitler yn Ganghellor yr Almaen. Gwahardd pleidiau eraill. Dileu undebau llafur. Cychwyn gwahaniaethu yn erbyn yr Iddewon. Llawer o Iddewon yn gadael yr Almaen.
1934:	Hitler â rheolaeth lwyr dros yr Almaen.
1935:	Deddfau Nuremberg: Iddewon yn colli eu hawliau fel dinasyddion Almaenig.
1936:	Milwyr yr Almaen yn y Rheindir.
1938:	Yr Almaen yn meddiannu Awstria a Tsiecoslofacia. '*Kristallnacht*': ymosodiadau ar synagogau, siopau a thai Iddewon.
1939:	Yr Almaen yn goresgyn Gwlad Pwyl. Prydain a Ffrainc yn cyhoeddi rhyfel.
1940:	Yr Almaen yn goresgyn Norwy, Denmarc, Gwlad Belg, yr Iseldiroedd a Ffrainc. Brwydr Prydain. Yr Eidal yn ymuno â'r Almaen yn y rhyfel.
1941:	Y '*Blitz*' ym Mhrydain. Siapan yn bomio Pearl Harbor a'r Unol Daleithiau yn cyhoeddi rhyfel. Y Natsïaid yn cychwyn ar ddifa'r holl Iddewon yn y tiriogaethau a oresgynnwyd.
1942:	Penllanw concwest yr Almaen. Y Cynghreiriaid yn ennill brwydrau yng Ngogledd Affrica.
1943:	Trechu'r Almaenwyr gan Rwsia ym mrwydrau Stalingrad a Kursk. Y Cynghreiriaid yn goresgyn yr Eidal.
1944:	'D'-Day: Y Cynghreiriaid yn goresgyn Ffrainc. Gwrthryfel Iddewig yn Warszawa. Rhyddhau Ffrainc. Brwydr Ardennes. Newyn yn yr Iseldiroedd.
1945:	Goresgyn a threchu'r Almaen. Rhyddhau'r gwersylloedd crynhoi. Gollwng bomiau atomig ar Siapan. Diwedd yr Ail Ryfel Byd.